MOURA

La mémoire incendiée

Alexandra Lapierre

MOURA

La mémoire incendiée

Roman

Flammarion

© Flammarion, 2016.
ISBN : 978-2-0813-3282-9

Aux deux amours de ma vie
À Garance
À Frank

« Là où elle aimait, là se trouvait son univers.
Et sa philosophie de l'existence l'avait rendue maîtresse des innombrables conséquences qu'impliquaient ses sentiments.
Elle était une aristocrate. Elle aurait peut-être pu être une communiste.
Elle n'aurait jamais pu être une bourgeoise. »

R.B. LOCKHART,
représentant de l'Angleterre
auprès du gouvernement bolchevique en 1918

« Moura était la femme la plus intelligente de sa génération. »

H. NICOLSON, homme politique
et mari de Vita Sackville-West

« Elle semble être devenue encore plus gentille, plus indulgente. Et elle continue à s'intéresser à tout. Elle connaît tout... Quelle personne remarquable ! Elle a l'intention d'épouser un certain baron. Nous avons tous énergiquement protesté : le baron n'a qu'à se trouver une autre passion !
Celle-ci nous appartient à nous. »

M. GORKI,
auteur de *La Mère* et des *Bas-Fonds*

« Et Moura reste Moura. La Moura de toujours.
Humaine, imparfaite, sage, drôle, folle, et je l'aime
(...)
Au bout du compte, quand tout aura été dit, quand tout aura été fait, elle restera cela : la femme que j'aime viscéralement. J'aime sa voix, j'aime sa présence, j'aime sa force. Et j'aime aussi ses faiblesses. »

H.G. WELLS, auteur de *L'Homme invisible*
et de *La Guerre des mondes*

NOTE DE L'ÉDITEUR

Le lecteur trouvera une carte, quelques repères historiques, la liste des principaux personnages et un cahier de photos dans les *Annexes*, à la fin de ce roman.

Prélude

INVICTA

L'INVAINCUE

Dans les tourmentes de l'Europe, d'une guerre à l'autre, elle les a tous côtoyés : Staline, Churchill, de Gaulle. Et Maxime Gorki. Et H.G. Wells. Et bien d'autres, plus petits, plus obscurs.

Elle a vécu mille vies. Elle a porté mille noms. Elle fut Maria Ignatievna Zakrevskaïa pour les uns, madame Benckendorff pour les autres, la baronne Budberg pour la plupart. Quant aux diminutifs dont ses proches la gratifièrent, elle les collectionna : *Marydear* pour sa gouvernante irlandaise ; *Mourochka* pour sa mère d'origine polonaise ; *Marie* pour ses deux époux baltes ; *Baby* pour son amant britannique ; *Titka* ou *Tchoubonka* pour son amant russe ; *Moura* pour ses amies, *Moura* sans patronyme, mais toujours flanquée d'un possessif ou d'un adjectif : *ma Moura, ma merveilleuse Moura.*

Au fil du temps, en Russie, en Allemagne, en Estonie, en Italie, en Angleterre, en France, chacun eut avec elle – ou crut avoir – un lien privilégié, une complicité très intime et très particulière.

Séductrice dans l'âme.

Toutefois, parmi la foule de ses relations, nul ne laissa d'elle le même portrait. Amies, maris, amants, enfants : personne ne garda d'elle le même souvenir, personne ne partagea la même vision, personne ne décrivit sa nature de la même façon… Et personne ne put se flatter d'avoir reçu ses confidences.

Mystérieuse et secrète Moura.

Chaleureuse et volubile Moura.

Femme aux mille visages, femme aux mille facettes : les uns chantèrent sa tendresse, son affection sans faille et sa fidélité jusqu'à la mort. Les autres dénoncèrent ses trahisons constantes.

L'incarnation de la loyauté.

L'incarnation du mensonge.

Elle fut adorée par ceux qu'elle aima. Elle fut haïe par ceux qui la jugèrent trouble : aussi dangereuse qu'insaisissable.

Ses admirateurs et ses détracteurs s'entendirent néanmoins sur un point : Moura Zakrevskaïa-Benckendorff-Budberg symbolisa la Vie.

La vie sous toutes ses formes. La vie à n'importe quel prix. La vie quand même !

« *She was a survivor.* » La phrase revient éternellement dans les témoignages et les interviews : « Elle était *une survivante.* » La langue française ne rend qu'imparfaitement la notion de lutte et l'idée du triomphe final qu'évoque le mot anglais.

Déterminée à survivre dans la tempête de la Révolution bolchevique qui éradiqua sa classe et ses pairs, Moura le demeura son existence entière. *Déterminée à survivre* – et très bien – parmi les décombres d'un monde disparu.

Mais pas seulement.

Pour ma part, je ne choisirais pas l'instinct de survie comme l'unique singularité de son tempérament. Il est d'autres traits, plus obscurs ou plus éclatants, qui illustrent son caractère.

Sa liberté de corps, sa liberté d'esprit, sa liberté d'âme et de cœur, sa liberté absolue lui permirent de s'aimer elle-même, d'aimer ses compagnons de route et, très étrangement, de concilier l'inconciliable en parvenant à l'unité intérieure.

Ce fut ce courage-là, celui d'assumer une liberté sans bornes et d'aimer sans limites, qui suscita en moi le besoin de porter témoignage de ses incroyables aventures.

Ses aventures ? Les textes qui lui ont été consacrés depuis sa disparition en 1974 la décrivent unanimement comme une redoutable espionne. Au service de l'URSS, ou de la Grande-Bretagne, ou bien de l'Allemagne, selon les auteurs. Certains la prétendent même un agent double, travaillant à la fois pour la Russie et pour l'Angleterre.

Je dois à la vérité de dire que, dans les archives du contre-espionnage des trois nations qu'elle aurait trahies ou servies pendant un demi-siècle, je n'ai trouvé aucune preuve de ses activités. Les spécialistes que j'ai interrogés à ce propos m'ont répondu que cette absence de traces constituait précisément la preuve que je cherchais : les grands espions ne laissent pas d'empreintes.

Je conclurai pourtant comme cet employé du Deuxième Bureau qui épluchait, dans les années trente à Paris, les rapports des informateurs du préfet de police. En marge des feuillets relatant les filatures de « la femme Budberg », il tira un long trait vertical, puis il écrivit au bas du dossier avec un crayon rouge : *Maigre !*

Trop maigre : son dossier le demeure en effet. Ou trop touffu et trop riche. Trop de zones d'ombre, trop de coups de théâtre, trop d'émotions, trop de personnages. Les historiens de l'école anglaise qui avaient voulu lui faire écrire ses souvenirs ou, à défaut, qui l'avaient interrogée sur son parcours, finirent, comme la police française, par jeter l'éponge : *trop de roman russe !* Et pour cause… Elle-même usa de la construction romanesque avec une telle maestria qu'elle finit par appartenir tout entière à la légende, au mythe et à l'imaginaire. Les faits, la réalité objective comptèrent si peu pour elle. Elle ne fit jamais aucun cas de la Vérité. Sinon de la sienne.

Toutefois, les documents d'archives révèlent que cette femme appartient à l'Histoire.

Ma quête sur ses pas m'a conduite durant trois ans dans les bibliothèques de Russie, d'Estonie, de France, d'Angleterre, d'Italie et d'Amérique, autant de pays où Moura a laissé des traces écrites.

Mon récit s'appuie sur cet immense corpus de lettres, de rapports et de témoignages qui, tous, ont nourri mon imagination.

J'ai traduit de mon mieux ses échanges avec H.G. Wells qui n'ont pas été publiés en français. Ainsi que sa correspondance en russe avec Gorki. J'espère de tout cœur n'avoir pas trahi le ton et l'esprit de ces deux grands écrivains.

Comble d'ironie : au terme de cette longue recherche universitaire, je suis revenue à la forme romanesque, qu'elle-même avait élue d'instinct. La plus juste à mes yeux pour me glisser dans les contradictions de son âme, et tenter de la ramener à la vie.

Le lecteur peut cependant considérer que les protagonistes, les lieux, les dates, les paroles et les actes de Moura en ma connaissance sont rapportés avec autant d'exactitude que possible dans ce roman. S'il souhaite en savoir plus, il trouvera à la fin du volume une courte bibliographie traitant de la Révolution russe, de l'œuvre des auteurs dont elle partagea la vie, et de l'espionnage international entre les deux guerres.

Impossible cependant d'épuiser la multitude des sujets qui touchent à sa destinée.

Avec ses forces et ses faiblesses, Moura personnifie toutes les audaces du XXe siècle. Ses souffrances, aussi. Et ses paradoxes.

Avec ses forces et ses faiblesses, elle incarne à mes yeux, tragiquement, magnifiquement, la condition humaine.

Livre I

LA PREMIÈRE VIE
DE
MARY DEAR

Une cuillère d'or entre les lèvres :
l'amour aux mille visages

Mars 1893 – Avril 1918

Chapitre 1

DUCKY
1892

L'attachement des gouvernantes aux enfants qu'elles élèvent se mesure peut-être à l'aune de leurs manques et de leurs malheurs. Ceux de la *nanny* irlandaise des enfants Zakrevski se résumaient à une suite de tragédies dont nul, en Russie, n'entendrait parler.

Elle s'appelait Mrs Margaret Wilson, dite *Ducky*.

À l'amour de sa nurse, Moura devrait tout : sa sérénité, sa gentillesse, et sa magnifique aptitude à l'indulgence qui plairait tant aux hommes.

*

Bien que Ducky fût mariée, *Wilson* était son nom de jeune fille. Non pas Irlandaise d'origine, mais Anglaise. Elle appartenait à une famille protestante de la petite bourgeoisie de Liverpool où ses parents tenaient une épicerie. À leur fille unique, ils inculquèrent le sens de la tenue, le goût des bonnes manières et de solides principes moraux. Pour le reste, l'éducation de Margaret Wilson resta des plus succinctes. Elle savait certes écrire, et même compter. Lire, bien sûr. Mais, peu portée sur les idées, encore moins sur le savoir, elle ne s'absorbait ni dans les romans ni dans les poésies dont regorgeaient les journaux pour demoiselles. Elle était en revanche douée de beaucoup d'intuition et d'une formidable jugeote. Grande, élancée, instinctivement élégante, Margaret faisait l'admiration du quartier. Sa réserve et sa dignité plaisaient. Et rien dans ses rêves de jeune fille ne l'avait préparée au coup de foudre pour un rebelle irlandais – catholique de surcroît –, aux déchirements de la révolte devant l'opposition paternelle, aux doutes quant à l'honnêteté de sa conduite, au mariage à la sauvette, et à l'installation au cœur de la misère de Dublin. Rien, sinon sa flamme et sa fureur de vivre.

L'alcoolisme de son époux, ses fréquentes descentes dans les bouges, la naissance d'un enfant sonnèrent rapidement le glas de leur vie conjugale. Un soir, il ne rentra pas, et ne reparut plus.

Abandonnée, sans ressources, sans nouvelles de son mari dont elle ne sut jamais s'il était mort ou vivant, la jeune femme avait lutté contre le naufrage. Cumulant plusieurs emplois, assumant tant bien que mal l'éducation de Sean, son petit garçon, elle s'en était sortie seule. Elle avait alors dix-huit ans.

L'austérité de ce destin de « mère Courage » aurait pu durer toute son existence, n'eût-elle rencontré le second homme de sa vie en la personne du colonel Thomas Gonne, militaire de l'armée britannique. Il avait vécu aux Indes et en Russie, il était maintenant à Dublin. Veuf, père de deux filles à marier, riche, le colonel était, comme elle, très épris du pays où il se trouvait en poste. Ce dernier trait – sa passion pour l'Irlande – semblait son seul point commun avec Mrs Wilson. Sur tous les autres plans, ils n'appartenaient pas au même monde.

Le colonel Gonne la courtisa toutefois selon les règles, l'assaillant de fleurs et d'attentions, attendant avec respect, avec patience, qu'elle s'abandonnât. La distinction innée de Mrs Wilson l'avait séduit. Et s'il n'eut jamais l'intention d'en faire autre chose que sa maîtresse, il sut reconnaître en elle une compagne charmante, avec laquelle il pourrait suivre un petit bout de chemin. Et peut-être, qui sait, terminer agréablement sa route ?

Margaret était alors âgée de vingt-deux ans. Le colonel en comptait trente de plus. Libre de ses affections, généreux, courtois, il réussit à la rassurer. Elle entrevit une promesse de bonheur, et finit par lui céder.

Une faute, car cette chute la ravalait au rang des gourgandines. Leur liaison se compliqua très vite : dès le lendemain de leurs premiers ébats, elle attendait un bébé. Il promit de veiller sur la mère et l'enfant. Mais quand le colonel Gonne mourut subitement de la fièvre typhoïde, l'aventure vira à la tragédie.

Margaret n'apprit le décès et les funérailles de son amant qu'au lendemain de son accouchement, en regardant, de la rue, leur petite fille dans les bras, les fenêtres éteintes et la maison vide. Les domestiques du colonel étaient rentrés en Angleterre.

Elle tenta à nouveau de lutter. En vain. Cette fois, elle ne se remit pas du coup. Elle sombra.

Son emploi, sa respectabilité, son amour : elle avait tout perdu. Dans un ultime sursaut, elle trouva l'énergie de s'embarquer pour Londres. Le colonel y avait un frère dont il lui avait naguère parlé, un frère qu'il avait nommé tuteur de ses filles. Le but du voyage était d'obtenir quelques subsides, le temps pour le bébé de survivre jusqu'à ce qu'elle-même ait retrouvé du travail.

La honte que lui coûta cette démarche resterait à jamais fichée dans son âme. L'humiliation de s'entendre dire qu'elle n'était qu'une menteuse, une aventurière qu'on allait jeter à la porte, les cris, les menaces…

La chance voulut que la propre fille du colonel, Miss Maud, alors âgée de vingt ans, entendît les insultes dont son oncle abreuvait la jeune femme qui sanglotait dans le salon. Maud avait vénéré son père. Elle-même s'était chargée de poster l'enveloppe qu'il lui avait confiée sur son lit de mort : une lettre et un chèque à l'intention d'une certaine « Mrs Wilson ». Elle ne douta pas que le nouveau-né dont on évoquait ici l'existence fût sa demi-sœur.

S'ensuivit entre Maud et Margaret une forme de sympathie autour de la mémoire du défunt. Sensiblement du même âge, les deux jeunes femmes se revirent. L'une avait hérité une fortune et proposait de se charger d'Eileen, l'enfant posthume de son père. L'autre se battait contre la faim et refusait avec obstination de confier sa fille à quiconque.

Margaret tint ainsi six années. Libre, mais dans la misère la plus noire.

Quand son petit garçon n'eut d'autre choix que de s'engager comme mousse à dix ans et qu'on lui eut démontré que, par orgueil et par égoïsme, elle gâchait toutes les chances d'une vie décente pour sa fille, elle se rendit à la raison. Une reddition temporaire. Il s'agissait d'accepter un emploi au service d'une famille russe très fortunée. Une année à l'étranger, payée ce qu'elle gagnerait à Dublin en cent ans. Ses émoluments lui permettraient de refaire surface et d'assurer, à son retour, l'éducation d'Eileen et de Sean. L'employeur potentiel était un aristocrate ukrainien qui avait très bien connu le colonel Gonne, quand ce dernier se trouvait en poste à Saint-Pétersbourg. Anglophile, il désirait que sa progéniture, qui vivait aujourd'hui sur ses terres dans la région de Poltava, parle couramment la langue de Shakespeare. Maud, la fille de son vieil ami à laquelle il avait rendu visite à Londres, s'était permis de lui recommander une veuve irlandaise de sa connaissance. Elle lui avait présenté Margaret comme une personne de mérite, aujourd'hui dans le besoin, qui avait été sa lectrice et sa dame de compagnie à Dublin. Une *nanny* idéale. Le charme et la distinction de Mrs Wilson avaient fait le reste. Il l'avait engagée. La souffrance qu'avait coûtée à Margaret l'arrachement d'avec sa fille alors âgée de six ans, l'ampleur de son sacrifice ne peuvent se mesurer.

Le destin de Margaret Wilson paraîtrait sans doute d'une banalité dont le romanesque ne le disputerait qu'au mélodrame, n'était la personnalité de tous les protagonistes, *plus grands,* chacun à sa manière, *plus forts, plus tenaces que la Vie même...* Comme tous les êtres proches de Moura.

Ainsi cette Miss Maud, qui servirait de mère à l'enfant de Mrs Wilson, n'était autre que la future muse du plus génial des poètes irlandais, William Butler Yeats... L'illustre « Maud Gonne », à laquelle Yeats dédierait plusieurs de ses œuvres, bataillant à ses côtés pour l'indépendance de l'Irlande.

Quant à Son Excellence Ignace Platonovitch Zakrevski, qui ramenait dans ses bagages une gouvernante quasi illettrée, il deviendrait, lors de l'un de ses prochains voyages à Paris, l'ami et le complice d'Émile Zola dans sa lutte pour la réhabilitation du capitaine Dreyfus. Le sénateur Zakrevski, juriste de la cour du Tsar, prendrait même haut et fort la défense de Dreyfus contre l'ensemble du gouvernement de Félix Faure. Il attaquerait dans tous les journaux étrangers qui accepteraient ses articles – notamment le *Times* de Londres – la monstrueuse conduite de la France envers un innocent.

Ce geste lui coûterait sa carrière. Mais il lui gagnerait l'estime de l'éducatrice de ses enfants.

À la veille de son départ pour l'Ukraine, en ces sombres heures de décembre 1892, Mrs Wilson sanglotait intérieurement... Au bout du monde. Une séparation d'une année d'avec ses petits, un an aux antipodes, croyait-elle.

Erreur. Son aventure allait durer près d'un demi-siècle. Jusqu'en 1938, date de sa propre mort.

*

Pendant leur interminable périple, le majordome de Son Excellence avait eu tout le loisir de l'informer du passé de la famille qu'elle s'apprêtait à servir. La branche de Son Excellence remontait à un chef cosaque qui aurait été le petit-neveu de Pierre le Grand. Ou plus exactement : le neveu de la tsarine

Élizabeth et de son époux morganatique, Cyrille Razoumovski. Son Excellence pouvait donc se flatter d'être lié à la famille des Romanov : un lointain cousin de Sa Majesté l'empereur Nicolas II.

Que ce cousinage fût un mythe importait peu : les Zakrevski n'avaient nul besoin d'une telle légende pour appartenir très réellement à la noblesse. Leurs aïeux étaient même si bien nés qu'ajouter un titre à leur nom ne leur était pas venu à l'esprit.

Les Zakrevski n'étaient donc ni princes, ni comtes, ni barons, au contraire de leurs parents et de leurs voisins, les princes Narishkine, Saltikov ou Kotchoubey. Inutile. Le lignage des Zakrevski valait, à leurs propres yeux, mieux que cela.

Si ces subtilités de la noblesse russe échappaient complètement à la fille de l'épicier de Liverpool, Mrs Wilson mesura, au ton du majordome, la grandeur de la maison d'Ignace Platonovitch Zakrevski. Elle en fut elle-même convaincue à la seconde. Elle en resta pénétrée à jamais.

Et gare à qui oserait, dans l'avenir, mettre en doute la très haute extraction de Moura et de ses sœurs. Plus snob en ce sens que ses ouailles, plus fière de leur naissance et de leur histoire familiale, Mrs Wilson se ferait le champion de l'aristocratie du clan, défendant les prérogatives des Zakrevski jusque dans les circonstances les plus tragiques de la Révolution.

Le majordome, qui suivait Son Excellence à Londres depuis trente ans, parlait l'anglais très correctement. Il soulignait toutefois que Son Excellence connaissait *aussi* le français, l'allemand et l'arabe. Que Son Excellence avait étudié le droit à Saint-Pétersbourg, à Berlin et à l'université d'Heidelberg. Que Son Excellence était célèbre dans l'Europe entière pour ses articles sur le système juridique russe et pour sa croisade en faveur de l'institution d'un jury populaire dans les procès. Que Son Excellence avait été invitée à Versailles après la défaite française de 1871, pour assister en juriste aux négociations entre le chancelier Bismarck et le président Thiers. Que Son Excellence avait choisi de troquer son poste de juge de paix à Saint-Pétersbourg contre celui de procureur en Ukraine, s'installant ainsi à proximité de ses propres terres.

En vérité, Ignace Platonovitch Zakrevski avait hérité de tous les manoirs et de toutes les forêts dans les villages d'Orlovka, de Kazilovka et de Piriatine. Il avait surtout hérité du château de famille, Berezovaya Rudka. Il possédait en outre une distillerie de vodka extrêmement lucrative, vodka qu'il vendait partout dans l'Empire. Il produisait du sucre, du tabac et – plus rentable encore – du salpêtre dont il faisait de la poudre à canon. Bref, il était l'un des propriétaires les plus puissants d'Ukraine. Et rien ne l'obligeait à mener une carrière de juriste, sinon sa formidable curiosité intellectuelle et sa passion pour le droit.

Aujourd'hui, Son Excellence pouvait avoir une cinquantaine d'années. Il était grand, maigre, avec une petite tête d'oiseau, qu'accentuaient un cou trop long, un crâne étrangement rond et un nez en bec d'aigle. La moustache noire, effilée, qui barrait largement son visage évoquait encore les plumes d'un oiseau de proie. Sauf son respect, Ignace Platonovitch était tout, excepté un éphèbe.

Mais élégant, distingué, courtois envers Mrs Wilson, plein de hauteur, de morgue et d'impatience envers ceux qui n'appartenaient pas à sa maison. Un homme dont Margaret pourrait peut-être respecter l'autorité. Un homme habitué à commander, tel qu'elle les aimait. Non que la moindre séduction se fût introduite dans leurs rapports. De ce côté, la galanterie et la bagatelle, elle resterait à jamais une grande brûlée de la vie.

Tel n'était pas le cas d'Ignace Platonovitch. Sensible aux charmes du sexe faible – bien *trop* sensible, au gré de son épouse –, il avait pour habitude d'engrosser les paysannes de ses domaines et de collectionner les maîtresses dans toutes les capitales.

S'il avait espéré se distraire de l'ennui du voyage en flirtant avec la jolie gouvernante, il comprit tout de suite qu'elle ne lui en laisserait pas le loisir. Impossible de se permettre la moindre privauté à l'endroit de cette sorte de femme, fût-ce en parole. Quant à tenter un geste... Pas une chance. Il choisit donc de tuer le temps, en l'interrogeant sur ses sentiments, ses souvenirs, sa vie personnelle... Dublin, son mari, ses enfants, ses rapports avec Maud, ses relations avec le colonel Gonne : il voulait tout savoir.

Assise en face de lui dans le luxueux compartiment du train qui les conduisait en Ukraine, Margaret Wilson, raide, tendue, répondait par monosyllabes : l'insistance des questions lui était pénible. Leur indiscrétion l'obligeait à mentir, chose qu'elle détestait. Elle était en outre bien placée pour savoir combien son engagement chez les Zakrevski relevait de l'imposture. Que pourrait-elle enseigner aux rejetons d'un tel personnage ? Difficile même d'en déterminer le nombre... Un fils d'une douzaine d'années, envers lequel Ignace Platonovitch semblait professer le plus total mépris ; deux jumelles d'environ cinq ans ; une pupille, l'aînée de la bande ? D'autres encore ? Il n'en parlait pas. Il n'évoquait pas non plus leur mère sinon pour rappeler qu'elle attendait un bébé. Quant à ce qu'il espérait de la pédagogie de Mrs Wilson... Mystère. Il se contentait de lui assurer que, pourvu qu'elle obligeât toute la maisonnée à parler anglais à table comme à l'office, il en ferait la chef des quatre nourrices, des quatre bonnes d'enfants, des quatre précepteurs, des multiples demoiselles françaises, bref de toute *la ménagerie*, ainsi que le sénateur qualifiait les anciennes gouvernantes de sa femme qui régnaient sur la nursery.

Terrifiée à l'idée de trahir, par son ignorance et son accent, la modestie de ses origines, Margaret tentait de les dissimuler en se taisant. Peine perdue. Inquisiteur, il ne la lâchait pas : l'ancien juge, le procureur Zakrevski, avait l'habitude des interrogatoires.

Le regard fixe, la parole rare, elle se laissait dévisager et l'observait, elle aussi. Elle tentait de le jauger. Son nouveau maître... Le *petit père* des deux mille âmes peuplant ses châteaux et ses terres. Le *barine,* ainsi que l'appelaient les paysans à longue barbe dans les gares. Ils lui baisaient la main : l'hommage de ses serfs d'antan, libérés depuis trente années à peine. Cet homme qui, en dépit de son apparente courtoisie, lui soufflait la fumée de son cigare dans les yeux, qui se levait, qui se rasseyait, qui ne tenait pas en place, toujours aux aguets, toujours en mouvement, cet homme doué d'une curiosité, d'une intelligence et d'une énergie sans égales, ne savait ni se taire, ni écouter, ni s'arrêter, ni attendre. Et son impatience, doublée de son manque de tact, le perdrait. Telle fut la première impression de Margaret Wilson, une intuition fulgurante qu'elle se hâta d'oublier.

Trop d'étrangetés.

À mesure que le train s'enfonçait dans l'immensité blanche, qu'il s'ouvrait une voie au cœur des forêts, elle perdait le sens du temps et ses dernières notions de limites.

Trop d'images, trop de sensations, trop de peurs nouvelles.

L'importance des malles et l'ampleur de la domesticité qui servait Son Excellence dans son wagon aurait cependant dû la préparer à l'atmosphère du château de Berezovaya Rudka.

*

Au son des clochettes et des grelots, la longue suite de traîneaux glissait sous le berceau des arbres.

Telle une interminable saignée, l'allée conduisait droit du hameau à la maison. Mais pas une lumière à l'horizon, pas une lueur dans le ciel. En vérité, n'étaient les lanternes des troïkas : une obscurité totale. Et quiconque aurait évoqué pour Mrs Wilson les scintillements de la lune sur la neige, ou les éclaboussures du soleil sur la glace, ou les champs de poudreuse inondés par un crépuscule pourpre, l'aurait vilement trompée. Quant au silence des grands espaces... Le vent mugissait dans les cimes des peupliers, les précieux peupliers importés d'Italie

29

qui bordaient l'allée. Leurs branches bruissaient avec des chuinte-ments de papier qu'on froisse, de soie qu'on déchire. Un souffle puissant labourait les bois alentour, secouant les pins et les bou-leaux qui craquaient et crissaient sur des centaines de verstes, dans un vacarme inquiétant.

Le traîneau du maître filait en tête. Il le conduisait lui-même, lançant ses trois chevaux à l'assaut des éléments. Plus vite, plus fort... Au galop et à coups de fouet, Son Excellence reprenait possession de sa terre.

Recouverte de la peau d'ours qu'on avait jetée sur leurs genoux, la jeune étrangère qu'il emportait dans sa course eût souhaité que le voyage ne s'arrêtât jamais. Un trajet sans objet, sans fin, qui ne conduisait nulle part.

Ne plus penser à ses enfants, oublier Dublin. Ne plus même imaginer l'avenir.

Juste sentir le vent, le froid, la vie lui cingler le visage. Plus vite, plus fort. Elle aussi avait besoin d'action, de violence et de cris. Les forces qui tempêtaient dans les arbres au-dessus d'elle s'inscrivaient dans sa chair, hurlaient en elle et cherchaient un exutoire.

En voyant surgir au bout du chemin, brutalement, la masse blanche, baroque et foisonnante de Berezovaya Rudka, elle com-prit qu'elle touchait au but.

Tous les styles, toutes les matières, toutes les formes. Un enchevêtrement de colonnes et d'arcades, de vérandas, de ter-rasses, de loggias ornées de mosaïques, de balcons en bois sculpté, de balustrades et de rampes en fer forgé. Sans parler de l'escalier d'honneur et du blason qui occupait, au-dessus du porche, toute la hauteur de l'étage.

Sans parler non plus de la centaine de personnes qui s'ali-gnaient entre les flammes des torches, sur le perron : le tintement très particulier des grelots du maître avait prévenu son monde. Silhouettes fantomatiques d'hommes en chapeau haut de forme, en frac et en houppelande de loup. De dames en zibeline, en toque et en robe à tournure. De petites filles en courte jupe blanche, manchons immaculés sur le ventre. D'aïeules ratatinées sous leurs coiffes victoriennes, en manteau de fourrure, toilette noire et perles de jais... De jeunes gens en uniforme de l'armée russe, de cámeristes en tablier de dentelle, de paysannes en costume ukrainien, de moujiks en bottes, de popes en soutane. Tous les univers, tous les sexes, tous les âges.

Avec, au centre même du groupe, l'ombre monumentale de la femme enceinte : la frivole et redoutable mère de cette immense famille. La génitrice de Moura, dont dépendrait désormais le destin de Margaret Wilson. Sa Haute Noblesse Maria Nicolaïevna Boreisha, dite, ici, parmi les familiers qui n'avaient pas sa faveur, « la Vipère ».

Chapitre 2

LA VIPÈRE
1893 – 1897

Relativement jeune : trente-quatre ans. Jolie, et même fort attirante en dépit des rondeurs dont elle ne se débarrasserait plus, Maria Nicolaïevna savait retenir qui lui plaisait.

Blonde, le teint pâle, les yeux verts, avec un regard perçant qui pouvait glacer, elle ne manquait ni d'intelligence, ni d'ambition, ni d'entrain, ni d'éducation, ni d'esprit. Sa propre mère avait été dame d'honneur de l'Impératrice et passait pour une baronne bien née. Maria Nicolaïevna elle-même, élevée en Pologne, ne s'exprimait qu'en français. Quant au reste, elle avait la réputation d'aimer le luxe et de se venger des infidélités de son mari en lui rendant la pareille. Une mentalité de courtisane, aux dires des épouses de ses voisins. Impossible de se montrer plus légère avec les hommes qui lui rendaient visite. Quant aux femmes… elle les considérait comme ses rivales, sans exception.

Elle ne manifesta toutefois aucune hostilité envers la séduisante créature qu'on lui ramenait d'Irlande. Au rebours de ses habitudes, pas de jalousie. Elle l'accueillit même avec grâce.

On murmura tout de suite que, pour sa paix et ses plaisirs, la Vipère avait mesuré l'utilité de la dernière venue. Car, si elle détestait la campagne et ne se souvenait de l'existence de sa progéniture que par bouffées, elle connaissait ses intérêts et savait les préserver.

Quoi qu'il en soit, entre la mère et la gouvernante n'exista jamais la moindre concurrence.

*

Des salons d'apparat à la nursery de « Wilson », dans l'aile gauche – on usait de son patronyme afin de garder les distances –, des boudoirs bleu et rose de Maria Nicolaïevna aux quartiers rose et blanc de « Ducky » – ainsi l'appelait désormais la jeune génération –, l'harmonie régna dans la seconde. Un équilibre étonnant.

Les deux femmes s'entendirent sur tout, même sur le choix du prénom, lors de la naissance du bébé deux mois plus tard. On l'appellerait *Mary*, à l'anglaise, ainsi que Son Excellence Ignace Platonovitch l'avait souhaité.

Cette concession à l'anglophilie du maître – la seule concession entre les époux – ne dura guère. Le père baptisa finalement sa quatrième fille Maria Ignatievna, conformément à l'usage, et l'affubla du diminutif habituel : *Moura*.

Pour la mère : *Mourochka*, histoire d'accentuer le diminutif, sans utiliser celui dont usait son mari.

Pour « Ducky », la gouvernante : *Baby Dear*. Et nul ne songerait à la contredire sur ce point : Maria Ignatievna Zakrevskaïa était née « Babydear » le 6 mars 1893 à Berezovaya Rudka. Elle resterait « Babydear » jusqu'à ses dix-huit ans, jusqu'à son mariage le 24 octobre 1911 à Berlin.

Alors seulement, Baby se transformerait à nouveau en Mary et deviendrait *Marydear* jusqu'à la fin de leurs jours.

Dans le cœur de Moura, le mot *baby* incarnerait à jamais le dévouement, l'harmonie, toute la tendresse du monde. « Baby », parmi les petits noms au panthéon de ses amours, « Baby » ne pourrait plus personnifier quiconque, sinon l'homme de sa vie.

D'ici là, Margaret Wilson veillait au grain. Lourde tâche !

Se fût-elle arrêtée un instant sur la personnalité de Sa Haute Noblesse Maria Nicolaïevna, sur sa conduite envers son fils aîné, envers la pupille de son mari, envers ses jumelles, envers Baby-dear même, elle l'aurait haïe. Maria Nicolaïevna était de ces femmes qui divisent pour régner. À ses yeux, l'humanité se répartissait en deux catégories : les êtres auxquels les mérites ou la beauté donnaient droit de cité dans ses affections ; et le reste, sans importance et sans réalité. Heureux toutefois l'élu de son cœur : celui-là était sacré *exceptionnel* ! Pour une semaine ? Un mois ? Une année entière ? Celui-là seul comptait, excluant tous les autres. À l'égard de son favori, Maria Nicolaïevna n'était avare d'aucun compliment, d'aucune gâterie, d'aucun sacrifice même. Son admiration était sans limites, et sa cordialité généreuse. Résultat : chacun autour d'elle se disputait sa préférence, espérant la retenir par une élégance *exceptionnelle*, un esprit, un talent.

Parmi ses enfants, elle avait d'abord aimé le garçon. L'héritier de Berezovaya Rudka portait le nom de son grand-père, Platon ; elle l'avait baptisé Bobik. Jusqu'à ses dix ans, Bobik lui avait paru digne d'appartenir aux *happy few* de son cercle. Frêle, le teint pâle : un ange, avec ses boucles blondes et son expression mélancolique. Et puis un jour, elle l'avait jugé malingre, bien trop petit pour son âge, trop mou, trop terne, trop lent. Un mot résumait l'ensemble : elle l'avait soudain trouvé « laid ». Et de ce jour, Bobik avait cessé d'exister. Le malheureux ne s'en remettait pas, devenant à chaque instant plus proche du portrait qu'en dressait sa mère.

Déçue par son fils, elle avait reporté son affection sur ses filles, Alla et Anna, de sept ans plus jeunes que lui. Encore n'avait-elle pas admis dans son cœur les deux jumelles au même niveau. L'une la touchait : Alla, la plus vive, la plus jolie. Celle-ci, avec sa longue chevelure d'un roux mordoré retenue dans le dos par un gros nœud blanc, lui semblait adorable. L'autre, Anna, dotée de la même chevelure, mais plus réfléchie, louchait un peu. Un défaut qui n'était pas assez visible pour la bannir du paradis maternel, mais qui la plaçait loin derrière, parmi la foule des postulants.

L'apparition de Mourochka avait, d'un coup, détrôné tout le monde. La dernière-née était de loin la plus mignonne, la plus friponne de ses bébés ! Et la passion très particulière de Maria Nicolaïevna pour Babydear, effaçait au regard de Margaret Wilson l'ensemble de ses autres manquements. La gouvernante se garderait toujours de formuler la moindre critique à l'endroit de la mère des enfants dont elle avait la charge. *La mère*. À ce titre, Maria Nicolaïevna jouissait de son respect. Sans conditions.

*

L'aisance avec laquelle Wilson se coula dans le rythme de Berezovaya, n'étonna personne. « Elle subit le charme de cette grande famille, russe, russe, russe jusqu'au bout des ongles, commentait la lectrice française… Elle le subit sans même reconnaître sa fascination. »

Ducky admirait, oui, la liberté qui régnait entre ses membres, sa générosité envers les parents les plus démunis, les cousines célibataires, les vieilles lectrices, les vieilles nounous. Elle se disait que peut-être, en effet, la vie en Russie dans les anciens manoirs pouvait vous offrir des moments parfaits.

Au terme d'une année, chacun redoutait de lui poser la question : comptait-elle rentrer en Irlande, comme le stipulait son contrat ? Maria Nicolaïevna ne se donnait pas la peine de l'interroger. Elle tenait pour acquis que Wilson appartenait à sa maison.

Ducky en perdait le sommeil. Ses enfants lui manquaient.
Partir, rester ? Quelle décision prendre ?
L'argent qu'elle envoyait en Irlande lui avait permis de placer son fils, Sean, dans une école militaire : il serait officier de

marine, comme il le souhaitait. Quant à Eileen, elle grandissait dans l'hôtel particulier que sa demi-sœur avait acquis avenue du Bois à Paris. Leurs lettres exprimaient une certaine forme de contentement.

Le retour de leur mère à Dublin signifierait leur réinstallation à tous trois dans les taudis des faubourgs. Un an de salaire – déjà dépensé en frais de pension – ne leur permettrait pas de tenir longtemps.

Comment revenir sciemment à la misère, sans éprouver le sentiment d'une régression et d'un avenir bouché ?

Elle prenait peur. Et la perspective d'un nouvel arrachement – quitter Babydear, quitter Alla et Anna, quitter même Bobik – achevait de la jeter dans les affres.

Un matin toutefois, la situation lui apparut clairement : elle n'avait pas le choix, elle financerait les études de Sean, elle gagnerait la dot de sa fille en Russie. Ensuite, elle reviendrait chez elle.

Sa décision prise, Ducky retrouva un semblant de paix.

*

Elle jouissait des brûlantes journées d'été, à l'heure où la maison faisait la sieste, quand aucune agitation ne troublait le silence. Elle savourait ce moment où elle s'employait seule à vérifier que tous les stores avaient été correctement baissés. Elle traversait alors le salon d'apparat, la salle de bal, la longue enfilade des pièces qui menaient au second escalier et à l'aile des enfants. Sur son chemin, les vases de lys et de roses remplissaient l'air d'un parfum entêtant, qui la poursuivait jusqu'à l'étage. Là-haut, les jumelles partageaient la même chambre, claire et spacieuse, où semblaient éclater le blanc des murs, le blanc des grands poêles de faïence, et des rideaux de mousseline qu'aucun souffle ne gonflait. Et plus tard, la table qu'on dresserait dans la nursery pour le goûter, toute blanche elle aussi, lui évoquerait, avec son argenterie et son samovar d'or, l'autel et les ciboires de l'église, à

Dublin. Elle y prendrait place avec un léger soupir d'aise, en patientant pour que le thé soit servi. Inutile de descendre aux cuisines : une armée de domestiques lui apporterait les friandises de ses protégés. Non que le goût de l'action lui manquât. Elle s'activait. Elle vérifiait le linge, comptait les mouchoirs, classait les livres, rangeait les jouets. Se connaissant peu douée pour les travaux manuels, elle veillait sur les moindres détails de l'organisation. Son inlassable énergie, même aux heures les plus torrides, alimenterait les plaisanteries du soir : Wilson était bien la seule à ne pas souffrir de la chaleur à Berezovaya !

Elle trouvait néanmoins les plus grandes difficultés à supporter les scènes qui s'y répétaient l'été, lors d'un déjeuner ou d'un souper.

En ces circonstances, son pas claquerait plus sec sur les dalles, sa voix semblerait plus sourde, son ton plus impatient. Et son accent redeviendrait cockney. La violence avec laquelle elle reculerait sa chaise en ne dépliant pas sa serviette ou en la rejetant sur la nappe, exprimerait clairement son opinion : elle ne cautionnait en aucune façon la conduite de ses maîtres.

L'usage voulait que toute la maisonnée partage leurs repas. À une extrémité de la table, sous l'autorité de Son Excellence, se regroupaient les messieurs, parents ou voisins des Zakrevski. Au milieu, sous l'égide de Sa Haute Noblesse : les dames, lectrices ou confidentes. Au bout, les enfants, leurs nourrices, leurs précepteurs, la grande domesticité, sous la férule de Ducky. Trois mondes aux bavardages étanches.

Et Ducky détestait quand Maria Nicolaïevna, se tournant soudain vers la jeune classe, interrompait toutes les conversations pour prendre à partie Daria Mirvoda, sa pupille, critiquer sa tenue et l'humilier. Certes, nul n'ignorait qu'en fait de « pupille », cette ravissante personne de quinze ans était la fille naturelle d'Ignace Platonovitch. Et qu'il l'avait eue avec une paysanne du village voisin. Et qu'il l'imposait à sa femme au quotidien. Et qu'il continuait d'en fréquenter la mère… Tout de même, contraindre cette pauvre petite à quitter la pièce et à disparaître en larmes, quelle honte ! Et Son Excellence laissait faire !

Ducky ne pouvait éviter de penser au sort de sa propre fille. Qui sait si la famille du colonel Gonne en Angleterre, ne mortifiait pas Eileen de la même manière, sous couvert de lui offrir une éducation et de l'élever ? Qui sait si elle ne l'obligeait pas à s'enfuir en pleurs ?

Elle détestait aussi, elle détestait surtout, les soirées trop arrosées, quand Maria Nicolaïevna l'envoyait chercher Babydear dans la nursery, qu'elle la faisait réveiller à minuit, habiller de sa plus belle robe, conduire dans la salle à manger, monter sur la table… Et qu'elle l'exhibait tel un bichon savant, parmi les verres et les bouteilles de liqueurs. En digestif : un divertissement pour ses hôtes. Une poupée délicieuse, avec ses grands yeux sombres et ses boucles brunes, exquise dans ses pantalons blancs et sa corolle de dentelle. Une merveille de la nature. Maria Nicolaïevna demandait alors à sa Mourochka de réciter les poèmes d'amour qu'avait écrits le grand artiste Tarass Tchevchenko pour sa grand-mère.

Si nous pouvions nous revoir…

Tchevchenko – chantre de la liberté nationale, plus célèbre encore que Pouchkine en Ukraine – avait été, à la génération précédente, le soupirant de la mère de Son Excellence. Le poète amoureux avait même peint son portrait. Et le visage d'Anna Zakrevskaïa, qu'encadraient les bandeaux de sa chevelure luisante et noire, ornait le mur du salon. Incroyable, s'extasiaient les invités : la benjamine de la lignée lui ressemblait déjà.

Et n'oubliez pas de vous souvenir de moi.
N'oubliez pas dans la grande famille,
N'oubliez pas dans cette famille nouvelle et libre,
N'oubliez pas de vous souvenir de moi…

Une aisance totale. Pas une once de timidité. L'enfant n'avait pas quatre ans, et semblait comprendre les vers qu'elle débitait. Une mémoire prodigieuse. Une diction parfaite. Elle s'emparait du rôle et le tiendrait jusqu'au bout. Elle y mettrait autant de passion que de naturel et de charme.

La poupée savait captiver son public. Elle aimait séduire. En vérité, elle adorait la lumière, elle adorait l'attention, elle adorait les louanges.

Et c'était peut-être ce travers-là que Ducky redoutait. Ce besoin de plaire qui, chez Babydear, l'émouvait et l'inquiétait.

Afin de préserver son ange de l'orgueil, de la futilité et de la coquetterie, de toutes les faiblesses des enfants qui naissaient ici avec une cuillère d'argent dans la bouche ; afin de protéger sa tendre petite fille de l'arrogance, de l'oisiveté, de l'égoïsme, de tous les défauts d'une jeunesse trop dorée, Margaret Wilson allait devoir monter la garde avec une vigilance de cerbère.

*
* *

En ce mois d'août 1895, aucune pluie ne viendrait nettoyer le ciel, si lourd de pollens et de sable. L'atmosphère resterait étouffante. Impossible pour les enfants de sortir sur la pelouse même en fin d'après-midi, de jouer au croquet ou au tennis… La poussière ne se dissiperait pas, leur laissant dans la bouche un goût de craie.

Aussi Ducky avait-elle décidé qu'on ne servirait pas le thé aujourd'hui dans la nursery, ni sous le dôme du kiosque à musique, ni à l'ombre des arcades du pavillon chinois. Mais qu'on irait goûter avec Sa Haute Noblesse Maria Nicolaïevna dans le bois au bord de la rivière. Une partie de campagne, un pique-nique tels que Margaret Wilson les concevait.

Enveloppées dans des manteaux de lin dont le capuchon recouvrait entièrement leurs chapeaux de paille, le visage couvert d'un épais voile blanc, ces dames s'étaient juchées dans le premier attelage : la grande berline marcherait en tête, évitant le nuage que soulèveraient les autres véhicules. Là s'entassaient la maîtresse de maison, Madame sa mère, Mademoiselle sa sœur, Madame sa belle-sœur, cousine Vera, cousine Katia, ainsi que le sénateur Ivan Loguinovitch Goremykine... Le seul personnage masculin de la voiture de tête. L'hôte chéri de la maison, avocat et collègue de Son Excellence au ministère de la Justice, qui, depuis trois ans, s'installait en villégiature à Berezovaya pour l'été. Maria Nicolaïevna l'avait pris à côté d'elle, du fait de son influence dans le gouvernement de Sa Majesté l'empereur Nicolas II.

Plusieurs parentes célibataires de feu le père de Son Excellence et deux voisines en visite pour la nuit suivaient en phaétons, avec les autres messieurs. Puis venait la carriole des fils et des filles de la comtesse Engelhardt et de la princesse Kotchoubey, six jeunes gens d'une quinzaine d'années, flanqués de leurs propres gouvernantes et de leurs précepteurs. Enfin les enfants, Bobik et ses sœurs, trop jeunes pour que les « grands » les admettent auprès d'eux. En dépit de ses quatorze ans bien sonnés, *le malheureux Bobik*, comme l'appelaient les adultes, resterait donc parqué entre Ducky, les jumelles, et Babydear qu'on cantonnerait avec ses jouets à l'ombre des grands arbres. Les domestiques, perchés au milieu de l'amoncellement des paniers et des glacières, fermaient la colonne dans trois chars à bancs.

Seul personnage trop visiblement absent : le maître des lieux qu'on disait dans sa bibliothèque, occupé à l'écriture de son grand ouvrage sur l'histoire de la juridiction russe.

Nul n'ignorait qu'en fait d'étude, Son Excellence se promenait à cette heure en landau avec une paysanne. Pour preuve de la décence de leurs relations, il gardait avec lui, en guise de chaperon, sa pupille Daria Mirvoda. Leur fille.

Une provocation qui visait à insulter la Vipère dans ce qu'elle possédait de plus précieux : l'orgueil de sa naissance.

Sous le prétexte qu'une ancienne serve était une femme comme les autres – bien plus digne de respect que certaines grandes dames de sa connaissance –, il reconduirait sa maîtresse en voiture, l'aiderait poliment à descendre du landau, lui offrirait le bras pour franchir les quelques pas qui la séparaient de sa chaumière, et la saluerait chapeau bas devant sa porte, non sans lui avoir ostensiblement baisé la main en guise d'adieu pour ce soir.

Une conduite incompréhensible, tant aux yeux des gens des châteaux que des paysans du village qui ne savaient comment interpréter cette débauche d'égards.

Des deux côtés, personne n'osait protester. Mais des deux côtés, on commentait l'attitude d'Ignace Platonovitch de la même façon. Il avait beau se prétendre un juge épris de réforme, qui n'envoyait les séditieux en Sibérie qu'avec discernement, un maître soi-disant plein d'humanité – *un aristocrate libéral* disait-on aujourd'hui à Berezovaya –, il exerçait son droit de cuissage comme ses ancêtres.

En cet instant, son épouse tentait de maîtriser ses nerfs le long de la rivière, arpentant le sentier de halage au bras de son favori, le tout-puissant Ivan Loguinovitch Goremykine. Ce goûter en forêt ne lui servait même qu'à cela : se plaindre de ses infortunes conjugales à l'ami dont on disait qu'il serait demain ministre de l'Intérieur.

— Votre calvaire ne durera pas toujours, la rassurait-il.

Dans l'intimité de la villégiature, le futur ministre avait troqué l'uniforme pour le costume de lin. Le vent, la poussière, tous les accidents de la campagne l'obligeaient souvent à lisser ses favoris, deux longs appendices triangulaires qui lui servaient de barbe.

D'un geste furtif, il tapotait la main que son hôtesse lui avait abandonnée.

— …Croyez-moi, chère, la semaine ne se passera pas sans que notre nouveau Tsar n'ait adouci vos malheurs. Sa Majesté est jeune. Sa Majesté a besoin autour d'elle de tous les brillants esprits russes qu'elle pourra réunir à la Cour. Je vous réserve une petite surprise de mon cru.

Une rumeur au-dessus d'eux et l'agitation sur le talus interrompirent leurs confidences : un cavalier galopait dans le bois. Même de loin, Maria Nicolaïevna pouvait voir qu'il avait le bras tendu et qu'il agitait un papier.

— Seigneur, un télégramme ! Quelque chose est arrivé… Mon Dieu, mon Dieu, j'espère que personne n'est mort !

Au-dessus d'elle, tous ses hôtes s'étaient levés, abandonnant d'un même élan leur thé et leurs petits sandwichs sur les nappes du pique-nique. Maria Nicolaïevna et son compagnon se hâtèrent de remonter la pente pour les rejoindre dans la clairière.

La princesse Kotchoubey et la comtesse Engelhardt se signaient déjà. Toutes deux imaginaient leurs manoirs en feu. Elles songeaient à leurs fils aînés, à leurs frères : un duel ?

Grâce au Ciel, le message ne leur était pas destiné. Il s'adressait au maître de céans.

Maria Nicolaïevna hésita. Elle chercha du regard celui du sénateur. Il opina, l'encourageant :

— En son absence, Maria Nicolaïevna, la responsabilité vous incombe.

Le doigt tremblant, elle fit sauter le cachet. Même Bobik, même Alla et Anna s'étaient tus. Le silence.

Maria Nicolaïevna lisait. Le télégramme était long.

Les jumelles avaient pris la main de Ducky et regardaient leur mère. Babydear, abandonnée sous les arbres, s'était redressée. De ses grands yeux sombres, elle observait les adultes, sans tenter d'attirer sur elle l'attention.

Relevant enfin la tête, Maria Nicolaïevna se tourna vers l'assistance : un visage émerveillé, un visage de madone, qui rayonnait d'une beauté que Ducky ne lui connaissait pas.

Comme éblouie, elle dit simplement :

— Sa Majesté Impériale décore mon mari de l'ordre de Saint-Vladimir. Sa Majesté Impériale nomme mon mari procureur du Sénat. Sa Majesté Impériale lui confère le rang de sénateur de plein droit.

Sa voix tinta plus jeune, plus claire :

— ...Sa Majesté Impériale nous appelle à la Cour. Nous devons quitter l'Ukraine et nous établir à Saint-Pétersbourg.

Un tohu-bohu de félicitations. Tous les bras se tendirent vers Maria Nicolaïevna pour l'étreindre et toutes les voix se disputèrent pour la congratuler. Celle de Bobik, suraiguë, les couvrit d'un cri.

— Partir d'ici ? s'exclama-t-il.

Il semblait atterré. Il n'aimait rien tant que Berezovaya :

— ...Partir, maintenant ? Partir pour toujours ?

— À ton avis, mon pauvre garçon ?

Envers son fils, Sa Haute Noblesse avait retrouvé son ton d'antan.

Mais envers Mourochka qui, oubliée dans la liesse générale, s'accrochait à ses jupes, elle fondit de tendresse :

— ...Là voilà, ma merveille à moi, gazouilla-t-elle en la prenant dans ses bras, notre merveille à tous que nous allons vite, vite marier à un grand-duc !

Elle se tourna vers le sénateur, lui montra la petite fille et lança à la cantonade cette phrase stupéfiante :

— Elle tient tant de vous, Ivan Loguinovitch... La même vitalité, la même intelligence. Elle vous doit déjà tout ! Et elle le sait, la friponne : regardez comme elle voudrait vous embrasser. Ne trouvez-vous pas, cher Ivan Loguinovitch, qu'elle vous ressemble ?

Il s'inclina, lui baisa de nouveau galamment la main :

— Plût au Ciel, chère amie, que ce charmant bébé fût de moi.

Même Ducky, qui évitait d'écouter les commérages et de s'interroger, ne put retenir un geste d'exaspération.

Quelle était la nature du lien qui unissait Maria Nicolaïevna au sénateur Goremykine ? L'idée qu'il pût être son amant depuis plusieurs années ne l'avait pas effleurée. Toutefois, d'instinct, elle chaperonnait Babydear jusque dans le boudoir de sa mère, quand Goremykine ou d'autres sénateurs s'y trouvaient. Une manœuvre difficile car, contre toute attente, les messieurs réclamaient la présence de l'enfant et semblaient jouir de sa compagnie.

Elle l'arracha des bras de Maria Nicolaïevna qui, selon son ordinaire, la lui abandonna sans résistance. Accrochée au bras du futur ministre, Sa Haute Noblesse remontait en voiture. Elle y fit grimper Ducky avec ses trois filles :

— En route pour la vraie vie, mes petites chéries tant aimées !

Chapitre 3

L'HÉRITAGE D'IGNACE PLATONOVITCH ZAKREVSKI
1899 – 1906

Brillante.

En ces ultimes années du XIXe siècle, le sénateur Zakrevski dispensait à ses enfants une éducation *brillante*. Bien que Bobik fût un cancre, il l'avait fait admettre au Lycée impérial de Saint-Pétersbourg. Et les jumelles à l'Institut Obolenski, où les filles de la noblesse étudiaient jusqu'à leur entrée dans le monde. Quant à la dernière, du fait de sa grande différence d'âge avec ses aînés – treize années la séparaient de Bobik, sept de ses sœurs –, il la laissait pour l'heure aux bons soins de sa gouvernante.

À six ans, Babydear parlait couramment trois langues. Elle pouvait déchiffrer le russe, le français et l'anglais. Elle étudiait l'allemand et le latin. Et contre tous les usages, toutes les lois, son père lui laissait dévorer, sans discrimination, les classiques des multiples nations qu'elle dénichait dans la bibliothèque. Étonnant consensus entre les parents : elle avait licence de tout voir, de tout entendre, de tout partager. Mais qu'elle se débrouille seule pour comprendre ! Interdiction de poser des questions.

Ignace Platonovitch pouvait bien réclamer des réformes au Sénat, il appartenait à la vieille école : les enfants ne jouissaient que de deux droits, celui d'obéir et celui de se taire. Et gare à quiconque lui couperait la parole pour demander une explication ou le contredire dans l'une de ses théories. Il en développait beaucoup sur la justice et la loi, bien qu'on le trouvât rarement dans son cabinet de travail. Ses interventions lors des congrès de criminologie à Genève, ses nombreux déjeuners à Paris chez Émile Zola l'occupaient tout entier et lui laissaient peu de temps en famille.

Pour le reste, il se flattait d'offrir à sa progéniture le meilleur de Saint-Pétersbourg. Spectacles de marionnettes et promenades dans les jardins du palais d'Été. Leçons de patinage sur les canaux de la Fontanka et le grand lac du palais de Tauride. Séances d'essayage chez les couturiers pour petites filles, formés à Paris par Worth. Séances de pose dans les studios de photographie d'Hélène Mrosovsky, ancienne élève de Nadar.

Ducky orchestrait cet incroyable ballet avec une précision de métronome. Traîneaux, calèches, tramways : dès l'aube, elle chronométrait les innombrables activités de ses demoiselles.

L'enthousiasme de Babydear pour ce tourbillon de mondanités l'étonnait et l'épuisait. La petite voulait faire comme ses sœurs. La crainte de manquer une sortie était même la seule angoisse qui réussissait à l'agiter. Impossible de lui faire renoncer à une activité. L'idée qu'elle pût sembler trop jeune, trop fatiguée ou trop malade pour partager un plaisir, l'obligeait à ne jamais s'écouter, à grandir très vite et à se surpasser. Cette peur la maintenait en excellente santé.

Cours de mazurka, de polonaise, de quadrille et de valse avec l'illustre monsieur Troitsky, maître à danser de toutes les futures débutantes. Cours de piano – Glinka, Schubert, Chopin – avec madame Prabonneau, accompagnatrice au théâtre Marinski. Cours de chant avec Fräulein von Kischkel, de l'opéra de Salzbourg. Cours de maintien avec mademoiselle Violette, de la Maison royale de Saint-Louis à Saint-Cyr.

Sans parler des divertissements sous l'égide de Leurs Excellences. Visites aux *amies de Mummy* – douze par jour entre deux heures et cinq heures – dix minutes par station. Parades militaires dans la tribune des ministres impériaux, *collègues de Daddy*. Goûters d'enfants en costume traditionnel au palais d'Hiver. *Bals blancs* pour l'anniversaire des grandes-duchesses.

Qui dira la magie d'une jeunesse sur le quai du Million, dans les hôtels particuliers des rives de la Neva ?

*
* *

Aujourd'hui toutefois, finis pour Mourochka les promenades et les spectacles. En ce mois de septembre 1899, la foudre de la colère impériale s'abattait sur les Zakrevski. Et les imprécations du ministre Goremykine faisaient trembler les lustres.

— Comment, comment Ignace Platonovitch, sénateur de l'Empire russe, représentant à l'étranger de Sa Majesté, a-t-il pu se laisser emporter par sa passion pour la racaille, pour les juifs et les francs-maçons, avec un tel mépris des conséquences ?

Prostrée sur sa chaise, le nez dans son mouchoir, Maria Nicolaïevna hochait négativement la tête en signe d'incrédulité, sans cesser de sangloter.

Au grand dam de Ducky, Babydear assistait à la scène. La mère avait exigé sa présence. Elle la voulait à ses côtés dans l'épreuve, elle la voulait chez elle, avec elle : seule Mourochka, toujours si gaie, si affectueuse, gardait le pouvoir de la rassurer et de la défendre contre les fautes de son mari. Même son fox-terrier adoré, « Petit Chéri », n'y parvenait plus.

Ducky désapprouvait. Aussi s'imposait-elle en témoin.

Très échauffé, Goremykine brandissait l'article du *Times*, cause de sa fureur. Il le connaissait désormais par cœur, citant de tête les passages les plus scandaleux.

— « *La France (qui prétend tenir en mains le flambeau de la Civilisation) a bien baissé !* » Vous avez entendu ce que dit votre mari ? « *De la connivence de la France avec la Russie, découlent* naturellement son antisémitisme, l'arbitraire de son gouvernement, bref, toute l'ignominie de l'affaire Dreyfus... » Si je saisis bien les propos d'Ignace Platonovitch, il pense que la Russie a contaminé la France et qu'elle nous doit, à nous, tous ses vices. Cela vous envoie au bagne, des idées pareilles ! S'il continue sur ce ton, votre mari ira retrouver ses petits camarades en Sibérie.

Il s'interrompit pour la fixer de son regard accusateur :

— ...Voulez-vous que je vous dise, Maria Nicolaïevna, pourquoi il a publié ce brûlot à Londres ? Car seul un journal anglais pouvait répandre de telles attaques à l'égard de la France. Et de la Russie, son alliée. Vous savez quoi ? Votre mari est un agitateur ! Un traître au service de l'étranger, un agent provocateur à la solde de l'Angleterre !

Le ministre se laissait emporter. Même Maria Nicolaïevna esquissa un geste de protestation. Elle savait son époux dépourvu de tact, oui. Arrogant, certes. Inconscient, à coup sûr. Mais un agitateur ? Allons donc !

Mourochka, assise à ses pieds, ne bougeait pas. Le regard fixe, elle avait posé la tête sur les genoux de sa mère. Pas une larme. Pas un bruit. Elle cherchait à se faire oublier. Ducky la sentait toutefois crispée et prête à sauter à la gorge du ministre.

Maria Nicolaïevna avait à son tour mis sa main sur la tête de sa fille.

Impossible pour Ducky d'emmener la petite.

— Tout de même, aboyait le ministre, je ne comprends pas, je ne comprends pas, je ne comprends pas les mobiles d'Ignace Platonovitch dans cette affaire ! Il ne pouvait ignorer le traité commercial que nous négocions avec la France. Et juste au moment où la France s'apprêtait à le signer, le sénateur Zakrevski provoque avec elle un incident diplomatique qui fait tout échouer... En écrivant cet article, il porte gravement préjudice à son pays, il fait sciemment tort à la Russie ! Voulez-vous que je vous dise ? Sa carrière est finie !

Les pleurs de Maria Nicolaïevna redoublèrent. Mourochka se redressa, et l'œil noir, fit face au ministre. Elle s'était postée devant sa mère. Cette fois, Ducky crut qu'elle allait s'interposer. Elle-même esquissa le geste de l'arrêter.

Indifférent aux réactions des unes et des autres, il égrenait les perles d'une voix sépulcrale :

— « *Eh bien laissons-la, cette douce France, laissons-la à ses grands chefs militaires, à son clergé qui ranime les flammes de la Saint-Barthélemy, à sa presse immonde, qui charrie des flots de mensonges et d'injures. Disons-lui à cette France chauvine et anti-dreyfusarde que tout ce qui se passe chez elle ne soulève à l'étranger que des nausées. Et surtout, surtout ne nous précipitons pas à son Exposition universelle de l'an prochain, car nous pourrions nous y trouver dans une situation très délicate. Nous y entendrions, comme d'habitude, des phrases ronflantes sur le Progrès, la Liberté, la Justice. Que ferions-nous alors ? Nous éclaterions de rire !* » En fait de rire, il va pleurer, votre mari ! Et moi, pour avoir soutenu la nomination au Sénat d'un pareil imbécile, je vais sauter avec lui. C'est la chute de la maison Zakrevski. Et, du même coup, la chute de mon ministère !

Le ministre ne croyait pas si bien dire. Ses ennemis avaient déjà demandé sa tête.

Et pour Maria Nicolaïevna, la disgrâce de Goremykine signifiait la fin de sa liaison avec le pouvoir, les affaires et la politique. Avec toutes les passions de sa vie.

Cela, elle l'avait compris dans la seconde. Bizarrement, Mourochka aussi.

Mais, au contraire de toutes les inquiétudes de Ducky qui n'avait cessé de redouter son agressivité, l'enfant s'était dominée. Loin d'étriper l'agresseur de son père, ainsi qu'elle avait semblé prête à le faire, elle avait attrapé la main du ministre et y frottait sa joue comme un petit chat. Elle le câlinait.

Ducky connaissait assez son bébé pour savoir que ce geste ne visait qu'à détourner la rage d'Ivan Loguinovitch, de la tête de sa mère sur la sienne. Entraîner sa fureur vers d'autres sentiments, vers la confiance, vers la tendresse, vers l'affection qu'elle-même lui portait. Distraire, contourner les difficultés afin d'obtenir le retour à la paix qu'elle recherchait.

Une vieille histoire.

Depuis toujours, elle évitait les batailles de front avec ses aînées, les disputes, les bouderies, toutes les formes de conflit. Elle pouvait même déployer des trésors d'énergie afin de maintenir l'harmonie. Elle ne cherchait qu'à aimer et à être aimée. Elle s'en donnait donc les moyens en ne cédant ni à la méchanceté ni à la vengeance quand elle avait perdu la bataille. Et c'était peut-être cela, songeait Ducky, ce goût du bonheur, qui faisait d'elle cette enfant si attachante et si facile.

En dépit des multiples autres failles.

— Cessez de vous préoccuper ainsi, Ivan Loguinovitch, lui disait la petite en caressant sa main, car nous vous admirons, Mummy et moi. Et mon père aussi vous admire. Vous êtes notre protecteur à tous, si sage et si bon. Et Notre-Seigneur, Lui aussi, sait que vous êtes sage et bon. Et Il nous sortira tous de ce mauvais pas.

Au lieu de l'envoyer au diable, le ministre lui tapota la tête en poussant un soupir :

— Tu ne connais pas la vie, ma pauvre petite ! Si tu savais…

Miracle : il s'exprimait avec calme. L'incident était clos.

*

Le ministre Goremykine et le sénateur Zakrevski furent néanmoins contraints de donner leur démission ensemble.

Toute honte bue, un revers relativement supportable, qui ne changerait rien aux habitudes des enfants durant près de sept ans. Hivers dans le palais de Saint-Pétersbourg, étés à Berezovaya. La fortune personnelle d'Ignace Platonovitch permettait de continuer à mener la vie à grandes guides. Séjours en Suisse, voyages en Angleterre, vacances romaines… Un sursis.

Le véritable drame surviendrait plus tard, à quelques jours du treizième anniversaire de Mourochka.

*

La catastrophe se présenta sous la forme d'un nouveau télégramme : Ignace Platonovitch était mort. Il avait été foudroyé par un infarctus en Égypte. Il s'était éteint au Caire le 9 mars 1906, alors qu'il visitait le Proche-Orient avec Alla et Anna. Un voyage initiatique pour les jumelles, dans cette vallée du Nil qu'il aimait tant ; une façon pour lui de célébrer les dix-huit ans de ses filles, loin de la Cour et du foyer conjugal.

L'escapade chez les pharaons venait de tourner à la tragédie.

*

Le cercueil du sénateur Zakrevski descendait lentement dans le caveau de la pyramide, qu'il avait naguère fait construire à Berezovaya Rudka. Tel Khéops, il avait préparé son repos éternel.

De leurs voix de basse, les popes psalmodiaient leurs prières en balançant leurs encensoirs. Les pleureuses du village, les vieilles nounous, les anciennes domestiques se lamentaient bruyamment, selon l'usage.

La foule des paysans, massée sous les arbres, elle, n'exprimait rien. Pas plus que les familiers, les parents, les amis, regroupés devant la porte du tombeau. Aucun signe d'émotion non plus parmi les enfants du défunt. Même la pupille de Son Excellence qu'il avait mariée à un Français, et qui avait fait le voyage pour les obsèques, gardait les yeux secs. Seule la plus jeune parmi ses filles exprimait sa peine par des sanglots et des larmes.

Moura avait aimé son père. Depuis le jour où elle avait entendu les insultes du ministre, elle lui vouait même une admiration sans bornes. Elle connaissait aujourd'hui ses travaux sur les arcanes de la justice en Russie, le credo progressiste d'Ignace Platonovitch Zakrevski. Elle savait ses articles par cœur, elle aussi... À treize ans, elle ne rêvait que de défendre ses idées et de préserver sa mémoire.

Certes, il n'avait été qu'une présence lointaine dans sa vie. Mais il l'avait préférée aux autres. Elle le savait. Elle le sentait. Bien que peu expansif, il n'avait jamais fait mystère de ses sympathies.

Dur, méprisant, avec Bobik qui le détestait.

Indifférent envers les jumelles... Jusqu'au dernier Noël, où il s'était soudain aperçu de leur beauté : une découverte de courte durée. En fait de célébration sur le Nil, les malheureuses avaient dû ramener en Russie la dépouille paternelle. Entre Le Caire et l'Ukraine, plus de deux mille kilomètres d'un périple cauchemardesque.

Maria Nicolaïevna, pour sa part, semblait plus étonnée qu'émue, et ne se donnait pas la peine d'une inutile démonstration de chagrin.

*

Si la disparition d'Ignace Platonovitch à soixante-sept ans avait surpris son épouse, elle n'avait encore rien vu : l'ouverture du testament allait lui causer le choc de sa vie.

Il laissait l'ensemble de sa fortune aux francs-maçons, avec une dotation spéciale en faveur d'une loge qu'il fondait en Écosse, la première du genre.

À sa famille, il léguait ses dettes, un grand appartement à Saint-Pétersbourg. Et le domaine de Berezovaya Rudka, grevé d'hypothèques. Ce coup de Jarnac posthume obligerait Sa Haute Noblesse à renoncer aux plaisirs de la ville et à s'enterrer à nouveau dans cette campagne qu'elle détestait.

Terminés, les voyages et les mondanités. Elle ne reviendrait à Saint-Pétersbourg que pour réaliser les biens qu'elle pouvait vendre.

*

Maria Nicolaïevna eut beau demander conseil autour d'elle, tourner et retourner le problème dans sa tête, la conclusion restait toujours la même : elle n'avait d'autre choix que de réduire son train de maison et d'enfermer son monde dans une existence moins onéreuse.

Elle bataillait encore : l'Ukraine ? Était-ce bien prudent de s'y établir à nouveau ? N'avait-elle pas entendu dire que des hordes de paysans avaient brûlé plusieurs domaines autour de Kiev l'an passé ? Et qu'ils avaient massacré leurs maîtres ? On avait même parlé de révolution ! Qui sait si ces bandits ne reviendraient pas ?

Encore une fois, la réponse fusait, unanime : l'armée avait pacifié la région. Les troubles étaient définitivement jugulés et les meneurs déportés.

Si Maria Nicolaïevna voulait redresser sa situation financière, elle devait se contraindre à cette retraite. Et elle devait y forcer ses filles. Leur exil ne durerait pas toujours. Juste le temps de reprendre en main l'administration du domaine, trop longtemps négligée.

Et puis, qui sait ? Bobik redorerait peut-être le blason familial en épousant une héritière.

Ah Bobik ! Il avait aujourd'hui vingt-six ans et sa carrière ne progressait guère. Lui, chef de famille ? Il allait devoir secouer sa mollesse et faire quelques efforts pour marier ses sœurs.

Quant à la sorte d'époux qu'on pourrait leur trouver là-bas, sans dot…

Chapitre 4

ALLA ET ANNA
1908 – 1909

— Curieux combien elle a le don de réduire en cendres tout ce qu'elle touche, murmurait Alla à l'oreille de sa sœur.

— Non pas une *vipère*, mais un dragon !

— C'est à nous que les voisins viennent rendre visite, c'est à nous qu'ils font la cour…

— Et du coup, elle nous déteste.

— Si elle pouvait, elle nous emprisonnerait ici jusqu'à la fin de nos jours.

Allongées dans l'herbe, les jumelles se dissimulaient de la vindicte maternelle au fond du parc, sous le mûrier. Elles savaient que Maria Nicolaïevna, penchée sur ses livres de comptes avec l'économe, ne viendrait pas les y chercher. Et que Ducky et Mourochka, qui connaissaient leur cachette, ne les trahiraient pas. Tout de même, quel ridicule ! À leur âge, elles ne pouvaient se reposer que sur la discrétion de leur gouvernante et la complicité de leur petite sœur. Contraintes, à vingt ans sonnés, de se conduire en gamines pour jouir d'un peu d'intimité. Ah ça, la Vipère pouvait bien prétendre travailler au rétablissement de la fortune familiale, afin de les doter et de les marier à Saint-Pétersbourg : personne ici n'était dupe. Pas même Mourochka, que la Vipère prétendait protéger de l'inconduite de ses aînées, en l'enfermant, elle aussi, derrière les grilles du domaine. Pas même Ducky qui savait très bien à quoi s'en tenir avec l'affectation de pruderie qu'arborait *Sa Haute Noblesse*.

Moura s'était rapprochée du mûrier où les jumelles, le visage vers le ciel, le coude replié sous la tête, chuchotaient avec véhémence.

De haute taille comme elles, mais très brune, plus musclée, plus sportive, elle se coula entre les branches, aussi près d'elles que possible. En cet été 1908, elle venait d'avoir quinze ans et partageait, en dépit des rondeurs de l'enfance, quelque chose de la maturité de ses aînées. Leurs trois robes blanches, identiques, faisaient tache dans la verdure ; et c'était miracle qu'on ne les repérât pas.

Au ton des jumelles, Moura sentit combien leurs confidences étaient intimes. Alla et Anna lui interdisaient de s'immiscer dans la conversation, la disant trop jeune pour partager leurs secrets.

Peut-être. Mais elles ne pouvaient l'empêcher de les écouter. Sa grande distraction à Berezovaya : écouter... Elle n'aimait rien tant que participer aux projets de fuites de ses sœurs, à leurs rêves d'enlèvements, à tous leurs complots pour regagner Saint-Pétersbourg.

Non qu'elle-même détestât l'Ukraine, mais l'action lui manquait. Les gens, les fêtes.

On entendait dire dans les cuisines que Moura Ignatievna débordait de trop de sève, qu'elle avait trop d'énergie, qu'elle était la seule parmi les jeunes filles de la maison qui ne savait pas marcher, mais qui courait toujours.

Tout de même, songeait l'adolescente en paraphrasant Alla, tout de même n'y avait-il rien d'autre à faire à Berezovaya que d'écouter ses sœurs, de foncer dans les couloirs et de vivre de la vie des autres ? Rien de fou, rien de vraiment interdit qu'elle puisse entreprendre ?

Les jumelles baissèrent encore la voix.

Moura savait bien de quoi elles parlaient ! Elles parlaient d'amour. Elles parlaient du beau, du jeune comte Vladimir Ionov, qui avait demandé la main d'Anna et que Mummy avait refusé. Pourquoi ? Mystère. Mummy le disait de santé et de fortune trop modestes. Mummy prétendait aussi qu'elle destinait Anna à un autre.

Les jeunes filles évoquaient ce mariage forcé, que Mummy organisait pour Anna à Saint-Pétersbourg.

— Tout de même, explosa Alla, je ne comprends pas pourquoi elle ne me laisse pas venir assister à ton mariage avec cet abominable baron von Bülow.

— Pour t'embêter, grommela Anna. Elle ne te veut pas à ses côtés : tu lui ferais de l'ombre à la cathédrale Saint-Isaac… Mais ne t'en fais pas : je n'y serai pas, moi non plus !

Dans les banques de Kharkov et de Kiev, la gestion du patrimoine de Maria Nicolaïevna portait peut-être ses fruits, mais elle lui aigrissait le caractère jusqu'à la folie. Sous le prétexte qu'elle-même, pour retrouver son rang, avait dû renoncer à ses toilettes, à ses réceptions, à ses flirts, elle prétendait maintenir ses filles dans le chemin qu'elle suivait. Le droit chemin.

Par malheur pour elle, Anna et Alla avaient *déjà* goûté aux joies du monde, elles les avaient même pratiquées avec assiduité. Douées l'une et l'autre d'une élégance innée et d'une vitalité peu commune, la Cour et la ville les avaient déjà célébrées comme les plus belles parmi les débutantes de Saint-Pétersbourg. Leur présentation à l'Impératrice avait été un triomphe.

Les mères racontaient que pendant les cinq ans qu'avait duré leur séjour à Saint-Pétersbourg, les couloirs de l'École des cadets, ceux de l'École des pages, n'avaient bruissé que des poèmes et des chansons qui célébraient en vers leurs multiples attraits.

Qu'à chaque fois, dans les goûters et *les bals blancs*, les bals réservés aux jeunes gens, les filles du sénateur Zakrevski avaient captivé l'attention des soupirants de leurs amies. Qu'elles avaient même fait manquer plusieurs mariages.

Grandes, rousses, plantureuses : bien trop précoces pour des personnes vraiment comme il faut. Et bien trop légères. Et bien trop lettrées. Et bien trop ambitieuses.

Les messieurs – les pères – comprenaient la passion de leurs fils pour Alla ou pour Anna Ignatievna Zakrevskaïa. L'une et l'autre, disaient-ils, avaient « du tempérament ». Chez des demoiselles moins riches et moins bien nées, le *tempérament* eût été un handicap à coup sûr. Mais celles-ci possédaient la beauté, l'éducation, et surtout la fortune. Que demander de plus ? N'en déplaisent aux dames : d'excellents partis.

Nul ne doutait qu'elles décrocheraient un époux dans le cercle le plus étroit de la Cour. On avait même murmuré des noms, parmi les plus titrés.

Ces succès-là, ces promesses de bonheur, appartenaient à une époque révolue. Et l'avenir, un mari acceptable, leur semblait à des siècles de distance.

Aujourd'hui, elles avaient peur. Si la Providence ne s'en mêlait, elles allaient finir comme les laissées-pour-compte qui gravitaient autour de leur mère, les lectrices, les cousines... Toutes les vieilles filles de Berezovaya.

Elles s'employaient donc à maintenir le lien avec leur jeunesse pétersbourgeoise, et à seconder le Destin.

*

L'enfer.

Maria Nicolaïevna multipliait les drames et faisait régner la terreur. Les affrontements prenaient même des proportions cataclysmiques quand elle fouillait les affaires des jumelles, forçait les serrures de leurs secrétaires, épluchait leur correspondance, jetait les colifichets de leur vie d'antan, brûlait tous les souvenirs auxquels Alla et Anna auraient pu tenir : poèmes de leurs soupirants d'autrefois, lettres d'anciennes amies de l'Institut Obolenski, photos, rubans... Elle affectait de détruire les traces de leur mauvaise conduite.

En vérité, à l'heure où elle-même apprenait les règles de l'économie domestique, Maria Nicolaïevna mesurait à quel point elle en avait négligé les détails durant vingt ans. Elle rattrapait le temps perdu : ses filles ne pouvaient manquer d'avoir noué, derrière son dos, des liaisons coupables.

— Elle nous juge à son aune, commentait Anna avec mépris.

— C'est elle que son Goremykine a compromise. Pas nous !

Fidèle à sa politique, Maria Nicolaïevna cherchait à diviser leurs forces et à les séparer, en les exilant chacune dans une aile du manoir.

Elle avait trouvé une technique imparable pour couper court à leurs petits secrets : elle les faisait changer de chambre tous les huit jours. L'inspection et le passage au peigne fin de leurs objets intimes se déroulaient à l'occasion de ces déménagements.

Résultat : Alla et Anna rêvaient plus que jamais d'un homme qui les arracherait à sa tyrannie, d'un homme qui les aimerait et les emporterait loin.

La première, Alla, la plus artiste, la plus fragile, cherchait à s'évader par la musique. À mesure qu'augmentaient sa révolte et son inquiétude, elle devenait même une pianiste virtuose. Elle espérait en faire profession, gagner sa vie et se soustraire ainsi à la frustration maternelle.

Fausse route ! Maria Nicolaïevna jugeait dégradante la perspective d'un métier et s'opposait pour elle à la moindre carrière.

— Tu ne peux te contenter d'être bien née, ma petite. Tu dois aussi te conduire en aristocrate. Tu dois surtout garder ton rang, et demeurer une femme noble.

— Noble, noble, noble ! ripostait Alla. Vous n'avez que ce mot à la bouche. À quoi sert-il ? Tout ce qui est vivant, vous cherchez à l'étouffer. Vous tueriez même la musique dans cette atmosphère crépusculaire. Par chance, vous êtes la dernière de votre génération. Par chance, votre monde a déjà cessé d'exister.

Anna, plus habile, plus pragmatique, travaillait à prendre sa mère de vitesse et préparait sa fuite avec le jeune comte Ionov qui venait d'obtenir un poste d'attaché d'ambassade à Berlin.

Dans ce climat, Mourochka échappait encore et toujours à la haine de Maria Nicolaïevna. On ne lui cherchait pas noise, à elle. On prétendait, au contraire, l'adorer ! La seule ici, la seule, qui soit une enfant normale : une jeune fille gaie, affectueuse, spontanée.

La petite s'était débrouillée, elle, pour ne pas déchoir. Elle restait la favorite.

Par miracle, ni Bobik ni ses sœurs ne lui tenaient rigueur de cette injuste et sempiternelle préférence. L'aîné, obscur secrétaire d'ambassade au Japon, ne mettait plus les pieds dans son paradis perdu. Les secondes savaient leur cadette loyale, aussi curieuse que discrète sur leurs amours. Mourochka ne les trahirait pas.

Elles s'en servaient comme messagère auprès de Ducky, comme ambassadrice auprès de Maria Nicolaïevna, et l'envoyaient au feu. Diplomate, Mourochka s'employait à arrondir les angles, elle plaidait leur cause et réussissait quelquefois à rétablir l'harmonie.

Elle admirait trop Alla et Anna, elle les plaignait trop, elle les comprenait trop pour ne pas les seconder et les défendre. Elle les aimait.

Comment pouvait-elle *aussi* aimer leur mère ? Mystère.

Tiraillée toutefois entre ses affections, consciente du malheur qui planait, Moura ne connaissait plus la paix. Elle aussi s'interrogeait sur le sens de son existence à Berezovaya, sur son avenir en ce monde. Même sa foi en Dieu ne lui apportait plus de réponse : du jour de son quinzième anniversaire, le Seigneur était devenu sourd à ses prières, aveugle et muet.

Seul exutoire : les livres.

La solitude l'avait transformée en une lectrice vorace. La bibliothèque de Berezovaya regorgeait d'éditions originales qu'Ignace Platonovitch, au temps de sa splendeur, avait fait relier en maroquin rouge. Tous les genres. Toutes les langues. Corneille, Racine, Zola, bien sûr, Shakespeare, Tolstoï, Dostoïevski. Et les Anciens, les auteurs grecs et latins : Hérodote, Virgile, Ovide.

La littérature. Et l'exercice physique.

Elle n'oubliait jamais qu'à l'extérieur, au-delà du salon d'apparat et des chambres dévastées par les fouilles de Maria Nicola-ïevna, la vie grouillait sur les routes de l'univers.

La vie grouillait partout.

*

Dès l'aube, elle se hâtait de descendre dans le parc et d'arpenter les sentiers entre les murailles de neige. Ici, elle pouvait se réjouir de sa propre existence. Peu importaient les raisons de sa joie. Pourvu qu'elle l'entraîne aussi loin que possible de l'enfilade des pièces et des disputes là-bas, derrière la colonnade et les murs de la maison.

Quand elle entendait les cris et les portes claquer, elle faisait seller sa jument grise et galopait droit devant elle. Le froid lui coupait le souffle, l'air lui brûlait la gorge. Le soleil, que réverbérait la neige, l'aveuglait. Elle fermait les yeux, elle pinçait les lèvres. Couchée sur l'encolure, elle ne ressentait que la crinière de l'animal qui lui frottait la joue, sa chaleur qui lui empourprait le visage. Et puis, au creux de ses reins, le va-et-vient du galop qui lui faisait battre le sang dans les veines. À nouveau vivante.

Hormis les mélodrames familiaux, il se passait si peu de choses à la maison qu'on finissait par ne plus exister du tout là-bas.

En vérité, Anna leur préparait un tour de sa façon. Elle avait de longue date compris que, de front, la résistance ne servait à rien. Elle avait donc fini par prétendre accepter le candidat de sa mère, à la condition que la cérémonie reste modeste – quelques intimes – et qu'elle ait lieu à Saint-Pétersbourg. Deux exigences qui, pour une fois, s'accordaient avec les vœux maternels.

Tandis que l'assistance l'attendait à la cathédrale Saint-Isaac, elle empoignait sa traîne, relevait son voile, embarquait son trousseau et filait se marier au bout de la ville, derrière les murs d'un monastère, dans l'église de l'Orphelinat.

Devenue comtesse Ionov, elle suivit son mari en poste à Berlin.

*

L'enlèvement et la disparition d'Anna plongèrent Alla dans le désespoir. Affolée, perdue, elle se laissa courtiser par un baron balte en villégiature chez la comtesse Engelhardt, leur voisine.

L'homme était marié… Et la catastrophe arriva. Elle tomba enceinte.

Dès lors, l'humiliation d'Alla, les scènes entre la mère et la fille ne connurent plus de bornes. Et le scandale, un vrai celui-là, éclata à Berezovaya. Un scandale, dont Mourochka était censée ne rien savoir.

Pour qui la prenait-on ? Elle n'ignorait pas la liaison de sa sœur avec le beau baron von Biström, elle n'en ignorait pas non plus les conséquences. Et son cœur saignait pour Alla.

— Mon Dieu, lui disait-elle en affectant de lui parler de généralités sans évoquer le drame qu'elle traversait, notre éducation a été si bizarre… Nous attendons, nous attendons de vivre, et cette attente nous tue. Nous tenons des propos sans intérêt, nous allons à droite, nous allons à gauche, pour avoir l'air de dire ou de faire quelque chose. Mais nous sentons bien que l'essentiel est ailleurs. Alors, nous scrutons l'horizon et nous continuons d'attendre. Et les années s'écoulent. Et rien ne se passe. La joie ne vient pas. Rien ne vient. Nous attendons encore… Et notre vaine patience finit par nous détraquer le cerveau. Que veux-tu, devant un tel vide, nous perdons la tête. Nous devenons même complètement folles.

Alla l'écoutait sans répondre. Partagée entre sa passion pour son amant et sa terreur de l'avenir, elle jouait Schubert comme une forcenée. Mais en plaquant le dernier accord sur le clavier, en tapant furieusement l'ultime note de la sonate, le feu en elle s'éteignait. Elle redevenait Alla Ignatievna, enceinte d'un homme marié qui ne l'épouserait pas. Au moins, avait-elle connu l'amour… Elle ne doutait pas qu'elle mourrait en couches et que tout serait bientôt terminé.

*

Dans le grand manoir blanc qui s'élevait, tragique, entre les peupliers desséchés, Ducky se reprochait les malheurs de ses protégées. Elle avait failli. Elle n'avait pas su éduquer ses filles, elle n'avait pas su leur apprendre à vivre, à se tenir, à éviter les embûches et la chute.

Comme elle, ses petites étaient tombées. L'histoire se répétait.

En fait de jeunes filles bien élevées… L'une s'était laissé enlever et avait pris la fuite en Allemagne. L'autre était grosse.

À cette heure, la mère d'Alla lui faisait épouser en France – loin, pour plus de discrétion – un mari de complaisance : le dernier fils de la comtesse Engelhardt, dont on avait acheté les services en lui offrant cent hectares de forêts contre son nom et son titre pour l'enfant à naître. Le mariage et l'accouchement auraient lieu à Nice. Le divorce aussi.

Quant à Babydear, ivre de tristesse et de solitude, elle galopait dans la plaine jusqu'à l'épuisement. Son visage restait rose et gardait ses rondeurs, ses cheveux noirs voltigeaient au vent. Mais son regard était sombre et ses lèvres boudeuses. Plus l'ombre d'un sourire ne flottait sur cette bouche qui se pinçait. Partir, partir, partir, partir.

Elle ouvrait grand les fenêtres, tirait les stores, repoussait les battants des volets et ne cessait de regarder au loin vers l'infini, au-delà du parc, des folies, du casino, de la pyramide, au-delà de la forêt même. Partir.

Chapitre 5

LE GENDRE IDÉAL
1910

Les cinq lettres que Maria Nicolaïevna gardait ouvertes sur ses genoux la laissaient pantoise.

Pas mécontente, non. Pour une fois les nouvelles n'étaient pas totalement mauvaises. Juste étranges.

Décidément, sa Mourochka ne cesserait de l'étonner.

On lâchait cette enfant, quoi, quinze jours ? Combien de temps fallait-il pour voyager entre Kiev et Berlin ? Une semaine ? Et, sur la route, elle décrochait un mari. Et pas n'importe lequel !

Sa Haute Noblesse se tenait droite dans le grand siège médiéval de son cabinet de travail, où ses interminables séances avec le régisseur de Berezovaya la déprimaient chaque matin et chaque après-midi, depuis près de quatre ans.

La frustration et les contrariétés l'avaient vieillie. La graisse alourdissait sa silhouette, envahissant sa gorge, ses joues. Les excès de sucreries et d'alcool la marquaient durement. Pour le reste, on devinait encore qu'elle avait été belle femme. Sa chevelure, aujourd'hui d'un blond cendré, se détachait, lumineuse, du bois noir de son dossier. Et son chignon, qu'elle portait haut sur le sommet de la tête comme le voulait la mode, restait épais, ondoyant et moussu. Quant au regard, toujours du même vert acide, il ne flamboyait qu'avec plus de pénétration entre les paupières trop lourdes.

En cet instant Maria Nicolaïevna gardait les yeux baissés, observant les cinq feuillets et les cinq enveloppes, éparpillés au fond de sa vaste jupe de veuve. Comme la grosse mouche bleue qui s'était égarée dans la pièce et se heurtait aux carreaux, son esprit allait de l'une à l'autre.

La première missive émanait de Mourochka qui lui racontait, avec la confiance et la spontanéité qu'on lui connaissait, les péripéties de « la rencontre de sa vie ».

La seconde venait de Bobik qui se perdait dans les détails et mélangeait tout, la réputation de sa sœur, l'amour, l'intérêt... Tout.

La troisième, d'Anna. Toujours pragmatique, Anna exposait les avantages de l'alliance que souhaitait Mourochka.

La quatrième – ferme et dithyrambique – était écrite par Wilson, la gouvernante qu'on ne pouvait, en général, soupçonner d'enthousiasme à l'endroit des soupirants de « ses filles ». Elle avait jugé insipide Vladimir Vladimirovitch Ionov qui avait enlevé Anna ; infâme, le baron von Biström qui avait séduit, déshonoré et abandonné Alla ; vénal, Arthur von Engelhardt qui l'avait épousée.

À tous, Wilson avait signifié sa désapprobation et son mépris, refusant de les recevoir, même de les saluer. Impossible de la soupçonner de complicité dans leurs affaires sentimentales... Hostile, dès le premier jour.

Wilson s'était cependant révélée d'une faiblesse et d'une légèreté coupables. Elle avait laissé ses protégées s'enfuir ou se déshonorer. Beaux résultats ! Sa Haute Noblesse n'avait pas manqué de lui reprocher vertement ses manquements.

Maria Nicolaïevna réfléchissait.

Laxiste, Wilson, oui. Mais aveugle, non. Pour ce qui touchait au bon sens et à la clarté de jugement, elle lui gardait sa confiance. Et ce que Wilson écrivait là, ce qu'elle disait de ce prétendant, augurait peut-être du meilleur.

Le mariage de Mourochka restait au cœur des préoccupations de Maria Nicolaïevna. Pour sa petite, elle ne désespérait pas de réussir un gros coup. Aujourd'hui, elle pouvait presque se le permettre. Car si « l'achat » d'Arthur von Engelhardt – l'époux de paille d'Alla – avait réduit sa forêt d'une centaine d'hectares, cette folie n'avait pas fondamentalement grevé ses finances. Au bout du compte, une alliance factice coûtait moins cher qu'une vraie. Les jumelles avaient choisi de vivre leurs amours sans le consentement de leur mère. Traduction : sans leurs dots. Un gigantesque poids lui avait été ôté.

Pénétrée toutefois de son devoir, elle leur avait remis ce qui leur serait revenu à la mort de leur père. Mais *avant* qu'elle-même ne reprenne les choses en main et fasse à nouveau fructifier les biens.

Elles l'avaient voulu ainsi. Tant pis pour elles.

Maria Nicolaïevna pouvait aujourd'hui se sentir fière de ses résultats. Au terme de ces quatre années de travail, quatre années d'économies acharnées, quatre années de sacrifices, elle avait assaini les comptes, rééquilibré toutes les productions du domaine. Ses efforts payaient. Les jacqueries de 1905 – « la Révolution », comme feu le sénateur, avec son habituelle affectation de modernité, avait appelé ces désordres –, semblaient loin. Elle avait mis ses paysans au pas. Et gare à qui oserait remettre en cause sa nouvelle organisation. La distillerie de vodka et l'usine de sucre fonctionnaient à plein régime, le salpêtre générait de confortables revenus.

Mission accomplie.

Maria Nicolaïevna songeait donc à regagner la civilisation et à se réinstaller à Saint-Pétersbourg. Son abominable mari lui avait laissé un appartement sur le quai de la Fontanka : elle l'occuperait. L'heure avait sonné de reprendre le rythme d'antan, celui de la grande aristocratie : hivers dans la capitale, pour la saison des raouts et des bals. Étés en villégiature sur ses terres.

Si l'on ne pouvait plus qualifier sa fortune d'*incalculable*, les rentes de madame veuve Zakrevskaïa lui permettaient de soutenir à nouveau son rang.

Quant aux *vacances* que Mourochka lui avait réclamées à cor et à cri...

La mère soupira. Aurait-elle dû refuser ?

Elle avait lu la correspondance que Mourochka entretenait avec Anna depuis la fuite de cette dernière en Allemagne. Deux ans. Et ce qu'Anna écrivait, le récit de sa vie à Berlin, n'avait pas déplu à Maria Nicolaïevna : « Si tu viens à Berlin, avait-elle dit à sa petite sœur, apporte tes toilettes les plus élégantes, car il y aura beaucoup de bals. »

Tentant, bien sûr.

Comment Mourochka eût-elle pu résister à semblable appel ? Danser à la cour du Kaiser... Maria Nicolaïevna comprenait son désir. Elle le partageait. Pour sa Mourochka, elle souhaitait le meilleur.

Anna s'était chargée d'obtenir son autorisation, en négociant directement auprès d'elle. L'échange autour d'un éventuel voyage de Mourochka leur avait servi à toutes deux de prétexte pour une réconciliation. La petite – lui avait assuré Anna – se trouverait sous sa protection personnelle et celle de son mari, le comte Ionov. Elle se trouverait en outre sous l'autorité de leur frère Bobik qui venait, lui aussi, d'être nommé secrétaire à l'ambassade de Russie à Berlin.

Sous la protection d'Anna et de Bobik ? On aurait tout entendu.

Mais le moyen de résister à Mourochka quand sa voix se faisait si câline ? « Je vous en prie, Mummy, laissez-moi leur rendre visite. »

En évoquant sa benjamine, Maria Nicolaïevna se sentait devenir toute molle. « Quelques semaines de vacances, s'il vous plaît Mummy, dites oui, je vous en supplie... Pour pratiquer mon allemand. » La voix de Mourochka, un peu rauque... Vraiment un adorable petit chat.

Et voilà.

La lettre qu'elle tenait sur ses genoux, la cinquième du lot, émanait de l'officier qui s'était amouraché du petit chat durant le voyage. Une demande en mariage.

En songeant à ses autres gendres, la mère poussa un soupir lourd d'amertume.

Du menu fretin.

Le pire semblait toutefois derrière. Elle avait su préserver les apparences. L'essentiel.

Le monde pourrait dire que la veuve du sénateur Zakrevski avait donné ses filles à de vieilles lignées de la noblesse russe : la famille Ionov, la famille Engelhardt servaient le Tsar depuis des générations.

Certes, à Saint-Pétersbourg, ces alliances paraîtraient dérisoires. N'avait-on pas, un temps, parlé d'un mariage possible entre les jumelles et deux jeunes gens du cercle impérial ?

Maria Nicolaïevna ne s'attardait pas sur ses regrets.

En vérité, au terme de tous ces orages, elle se sentait plutôt soulagée. Par son énergie, elle avait évité la honte et sauvé l'honneur : ses deux ingrates de filles s'en tiraient plutôt bien. L'une était désormais comtesse Ionov, l'autre comtesse Engelhardt. Et leurs enfants hériteraient de leur titre. Que demander de plus ?

De toute façon, le mal était fait. Anna avait déjà donné naissance à une fille qui grandissait à Berlin. Elle attendait un autre bébé. Quant à cette dévergondée d'Alla, le 2 juillet 1909, elle avait, elle aussi, accouché d'une fille, que Maria Nicolaïevna avait fait déclarer en France, à Nice, en usant du patronyme qu'elle avait acheté pour la mère et l'enfant.

Afin de donner plus de poids à la légitimité de la bâtarde, Maria Nicolaïevna avait exigé qu'on baptise le bébé du prénom de sa supposée grand-mère paternelle : la comtesse Kira von Engelhardt, leur voisine en Ukraine.

Un nom, un titre. *La petite comtesse Kira* pourrait, sans inconvénient, ignorer le secret de sa naissance : elle appartenait au monde et n'aurait aucune question à se poser. Peu importait l'identité de son père. *Noble* était son patronyme : tout était dit. Le reste ne la regardait pas, ni elle ni personne.

Maria Nicolaïevna reconnaissait en outre que le véritable géniteur de Kira ne manquait pas d'allure. Le baron von Biström s'était révélé une canaille, oui, mais il avait eu du charme. Aussi joli garçon sans doute que le Vladimir Vladimirovitch Ionov d'Anna qui passait à Berlin, paraît-il, pour le plus splendide spécimen de la Beauté russe.

Sur ce seul plan, la plastique de leurs galants, elle partageait les goûts des jumelles. Et elle leur en savait gré. La grâce de la petite comtesse Kira qu'Alla, sa mère, avait ramenée à Berezovaya, la rassurait. Tout son entourage – Mourochka, la première – chantait les louanges du bébé, une merveille, un amour.

Au moins, ses petits-enfants seraient-ils agréables à regarder !

Évidemment, un jour ou l'autre, la responsabilité lui incomberait à elle de les nourrir et de les élever : sur ce point, Maria Nicolaïevna ne se faisait aucune illusion.

Si Anna prétendait encore éduquer sa fille, Alla se désintéressait totalement de la sienne. Et plus Kira grandissait, plus elle affectait d'ignorer son existence. Un euphémisme. Alla semblait en avoir peur.

Et c'était Mourochka qui avait dû prendre la relève, gazouillant avec l'enfant, veillant sur tous les soins que lui prodiguaient les nourrices, avec un zèle et une ponctualité qui surprenaient jusqu'à Ducky. Qui aurait pu prévoir que Babydear eût ainsi l'instinct maternel ? De sa vie, elle n'avait joué à la poupée. Encore moins à la dînette. Toujours dehors, toujours à cheval ou sur un court de tennis, elle n'acceptait de rester tranquille que dans la bibliothèque. Et encore ! Même là, elle lisait debout, en marchant. Quant à se pencher sur un berceau dans la nursery des manoirs voisins ? Jamais. À l'inverse des autres jeunes filles, les nourrissons la laissaient de marbre.

Seule Bébé Kira trouvait grâce à ses yeux. La petite lui ressemblait d'ailleurs. Brune, comme elle – et non rousse comme Alla – avec de grands yeux marron... La même sorte d'enfant. Si Mourochka n'avait été si jeune, elle aurait pu passer pour sa mère.

La sollicitude de Mourochka envers sa nièce émouvait Maria Nicolaïevna aux larmes. Son bébé à elle avait décidément grandi.

Au terme de toutes ces années, elle aussi, la pauvre Maria Nicolaïevna, avait besoin de vacances.

Berlin ? L'ambassade la plus prestigieuse d'Europe... Pourquoi pas ?

Oui. Que Mourochka aille passer quelques semaines chez Anna à Berlin. Elle avait donné son accord.

Pourvu que la petite y fût chaperonnée par Wilson. Et que, par la même occasion, Wilson débarrasse Berezovaya de Bébé Kira, dont Alla ne supporterait pas les vagissements sans Mourochka pour la prendre dans ses bras, la bercer et jouer avec elle.

De toute façon, Alla devait retourner en France avec « son mari » pour entériner le divorce qu'ils avaient demandé au tribunal de Nice.

Qu'elles partent toutes !

Et que Bébé Kira reste chez Anna. Cette dernière était déjà chargée de famille : elle pouvait bien élever l'enfant de sa sœur dont elle était, en outre, la marraine.

Oui. Berlin.

À condition que Mourochka soit rentrée à Saint-Pétersbourg en novembre : elle devait être présentée cet hiver à l'Impératrice. Comme ses sœurs. À dix-huit ans, selon l'usage.

La jeune fille avait donc quitté l'Ukraine dans l'ivresse de la gratitude et la folie de ses rêves de conquête.

Des toilettes, des bals...

Et voilà que moins de quinze jours plus tard lui parvenaient, à elle, la malheureuse Maria Nicolaïevna, ces cinq lettres.

Moura disait vouloir épouser l'officier qui l'avait escortée. Un ami de son frère Bobik et de son beau-frère Ionov. L'épouser demain. Maintenant. Tout de suite. À Berlin ! L'épouser en l'absence de sa mère, l'épouser sans dot.

Elle avait dix-sept ans.

Que faire ?

Les lettres que Maria Nicolaïevna tenait sur ses genoux répondaient aux questions qu'elle aurait pu se poser. Elle les lisait. Elle les relisait. Elle les passait au crible.

Les missives lui paraissaient relativement cohérentes, toutes… Anna et Bobik concluaient leurs épîtres avec les mêmes mots : le prétendant de Mourochka serait pour Mummy *le gendre idéal*.

Dans sa propre lettre, le gendre idéal ne révélait rien d'autre qu'une bonne éducation, le sens des usages, un respect profond envers la mémoire de feu le sénateur, un respect plus profond encore pour Mourochka. Aucune protestation sentimentale. Pas de grands mots d'aucune sorte. Difficile de s'en faire une idée.

Que faire ? Sinon *rien*. Attendre. Oui, mais… « Quand la Fortune passe à proximité d'une jeune fille sous la forme d'un beau parti, songeait Maria Nicolaïevna, sa mère se doit de la saisir. » Elle-même connaissait trop la vie pour ne pas savoir que la chance ne se présente pas deux fois. Oui, mais… Était-ce la Chance ?

Maria Nicolaïevna décortiquait ce qu'écrivait Anna :

Sa famille, d'origine germano-balte, remonte aux chevaliers Teutoniques : elle appartient toutefois à la noblesse russe depuis trois générations.

Bien.

Son grand-père a été nommé gouverneur de la province d'Estonie par Sa Majesté l'empereur Nicolas Ier.

Très bien.

Lui-même a été admis à douze ans au Lycée impérial de Saint-Pétersbourg dont il est sorti dans les meilleurs rangs. Il est ensuite

74

entré au ministère des Affaires étrangères, avant d'être nommé chambellan et conseiller privé de Sa Majesté.

Parfait. Excellents débuts dans le monde.

À vingt-cinq ans, il a perdu son frère aîné, devenant ainsi l'héritier du château familial, un vaste domaine près de Reval, dont ses trois cadets s'occupent à cette heure.

Anna poussait la précision jusqu'à calculer que « le gendre idéal de Mummy » disposait d'environ trois mille roubles de rentes.

On ne pouvait mieux.

Côté parentèle ?

Son cousin n'est autre que le grand maréchal de la Cour que vous connaissez, l'époux de votre amie la princesse Dolgorouki. Son autre cousin est notre ambassadeur à Londres, que Daddy avait rencontré et dont il disait grand bien.

Lui-même a suivi à Berlin le comte von der Osten-Sacken auprès de Sa Majesté l'empereur Guillaume II. Le comte von der Osten-Sacken le traite ici comme son propre fils. Il le juge, dit-il, le plus brillant de ses attachés, et prétend le pousser dans la carrière diplomatique de toutes les façons possibles.

Favori de l'ambassadeur de Russie en Allemagne ? Officier et diplomate à Berlin, la plus prestigieuse des ambassades ?

Excellent, cela aussi.

Dernier avantage : son père venait de mourir, le laissant libre de ses choix matrimoniaux.

Il n'y a donc aucune réticence à redouter de la famille, aucun refus paternel à craindre.

Cette dernière considération d'Anna disait clairement combien l'alliance n'était avantageuse que pour les Zakrevski.

Anna insistait. Mummy ne devait pas attendre… Un mariage en tous points recommandable.

Maria Nicolaïevna n'osait même conclure : *une occasion inespérée.*

D'autant que, selon Bobik, Mourochka avait déjà tourné la tête aux attachés d'ambassade de toutes les représentations diplomatiques. Et qu'elle semblait décidée à accorder sa main au premier qui la lui demanderait. La Fortune s'était présentée sous la forme du meilleur d'entre eux. Elle l'avait senti. Elle l'avait saisie. Mais qui sait ? disait Bobik. À dix-sept ans, on peut changer d'avis.

Maria Nicolaïevna réprima un geste d'impatience. Changer d'avis ? Il savait de quoi il parlait, celui-là ! Combien de mariages avait-il manqués ? Incapable de faire sa cour jusqu'au bout. À trente-deux ans ! Ce n'était pourtant pas faute de lui avoir présenté des jeunes filles.

Ah, derniers détails d'importance : détails émanants de Wilson, ceux-là.

À l'entendre, le prétendant de Mourochka était le mieux tourné des officiers-secrétaires. Plus séduisant encore que le comte Ionov d'Anna. Wilson écrivait précisément cette phrase : *Je le crois aussi beau de cœur que de visage. Ce jeune homme me paraît très distingué, très raisonnable et très sérieux.*

Wilson insistait sur un second point : *Bien que de nature réservée, il semble aimer Babydear avec emportement. Durant le voyage, il s'est montré capable de toutes les audaces, de tous les sacrifices pour la conquérir.*

Wilson ne précisait pas la nature des actes en question, mais elle le disait *infiniment épris. Amoureux jusqu'à la folie. En adoration,* même.

Ce point était le seul bémol du panégyrique.

En adoration devant sa propre femme ? Allons donc, Maria Nicolaïevna connaissait la chanson. On avait vu ce qu'était devenue « la passion » du sénateur Zakrevski. Lui aussi s'était montré *capable de toutes les audaces, de tous les sacrifices* pour la conquérir. Que de serments, en demandant sa main ! Et quand il l'avait obtenue… Il lui avait préféré la compagnie des serves et des courtisanes. Avant de léguer sa fortune à la racaille juive et franc-maçonne. Avant de la laisser, elle, sur la paille de Berezovaya !

Sa Haute Noblesse avait développé une théorie selon laquelle on ne devait jamais, au grand jamais, épouser quiconque par amour : la règle valait pour les deux sexes. D'expérience, seuls les mariages d'intérêt perduraient. L'intérêt bien compris, de part et d'autre.

Par chance, le gendre idéal ne faisait montre d'aucun grand sentiment.

Que faire ?

Sur le papier, tout semblait s'accorder. Même l'âge des époux. Bel équilibre : il avait juste onze années de plus que Mourochka, vingt-huit ans. Quant à son patronyme… Joli nom. Très ancien. Très glorieux, en effet. Il s'appelait Johann von Benckendorff, dit *Djon* qu'on prononçait à l'anglaise : *John*.

Pas de titre, cependant.

Ce Benckendorff-là appartenait à la branche cadette. L'autre branche, celle des comtes Benckendorff, très proches du Tsar, aurait eu plus de lustre.

Mais seulement aux yeux des bourgeois. Maria Nicolaïevna était bien placée pour savoir que, dans l'aristocratie russe, les familles les plus nobles n'étaient pas nécessairement titrées.

Que faire ?

Sinon prendre, ailleurs, d'autres renseignements.

S'ils s'accordaient avec les cinq épîtres qu'elle repliait pensivement, une à une, qu'elle nouait ensemble en un seul paquet, et qu'elle serrait avec soin dans un tiroir de son secrétaire… à la grâce de Dieu : on consentirait !

Chapitre 6

« C'EST FAIT, C'EST FAIT ! »
1911

En ce matin du 24 octobre 1911, dans la petite chapelle orthodoxe de l'ambassade de Russie à Berlin, la gouvernante des quatre enfants de feu le sénateur d'Empire Ignace Platonovitch Zakrevski, représentait sa maîtresse au mariage de la benjamine.

L'absence de la mère ne s'expliquait pas, cette fois, par une quelconque opposition au choix de sa fille. Ou par un désaccord avec la famille de son gendre sur la dot. Au contraire. Madame Zakrevskaïa avait donné sa bénédiction au jeune couple, elle l'avait donnée très volontiers et très chaleureusement. Mais absorbée par l'organisation de son propre retour à Saint-Pétersbourg, prise dans le tourbillon de ses plaisirs retrouvés, elle n'avait pu se permettre d'abandonner ses affaires pour entreprendre le long voyage d'Allemagne.

Une fatigue inutile. On n'avait pas besoin d'elle.

Bobik servirait de témoin à sa sœur. Anna lui prodiguerait ses conseils pour la nuit de noces. Wilson s'occuperait du reste. Non, sa Mourochka bien-aimée n'avait plus besoin de sa Mummy.

La petite avait fêté ses dix-huit ans en mars dernier et désirait cette union depuis son arrivée à Berlin, près de six mois maintenant. Elle avait eu tout le temps de se préparer au sacrement qu'elle allait recevoir.

Maria Nicolaïevna n'était toutefois pas assez bête pour n'avoir pas compris que sa tendre Mourochka avait trouvé ce moyen – un mariage en toute hâte à l'étranger – afin de ne pas rentrer en Ukraine. Afin de la fuir, elle, peut-être ?

Tout plutôt que le retour à Berezovaya Rudka.

Alla n'était pas revenue de Nice non plus. Elle prétendait, elle, que c'était son divorce qui la retenait en France, que la procédure s'éternisait.

Bobik, Anna, eux, demeuraient en Allemagne.

Maria Nicolaïevna affectait de les comprendre tous : pour des jeunes gens d'aujourd'hui, cosmopolites comme ses enfants, cosmopolites comme l'avait été leur père, l'Europe pouvait sembler plus moderne, plus stimulante que la Russie éternelle. La Russie de leur vieille mère.

Qu'ils habitent donc l'Europe.

Devant ses amies, elle ne concluait pas : « Et grand bien leur fasse, bon débarras ! » Elle le pensait, toutefois.

Envers sa Mourochka, c'était une autre affaire : elle la serrait de loin sur son cœur, elle la bénissait de toute son âme, elle priait jour et nuit pour sa félicité. Que le Seigneur lui accorde le bonheur et la prospérité. Que la Reine des Cieux l'ait en Sa Sainte Garde !

Quant à sa dot, puisque le bon Johann von Benckendorff la prenait sans les négociations d'usage, pourquoi se montrer plus royaliste que le roi ? On parlerait des biens lors du retour du jeune couple à Saint-Pétersbourg.

*

Toutes les représentations diplomatiques en poste à Berlin assistaient à la cérémonie. Anglaise, française, allemande, et russe bien sûr. Un mariage éminemment mondain. La chapelle était comble.

Officiers en guêtres à boutons ou en bottes à tige, épaulettes rutilantes, ceinturon astiqué ; la casquette, le bicorne ou le casque à pointe posé sur l'avant-bras droit. Marquises, comtesses, baronnes étroitement corsetées ; vestes à basques, jupes moulantes, ombrelles en dépit de la saison hivernale, et grands chapeaux piqués de fleurs et d'oiseaux. Popes à longues barbes et chasubles brodées d'or.

Les volutes de l'encens et les incantations des chantres ne parvenaient toutefois pas à couvrir l'agitation et les murmures de l'assistance. Ces dames chuchotaient qu'en Ukraine, les petites Zakrevski avaient été très compromises. Elles s'interrogeaient sur la réputation de la dernière, qui semblait savoir un peu trop précisément ce qu'elle attendait de la vie. Elles murmuraient que la réponse tenait en un mot : *tout*. Tout voir, tout faire, tout vivre.

Et le beau, le sage Benckendorff s'y était laissé prendre.

Il fallut l'entrée de Son Excellence l'ambassadeur de Russie en grand uniforme blanc de parade, la poitrine constellée des plus hautes distinctions de l'Empire, pour imposer un semblant de silence. Il avançait à petits pas, le visage tordu, la jambe raide : une attaque, l'an passé, l'avait laissé paralysé du côté gauche. Son grand âge et ses infirmités n'avaient pas entraîné son rappel, au grand dam des mauvaises langues qui disaient que l'importance des crises entre la Russie et l'Allemagne, depuis la guerre du Japon, exigeait une intelligence plus subtile que celle de ce vieux pachyderme réactionnaire.

Peu lui importait, à lui, les ragots. Le comte Nicolaï von der Osten-Sacken orchestrait les relations mondaines entre l'aristocratie du Kaiser et celle du Tsar depuis près de seize ans. Et l'Empire russe, comme l'Empire allemand, s'en trouvait bien.

Honneur suprême, c'était donc lui qui conduisait la mariée à l'autel et qui, par ce geste, présentait, imposait et lançait la jeune femme dans la haute société de Berlin et de Saint-Pétersbourg.

81

« Quelle jeunesse ! Quelle grâce ! Elle est adorable ! » Les commentaires accompagnaient leur progression : « Ravissante robe ! Superbes dentelles ! »

Derrière l'amas des ruchés et des tulles, la comtesse Ionov, splendide elle aussi, sa chevelure rousse plus incandescente que jamais sous la blancheur de sa capeline, portait la traîne.

« Très différentes, les deux sœurs... Mais aussi belles l'une que l'autre. »

Ducky, retournée vers ses filles, les enveloppait dans le même regard plein d'amour.

Babydear avait exigé qu'elle se tînt au premier rang, à la place qu'aurait occupée sa mère. Grande, mince, plus élégante dans sa modestie que la plupart des femmes de la noblesse, la gouvernante *avait pris du monde,* commentaient les témoins de la mariée, Ionov et Bobik, qui la voyaient de dos. À quarante-sept ans, Mrs Wilson semblait *être née,* en effet : elle *appartenait.*

Elle ne quittait pas Babydear des yeux.

En observant son profil, qu'elle distinguait à peine sous le voile, cette tête haute qui n'affectait ni l'humilité ni le recueillement, en devinant l'intensité de ce regard fixe, dont elle n'aurait su dire s'il pétillait de joie ou s'il luisait de larmes, elle sentit sa gorge se serrer.

Quand son enfant fut passée, Ducky se concentra sur l'homme qui l'attendait, debout là-bas, devant les portes de l'iconostase. Johann von Benckendorff était tel qu'elle l'avait décrit à Sa Haute Noblesse : *sérieux et distingué,* grand, bien fait, la moustache en croc comme le voulait la mode. Extrêmement ému, en dépit de l'impassibilité de son expression et de son apparente froideur.

Aucun doute : Babydear n'aurait pu trouver meilleur époux. Cependant elle était encore bien jeune – dix-huit ans – pour s'engager dans la vie conjugale.

Ducky sentait poindre en elle l'inquiétude. Aurait-elle dû exiger qu'on remette cette union à plus tard, au retour en Russie ?

Ou bien sa brusque tristesse ne tenait-elle qu'à sa nostalgie de l'enfance de Babydear – *Marydear* aujourd'hui ou plutôt *Marie*, comme l'appelait son époux –, qu'au regret de cette période à jamais révolue, où sa petite fille lui appartenait tout entière ?

*

— Alors ? demanda Anna, en ôtant avec précaution le voile et la couronne de fleurs d'oranger de la chevelure de sa sœur.

Aidée de Ducky et de sa propre femme de chambre, elle s'employait à défaire le chignon que le coiffeur avait arrimé avec des centaines d'épingles. La natte se déroula enfin, s'épandant par ondes sur les épaules de la jeune mariée qu'on préparait pour la nuit.

Anna hésitait. Comment aborder le sujet : la nuit de noces, justement ?

Fallait-il vraiment l'aborder ? Avertir Mourochka de ce que son époux attendait d'elle ? L'inviter à l'obéissance, comme l'avait exigé Mummy, l'exhorter à la patience et à la résignation ?

Anna connaissait assez sa cadette pour la savoir sans pruderie. Elle l'avait vue flirter et marivauder en Ukraine, en Allemagne. D'instinct, Mourochka cherchait à séduire. Mine de rien, sans même y songer, elle enjôlait les hommes, elle les fascinait, elle les tentait. Elle adorait lire la passion dans leurs yeux. Elle jouait avec le feu. Elle aimait plaire. Et pas seulement aux messieurs. Plaire à tout ce qui bougeait. Elle ne minaudait pas, non, elle ne faisait pas de manières. Aucune simagrée. Pas de chichis, pas de mignardises. Mais elle avait soif d'hommages et travaillait à mobiliser l'attention.

Elle cultivait une façon bien personnelle de captiver les causeurs, en se mettant, elle-même, en retrait des conversations. Elle savait écouter avec un intérêt, une qualité de concentration qui n'appartenaient qu'à elle. Interrogée par ses interlocuteurs, elle leur répondait avec une sollicitude pleine de bienveillance. Les rares voisins de Berezovaya Rudka, les officiers en visite chez les Ionov à Berlin : tous venaient lui soumettre leurs affaires et tombaient sous le charme de sa disponibilité et de sa finesse. Résultat : ils en raffolaient. *Une si merveilleuse jeune fille* !

Peut-être. Mais ne pas s'y fier. Ne pas prendre Mourochka pour une oie blanche. La liaison et les mésaventures d'Alla l'avaient, de longue date, mise au parfum des choses de l'amour. Elle n'ignorait rien de la façon dont on faisait les bébés. Et – n'en déplaise à Mummy qui voulait qu'on l'instruise – rien non plus de ce que son mari ferait avec elle au lit, cette nuit.

Le propre mari d'Anna, le beau Ionov, répétait à l'envi que *la petite avait le sang chaud*. En la matière, Ionov savait de quoi il parlait ! Ses infidélités à lui ne se comptaient plus.

Dieu fasse, songeait Anna, que la sagesse de Djon sache étancher la fureur de vivre de leur Mourochka. Dieu fasse qu'elle trouve avec lui la sérénité. La paix, oui, la paix… Au contraire de ce qu'elle-même vivait avec Ionov qui la trompait. Au contraire de ce que vivait aussi sa jumelle.

Alla avait revu à Nice l'un de ses anciens soupirants, et s'était engagée avec lui dans une liaison torride. Il s'agissait d'un journaliste, fils de feu le colonel Pierre-Étienne Moulin, l'attaché militaire à l'ambassade de France à Saint-Pétersbourg, qu'on avait connu du temps de Daddy. Dans ses lettres, Alla écrivait qu'elle l'épouserait dès son divorce d'avec Engelhardt, et qu'elle s'établirait avec lui à Paris.

La folle ! Ce garçon, ce René Moulin, n'avait ni nom ni fortune.

La vie conjugale, ou plutôt la maternité, avait rendu à la comtesse Ionov le goût des conventions, le sens des usages, et toute sa prudence.

Ne rien expliquer. Se taire, songeait-elle en regardant sa petite sœur : Moura n'avait besoin d'aucune leçon. À son âge et dans son milieu, elle en savait déjà trop.

Le visage de la jeune mariée se reflétait dans le miroir. D'ordinaire lumineux et vivant, il n'exprimait rien. Fatiguée sans doute. Lasse, au terme d'une telle journée.

Elle-même s'observait : l'ovale de sa figure, avec « la pique de veuve », l'épi au sommet du front, à la racine des cheveux.

De sa chevelure, Djon – *son époux Djon* – lui avait murmuré qu'elle lui paraissait de velours et de soie. Qu'il en aimait l'éclat, le sombre éclat, précisait-il.

Pourquoi pensait-elle à Djon au passé ce soir ? Mystère.

Il disait aussi qu'elle, *Marie*, incarnait à ses yeux le type de la Beauté ukrainienne... Robuste. Harmonieuse. Les hanches larges. Les attaches fines. Avec de tout petits pieds et de toutes petites mains aux doigts vigoureux, aux paumes d'une douceur infinie.

Les adjectifs de cette description étaient bien les seules hyperboles que Djon s'était jamais permises. Un accès de lyrisme. D'ordinaire, il parlait peu, ne s'exprimait que par litote et cultivait l'*understatement*. Quant aux effusions... Il respectait trop l'honneur de sa jeune fiancée, disait-il, pour se laisser emporter par son propre désir.

Elle eût été, elle, prête à se livrer tout entière, corps et âme. N'était-ce pas cela l'amour ? Un don sans restriction, sans prudence ? Il l'avait repoussée. Le monde à l'envers ! Pas de caresses, exigeait-il, encore moins des baisers ou des étreintes, avant le mariage.

Elle le trouvait magnifique de sérénité. Tellement correct, tellement parfait. Elle l'admirait, elle l'estimait de tout son cœur. Elle le savait si plein de bonté, d'une générosité intrinsèque dont elle se reconnaissait dépourvue. Elle tenterait de se hisser à sa hauteur et de lui ressembler.

Un peu trop conservateur peut-être ? Rigide dans ses idées ?

Le comte von Osten-Sacken lui avait raconté que Djon, en Estonie, s'était engagé dans le régiment chargé par le Tsar de châtier les fauteurs de troubles de 1905. Qu'il avait su mater cette ébauche de révolution avec poigne et rétablir l'ordre comme personne. Qu'il dirigeait les paysans de son domaine de Yendel d'une main de maître.

Elle avait froncé le sourcil. Si l'ambassadeur pensait devoir ajouter pour elle ce diamant aux couronnes qu'il tressait à tous les mérites de Djon, il se fourvoyait. L'écrasement dans le sang des paysans et des ouvriers n'était pas dans ses goûts. Elle se voulait libérale et progressiste. Comme son père.

Le sénateur Zakrevski, dans ses écrits, avait su prévoir les soulèvements auxquels l'ambassadeur faisait allusion. Il avait même proposé les réformes qui auraient permis de les éviter.

Elle avait lu à Djon le dernier pamphlet de Daddy, une sorte de testament moral intitulé *Vive le bon sens* ! Avec respect, Djon l'avait écoutée. Sans l'entendre. Il laissait sa fiancée maîtresse de ses opinions, mais refusait d'en discuter.

Djon… Ne pas songer à Djon. Pas tout de suite. Revenir à ce qu'elle voyait dans le miroir.

Sa chevelure, que Ducky tenait d'une main, la coiffant vigoureusement de l'autre, la tirant en arrière à grands coups de brosse, sa chevelure lui plaisait, à elle aussi. Son nez légèrement camus, cassé naguère lors d'une chute de cheval ? Non. Elle détestait son nez ! Les sourcils qui semblaient s'étirer droit jusqu'aux tempes ; les yeux très en amande, légèrement tombants sur l'extérieur ; la bouche pulpeuse, couleur de cerise, tombante elle aussi aux commissures. L'ensemble lui donnait l'air d'un chat, comme le soulignait autrefois Mummy.

Mais, en cet instant, d'un chat échaudé. Boudeur. Très triste même.

Elle prit sur elle, se forçant à une ébauche de sourire.

Anna, sur le ton du secret, une familiarité qui se voulait un encouragement aux confidences, insista :

— Alors, ma chérie ?…Tout s'est-il passé comme tu le désirais ?

Elle acquiesça :

— Exactement.

Sa propre voix, un peu rauque selon son ordinaire, sonna bizarrement. Elle-même l'entendit comme étouffée. Presque altérée.

Était-ce l'émotion de se trouver livrée une dernière fois aux mains si protectrices, si familières, de sa gouvernante ? À la sollicitude de sa grande sœur ?

Ou bien le trouble, l'émoi à l'idée de ce qui allait enfin se passer cette nuit dans les bras de Djon ?

— Ce fut une noce magnifique ! s'exclama Anna, comparant en son for intérieur l'éclat de la cérémonie d'aujourd'hui à l'obscurité de son propre mariage dans l'église de l'Orphelinat.

— Oui.

— Tout Berlin était là. Tu as vu ? Même la duchesse de Trachtenberg est venue !

— Oui.

— La princesse von Hartzfeldt ne jure que par toi. Je l'ai entendue répéter à Djon, qui est un peu son parent, qu'elle te prenait sous sa protection.

— Elle me l'a dit aussi. C'est une merveilleuse vieille dame.

— Es-tu heureuse, ma chérie ?

Moura réfléchit, haussa les épaules, soupira et lança avec légèreté, avec fatalisme :

— Bah, fichue pour fichue, c'est fait, c'est fait !

Anna en resta interloquée. Elle-même était bien placée pour savoir combien Moura avait voulu épouser Djon. *Fichue pour fichue, c'est fait, c'est fait* ! Étrange conclusion pour une grande amoureuse.

Passée l'exaltation du coup de foudre, avait-elle eu l'intuition de commettre une erreur ? Senti, par bouffées, par intermittences qu'elle se trompait ? Qu'ils se fourvoyaient tous les deux ? Elle n'en avait jusqu'ici rien laissé paraître. Aucune peur. La volonté forcenée d'aller de l'avant, au contraire.

Avait-elle jugé qu'il était déjà trop tard pour reculer ?

Et maintenant… *Fichue pour fichue, c'est fait, c'est fait* !

L'indifférence, l'insouciance, pour ne pas dire la résignation et l'absolue désinvolture d'une telle réponse, choquèrent jusqu'à Ducky. Elle protesta :

— *But Mary, dear…*

Ressentant leur étonnement à toutes deux, Moura esquissa le geste de se lever et de leur échapper.

Elle ne chercha pas à s'expliquer. L'eût-elle voulu, qu'elle ne l'aurait pas pu. Même à ses propres yeux, ses sentiments restaient un mystère qu'elle ne se soucierait pas d'éclaircir.

Mais, au cas où l'une ou l'autre aurait cherché à creuser la question, elle répéta encore, à la cantonade, bien fort, en guise de conclusion définitive sur le chapitre de son mariage :

— Pour le meilleur ou pour le pire : c'est fait, c'est fait, vogue la galère et *evviva* !

Chapitre 7

LA BELLE ÉPOQUE DE MADAME VON BENCKENDORFF
1911 – 1913

Lancée d'un coup. Un triomphe partout.

Elle adora sa première saison de femme mariée en Allemagne. Elle adora sa première saison de femme mariée en Russie. Elle adora sa première saison de femme mariée en Estonie.

Le manoir familial de Yendel à moins de cent kilomètres de la mer Baltique, l'été. Saint-Pétersbourg, à Noël chez Mummy ; ou dans le grand appartement que Djon avait acheté au 8 rue Shpalernaïa pour leurs retours en permission. Et l'ambassade de Russie sur la Frankenstrasse de Berlin, au printemps et à l'automne. Il lui semblait que la vie commençait enfin, qu'elle rencontrait les personnes les plus distinguées, et qu'elle était, elle, le centre autour duquel le monde tournait... Le grand monde des cours impériales.

Anna n'avait pas exagéré quand elle lui avait écrit qu'elle devrait apporter à Berlin « ses plus élégantes toilettes car il y aurait beaucoup de bals ».

Dans cette société totalement cosmopolite, dont les aristocraties restaient intimement liées par le sang – comme les trois cousins germains, le tsar Nicolas II, le kaiser Guillaume II, le roi George V –, la ronde des ragots et des raouts l'occupait tout entière.

Cercles, clubs, clans, Marie von Benckendorff vivait en bande, et la conversation avec ses amies lui prenait la journée.

Au contraire des jeunes femmes de sa génération, elle recherchait d'abord la compagnie des très vieilles dames, les aïeules aimables et philosophes, dont les anecdotes sur leur vie passée la fascinaient. Celles-là avaient valsé, jadis, avec le sénateur Zakrevski chez la princesse de Croy à Paris, joué au bridge avec lui chez la duchesse de Bedford à Londres, et se flattaient d'avoir rencontré la terre entière.

« Croiser à l'étranger une personne qui a connu vos parents, expliquait-elle à Djon que sa patience devant certains radotages surprenait, entendre parler de votre père disparu ne peut manquer de vous attendrir. »

La tendresse résumait parfaitement ses sentiments envers les anciennes sommités de Berlin.

Avec les autres, les épouses des attachés d'ambassade : frivolités, potins, scandales, les échanges étaient plus personnels. Du prochain bal ou du dernier esclandre, elle bavardait passionnément avec son homologue anglaise, Lady Russell, qui venait elle aussi de convoler. Son mari était le fils de feu l'ambassadeur d'Angleterre, favori du chancelier Bismarck dans les années 1870. Cette préférence de jadis ouvrait aujourd'hui toutes les portes au couple Russell. Et, par ricochet, à leurs intimes en Allemagne.

Elle cultivait une troisième sorte d'intimité avec quelques grandes mondaines – peu nombreuses, ici –, les Parisiennes, plus riches, plus titrées, d'une vingtaine d'années plus âgées qu'elle, qui connaissaient la vie et prétendaient la lui apprendre. Ainsi madame de Méricourt, l'intelligente et spirituelle épouse du banquier Davidoff, dont les mauvaises langues disaient qu'en fait de Méricourt, elle était plutôt née « Merteuil » : de nom, de moyens et de mœurs, *très XVIIIe siècle*. La seule personne de l'entourage de *Mary* dont Ducky désapprouvait furieusement l'influence.

Pour le reste… Parties de chasse au fusil chez les parents prussiens de Djon, après-midis aux courses de Potsdam, soirées de gala à l'Opéra, réceptions dans les châteaux des familiers des Hohenzollern et des Habsbourg : la valse de ses plaisirs ne s'arrêtait jamais.

Et si Ducky avait, jadis, trouvé épuisante l'assiduité de Babydear aux goûters et aux bals d'enfants, aux leçons de danse, de patinage et d'équitation, elle n'avait encore rien vu de son énergie à « sortir et recevoir ».

Même Djon, que la stricte observance des usages et le respect de la tradition obsédaient, même lui qui exigeait de se conformer aux règles les plus infimes de la bonne éducation dans la société russe et allemande, criait quelquefois forfait : « Dieu du ciel, Marie, tu es infatigable ! » s'exclamait-il en souriant. L'enthousiasme avec lequel elle remplissait ses devoirs mondains suscitait son respect.

Il n'ignorait pas qu'elle prenait sa revanche sur ses années de solitude à Berezovaya. Et que cette période d'immobilisme et d'enfermement restait un souvenir si pénible qu'elle la résumait en français par le mot *enfer*. Aujourd'hui, rester en tête à tête à la maison eût signifié pour elle manquer de curiosité, ne pas voir, ne pas vivre.

Mais danser, badiner, potiner…

En vérité, ce n'était pas tant le cotillon et la valse qui l'enchantaient, que les échanges d'idées dans les multiples ambassades.

Les dîners entre diplomates ? De loin, les soirées les plus fermées, les plus excitantes ! Un véritable parcours du combattant pour son mari… Car si les officiers-diplomates, comme Djon von Benckendorff, pouvaient tournoyer sur les parquets cirés des résidences officielles, il leur était difficile d'y être conviés à souper en petit comité, avant d'avoir atteint le grade de général.

Elle n'aimait cependant que cela. La politique au sommet.

Entendre débattre autour d'une table de la « crise du Maroc », discuter le « coup d'Agadir », discourir sur la rectification des frontières au Cameroun, la question de la Ligue balkanique, les enjeux de la Triple-Alliance, de la Triple-Entente... Et peser les risques d'une guerre générale.

Connaître à la fois les détails et les grandes lignes. Les rumeurs, les cancans qui agitaient les États, les idées de leurs représentants.

Observer l'univers par les deux côtés de la lorgnette. Et n'en rien rater.

« Quiconque à Berlin ou à Pétersbourg voudrait s'informer sur le monde, le grand, le petit, le demi, et l'interlope, plaisantait la comtesse Ionov, devra nécessairement passer par le service des renseignements de ma sœur. »

En ces années 1911-1913, sa maîtrise de l'anglais, du français, du russe – et maintenant de l'allemand –, son éducation littéraire et sa culture musicale faisaient, en effet, de madame von Benckendorff un ornement de choix. Les émouvantes sonorités de sa voix s'inscrivaient parfaitement dans le langage des Cours que pratiquaient les ministres plénipotentiaires et les chargés d'affaires, les consuls, les légats, les attachés militaires... bref, les corps diplomatiques de toutes les capitales.

Le comte de Chambrun, premier attaché de l'ambassade de France, se disait son plus fervent admirateur. Et les secrétaires de l'ambassade de Russie ne juraient que par elle. Quant à l'épouse américaine de l'ambassadeur d'Angleterre – la vieille Lady Goschen –, elle s'était entichée de « sa jeune amie russe », au point de la retenir à ses côtés au sommet de l'escalier d'honneur, et de prétendre recevoir avec elle les hôtes du roi George V. Son Excellence, Sir Edward Goschen lui-même, ne manquait jamais de lever son verre au dessert : « À Sa Majesté le tsar Nicolas, notre allié... Et aux yeux pétillants de madame Benckendorff, son ambassadrice la plus exquise ! »

Ivresses de la vanité, joies de l'existence.

Seule inconnue : Djon approuvait-il ses succès ? Les encourageait-il ? Les remarquait-il, seulement ? Il affectait de trouver sa réussite mondaine totalement naturelle. Jamais un compliment. Pas un signe d'admiration ni même une marque de cette attention, dont elle avait tant besoin. Une politique chez lui.

Considérant sa femme comme une partie intrinsèque de lui-même, il ne jugeait pas nécessaire de la féliciter, encore moins de s'extasier. On ne fait pas parade de ce qui vous appartient, on ne s'en félicite pas, on ne s'en vante pas. Par correction, par pudeur, par bon goût, on se tait. Il eût considéré des louanges de sa part comme un manque de tenue.

Avec une affectation d'indifférence, il la plantait là, à l'orée des salons, et partait se perdre dans la masse des autres uniformes. Il prétendait lui laisser le champ libre pour papillonner et plaire à sa guise, comme l'aurait fait n'importe quel mari bien élevé.

Il restait si distant, si froid, qu'elle ne pouvait imaginer à quel point il adorait ce moment où tous les yeux se tournaient vers elle. Lui-même, dissimulé par les plantes vertes, tendait l'oreille et ne parvenait pas à détourner le regard.

La passion de Marie pour les robes de Worth et les parures de Fabergé l'avait transformée en l'une des femmes les plus à la mode de Berlin. Personnellement Djon n'avait aucun goût ni pour « les femmes à la mode » ni pour les dépenses excessives. Mais chez Marie… Grande, mince, à la pointe du chic parisien. Une élégance si simple.

Oui, Marie était merveilleuse. Et sa beauté ne paraissait à Djon qu'un élément du miracle.

Merveilleuse de tact. Aucune erreur, jamais, dans les méandres du protocole. Une conscience aiguë des préséances. Il avait trouvé en elle une hôtesse sans égale, doublée d'une maîtresse de maison hors pair qui savait diriger les domestiques.

Merveilleuse de gentillesse aussi. Elle ne manquait jamais de lui sauter au cou le soir, de lui apporter son étui à cigarettes et de veiller à son bien-être. Ses efforts pour se montrer bonne épouse le touchaient. Épouse, elle l'était, d'instinct : toujours à la hauteur de ses devoirs.

Dans la nursery de la famille Ionov, il l'avait vue dorloter Kira, prendre la petite dans ses bras, jouer avec elle, la faire rire, la bercer. Il avait apprécié sa conduite envers cette nièce à laquelle elle servait de tutrice. Marie ferait une mère magnifique !

En l'observant ce soir sous les lambris de l'ambassade d'Angleterre, qui évoluait d'un cercle à l'autre dans sa toilette de mousseline gris orchidée, il se demandait où diable elle avait pris, si jeune, cette assurance légère, ce sens de l'étiquette, cette amabilité qui ravissait la bonne société de toutes les nations.

Il ne laissait rien paraître de son éblouissement. Pas un mot.

Et s'il jouissait de s'entendre dire et redire par sa parente, la redoutable princesse Nathalie de Hartzfeldt, qu'elle raffolait de sa femme, il se gardait bien de renchérir. De tous côtés, on venait lui chanter ses louanges : même le Kaiser, auquel Marie avait été présentée par la princesse Nathalie à la cour de Potsdam, même Guillaume II avait été séduit. Une séduction réciproque : Sa Majesté avait réussi à faire rire madame von Benckendorff. Un événement.

— Ne vous ennuyez-vous jamais, jeune et jolie comme vous l'êtes, en la compagnie de tous ces vieillards ? la taquinait à table l'ambassadeur d'Angleterre qui l'avait placée à sa gauche.

— Au contraire, Sir Edward, je les adore.

— Vraiment ?

— Vraiment. C'est un plaisir rare d'écouter discourir les personnes âgées : elles ont tant à raconter et tant à m'apprendre !

— Le pire, ma chère, c'est que vous avez l'air sincère. Ressentiriez-vous ce que vous dites ? Auquel cas, mon petit, vous seriez bien la seule personne qui parle vrai en Europe. Il la dévisagea, l'œil narquois... Sincère ? répéta-t-il. Vous ? Il ferait beau voir... Et ce bel officier, là-bas, en bout de table, que m'en diriez-vous ?

Il lui désignait un splendide hussard du régiment de l'impératrice Alexandra Fedorovna, dont elle connaissait le regard pour l'avoir vu fixé sur elle à toutes les réceptions de la comtesse von der Osten-Sacken.

En cet instant, le hussard la dévorait des yeux. Sir Edward l'avait remarqué.

Mais il y avait eu d'autres incidents entre eux, d'autres inconvenances, que Sir Edward ne pouvait pas connaître.

Lors du dernier raout, alors qu'au buffet, elle prenait une coupe de champagne des mains d'un domestique, elle avait laissé choir son carnet de bal. Le hussard s'était précipité pour le ramasser, lui effleurant le pied au passage. Et, comme par hasard, la cheville. Puis la jambe… jusqu'au genou.

Dire qu'elle en avait reçu un coup au cœur serait une litote. Jamais elle n'avait éprouvé une telle émotion. Une telle sensation. Elle en avait même tremblé si fort qu'abandonnant son carnet, elle avait pris la fuite.

Elle ne s'était pas contentée de quitter le buffet : elle était sortie dans le hall, avait dévalé l'escalier et, sans même avertir Djon de son départ, sans inventer un prétexte, elle avait demandé un fiacre. Bouleversée.

Alors qu'elle tentait de retrouver ses esprits sous le porche, elle vit le hussard débouler à sa suite.

— Madame, votre carnet, vous oubliez votre carnet !

La voiture de louage arrivait, elle s'y précipita. Il y bondit. Un chasseur referma la portière.

— Sortez ! Vous avez perdu la tête ! Sortez !

— Oui, j'ai perdu la tête, et mon âme aussi !

— Comment osez-vous ?

— Je vous aime à la folie, je vous aime à en mourir !

Il tenta de la prendre dans ses bras. Elle se débattit et, frappant au carreau, cria :

— Arrêtez la voiture !

Le fiacre s'immobilisa :

— Sortez, ou je vous fais jeter dehors par le cocher.

— Je vais sortir, oui. Mais d'abord, écoutez-moi…

95

Comme elle esquissait le geste de couper court, il lui saisit les poignets :

— …Vous savez que je suis amoureux de vous depuis mon arrivée à Berlin ? Vous le savez, n'est-ce pas, que je vous aime à en mourir ?

Elle se dégagea violemment.

— Je ne vous connais pas, monsieur, articula-t-elle glaciale. Et je vous prie de sortir.

— Écoutez-moi ! Le temps me manque pour vous faire sentir ce que j'éprouve. Dans quelques mois, dans quelques semaines, dans quelques jours, j'aurai cessé d'exister… Je n'ai plus longtemps à vivre.

Il était pâle, en effet, et semblait brûlé par la fièvre.

Une tête d'icône. Le visage ovale d'un Christ byzantin. Les yeux gris, presque bridés, frangés de longs cils, si longs, si noirs qu'on eût dit des traits de khôl. Les pommettes saillantes. Les lèvres rondes et charnues.

— …Ne pourriez-vous m'aimer un peu vous aussi ?

— Sortez !

Cette fois, il obéit. Non sans lui avoir jeté dans l'encadrement de la fenêtre :

— En souvenir de vous, je garde votre carnet de bal… Avec les noms des heureux qui vous ont tenue dans leurs bras… Mais, vous, Madame, vous, quand je serai mort, n'oubliez pas de vous souvenir de moi !

Elle en resta impressionnée. Ce fou connaissait les vers du poète ukrainien qu'elle récitait, petite, aux invités de son père à Berezovaya ! Ou bien s'agissait-il d'une coïncidence ?

Rentrée chez elle, elle s'enferma dans sa chambre, se jeta à plat ventre sur le lit et resta là, habillée, le visage dans l'oreiller.

La colère, la peur et le remords : toute la nuit.

Et cette main, le souvenir de cette main sous sa robe… Les caresses de Djon ne lui avaient jamais causé cette sensation-là !

De l'outrage qu'elle venait de subir, elle ne dit mot à son mari. Il aurait vengé l'incident par les armes. Et s'il y avait une chose que l'épouse d'un attaché d'ambassade ne pouvait se permettre à Berlin, c'était un scandale.

Se taire. Oublier.

Depuis, elle avait retrouvé le hussard partout sur son chemin.

Elle le rencontrait jusqu'ici, dans le cercle très fermé de Sir Edward Goschen, à sa table. Avec toujours ce même regard qui la déshabillait. Il s'était débrouillé pour se faire présenter : capitaine Athanase Ivanovitch Gramov. Aussi incontrôlable au moral que physiquement superbe. Elle avait pris ses renseignements, elle aussi : les extravagances d'Athanase Ivanovitch Gramov étaient de notoriété publique.

Il arrivait de l'ambassade de Russie à Londres, où il avait brûlé la vie par les deux bouts : le jeu, l'alcool, les femmes. Sa nomination à Berlin avait suscité de nombreuses protestations. Mais qu'y faire ? Il était un protégé personnel de l'Impératrice. D'aucuns ajoutaient qu'il appartenait au cercle des partisans de Grégoire Raspoutine, une affiliation qui lui ouvrait toutes les portes à la Cour. Qu'y faire ? Il avait bien combattu en Mandchourie, s'était brillamment illustré durant la guerre contre le Japon, et passait pour un brave.

On le prétendait, en outre, malade du cœur. Au bord de la tombe. Il n'avait, semblait-il, pas deux ans à vivre. Le malheureux. Ce dernier trait le rendait digne d'égards et de pitié.

Elle jeta un rapide coup d'œil au personnage que l'ambassadeur lui désignait.

— Je dirais, Sir Edward, que votre bel officier ne pèse pas lourd et qu'il ne fera pas long feu.

Le trait semblait si cruel, si caustique, que l'ambassadeur affecta d'en rire.

— Vous n'y allez pas par quatre chemins : très directe dans vos jugements, en effet !

Le sujet semblait clos.

L'ambassadeur insista :

— …Les yeux pétillants de madame von Benckendorff manquent toutefois de discernement, poursuivit-il dans un murmure. Je la croyais une femme intelligente, alors qu'elle se laisse bêtement compromettre par un vaurien.

La mise en garde la fit rougir. Elle en resta pétrifiée.

— Votre Excellence se trompe, parvint-elle à articuler.

— Au moins Son Excellence est-elle sincère, conclut-il avec un sourire.

*

— Se sentir en vie un jour comme celui-ci, soupira-t-elle en s'installant dans la Mercedes phaéton décapotée de madame de Méricourt… C'est tellement merveilleux !

Le visage tourné vers le ciel, les yeux rivés au pâle soleil berlinois, les deux femmes se faisaient conduire au Tiergarten, le parc où elles comptaient poursuivre à pied leur promenade de l'après-midi.

L'une, brune, très jeune, d'une sensualité éblouissante ; l'autre, menue, blonde, d'un raffinement, d'un cynisme dans toutes les saillies de sa conversation qui la rendaient plus qu'attirante, elles ne se ressemblaient pas.

Toutes deux cependant connaissaient assez le monde pour savoir que leurs deux types de beauté – aux antipodes – les mettaient chacune en valeur.

Sous les voilettes de leurs grands chapeaux, elles observaient la rue. En ce début de printemps, les passants avaient sorti leurs canotiers, les mères de famille, en coiffes de dentelle, poussaient leurs landaus.

— En troupeau, soupira la comtesse. Comme des bonnes… *Küche, Kinder, Kirche* – Cuisine, Enfant, Église –, quel ennui, l'Allemagne !

— Vous trouvez ? Moi, j'aime bien Berlin ! Toutes ces automobiles, ces tramways, ces cyclistes… On dit même que, sous l'Alexander Platz, ils construisent un métro… Sans les casques à pointe et les mouvements de troupes, j'adorerais cette ville.

— Je crois bien, mon cœur, que vous êtes la seule personne de ma connaissance qui prétende être toujours, toujours, toujours satisfaite de la vie.

— C'est que je suis toujours, toujours, toujours amoureuse de mon mari !

— *Wishful thinking, my dear !* Votre mari est un monsieur des plus corrects, en effet : tout ce qu'une femme, une très vieille femme comme moi, pourrait désirer.

— Une vieille femme, vous ? Allons donc : les hommes vous adorent et vous font frénétiquement la cour, même lui !

— Mais oui, une vieille. J'ai le double de votre âge… presque quarante ans.

— Vous êtes magique : la personne la plus séduisante que j'aie jamais rencontrée !

— Et votre mari : le plus *magique*, le plus séduisant aussi, je le sais, vous me le répétez à longueur de journée… Un homme d'honneur. Épris d'ordre et de discipline. Entre nous : affreusement prussien, non ?

— *Prussien ?* Djon est russe jusqu'au bout des ongles.

— Tatata ! Un baron balte dans toute sa splendeur, qui donne ses ordres en russe, oui, et qui réfléchit en allemand… Et qui, comme tous les barons baltes, s'inquiète de voir le fossé se creuser entre ses deux patries. Je me demande comment votre mari peut supporter de vivre ainsi écartelé entre la Russie et l'Allemagne.

— Djon n'est pas écartelé. Il a juré fidélité aux Romanov. Il vénère le Tsar. Les Benckendorff sont russes depuis des générations. Elle insista : Djon est chambellan de la Cour, conseiller privé de l'Empereur. Il est russe.

99

— Mais de culture et de tradition germaniques. Ne faites pas mine de protester, mon cœur. J'énonce une évidence : que l'armée de Pierre le Grand a envahi les pays baltes et qu'elle les a conquis en intégrant leurs aristocraties dans les rangs de la noblesse russe... Que, depuis ce temps... Combien ? Deux siècles ?... Que, depuis ce temps, les anciens chevaliers porte-glaives considèrent la Russie comme leur terre d'élection. Mais que l'Allemagne reste leur terre ancestrale. Je dis seulement cela, rien d'autre ! Que votre mari n'est pas slave... Qu'il est dépourvu de votre charme, de votre flamme... Et dépourvu probablement – ne vous en déplaise, petite sotte que vous êtes – de votre intelligence. Qu'il pourrait même paraître – à qui le connaîtrait mal – vaguement ennuyeux... Pour ne pas dire totalement assommant. Et que le temps passe ! Et que la vie est courte ! Profitez-en, ma chérie, profitez de votre jeunesse tant qu'elle dure. Goûtez-en chaque instant. Et gardez-en précieusement le souvenir. C'est tout ce qui nous restera à nous, les femmes comme il faut, dans nos vieux jours : le souvenir... Le souvenir du bonheur. Le souvenir de l'amour. Le souvenir d'une heure, juste d'une heure, de passion... Avez-vous un souvenir, un seul, avec votre mari, que vous pourriez chérir jusqu'à la mort ? J'en doute ! Vous avez beau soupirer *c'est tellement merveilleux* à lon-gueur de journée, je ne crois pas une seconde que vous vous sentiez vivante avec lui. Voulez-vous que je vous dise ? Vous allez finir par passer à côté de l'essentiel. Et cependant, il est là, l'essentiel, proche de vous. Ne faites pas l'innocente : vous savez comme moi qu'un certain capitaine de notre connaissance vous aime à la folie et qu'il est prêt à toutes les audaces pour se faire aimer de vous. Quitte à hâter sa propre mort ! Quant à vous, mon enfant, vous risquez fort de mourir sans avoir vécu !

Que répondre ?

« ...Un souvenir de passion avec Djon ? »

L'officier plein de gaieté et d'audace qui l'avait escortée entre Pétersbourg et Berlin, le personnage de leur première rencontre, avait disparu de longue date. Elle finissait même par se demander s'il avait jamais existé ! Oui, bien sûr, il avait existé puisqu'elle pouvait identifier l'instant de sa métamorphose. Elle la datait du jour où elle avait accepté sa demande en mariage. Loin de la couvrir de baisers, comme elle l'aurait souhaité en un pareil instant, il s'était incliné avec respect et gravité, avait claqué des talons et l'avait remerciée de lui faire l'honneur de devenir sa femme.

De ce jour-là, celui de leurs fiançailles, la flamme de Djon s'était comme éteinte… Morte. Plus un élan.

Même leur nuit de noces avait été un fiasco. Et depuis, c'était pis. Il semblait n'avoir plus aucun désir d'elle, ou si peu.

Quand, au retour d'un bal, ils se séparaient pour la nuit, il la reconduisait jusqu'à la porte de sa chambre, lui disait affectueusement bonsoir, et poursuivait son chemin jusqu'à sa propre porte. Il n'esquissait même pas le geste d'entrer chez elle. Elle devait toujours, elle, venir frapper chez lui, et se couler entre ses bras. Il ne la repoussait pas, il l'accueillait même avec chaleur. Mais les avances auxquelles il la contraignait finissaient par devenir humiliantes.

Et décevantes.

Anna prétendait que certains maris peuvent désirer toutes les femmes de la terre – surtout les plus mauvaises et les plus méprisables – toutes les femmes… Excepté leur propre épouse.

À l'entendre, Djon l'admirait trop, il la respectait trop, il l'aimait trop.

Mais que lui importait à elle ce respect ridicule et cet amour glacial ? Elle voulait être aimée avec feu. Et surtout ne pas *mourir sans avoir vécu*, comme le disait madame de Méricourt.

Elle regardait devant elle. Elle ne protestait plus. Elle se taisait.

Quand la Mercedes les déposa devant les grilles du parc, qu'elles y rencontrèrent le capitaine Athanase Ivanovitch Gramov, qu'il prit familièrement le bras de madame de Méricourt, qu'il ignora superbement madame von Benckendorff, elle fronça le sourcil.

Dans le dédale des allées, le capitaine et la comtesse marchaient à petits pas, échangeant des paroles et riant... Avec elle ? Rien. On l'avait oubliée, on ne la connaissait plus. Transparente.

Après ce qu'on lui avait fait subir ! Cette suite d'inconvenances... Les gestes, les regards, les rencontres. Sans parler des déclarations.

Et maintenant ? Pas un mot, pas un regard. Ni de l'un ni de l'autre. Elle les dérangeait presque. Elle aurait aussi bien pu ne pas exister.

Les règles de la bonne société interdisaient à une femme d'être vue en public, seule, avec un autre homme que son mari. Elle leur servait donc de chaperon.

Elle en conçut de l'agacement, bientôt du dépit. La jalousie n'était pas loin.

*
* *

La seconde saison berlinoise de madame von Benckendorff tint toutes les promesses de la première. Brillantissime. Son époux, en revanche...

Transformation complète. Sautes d'humeur, accès d'autorité et ton cassant. Djon, qu'on avait connu si charmant, si bien élevé, ne maîtrisait plus ses nerfs et révélait son vrai visage.

Il ne se ressemblait pas. Il se montrait désagréable, odieux, même ! On s'étonnait.

D'aucuns expliquaient ce changement par la disparition de son protecteur, le comte von der Osten-Sacken, décédé d'une crise cardiaque à l'été 1912, lors d'un séjour à Monte-Carlo : une perte qui l'avait beaucoup affecté et fragilisait sa carrière.

Le nouvel ambassadeur, monsieur Sverbejev, était arrivé à Berlin avec ses propres favoris. De nature compétitive, il ne cessait de remettre en question les initiatives de son prédécesseur. Il avait de quoi critiquer : Osten-Sacken était resté en poste seize ans. Les jugements de Sverbejev sur son œuvre en Allemagne étaient peu faits pour détendre l'atmosphère.

D'autres pensaient que l'assombrissement de Djon était dû à la mort de son ami et beau-frère, Platon Ignatievitch Zakrevski – Bobik –, décédé lui aussi durant l'été 1912, d'une maladie honteuse qu'on ne nommait pas à Berlin. Il avait trente-deux ans. Si l'on ne se souvenait déjà plus de lui dans les bureaux de l'ambassade, il semblait manquer à Djon, qui avait l'esprit de famille.

D'autres encore attribuaient son anxiété aux tensions de la situation internationale : l'Allemagne voulait la guerre, l'Allemagne la préparait. Et la Russie n'était pas prête. Chacun, ici, le savait. Et Djon von Benckendorff, le premier.

D'autres enfin s'interrogeaient sur le différend qui l'avait opposé au hussard du régiment de l'Impératrice, le tragique et splendide capitaine Athanase Ivanovitch Gramov. Une affaire d'honneur, disait la rumeur, à laquelle son épouse aurait été mêlée. On avait même parlé d'un duel, que les médecins militaires avaient empêché *in extremis*, envoyant cette tête brûlée d'Athanase soigner son cœur en Suisse.

On n'osait prétendre que la gracieuse madame von Benckendorff fût compromise. Ni prononcer d'autres paroles, plus fâcheuses encore. Les adjectifs *coupable*, *perdue*, ou le mot fatal : *adultère* ? Non.

Mais on craignait tout de même que, dans sa grande jeunesse, sa grande inexpérience, sa grande spontanéité, elle n'eût commis quelque imprudence.

À ce propos, on évoquait les bruits qui avaient jadis égratigné la réputation de ses sœurs. Ne disait-on pas dans le monde que les filles Zakrevski avaient eu du tempérament ? Trop, sans doute.

Quoi qu'il en soit, nul ne sut jamais le fin mot de l'histoire. Du drame ou de la comédie conjugale qui se joua chez les Benckendorff durant la seconde année de leur mariage, rien ne transpira. Aussi discrets l'un que l'autre, les époux ne se confièrent à personne. Et les nombreuses amies de Marie en furent réduites aux conjectures.

Une seule certitude : ce couple qu'on avait dit *magique*, ce couple qu'on avait cru si bien assorti, battait de l'aile.

Un an plus tard, les choses semblaient raccommodées, et solidement : madame von Benckendorff attendait un bébé. Elle irait faire ses couches en Estonie, dans la famille de son époux, au manoir de Yendel ainsi que le voulait la tradition.

Quand elle quitta Berlin après les courses impériales de juin 1913 et qu'elle partit sur ses terres avec armes et bagages, avec son mari, sa gouvernante anglaise, sa nièce Kira, et son armée de domestiques russes, il était entendu qu'on la retrouverait à l'automne pour la saison des chasses.

Djon fut seul au rendez-vous.

Le 2 octobre, sa femme lui avait donné un fils. Paul… Un premier garçon qu'il s'était empressé de baptiser dans la confession luthérienne comme tous les mâles de sa lignée.

S'il devait avoir un deuxième enfant, et que cet enfant fût une fille, alors on l'élèverait dans la foi orthodoxe, comme toutes les petites filles de mère russe.

Sympathique, bienveillant, il était redevenu le parfait *gentleman* qu'on avait connu. Heureux à nouveau. Oui, mais heureux sans elle. Au grand regret de la société berlinoise, Marie von Benckendorff ne retournerait plus en Allemagne.

Avant longtemps.

Chapitre 8

Moura Benckendorff
du manoir de Yendel en Estonie
1913 – 1914

Qui eût pu imaginer, six mois plus tôt, que Moura aurait quitté Berlin avec tant d'empressement ? Et qu'elle trouverait ici, dans ce manoir estonien, tant de paix et de joie ?

Accoudée au balcon de la terrasse du premier étage qui donnait de plain-pied sur sa chambre, elle embrassait du regard la beauté du paysage de Yendel.

Les yeux posés sur la cime des arbres, sur l'étendue bleue du lac, elle réfléchissait aux années passées.

Aucun regret de l'Allemagne.

La mort de Bobik endeuillait à jamais ses dernières impressions. Pauvre Bobik, songeait-elle. Si mal connu, si mal aimé. Elle tentait de se le rappeler enfant, mais avec ses treize ans de plus qu'elle, il avait disparu trop vite de Berezovaya. Et à Berlin, il souffrait déjà de cette maladie horrible, la syphilis, qui l'avait carié jusqu'à l'os et lui avait ôté ses facultés intellectuelles. Pauvre Bobik, que nul à l'ambassade n'avait pleuré. Ni même regretté à Saint-Pétersbourg, où Mummy s'était montrée plus préoccupée de cacher la nature de son mal à ses amies que d'honorer sa mémoire. Seuls Djon et Ducky avaient su lui témoigner leur affection, une compassion véritable.

En s'attardant sur la conduite de Djon, sa pensée fluctuait, hésitait.

Durant la crise qu'ils avaient traversée…

Elle butait dans ses réflexions, s'arrêtait, virait, tournait, reprenait.

De cette affaire ridicule, il avait fait tout un drame !

Que ne s'était-il montré plus souple, plus ouvert ? Impossible de s'expliquer avec lui. Haineux, tout de suite. Vindicatif. Muré dans ses certitudes. Il l'avait accusée dans la seconde de la faute la plus grave et condamnée sans l'entendre, transformant, dans sa colère et sa jalousie, ce qui n'était qu'une bluette en tragédie.

Coupable, elle l'était en effet. Mais pas envers lui. Envers elle-même. Elle détestait penser à sa propre conduite, à sa vanité, à sa bêtise. Qu'est-ce donc qui lui avait traversé la tête, l'année dernière ? Quand elle y songeait !

Dire qu'elle s'était demandé à toutes les heures du jour et de la nuit : « Est-ce cela l'Amour ? Est-ce lui, l'homme de ma vie ? »

L'Amour ?… Ce hussard fou ! Et l'autre, cette madame de M. qui la mettait en garde contre la brièveté de l'existence : « Vous risqueriez fort de mourir sans avoir vécu ! » En fait d'amie, une entremetteuse digne d'un roman de Zola et des maquerelles de *Nana*. Elle gardait de cette femme un souvenir si pénible qu'elle ne parvenait même plus à la nommer.

De toute cette période, elle conservait ce même sentiment de honte et de dégoût.

« Ne reconnais rien ! » lui avait conseillé Anna.

Elle-même souffrait des liaisons de son mari. Elle avait identifié chez Djon les symptômes de son propre mal, et savait d'expérience que la meilleure parade de l'infidèle était le déni.

« N'avoue pas… Rien… Le moindre flirt. N'avoue pas ! »

Moura s'en était bien gardée.

Les frôlements de mains, les étreintes, les baisers entre deux portes… Elle avait tout nié en bloc.

En réagissant si vite contre ce qu'il avait considéré, dès le premier soupçon, comme une atteinte irrémédiable à son honneur, Djon l'avait-il sauvée d'une chute plus définitive ?

On pouvait peut-être le dire : il l'avait protégée d'elle-même.

Mais glacial, méprisant, occupé ailleurs. Impossible de lui parler, impossible de le rejoindre. Quant à regagner sa confiance… Que de larmes versées pendant des semaines, de serments, de caresses et de cajoleries, avant qu'il accepte de se laisser à nouveau approcher. Elle n'était parvenue jusqu'à sa chambre à coucher, jusqu'à son lit, qu'au terme des plus subtiles négociations. Et même là… De quels trésors d'amour et d'habileté n'avait-elle dû s'armer pour l'obliger à la prendre dans ses bras ? Encore une fois, le monde à l'envers avec Djon : l'épouse forçant le mari à la posséder. Par chance, leur réconciliation avait porté ses fruits, dès la première nuit. Et l'attente d'un bébé avait à nouveau changé la donne.

Elle n'avait toutefois obtenu son pardon qu'au terme de ses neuf mois de grossesse. Encore ce pardon n'était-il pas complet.

En vérité, Djon avait reporté son ancienne affection sur leur enfant. Il n'était redevenu lui-même que pour lui.

Oui, la vie était imprévisible. Qui aurait pu imaginer que la naissance de Paul à Yendel la toucherait moins, par exemple, que l'arrivée de Kira dans la nursery de Berezovaya ?

Non qu'elle n'ait pas désiré son fils.

À l'inverse d'Alla, qui continuait de ne manifester aucune intention de faire venir Kira en France où elle s'était remariée, Moura aimait son enfant. Elle l'avait attendu avec joie, ne doutant pas une seule seconde de la puissance de son instinct maternel.

Rien toutefois ne se passait comme elle l'avait imaginé. Et la maternité ne lui causait pas la sorte de plaisir qu'elle en attendait. C'était autre chose. Le sentiment d'appartenir à la lignée des Benckendorff par la chair et le sang. Oui, elle appartenait à Djon. Elle appartenait à Paul. Elle appartenait à Yendel. Corps et âme. Le lien était désormais indissoluble.

Elle se pencha sur le balustre pour mieux admirer son domaine. Comme Berezovaya, Yendel couvrait des dizaines d'hectares. Et, comme à Berezovaya, les communs avaient l'importance d'un village. Ils comptaient une distillerie de vodka, une laiterie, un chenil, des granges, des écuries. Au total, près de cinq cents personnes travaillaient sur le domaine. Un potager, un parc, plusieurs lacs, d'immenses forêts, et des champs à perte de vue. L'ensemble s'étendait jusqu'aux bornages des domaines mitoyens, ceux des barons Budberg, des barons Schilling et des barons Stackelberg, dont les blasons moyenâgeux décoraient – avec celui des Benckendorff – les murs blancs de l'église luthérienne de Reval.

Ici, la vingtaine de grandes familles qui possédait la terre, l'ensemble de la terre estonienne, était jalouse de ses privilèges, mais négligeait d'user du *von*, la particule nobiliaire allemande, de sonorité trop teutonne. On ne disait pas Djon von Benckendorff. Mais Benckendorff tout court. Quant à elle, Marie, elle était à nouveau, *Maria Ignatievna… Moura* pour sa belle-mère, ses trois beaux-frères et leurs intimes : tous usaient, à la russe, de son prénom et de son patronyme, éventuellement de son diminutif. Parmi les Benckendorff, certaines branches s'étaient même russifiées au point de se convertir à la foi orthodoxe. Ainsi l'ambassadeur de Sa Majesté Impériale à Londres, le cousin de Djon.

La branche cadette résistait à cette forme de modernisme. Mais sur d'autres terrains, elle se lançait dans des innovations sans limites.

Quelques années plus tôt, le château de Yendel avait brûlé. Il avait même été totalement détruit par l'incendie. On avait dû le raser.

Plutôt que de le reconstruire à l'identique, ou dans le style néoclassique des autres manoirs estoniens – blanc, rose ou jaune –, Djon l'avait réinventé.

108

… En briques, avec des fenêtres à meneaux, des créneaux, des tourelles, un donjon : un formidable manoir anglais, dont la masse rouge se dressait sur un tertre, au cœur de son nid de verdure.

Au total, plus de quarante pièces, une salle de bal et un escalier d'honneur à faire pâlir les Tudor.

Quiconque aurait jugé anachronique l'édification, au début du XXe siècle, en Estonie, d'un gigantesque château Renaissance du temps d'Elizabeth Ire, n'aurait rien compris.

Yendel était, au contraire, un hymne au monde contemporain. Les multiples ouvertures qui rythmaient sa façade, les caissons tarabiscotés de ses plafonds, les arabesques de ses cheminées en céramique verte, les moindres détails de son architecture et de sa décoration, les miroirs, les meubles, les tapis provenaient des ateliers d'avant-garde d'artistes berlinois, munichois, viennois ou suédois. À la pointe de l'Art nouveau. Dernier cri.

Djon, qu'on aurait pu croire conservateur en matière d'esthétique – comme il l'était en tout –, se montrait d'une audace spectaculaire : rythmes, couleurs, ornements, tout à Yendel était *Jugendstil*.

Sur ce point, la modernité, le goût des époux Benckendorff se rejoignaient.

Ils se retrouvaient encore sur un second terrain. La passion des livres.

Comme la plupart des hommes de sa génération, Djon était lettré. S'il détestait les auteurs à la mode, tels les écrivains socialistes Maxime Gorki et H.G. Wells, dont les romans électrisaient les foules et suscitaient l'enthousiasme de Moura, s'il prisait peu le théâtre et la poésie, il restait un cérébral. Les ouvrages d'histoire et de philosophie, les essais de sciences politiques, les traités d'art militaire encombraient sa table de chevet. Et, lors de l'incendie de la vieille maison, sa grande douleur n'avait pas été la perte de ses fusils, mais celle des volumes qu'avaient lus ses ancêtres.

En vérité, aucun des livres de Yendel n'avait brûlé. Ils étaient même les seules reliques qu'on avait crues sauvées. Erreur. Le feu, certes, ne les avait pas touchés. Mais l'eau. Les seaux d'eau et les pompes pour éteindre les flammes, les avaient irrémédiablement endommagés.

Chasser, chez les libraires de Reval ou ceux de la ville universitaire de Tartu, les chefs-d'œuvre de la littérature, les éditions anciennes comme les nouveautés : la volonté de Djon dans ce domaine n'avait d'égale que celle de sa femme. Reconstituer à Yendel une bibliothèque digne de ce nom.

Pour le reste, le nouveau manoir était l'incarnation même du confort. Les vingt-cinq chambres à coucher comptaient chacune leur propre salle de bains, avec l'eau courante, froide ou chaude.

Quant au mode de chauffage – essentiel durant les hivers où la température descendait jusqu'à moins trente degrés –, il était « central », avec une chaudière à mazout dans les sous-sols.

Le téléphone se trouvait dans le hall. Et la gare, à quelques verstes.

Dernier avantage de la modernité chez les Benckendorff : le train. De Saint-Pétersbourg à Yendel, une nuit en pullman suffisait. Situé à l'autre extrémité du golfe de Finlande, le manoir pouvait servir de maison de week-end. Il semblait même n'avoir été conçu que pour cela : recevoir de nombreux invités. Chasses au loup, bals champêtres, soirées au coin du feu…

Un havre de paix au lendemain des cérémonies officielles dans la capitale.

Avec son énergie coutumière, Moura réussissait à combiner les deux univers : Yendel et Pétersbourg. Le grand écart.

D'une part : représenter Djon en Estonie. Diriger, de concert avec sa belle-mère et ses trois beaux-frères, la propriété, héritage du petit Paul. Et veiller au grain.

De l'autre : tenir son rang dans les palais de l'aristocratie au bord de la Neva, où les fêtes n'avaient jamais été plus nombreuses ni plus éclatantes.

Certes, en cette année 1914, on s'amusait partout, à Paris, à Venise, à Vienne, à Berlin… Mais à Saint-Pétersbourg, l'insouciance et le luxe atteignaient des sommets. Les fleurs fraîches y arrivaient de Nice par tombereaux. Et les poulardes, de Nantes. Et les truffes, du Périgord.

Ah, le carnaval chez Mummy… On parlerait longtemps de la splendeur de son bal de février 1914, au thème tellement original : *le bal du Bijou*. Reprenant l'idée d'une fête chez la princesse de Broglie, madame Zakrevskaïa avait prié ses invitées de se costumer en diamant, en pierre dure, en pierre fine, en pierre précieuse : chacune incarnerait, selon son caprice ou ses traditions, son joyau favori.

Fastueux au faubourg Saint-Germain, le bal du Bijou était devenu chez Mummy, au 52 quai de la Fontanka, un feu d'artifice dont les excès avaient paru *divinement russes* à toute la communauté internationale. La comtesse Naryshkine était arrivée déguisée en « rubis », arborant sur sa tête la célèbre tiare sang-de-bœuf et les vingt rangs de pierres sang-de-pigeon qui faisaient la célébrité de sa famille. La vieille princesse Saltikov en « émeraude », caparaçonnée de ses pierres vertes du menton au nombril. Quant à la charmante madame Benckendorff, elle avait fait le voyage de Yendel en « perle ». Si son diadème, sa broche et ses bracelets ne pouvaient rivaliser avec l'orient des perles fines de Madame sa mère, ses parures de perles grises avaient semblé divinement raffinées. Quant à sa toilette – en satin nacré, une création du couturier Lomonoff de Moscou –, elle était exquise.

Ainsi s'exprimaient les gazettes.

Moura haussait les épaules. Cette sorte de divertissement, qui l'avait naguère fascinée, l'amusait avec modération. L'arrogance, la bêtise ou l'aveuglement de certains Grands commençaient même à la choquer.

Quand elle entendait dire par son cercle d'amis diplomates – les *habituels* ou *les nouveaux* secrétaires d'ambassade, tous ceux qui, dans la valse des nominations, avaient été mutés ici – que la Russie incarnait la société la plus civilisée de tous les temps, Moura souriait moins poliment et ne se taisait plus.

— Mais oui, insistait à son oreille le comte de Chambrun, son ancien admirateur de l'ambassade de France à Berlin. Regardez tous ces gens autour de nous. Vos compatriotes. Écoutez-les… Combien ils apprécient les arts, la musique, la littérature, tous les raffinements de la civilisation. Vous, les Russes, n'êtes pas des insulaires comme les Anglais, ni des bourgeois comme nos Français d'aujourd'hui. Ni des impérialistes, comme ces fichus Allemands. Vous n'avez pas non plus l'ostentation des nababs américains. Et cependant vous êtes tous beaucoup plus riches que les Rockefeller et les Astor ! Vous seuls avez su développer cet art de vivre. Et vous avez su le développer à un degré de sophistication qu'aucune autre société au monde, dans toute l'Histoire, n'a jamais réussi à atteindre.

— Je crains que vous n'idéalisiez un peu la Russie… Nous ne sommes pas *tous* aussi riches que les Astor.

Il ne perçut pas l'ironie.

— Presque ! La société russe incarne le grand miracle de la Civilisation.

— Vous n'en avez vu qu'une toute petite partie. Et vous ne parlez ici que d'une classe minuscule. Je pense, moi, que cette classe, tous ces gens autour de nous comme vous dites, sont destinés à disparaître. Et que s'ils veulent survivre, si *nous* voulons survivre, nous allons devoir changer… Tout changer. Et très, très vite !

Il lui baisa la main :

— Je vous adore… Qui eût dit, à Berlin, que madame Benckendorff fût un agent des bolcheviques ?

— Je ne suis pas bolchevique.

— Anarchiste alors ?

— Je crois seulement en la liberté, en la fraternité et en l'égalité. Vous devriez me comprendre, vous qui représentez la République.

Le comte de Chambrun l'enveloppa dans le regard amusé qu'il décochait aux gentilles petites femmes qui se piquaient de s'informer et de réfléchir : elles se ressemblaient toutes.

Il sourit :

— La République ne convient pas à tout le monde, et la Russie n'est pas la France. La Russie a besoin d'être tenue, elle a besoin d'une poigne ferme… Sinon ce sera la révolution.

— La révolution est déjà là… Partout. Je suppose qu'hier, dans le cortège de monsieur Poincaré, on ne vous a pas montré les manifestants qui lacéraient le drapeau tricolore et n'en gardaient qu'une bande : la rouge ! Vous n'avez pas vu les barricades et la grève générale qui paralysaient la ville.

— Et vous, chère amie, vous les avez vues peut-être ?

— Non. Mais je le sais. Et j'ai entendu *La Marseillaise*… Avec quels accents le peuple russe la chantait ! Je vous assure que la colère des ouvriers n'a rien à envier à celle des hommes de 1789.

Charmante. Madame Benckendorff était décidément charmante !

Depuis son plus jeune âge, elle écoutait les conversations des adultes. Résultat : elle prétendait avoir des idées… Elle lisait jusqu'aux journaux étrangers, jusqu'aux articles de l'infâme Jaurès. Qui les lui envoyait de France ? Mystère. Sa sœur, peut-être ? Celle qu'on disait mariée à un journaliste parisien ? Comment ces articles échappaient-ils à la censure ? Mystère encore.

Une certitude : elle était bien informée.

Elle se prenait toutefois trop au sérieux. Mais pouvait-on lui en vouloir ? Elle avait vingt-et-un ans !

Il sourit à nouveau :

— Votre mari partage-t-il vos affreuses opinions révolutionnaires ?

— À votre avis ?

— Absolument l'inverse.

— En effet. Il trouve le Tsar trop libéral et voudrait plus d'autorité. Que Sa Majesté ne lâche rien. Que Sa Majesté dissolve à nouveau la Douma, et cette fois qu'elle la dissolve pour de bon ! Qu'elle renvoie les députés, qu'elle refuse les réformes. Et que nous revenions en arrière, à la monarchie d'avant 1905. La monarchie absolue. Mais ce que je vois autour de moi – ici, ou à Yendel, ou en Ukraine, partout – exige d'aller de l'avant et de parvenir à un système parlementaire qui fonctionne.

— Quand vous jouez les pythies, vous êtes divine… Et la guerre ? Vous qui connaissez l'avenir : aurons-nous la guerre ou n'aurons-nous pas la guerre ? Oui ? Non ? Qu'en pense Djon ? Que dit-on à Berlin ?

*
* *

Berlin, le 28 juillet 1914

Ma chère Marie, lui écrivait son époux.

En l'absence de l'ambassadeur Sverbejev qui a jugé bon de partir en villégiature pour l'été, je reste seul en contact avec le chancelier allemand Bethmann-Hollweg que tu connais. J'en éprouve une forme d'exaltation. Les préparatifs de guerre, les négociations : tout m'intéresse. J'ai honte d'être à ce point content du présent et curieux de l'avenir. Je m'accuse de cette fièvre presque joyeuse, qui m'habite. Mais l'excitation ne passe pas.

Rien au monde, cependant, ne doit forcer la Russie à s'engager la première dans un tel conflit. Nous ne pouvons en porter la responsabilité et lancer les quatre cavaliers de l'Apocalypse sur la terre… Infliger à toutes les nations civilisées la Conquête, la Guerre, la Famine et la Mort.

Je crains toutefois que le Diable ne se soit déjà emparé de nos esprits et que l'enfer ne soit bien proche.

*

Moura Benckendorff du manoir de Yendel en Estonie

Berlin, le 31 juillet 1914

Ma chère Marie,

Notre ambassadeur vient de rentrer de vacances. La tempête gronde autour de nous. Le Kaiser a décrété la mobilisation générale. Les trains, bondés de soldats, roulent déjà vers la Belgique.

Mais il nous reste encore un espoir de sauver la paix. Le déploiement de nos soixante mille hommes lors des grandes manœuvres de la semaine dernière à Krasnoïe Sielo a produit son effet : l'Allemagne mesure enfin notre puissance. Elle a compris que nous pourrions déployer un million d'hommes sur ses frontières et tente de calmer l'hystérie de son alliée, l'Autriche-Hongrie, qui la conduit droit à la catastrophe.

Cela dit, les deux nations préparent la guerre et le monde pourrait s'embraser en une seconde.

*

Berlin, le 2 août 1914

L'Allemagne vient de détruire le dernier espoir de paix : elle nous a déclaré la guerre dans la nuit. Tout est terminé. Je quitte Berlin avec les membres de l'ambassade. Nous serons à Pétersbourg dans deux jours.

Que Dieu nous sauve et qu'Il préserve notre Sainte Russie.

Chapitre 9

LA GUERRE
1914 – 1915

On n'agitait plus de drapeaux rouges : on brandissait les icônes et les pancartes à l'effigie de l'empereur Nicolas II. On n'entonnait plus *La Marseillaise* : on chantait *Dieu protège le Tsar,* l'hymne national.

Jamais, depuis l'invasion des armées de Napoléon en 1812, la Russie n'avait connu pareil élan de patriotisme. Jamais, depuis la disparition d'Alexandre II en 1881, la monarchie des Romanov n'avait semblé plus solide et plus populaire. Même les opposants au régime reconnaissaient que l'opinion publique avait fait volte-face en une heure. Que la déclaration de guerre par l'Allemagne avait mis fin à toutes les dissensions intestines, et que chacun ne pensait qu'à se battre contre les soldats du Kaiser et à défendre la Russie éternelle. Finies les grèves du début de l'été 1914. Terminées les manifestations. Oubliées les rumeurs de révolution. Paysans, ouvriers, bourgeois, toutes les classes sociales et tous les partis politiques s'étaient ralliés d'un même cœur à la bannière blanche et à l'aigle noir à deux têtes.

Nul n'oublierait la cérémonie du dimanche 2 août 1914, où la foule était spontanément tombée à genoux sur la place du palais d'Hiver, devant la lointaine silhouette du Tsar, qui venait d'apparaître au balcon.

« Je promets solennellement, avait-il dit aux dignitaires de sa cour, que je ne signerai pas la paix avant que le dernier soldat ennemi n'ait quitté notre sol. Et c'est par votre intermédiaire à vous, représentants des troupes qui me sont si chères, représentants de la Garde et de la circonscription de Saint-Pétersbourg, c'est par votre intermédiaire que je m'adresse à toute mon armée, et que je la bénis pour le dur travail qu'elle devra accomplir. »

Le fracas des hourras avait répondu à ses paroles.

Et maintenant, des dizaines de milliers d'hommes, la casquette à la main en signe de respect, se prosternaient à ses pieds, lui juraient fidélité et priaient d'une seule voix pour le salut de leur « petit père ».

Devant un tel souffle d'amour, une ferveur si puissante, comment Nicolas II aurait-il pu douter de l'affection de son peuple et de l'union, autour de lui, de la Russie tout entière ?

*

Finies les barricades, oui. Mais aussi les bals et les raouts. Adieu le faste, les fleurs et les violons. Sur toutes les promenades qui bordaient la Neva, plus de défilés d'élégantes dans leurs landaus. Si l'on voyait encore les victorias aux armes des grandes familles stationner dans les cours des palais, leurs propriétaires avaient désormais d'autres choses en tête que de déposer dans des coupelles d'argent leurs cartes de visite cornées, ou d'obtenir un tour de valse avec une altesse impériale.

La Tsarine, les grandes-duchesses, toutes les princesses et toutes les mondaines de Saint-Pétersbourg avaient changé de costume. En uniforme d'infirmière, coiffées du court voile brun des nonnes de Saint-Georges ou du voile blanc marqué d'une croix rouge des organisations internationales, elles se faisaient conduire chaque matin dans les hôpitaux dont pouvait dépendre le régiment de leur mari, de leur père ou de leurs frères. Outre les salles communes et les salles d'opération, les salons des hôtels particuliers grouillaient de ces étranges silhouettes… Cercles de dames préposées à la confection de la charpie pour les pansements. Cercles de dames préposées aux paquets destinés aux prisonniers. Cercles de dames préposées aux écritures des lettres aux familles de soldats blessés. Le monde d'hier n'existait plus.

Et pourtant, en ce mois d'août 1914, les enfants de la noblesse continuaient de s'ébattre, entre soi, dans les allées du jardin d'Été qui leur servait de parc public depuis des générations. Et les nourrices, le col ceint de leur amoncellement de perles en bois et le front couronné du *kokoshnik*, la tiare traditionnelle, continuaient de surveiller leurs ouailles du même œil attentif et dévoué.

*

Assise à l'écart sur un banc, loin du groupe des autres nurses anglaises qui commentaient bruyamment l'entrée en guerre de l'Empire britannique – l'événement du jour –, Ducky regardait d'un œil inquiet Kira courir sur la pelouse avec le petit Paul.

Elle avait aujourd'hui cinquante ans.

Toujours la même minceur, la même élégance et la même simplicité. Dans sa longue jupe droite, la jupe de ses jeunes années, elle défiait les modes… Le chignon haut sur la tête et les mèches floues autour du visage. Le chapeau piqué d'une unique plume de faisan, légèrement incliné sur l'œil droit.

Inchangée. À une exception près : son surnom.

Dans la famille de Marydear, on avait cette habitude-là : modifier le diminutif d'une personne, à mesure qu'elle vieillissait. La seconde génération des Zakrevski n'échappait pas à la règle : Kira et les deux enfants d'Anna avaient jugé bon de s'approprier leur nanny, en la débaptisant.

En cette période où la maison parlait l'anglais, les cousins trouvaient le mot *Ducky* peu flatteur : Ducky leur évoquait un canard... Une démarche qui caractérisait peu la grâce de leur gouvernante adorée.

Pour la petite classe, celle de 1915, Margaret Wilson serait donc *Micky*.

Les adultes avaient suivi le mouvement. Même pour Marydear, même pour Sa Haute Noblesse, Ducky était devenue *Micky*. Et *Micky* elle resterait, jusqu'aux innovations d'une troisième génération.

Micky apercevait, entre les vasques et les statues, derrière les grilles dorées du jardin, la Neva qui coulait, pesante et couleur de plomb. Pas un souffle de vent, pas une feuille qui bouge autour d'elle. L'air sentait la fumée : les émanations des feux de forêt qui ravageaient à cette heure la Finlande. Et tout – la chaleur, l'odeur de brûlé, le drapeau impérial qui pendait, immobile et flasque, sur la flèche de la cathédrale Saint-Pierre-et-Saint-Paul – tout accentuait sa détresse et lui donnait la sensation d'un orage, d'une explosion imminente.

Elle pensait à son fils Sean, aujourd'hui officier de marine. Sean qui serait l'un des premiers mobilisés. Et elle se remémorait les mots angoissants de Djon Benckendorff, reparti ce matin comme officier de liaison à l'état-major de l'armée du Nord. Il avait dit que la guerre avec l'Allemagne entraînerait la fin de l'Europe telle qu'ils la connaissaient, et le chaos pour les années à venir.

Elle tentait de se rassurer en songeant que la vie continuait, que Marydear attendait un deuxième bébé, et qu'elle-même en aurait la charge. Oui, la vie continuait.

Elle voulait croire ce qu'elle entendait répéter chez la grand-mère des enfants : la guerre serait courte. Sa Haute Noblesse Maria Nicolaïevna Zakrevskaïa ne pouvait pas se tromper. Micky continuait d'admirer son intelligence et son habileté. En dépit de ses défauts, elle lui avait gardé son estime.

Avec le retour en grâce d'Ivan Goremykine, le vieil ami de la famille nommé par le Tsar président du Conseil, l'appartement de madame Zakrevskaïa, au 52 quai de la Fontanka, était devenu le salon politique de l'aristocratie la plus conservatrice. Les hommes de l'ancienne école venaient y chanter les louanges du gouvernement. Tous disaient que l'armée, du fait de sa supériorité numérique, agirait comme un rouleau compresseur. Et qu'avec l'aide de la marine britannique, la Russie tenait la victoire.

La guerre serait courte.

*

Trois semaines d'un vague sentiment de sécurité, pour aboutir à ce désastre... En cette fin d'août 1914, la nouvelle venait d'atteindre Saint-Pétersbourg.

Les gardes à cheval, les chevaliers-gardes, les hussards, le régiment Preobrajenski, le régiment Pavlovski s'étaient laissé embourber et piéger dans les marais de Tannenberg, en Prusse orientale. La plupart des jeunes gens avec lesquels Moura avait dansé l'hiver dernier étaient morts. Mort aussi, son amoureux de Berlin – ce fou d'Athanase Gramov. Tous fauchés d'un seul coup.

Par chance, Djon combattait au nord. Mais l'hécatombe avait atteint les officiers autant que les soldats. Pas une parente des Benckendorff et des Zakrevski, qui n'ait perdu un père, un mari, un fils ou un frère.

À Tannenberg : vingt mille hommes tués ou blessés. Neuf mille autres, prisonniers. Et tous les fusils, tous les canons, tous les obus – huit tonnes de munitions – tombés aux mains de l'ennemi.

Le « rouleau compresseur russe », désormais sans armes, se trouvait réduit à l'immobilité. Les hordes du Tsar s'étaient transformées en un monstre impuissant. Et les amis de madame Zakrevskaïa, qui avaient dit la Russie invincible, ne pouvaient plus que se taire.

Adieu les manifestants pleins d'enthousiasme, les fanfares et les drapeaux impériaux qu'on agitait en procession. Le silence enveloppait la ville. Seul bruit qui s'élevait dans les rues : la clameur de haine envers les Allemands.

Dans leurs hôtels particuliers, les aristocrates se montraient plus hargneux encore : pour parler des soldats du Kaiser, ils utilisaient le terme français, *les Boches*.

Les théâtres avaient déjà supprimé du répertoire les opéras de Wagner, et la populace déjà brûlé l'ambassade d'Allemagne : portes défoncées, lustres fracassés, tableaux crevés, meubles, pianos et statues défenestrés... Comme aux pires jours de la Révolution de 1905.

Le Tsar lui-même cédait à la germanophobie de ses sujets. Il ne pouvait, certes, soupçonner de trahison son épouse d'origine allemande, ni ses dignitaires qui portaient un patronyme germanique – le comte Kleinmichel ou le grand maréchal de sa cour, le comte Paul von Benckendorff –, mais il travaillait à gommer tout ce qui sonnait trop allemand dans son empire. Et d'abord le nom même de sa capitale, dont il ordonna la russification.

À dater du 31 août 1914, *Sankt-Petersburg* ne s'appellerait plus Saint-Pétersbourg, mais *Petrograd*.

Si Nicolas II espérait plaire avec cette innovation et calmer les esprits, il se fourvoyait. Des palais aux masures, on y vit un mauvais présage.

*

— Ridicule ! s'exclama Moura. On ne coupe pas ainsi une ville de son passé, on ne lui ôte pas son histoire. Encore un caprice de l'autocratie ! Ce changement va nous porter malheur.

— Seriez-vous ennemie du gouvernement et superstitieuse, Mrs von Benckendorff ?

En dépit de l'accent, le plus pur des accents irlandais qui sonnait aux oreilles de Moura comme le merveilleux accent de Micky, la voix était glaciale.

Sanglé dans son uniforme kaki, sa courte moustache brune roussie par la fumée de sa pipe, le général Knox – l'attaché militaire anglais – se dressait au-dessus d'elle dans les locaux de la chancellerie de l'ambassade d'Angleterre. Elle y travaillait en bénévole : une façon de participer à l'effort de guerre.

En vérité, elle avait été débauchée par l'épouse de l'ambassadeur Sir George Buchanan, qui l'avait prise sous son aile, comme l'avait fait à Berlin une autre femme d'ambassadeur d'Angleterre.

Aux yeux de la formidable Lady Georgina, qui régnait en Russie sur la bonne société internationale et travaillait à l'hôpital qu'elle-même avait fondé pour les blessés de guerre, sa jeune et charmante amie Moura Benckendorff serait plus utile dans n'importe quel bureau que dans une salle d'opération. Sa connaissance de l'anglais, de l'allemand, du français, sans parler de sa maîtrise du russe, la recommandait comme traductrice et secrétaire.

Moura leva le nez de sa machine à écrire et décocha à l'officier son plus charmant sourire.

Il n'avait pas cinquante ans. Et lui aussi parlait le russe…

Mais il ne l'aimait pas. Elle le savait et s'en méfiait. La misogynie du général Knox était de notoriété publique : *Women ? Damned nuisance !* « Les femmes ? Un fléau ! »

Dans le cas de *Frau von B.* – comme il affectait de l'appeler derrière son dos –, l'antipathie de Knox virait à l'acharnement. Depuis le premier jour, il cherchait à en débarrasser l'ambassade, arguant qu'une grande mondaine, une coquette bavarde, enceinte jusqu'aux dents de surcroît, n'avait rien à faire ici !

La chancellerie servait de canal à toutes les relations entre Petrograd et Londres. Même si cette Frau von B. ne connaissait pas le secret des codes, elle était, par sa seule présence, exposée aux renseignements les plus confidentiels. Comment diable ses collègues pouvaient-ils prendre le risque de mêler cette personne à la tâche la plus importante du service ? L'initier au déchiffrement et à l'encodage des dépêches ? Une folie totale ! Une aberration !

Le temps n'était pourtant pas si lointain où la police du Tsar était parvenue à faire copier, par un domestique à sa solde, les neuf clés qui permettaient de parvenir jusqu'au coffre de la chancellerie : les neuf clés nécessaires à l'ouverture du dernier tiroir renfermant *le Chiffre* !

C'était en 1905.

Que ne donneraient les Allemands aujourd'hui, pour obtenir un moulage à la cire des neuf nouvelles serrures.

« Aider », disait cette dame. Allons donc ! Elle était si mauvaise dactylo que les secrétaires d'ambassade, des garçons sortis, eux, d'Oxford et de Cambridge, des officiers formés à des travaux autrement plus difficiles, tapaient mieux qu'elle. Certes, ils étaient en sous-effectif et n'avaient pas une minute à eux. Un renfort, n'importe lequel, leur semblait le bienvenu.

À la méfiance de Knox, les partisans de Frau von B. – les six jeunes mâles du service – répondaient par une foi totale en son dévouement : elle progressait, elle prenait des cours à l'université de l'île Vassilievski, elle y étudiait le droit international. Et la dactylographie, justement. D'ici à quelques mois, elle serait une collaboratrice des plus compétentes.

Foutaises : on devait la mettre dehors !

Le général Knox n'avait, en principe, aucun droit d'intervenir dans l'organisation des services diplomatiques. Aucune raison non plus de s'en prendre personnellement à cette étrangère qui donnait dans le volontariat au profit de l'Angleterre. Ses protestations auprès du chef de la chancellerie n'avaient pas abouti. Pas plus que sa plainte à l'ambassadeur.

Ne lui restait donc qu'à obliger cette femme à lâcher prise toute seule.

Il venait de la surprendre, s'attardant seule à onze heures du soir. L'occasion était trop belle.

Moura flaira le danger. Surtout ne pas prendre ce militaire de front. Ne pas évoquer un retard dans son travail. Ne pas s'expliquer ni se justifier. Le brosser dans le sens du poil.

Selon son ordinaire, elle opta pour la séduction et l'humour :

— Si le changement de *Petersburg* en *Petrograd* me donne la chair de poule ? Mais certainement, général ! Je me reconnais d'une superstition ridicule. Les noms qui portent malheur, les sorts, les cartes et la bonne aventure sont mon domaine... Comment y échapperais-je ? Ne suis-je pas à la fois une femelle et une Russe ?

— Avec un mari allemand.

Impossible de laisser passer un tel sous-entendu... Cette insulte !

Elle changea de ton pour articuler avec gravité :

— Vous devriez réviser votre géographie, général Knox. Mon mari n'est pas allemand : il est balte. À cette heure, il se bat contre les Boches.

— Mais il a vécu à Berlin.

— En représentant du Tsar.

— Vous devez vous être fait beaucoup d'amis là-bas : vous aussi, vous avez habité Berlin.

— Je peux bien y avoir passé trois années comme épouse d'un attaché d'ambassade, sans qu'on m'accuse d'espionnage, tout de même ! Sa voix vibrait d'émotion... Comme on vient d'en accuser la malheureuse comtesse Kleinmichel, dont on raconte stupidement qu'elle a envoyé au Kaiser les plans de campagne de l'armée russe dans une boîte de chocolats !

Elle tremblait intérieurement. Jamais à ce jour, elle n'avait été agressée de telle manière. *Espionne.* Cet Anglais la traitait d'*espionne au service de l'Allemagne* !

Se calmer. Prendre sur soi. Jouer la carte de l'apaisement.

Il insista :

— Je m'étonne seulement qu'une dame qui n'est pas sujette de Sa Majesté britannique, puisse avoir accès aux dossiers de l'ambassade d'Angleterre.

— Je vous rappelle, général, que nos patries sont alliées.

Elle luttait pied à pied, ne lui lâchait pas le terrain. Mais lui non plus ne cédait pas.

— L'amitié entre nos deux pays ne justifie pas qu'une dame russe, parlât-elle toutes les langues et fût-elle du meilleur monde, ait accès à des documents confidentiels.

Elle se tut un instant, avant de tenter d'expliquer patiemment :

— Votre ambassadeur lui-même, Sir George Buchanan, m'a priée de quitter mon service d'infirmière à l'hôpital pour venir lui prêter main-forte. Comme vous le voyez, votre chancellerie manque de personnel. Elle avait besoin d'une secrétaire pour traduire en anglais les nouvelles de France et d'Allemagne. Ainsi que les dépêches qui tombent chaque jour des ministères russes.

Il bougonna :

— Nous employons à cet effet monsieur Tchoukovski, un interprète assermenté.

— Monsieur Tchoukovski est excellent. Mais débordé… Depuis que vous l'avez chargé d'écrire une brochure de propagande sur l'armée anglaise et de négocier le coût du portrait de l'ambassadeur auprès de l'illustre peintre Répine, il ne sait plus où donner de la tête.

Elle disait vrai. Durant ces dernières semaines, Moura s'était découverte utile. Et même rendue indispensable.

Outre ses capacités intellectuelles, outre son charme et sa bonne humeur, elle était la seule personne de l'ambassade qui appartînt à l'oligarchie russe. Les Anglais l'employaient comme trait d'union. Une recrue de choix. Cela aussi, elle le savait.

Hors de question de se laisser chasser par la paranoïa de ce militaire borné. Elle voulait servir. Elle voulait apprendre. Elle voulait travailler. Elle ne renoncerait à ce poste pour rien au monde.

— L'Angleterre vous remercie de votre concours, Mrs von Benckendorff, mais il est tard. Dans l'état où vous êtes, vous devriez regagner vos foyers et n'en plus sortir.

Inutile de contredire cet imbécile : elle avait trop à y perdre. Elle lui sourit une seconde fois :

— Vous avez raison, général. Il est tard. Et surtout, surtout, cessez de vous inquiéter pour ma santé : je vais quitter la Chancellerie à Noël... Elle jeta un coup d'œil sur son ventre : mon enfant doit naître en janvier.

*

Tenace.

Si le général Knox se croyait délivré de la présence de Moura Benckendorff, il connaissait mal le personnage. Deux mois après la naissance de sa fille, elle régnait à nouveau sur les hommes qui hantaient les bureaux de l'ambassade d'Angleterre.

Et le général Knox resterait bien le seul à s'en plaindre.

*
* *

Pas plus que la venue au monde de Paul en 1913, celle de Tania le 5 janvier 1915 ne l'avait bouleversée. Du moins pas comme Djon aurait pu l'espérer.

Du front, il avait imaginé Moura étreignant leur petite fille, avec cette tendresse dont il avait été le témoin à Berlin envers sa nièce Kira.

Trompe-l'œil.

Le repos des relevailles, l'indigence des bavardages dans la nursery, les contraintes de l'allaitement avec les nourrices, le découpage du temps, la régularité des repas, des siestes, tout dans cette période d'enfermement donnait à Moura le sentiment d'étouffer. Entre quatre murs devant un berceau, elle mourait de solitude et d'ennui.

À vingt-deux ans, elle éprouvait plus que jamais le besoin de sortir de chez elle, de jouer un rôle, de participer au monde. Et de partager la vie des acteurs qui le défendaient.

L'amour maternel ne viendrait que plus tard, quand elle aurait à nouveau pu étancher sa curiosité et déployer sa formidable énergie.

Alors seulement, l'impatience de retrouver sa famille l'envahirait. Elle se précipiterait le soir chez ses enfants, écouterait avec ravissement le récit par Micky de leurs bêtises du jour, et leur donnerait sa bénédiction de la nuit.

Pour le reste, Moura n'aspirait qu'à cela : travailler à l'ambassade d'Angleterre.

Du domicile conjugal au 8 rue Shpalernaïa, elle n'avait qu'à franchir le petit pont qui enjambait le canal et à suivre les grilles du jardin d'Été. Pas même un quart d'heure à pied le long de la Neva.

En se hâtant chaque matin, Moura songeait à Mummy, toujours si indulgente envers elle, « sa Mourochka », si dure avec les autres. Mummy, que l'âge ne changeait pas. Elle avait même refusé d'héberger dans son grand appartement Anna et ses deux enfants, sans toit au retour de Berlin.

Moura avait pris toute la famille Ionov chez elle. Avec Kira. Elle n'aimait rien tant que la vie en tribu, pourvu qu'elle pût s'en échapper.

Pauvre Anna... Mummy ne lui épargnait pas les sarcasmes. Elle lui rappelait sans cesse qu'au contraire de Djon, son beau comte Ionov ne se battait pas pour sauver la Russie. Mais que, rongé par la syphilis comme cet incapable de feu Bobik, il se mourait chez les Benckendorff. Anna serait bientôt veuve et sans le sou : cet avenir, Mummy le lui avait prédit de longue date.

Impitoyable.

Par chance, Anna ne s'en laissait pas conter. Elle avait revu à Petrograd l'un de ses anciens soupirants d'Ukraine, qui l'avait vivement engagée à retourner à Berezovaya Rudka : meilleur pour la santé de son mari, et moins onéreux pour sa bourse que le séjour dans la capitale. Elle s'apprêtait au départ avec ses petits.

Une retraite. Semblable à celle de Mummy dix ans plus tôt.

Durant ses insomnies, Moura se représentait leurs vies à toutes les cinq – sa vie à elle, celles de Mummy, d'Anna et d'Alla, même celle de Micky – comme de longs trains aux wagons plombés. Une suite de compartiments étanches, sans liens les uns avec les autres.

Pour elle, il y avait le compartiment de Yendel, avec Djon, les enfants et Micky. Le compartiment de Mummy, avec son salon et ses vieux courtisans accrochés à leurs privilèges, aveuglés par l'obscurantisme. Il y avait celui des rues vides et des quais déserts : Petrograd en guerre. Les femmes qui avaient troqué leurs voiles d'infirmière contre des voiles de veuve. Les mornes attroupements qui se collaient aux devantures des magasins pour déchiffrer les nouvelles du front.

Le printemps 1915, si long à venir, n'avait pas dissipé l'angoisse. L'armée reculait partout. Et l'Allemagne avançait. Moura le savait mieux que quiconque, elle qui avait traduit et tapé à la machine cette information du ministère à l'intention des nations alliées : la Russie ne disposait plus d'aucune réserve de munitions. Au front, les hommes se partageaient le même fusil : un fusil pour six soldats. Un fusil sans balles, qui avait perdu jusqu'à sa baïonnette. Tous savaient aujourd'hui que la guerre serait un cauchemar sans fin.

Et puis, il y avait cela : la magie du monde de l'ambassade d'Angleterre.

Moura était parvenue à l'angle du quai et du pont Troitzky. Là se dressait son paradis : le palais sur la Neva, que louait aux diplomates britanniques la famille Saltikov, parente des Zakrevski. Un grand bâtiment néoclassique peint en rouge, qui faisait face, d'un côté, au pont et à la flèche dorée de la cathédrale Pierre-et-Paul ; de l'autre, au square Souvorov et au palais de marbre du grand-duc Constantin. L'ensemble occupait tout un pâté de maisons.

Elle se sentait ici chez elle. Et pour cause ! Elle avait dansé à tous les bals d'enfants qu'avait donnés la propriétaire, la princesse Anna Sergueïevna, sa tante par alliance. Les Saltikov occupaient encore l'arrière du palais. Et Moura, depuis son retour d'Allemagne, continuait à fréquenter la vieille dame dont elle aimait le raffinement, l'esprit et la causticité. Elle flattait ses qualités et ses défauts, la séduisant comme elle seule savait le faire.

L'étage noble qu'occupaient les Anglais n'avait pas, non plus, de secrets pour elle. Elle y avait soupé avant guerre, avec tous les membres de l'aristocratie russe. Elle y avait même soupé plus souvent que les autres. Ses relations avec l'ancien ambassadeur d'Angleterre à Berlin la recommandaient de façon toute particulière à l'attention de Sir George Buchanan, l'ambassadeur d'Angleterre en Russie. Elle avait pris sous son aile sa fille Meriel, du même âge qu'elle, l'introduisant à son tour dans les milieux de la noblesse pétersbourgeoise. Instruites l'une et l'autre, elles partageaient la même passion des livres, le même goût pour les lettres et les idées. Meriel écrivait des nouvelles : l'un de ses textes venait d'être accepté par un grand éditeur londonien.

Les deux jeunes femmes s'étaient liées d'amitié.

Aujourd'hui, elles se voyaient peu. L'une quittait le palais quand l'autre y arrivait. Meriel partait rejoindre l'hôpital anglais que sa mère avait ouvert au coin de la perspective Nevski et du quai de la Fontanka. Moura, une liasse de traductions dans sa sacoche, grimpait quatre à quatre les marches qui menaient à l'entresol.

Sur le palier de droite : les bureaux de la Chancellerie. À gauche : les appartements privés des Buchanan. Les brocarts de velours y contrastaient avec les chintz ; le ruissellement des dorures baroques avec les petites fleurs et les napperons de dentelle ; les énormes lustres à pampilles avec les lampes et les services Wedgwood. L'Angleterre et la Russie à la fois. Les deux univers que Moura aimait, les deux univers auxquels Moura appartenait, s'étalaient ici sans retenue. Et le mélange l'enchantait.

Du palier, l'escalier d'honneur à double révolution montait aux appartements d'apparat, à la salle de bal, et au bureau de l'ambassadeur.

Chez elle, oui. Son royaume. Elle connaissait les lieux. Elle connaissait les hôtes et les domestiques.

Tout d'abord le personnage le plus important de la résidence : le chasseur William, qui veillait sur la sécurité de Sir George. Celui-là l'accueillait comme la seconde fille de la maison. Et puis Ivan, le cocher. Et ensuite, le chef italien. Enfin, les trois secrétaires et les deux attachés d'ambassade dont elle partageait les locaux.

Elle n'aimait rien tant que cette grande salle de la chancellerie ornée de trophées de chasse et de poissons fossilisés, avec ses gros bureaux Chippendale disposés bout à bout, en carré, comme une table de banquet.

Là, dans l'odeur sucrée du tabac, des pipes et des cigarettes anglaises, à la lueur verte des lampes à globe, allaient, venaient, plaisantaient et travaillaient les officiers… Un univers d'hommes.

Comme à Berlin, tous ici raffolaient de la présence de madame Benckendorff et tous se prétendaient, un peu, amoureux d'elle. Et comme à Berlin, elle jouissait intensément des sentiments qu'elle suscitait : l'admiration, le besoin de la retenir et de la garder pour soi.

La fascination était plus que réciproque. Elle professait la même estime envers ces garçons à peine plus âgés qu'elle, le même désir d'émulation, le même besoin de se hisser à leur hauteur et de leur plaire.

À ses yeux : des héros et des dieux… Tous.

Ou presque.

Chapitre 10

LES HÉROS ET LES DIEUX
1916 – 1917

En ces années de massacre, les dieux n'avaient pas trente ans.

Ils s'appelaient le capitaine Edward Cunard, descendant du fondateur de la Cunard Lines, la flotte de paquebots qui assuraient la traversée entre l'Europe et l'Amérique. Cinquième baronnet du nom, Cunard avait fait ses études à Eton et gagné ses galons dans les tranchées de Belgique. D'allure sportive, il incarnait l'Anglais de bonne naissance qui se moquait de l'étroitesse de son milieu et se riait des conventions. Un trait de famille. Son frère Victor se revendiquait homosexuel. Sa cousine Nancy semait le scandale partout où elle passait. « Ce Cunard-là aurait eu l'étoffe d'un bon officier, avait écrit le général Knox en marge de son rapport, *but smokes too much, drinks too much, fucks too much*. Mais fume trop, boit trop, baise trop. »

Les autres s'appelaient le capitaine Denis Garstin : il avait, lui, étudié à Cambridge. Passionné par la Russie, il y avait voyagé avant guerre, travaillant trois ans comme précepteur en Crimée. Dès 1914, Garstin avait été envoyé en France. Il y avait fait une guerre terrible, avant d'être nommé à Petrograd où l'état-major avait besoin de ses connaissances. L'ambassadeur l'avait chargé d'écrire les brochures de propagande destinées au public russe. Loin de s'en réjouir, Garstin avait ressenti son rappel derrière les lignes comme une désertion. Le sentiment d'avoir abandonné ses hommes ne le lâchait plus. Son chien sur les talons, un griffon bâtard du nom de Garry qu'il avait ramassé Dieu sait où, Garstin promenait sa petite moustache et sa longue silhouette dans les quartiers les plus reculés de la ville. Idéaliste et poète, il avait écrit un premier livre sur la Russie : *Friendly Russia*, que le célèbre H.G. Wells avait accepté de préfacer. Garstin ne tirait aucune gloire de ses succès littéraires. Mais il n'aimait rien tant que les échanges intellectuels et les discussions jusqu'à l'aube.

Enfin, un peu plus âgé que les autres, le capitaine Francis Cromie, brillant officier de la Royal Navy, qui commandait une partie de la flotte des sous-marins britanniques dans la mer Baltique. On racontait qu'il avait, en un jour, coulé quatre navires allemands sans avoir perdu un seul homme. Un exploit parmi d'autres, car les hauts faits du capitaine Cromie ne se comptaient plus. Le Tsar en personne lui avait remis la croix de l'ordre de Saint-Georges, la plus haute dignité militaire de l'Empire. Sa beauté, son courage, son flegme et son mystère plaisaient au sexe faible. Il lui rendait ses hommages. Bien qu'il fût marié en Angleterre, Cromie collectionnait les liaisons. À sa décharge, l'amour régnait ici partout.

L'amour et l'amitié.

La camaraderie qui unissait les trois capitaines répondait à la complicité des trois jeunes femmes qui hantaient l'ambassade. Ils les avaient baptisées les trois *M* : Moura, Meriel et Myriam. À leurs yeux, trois splendeurs, dont ils se plaisaient à détailler l'anatomie.

Aucune toutefois n'était leur maîtresse. Elles aimaient ailleurs.

La fille de l'ambassadeur, Meriel, une grande blonde distinguée, vivait une passion impossible avec un cousin du Tsar, que les lois dynastiques de l'Empire lui interdisaient d'épouser.

Myriam, elle, était une Américaine de Californie. Adoptée à huit ans par le second mari de sa mère – un comte pétersbourgeois du nom d'Artsimovitch, alors consul à San Francisco –, elle passait pour son héritière. L'un des meilleurs partis de Petrograd. Grande elle aussi, belle à la façon d'une cariatide, elle plaisait par son naturel. Moins cérébrale que Meriel, mais plus débrouillarde et plus délurée, elle venait de se fiancer à un cosaque qui avait grandi à Londres. L'homme de sa vie. Elle lui avait de longue date accordé ce qu'aucune jeune fille bien élevée ne devait concéder, et ne s'en cachait pas.

Moura, pour sa part, se voulait fidèle à Djon. On ne trompait pas un époux au front. Cette constance n'excluait pas, chez elle, les émotions de l'amitié amoureuse. Avec sa chaleur et sa disponibilité habituelles, elle enveloppait les trois hommes dans une bienveillance qui aboutissait à une intimité très particulière avec chacun d'entre eux. Elle flirtait avec Cunard, qu'elle appelait *Ed*. Avec Garstin, qu'elle appelait *Garstino*. Avec Cromie, qu'elle appelait *Crow*. Bien qu'elle fût plus jeune qu'eux, elle leur témoignait une sollicitude quasi maternelle, respectant leurs goûts, s'employant à dénicher le whisky favori de l'un ou de l'autre : Cunard aimait le *Glenfiddish*, introuvable à Petrograd en cette période de guerre, et Moura le lui dégotait. Elle recherchait chez les libraires une première édition de Pouchkine, qui enchanterait Garstin. Elle couvrait des mille mensonges dont elle avait le secret, les disparitions de Cromie chez ses maîtresses, au risque d'attirer sur elle la méfiance du général Knox.

Autant de gentillesses et d'attentions qui rendaient Moura précieuse à leur cœur. Une merveille, aussi rare… qu'indispensable.

Ensemble, les six jeunes gens tentaient de profiter de la vie, volant le plaisir où ils le trouvaient. Tous savaient que la mort pouvait les faucher demain.

En deux ans, la Russie avait perdu près de huit millions d'hommes.

Petrograd était aujourd'hui menacée. Les Allemands gagnaient du terrain tous les jours. La chute de Varsovie en août 1915, puis celle de Lemberg, puis celle de Brest-Litovsk, avaient semé la panique. Les réfugiés déferlaient dans la capitale par trains entiers. Populations malades, affamées, couvertes de vermine, que Meriel Buchanan et sa mère s'employaient à secourir. Dans les immenses camps construits à la sortie des gares, le typhus faisait des ravages.

Le moral était si bas que le Tsar avait cru bon de prendre le commandement de l'armée. Une faute politique. Il était devenu personnellement responsable de toutes les catastrophes et de tous les mécontentements.

Manque de nourriture. Charbon inexistant. Les femmes qui cherchaient à acheter un peu de pain devaient faire des queues interminables. Certaines attendaient devant les boutiques, dans le froid, dès quatre heures du matin. Elles ne verraient finalement sur le rideau de fer de la porte qu'un mot : « Rien ».

La colère d'avant la guerre grondait à nouveau. Plus âpre, plus violente.

Les libelles se multipliaient contre l'incurie de l'Impératrice, que le Tsar, désormais au front, avait nommée régente. Il n'était question partout que de ses prétendues orgies avec son amant, le moine Raspoutine.

Jour après jour, les bruits enflaient. Rumeurs, où se mêlaient le vrai et le faux. Vraies, l'incompétence et la cupidité du ministère de la Guerre, dont la corruption expliquait l'absence de ravitaillement, le manque de munitions et d'équipements au front. Ne disait-on pas que, dans les Carpates, les soldats combattaient pieds nus ?

On racontait que l'Allemagne favorisait le sabotage de l'armée, la disette, la maladie, la faim, qu'elle payait les cercles impériaux pour lui vendre l'Empire.

Une atmosphère de fin du monde.

Restaient la vodka, les cabarets et les chansons tsiganes, pour oublier l'imminence de la mort.

Et restaient les escapades à Yendel.

*

— Je vois un lac bleu où se reflète un ciel sans nuages, un ciel qui semble infiniment loin, murmura Garstin.

— Je vois, autour du lac, d'immenses forêts noires de pins et de bouleaux, enchaîna Meriel.

Allongés dans tous les sens sur le ponton, en costume de bain et les mains derrière la nuque, les six jeunes gens se séchaient au soleil. Les yeux mi-clos, ils ne voulaient pas perdre une once de la beauté du monde, qu'ils cherchaient à fixer et à retenir.

— Cachez un peu votre plaisir, ironisa Cunard.

— *Shut up, Ed...* Je vois une cigogne immobile, perchée sur une cheminée, poursuivit Garstin.

— Je vois, sous la cigogne, une petite maison de bois, flanquée d'une véranda et de quatre ailes en étoile, développa Myriam Artsimovitch.

— Vous voyez la datcha de ma belle-mère qui nous attend pour le pique-nique, lança Moura pragmatique.

Elle adorait leurs délires, mais en maîtresse de maison qui veillait au bien-être de ses hôtes, elle se gardait de les y suivre trop avant.

Elle les y poussait toutefois.

Et si le ton des échanges entre les jeunes gens restait conventionnel – en russe ou en français, d'un sexe à l'autre, ils se vouvoyaient –, Moura encourageait les excès : une fantaisie totale dans leur conduite et leurs propos. Elle-même fumait, buvait et s'autorisait toutes les formes d'ivresse.

Plus encore que les autres, elle percevait dans ces heures radieuses l'ombre du crépuscule. Le sentiment d'un déclin, une impression de fatalité, vague, inarticulée, qu'elle acceptait comme une évidence, ne la quittaient pas. Résultat : sa détermination à transformer chaque seconde en un souvenir de jouissance était consciente. « Je dois me rappeler l'odeur des pins

137

derrière moi. » La volonté d'identifier la moindre sensation, d'en extraire une joie physique, tenait chez elle de l'instinct de survie.

Cunard, les paupières closes, poursuivait sa description du paysage :

— Je vois une église luthérienne, avec son long clocher blanc, coiffé d'une flèche interminable.

— Ne dites pas n'importe quoi… grommela Meriel. Le long clocher blanc : impossible ! Il n'y a pas un village à la ronde.

— M'en fiche : je le vois !

— Yendel, au fond, c'est le retour à la terre ferme, conclut Cromie… Et qui l'eût dit ? La terre ferme n'est finalement pas si mal.

— Litote… Chaque instant que nous ne passons pas ici, marmonna Garstin, est un gaspillage insensé.

Myriam Artsimovitch opina :

— Bizarre, en effet, qu'on puisse connaître un tel moment… et faire autre chose toute sa vie que de le poursuivre !

Ils avaient traversé le bois et nagé dans le lac de Kallijärv, à moins d'un kilomètre de la grande maison. Quand celle-ci avait brûlé, les parents de Djon s'étaient installés là, dans l'ancien relais de pêche. Madame Benckendorff mère y était restée après la mort de son mari, cédant le manoir à ses fils. L'intimité de sa bru avec ces officiers anglais, alors que Djon et ses trois frères combattaient au front, ne la choquait pas. Loin de souffrir de leur gaieté, loin d'en vouloir à Moura de partager avec eux les plaisirs de Yendel, la vieille dame jouissait de la présence de ces garçons. Leurs bavardages lui donnaient l'impression que la vie continuait. Et qu'elle continuait comme avant la guerre.

La mère de Djon était dotée de plus d'indulgence et de plus d'intuition que Mummy. Quand elle entendait le rire de ces jeunes gens, quand elle entendait les inflexions un peu rauques de celui de Moura, leurs voix à tous lui évoquaient les cris des enfants propulsés dans l'air sur une balançoire : « Vous voyez comme on veut nous attraper ? semblaient-ils dire. Mais on aura beau essayer, on ne parviendra pas à nous rejoindre, ni à nous retenir. »

Elle sentait confusément que dans les batailles à venir, dans les tragédies qui les attendaient, au moment de leur disparition peut-être, ils retrouveraient en eux l'éblouissement de Yendel. Qu'à l'instar de ses fils dont elle savait la passion pour le domaine, ils se souviendraient, à l'heure de la mort, des baignades et des pique-niques comme de l'incarnation même du paradis.

Elle ne se trompait pas.

Dans les quatre ouvrages que Meriel Buchanan publierait sur ses expériences en Russie au temps où son père y était ambassadeur, elle reviendrait sans cesse à la magie de ces moments : *Ah, Yendel l'été, avec son lac éblouissant qui apparaissait entre les pins au détour de l'allée.*

Livre après livre, durant près d'un demi-siècle, Meriel y retournerait : *Longues matinées passées à se baigner dans l'eau claire et froide, galopades à travers bois, pique-niques au clair de lune où l'on cuisait les pommes de terre sous la cendre de grands feux, où l'on regardait l'ombre des flammes danser sur le tronc des sapins, jours de paix et d'oisiveté, jours d'insouciance et de bonheur, qui semblent rétrospectivement impossibles, même incroyables dans la tension de la guerre et l'horreur de la révolution à venir.*

De ce qui se préparait, nous n'avions pas conscience. Rien. Nous ne nommions rien. Et pourtant, à Yendel, nous percevions l'essentiel.

Yendel. Le leitmotiv hanterait sa mémoire.

Au soir de sa vie, elle écrirait encore : *Je pense si souvent à ces journées que nous avons passées là-bas, au confort de la grande maison de briques rousses, au silence, à l'immobilité des champs, une immobilité à vous couper le souffle, que venait rompre l'arrivée des charrettes apportant les volailles de la ferme, le lait, le beurre du village, tout ce dont nous avions besoin pour vivre en autarcie. Ah, ces repas lents et tranquilles que nous prenions à toute heure sur la* terrasse, cette complète indifférence au temps, ces plaisirs inattendus qu'inventait Moura, une visite à Reval – qu'on appellera Tallinn après la guerre –, un tango improvisé sous les sapins, et les poèmes ukrainiens que Moura nous récitait, assise par terre, ses yeux dorés fixant les flammes.

Si l'été à Yendel avait à jamais ébloui Meriel Buchanan, les week-ends d'hiver incarneraient pour elle la poésie d'une jeunesse au bord de la tombe.

Nous passions des heures à faire de la luge ou à essayer de skier, mes propres tentatives se terminant invariablement par une chute, tête la première dans la neige. Les après-midi, nous galopions à travers la forêt dans un traîneau que Moura conduisait à toute allure. Nous versions quelquefois et je me souviens des crises de rire en nous extrayant à grand-peine de l'amas des coussins. Je me rappelle aussi les lents retours vers le manoir, le soleil du crépuscule qui dardait une lueur rousse sur les champs immaculés, avec, dans le lointain, les fenêtres allumées de la grande maison couleur brique. On avait l'impression qu'elle nous attendait, qu'elle nous souhaitait la bienvenue dans le tintement des grelots et l'ombre qui gagnait.

*

Pas de contraintes. Pas d'entraves, Moura y veillait : aucune obligation. La liberté, comme on ne l'avait jamais connue :

À Yendel, les jeunes filles commencent la journée
Dans un sublime et joyeux négligé,

versifiait Garstin, la pipe entre les dents, les bottes sur la balustrade. Il composait l'hymne du matin, qu'il leur chanterait sur l'air de *Rule Britania* :

Suivies, après dix heures,
Par de beaux mâles en knicker-bokers.
Oh mon Dieu, reprendre le train pour Petrograd
Retrouver le train-train de l'Ambassade.

À bas la propagande !
Mes pensées là-bas retourneront en bande
À Yendel.

Oh, revenir, revenir à Yendel,
Être à Yendel pour l'éternité.

*

L'éternité… De tous, Moura était peut-être celle qui jouissait, avec l'avidité la plus consciente, de ces instants volés.

Elle n'avait jamais su se lever tôt. Aujourd'hui elle se réveillait à l'aube. Assise dans son lit face à la terrasse de l'étage, elle laissait au jour le temps de pénétrer dans sa chambre.

Comme jadis à Berezovaya, elle aimait à descendre dans le parc les jours de gel, ces jours où les cochers ne pouvaient retenir leurs chevaux, où l'air glacé lui mordait les joues. La lumière de Yendel rendrait alors la neige entièrement rose. Même le verglas du sentier, même le lac paraîtraient roses. Cette lueur édulcorée qui s'étendait sur le monde lui rappelait la douceur d'antan et l'apaisait.

D'apaisement, ils avaient tous besoin.

Elle songeait à Micky, qu'elle avait vue pâlir et chanceler à la lecture d'une lettre arrivée d'Irlande. Sans un mot, Micky s'était retirée dans sa chambre. Moura avait compris. Le navire où servait le fils de Micky avait coulé. Sean, mort. Tué en mer, dès les premiers bombardements.

Ce deuil expliquait l'absence de la gouvernante et celle des enfants, restés à Petrograd.

À la vérité, chaque matin et chaque nuit, Moura les désirait ici, à Yendel – Kira, Paul et Tania –, elle les aurait voulus tous en sécurité autour d'elle. Elle aurait voulu Mummy dans la chambre voisine… Alla et Anna, à côté.

141

D'Alla, elle restait sans nouvelles. On savait seulement qu'elle vivait en France et que monsieur Moulin, son mari journaliste, s'occupait de propagande. Dans ses grands moments d'angoisse, Moura craignait qu'elle veuille faire venir Kira. Mais fidèle à elle-même, Alla ne se manifestait pas.

Anna, en revanche, leur avait concocté un coup de théâtre dont, sous ses airs rangés, elle avait le chic. Un nouveau tour de sa façon… Le 5 février dernier, dans l'église de la Douma à Petrograd, elle avait épousé en grand secret – alors qu'elle était encore mariée à Ionov – son soupirant ukrainien. Sans prendre le temps de divorcer. Ni même celui d'être veuve. *Bigame*! Certes, son premier mari se trouvait à l'agonie. Une question de jours. Elle s'occupait de lui, veillait sur son bien-être. Mais elle était enceinte de plusieurs mois et n'avait aucune intention de se laisser déshonorer comme Alla, en accouchant d'un bâtard. Le père du bébé à naître était un parti prestigieux, le maréchal de la noblesse dans la province de Berezovaya. S'il ne portait pas le titre de prince, il appartenait à l'illustre famille des Kotchoubey et descendait en droite ligne des beys tatars de Crimée. L'occasion à ne pas manquer pour Anna. Elle était sans le sou et ne pouvait compter que sur elle-même. Elle avait besoin de protection pour ses deux enfants, que la mort imminente de Ionov laisserait orphelins et démunis. Vassili Vassilievitch Kotchoubey était aujourd'hui fou d'elle. Qui sait s'il ne changerait pas d'avis ? Elle avait donc pris les mesures qui s'imposaient.

Moura l'admirait et la plaignait. Elle savait combien Anna avait aimé Ionov.

Pour sa part, elle avait de la sympathie pour son nouveau beau-frère. Tout le contraire des aristocrates réactionnaires de Mummy ! Un libéral. Il avait été élu à l'unanimité député de la quatrième Douma par les membres siégeant à l'assemblée provinciale. Il appartenait au Bloc progressiste qui s'opposait à l'arbitraire du Tsar.

En songeant au remariage et à la bigamie de sa sœur, Moura se disait qu'elle la comprenait. Elle aussi redoutait l'avenir. Elle avait peur pour Djon. Elle avait peur pour les officiers anglais. Elle avait peur pour la Russie.

À ses yeux, la Russie était un être à part : elle la portait en elle. La Russie lui appartenait physiquement, elle la sentait dans son corps. Plus précieuse, plus essentielle que sa propre personne. À la fois, sa terre, son havre, sa famille, elle-même : l'ensemble des siens... La patrie.

L'idée que la Russie puisse être envahie, avilie, anéantie, qu'elle puisse demain devenir allemande, la submergeait de terreur et de honte.

N'y pas songer.

Elle y pensait, cependant.

L'assassinat de Raspoutine en décembre 1916 n'avait rien changé à l'incurie de l'Impératrice et à la nullité de son gouvernement. Le meurtre, perpétré par des proches du Tsar, avait seulement souligné la décadence du régime. Aux yeux de Moura, la situation se résumait en une phrase : la cour des Romanov évoquait aujourd'hui celle des Borgia. Et les rues de Petrograd devenaient des coupe-gorge, où se multipliaient les émeutes et les pillages.

Profiter de ce que le présent pouvait encore offrir.

Même sans Micky et les enfants, la maison était pleine.

En cette première quinzaine de mars 1917, Myriam venait d'arriver avec son fiancé Boris Yonine, un diplomate d'origine cosaque. Ancien secrétaire de l'ambassade de Russie à New York, *Bobbie* parlait sept langues, gagnait toutes les compétitions sportives et commandait ses smokings à Londres.

Cromie venait, lui aussi, d'arriver, rejoint par sa conquête du jour : la comtesse Schilling, voisine des Benckendorff et reine de la société estonienne ; Garstin et son gros chien Garry ; Cunard, Meriel et l'ensemble des officiers anglais en poste à Reval.

La capitale de l'Estonie servait aujourd'hui de base à la Royal Navy. Et la marine britannique se préparait à l'offensive : couler la flotte allemande qui s'avançait dans la mer Baltique.

La bataille était imminente. Et le temps à Yendel, plus que jamais suspendu. Tous ici le savaient. Tous ici essayaient de l'oublier.

*

Après le dîner, la nuit enveloppait le manoir dans une obscurité laiteuse. Par l'immense *bow-window* du salon, on pouvait voir au clair de lune les gros coussins de neige qui luisaient au pied des sapins. Les jeunes gens se tenaient debout, rassemblés devant la cheminée, la pipe ou la cigarette à la main. Le plus déchaîné ce soir, le plus ivre peut-être, était celui qui buvait le moins et ne faisait d'ordinaire aucun bruit, sinon pour déclamer des vers. Garstino.

Tel monsieur Loyal, il jouait les maîtres de cérémonie et frappait dans ses mains.

— Silence, tout le monde !

Son chien Garry tressaillit. Les autres se retournèrent.

— Moura... « On y est ? En avant ma nièce », clama-t-il, paraphrasant l'oncle de Natacha Rostov dans *La Guerre et la Paix* et la poussant au centre de la pièce.

À la seconde, elle avait compris l'allusion. Comme Garstin, elle connaissait Tolstoï par cœur. Plus que lui, elle en maîtrisait la lettre et l'esprit. Il avait élargi le cercle pour lui laisser le champ libre et criait :

— ...Moura, *go !*

Jouant le rôle qu'il attendait d'elle, elle rejeta la tête en arrière, s'élança dans un roulement d'épaules, mit les poings sur ses hanches, et entonna la chanson tsigane la plus déchirante de son répertoire.

144

Elle la commença sur un rythme lent, comme si elle voulait leur briser le cœur. Puis elle passa de l'un à l'autre, les regardant dans les yeux, adressant sa plainte à chacun. Seule à seul.

Elle sentait mieux que quiconque, combien, pour tous ces Anglais, elle incarnait *le mystère russe.* À leurs yeux, elle n'était même que cela : *l'âme slave.* Elle le savait. Elle savait que Garstin, Cromie, Cunard se demandaient – à la façon des personnages de Tolstoï devant Natacha Rostov exécutant la danse traditionnelle du foulard – où, dans quelle autre vie, madame Bencken- dorff avait appris de tels déhanchements et de tels mots d'amour !

Ces paroles qu'elle chantait avec une voix rauque, si pleine de violence et de sensualité, comment les connaissait-elle ?

Moura, cette dame du monde, d'éducation européenne, qui se balançait au clair de lune, avec la neige et la tempête en toile de fond, appartenait à un univers essentiellement différent du leur. Ils se laissaient fasciner. Leur trouble la grisait.

Mais ce soir, ce n'était plus seulement le désir de leur plaire, son besoin habituel de jouer un rôle et de séduire, qui habitaient Moura. C'était l'émotion de partager avec eux, ces étrangers qui cherchaient à protéger sa patrie, leur amour commun pour la Russie.

Sa lamentation à peine achevée, elle changea brutalement de registre. Elle remonta le gramophone et pria Cunard de l'enlacer. Son visage était grave, comme si quelque chose du chant tsigane lui collait à la peau. Plus rien chez elle de l'hôtesse impeccable, ni de la femme mariée, ni même de la camarade des jours passés.

Elle avait besoin d'un poids contre son corps… Elle avait besoin qu'on l'étreigne, qu'on la possède et qu'on l'emporte. Myriam avait Bobbie. La comtesse Schilling, Crow. Meriel, sa romance avec le duc de Leuchtenberg. Elle ? Pas un rêve. Pas même un souvenir.

Sans indulgence, Moura reconnaissait que l'amour avec Djon ne l'avait pas atteinte. Qu'elle ne gardait aucune impression de leurs embrassements. Sinon, celle, déplaisante, d'une grande solitude.

Moralement vierge.

Ce soir, elle devait se prouver qu'elle était encore vivante.

Cunard, qui percevait son ardeur, avait emboîté sa jambe entre les siennes. Joue contre joue, il la serrait de près, la tordant contre lui, accentuant les figures du tango jusqu'à la renverser. D'autres couples les avaient rejoints. Les silhouettes de Meriel et de Myriam tournoyaient autour d'eux, tantôt inondées par un rai de lumière, tantôt effacées et perdues.

*

Ce fut le lendemain soir, dans la nuit du dimanche 11 au lundi 12 mars 1917 – la nuit du 26 au 27 février dans le calendrier russe –, que Moura, Myriam et moi-même nous arrachâmes à Yendel, raconterait Meriel dans son autobiographie.

Les garçons étaient partis le matin. Cromie et ses officiers avaient rejoint leur base de Reval. Aucun de nous ne savait rien des événements qui secouaient Petrograd.

Le vieux serviteur des Benckendorff, qui se tenait sur les marches du manoir, nous fit ses adieux, sa silhouette s'encadrant dans la lumière dorée du grand hall. La femme de chambre de Moura, qui nous avait emmitouflées dans des fourrures, grimpa derrière nous. Le cocher secoua les rênes... La poudreuse vola sous les sabots des chevaux et les patins du traîneau glissèrent sans bruit. Seul le rythme des grelots brisait le silence.

Pas de lune. Une nuit magnifique.

Finalement, nous aperçûmes les lumières de la petite gare. Finalement ? Je n'en suis pas si sûre... Il eût peut-être mieux valu que cette course nocturne ne nous conduise nulle part.

Nous patientâmes dans la salle d'attente qui grouillait de soldats et de paysans à longues barbes, couverts de peaux de mouton puant le suint.

Le sifflement de la locomotive, des cris, de la fumée, du bruit.

...Et la fin d'un rêve !

Le train, qui arrivait de Reval, était bondé de marins. Ils dormaient partout, dans les couloirs et sur l'empilement des bagages. Par chance, le chef de la police locale avait réservé un compartiment à notre intention. Nous tirâmes le verrou et nous installâmes toutes les trois avec une coupe de champagne. La soubrette de Moura s'affairait autour de nous. Elle nous déshabilla, nous coiffa...

Comment imaginer que nous jouissions de ces privilèges pour la dernière fois ?

Nous arrivâmes à Petrograd à huit heures du matin le lundi 12 mars : le 27 février pour l'Histoire. La gare semblait plus vide, plus sombre, plus sinistre qu'à l'ordinaire. Pas de porteurs en vue.

L'apparition de l'austère général Knox au bout du quai, le général Knox en grand uniforme, nous donna un coup au cœur. Impossible d'imaginer qu'il fût venu par galanterie. Nous sentîmes dans la seconde que quelque chose était arrivé.

Ses premiers mots me rassurèrent sur le sort de mes parents. « Je suis ici, expliqua-t-il non sans agacement, car il y a des émeutes en ville. Tous les tramways et tous les isvostchiks – les traîneaux-taxis, tirés par un cheval – sont en grève. Aucune voiture ne circule sans laissez-passer. » Je savais qu'en son for intérieur, il pestait : « S'occuper de la sécurité de bonnes femmes dans des moments pareils ! »

Quand William, le chasseur de l'ambassade, eut finalement rassemblé nos bagages, Knox daigna nous raconter les événements. Plusieurs usines avaient fermé leurs portes, laissant leurs ouvriers sans pain. Affamés, ils avaient pillé les hangars où l'on stockait l'approvisionnement de la ville. Le gouvernement avait appelé les cosaques pour les disperser. Mais les cosaques n'avaient pas chargé. Contre toute attente, ils avaient fraternisé avec la foule.

Ni Myriam, ni moi-même ne prenions la mesure de la gravité de la situation.

Seule Moura avait pâli : « Voulez-vous dire que c'est la révolution ? », demanda-t-elle, la voix altérée par l'inquiétude. Knox ne se donna pas la peine de lui répondre.

Mais l'immobilité des rues en ce matin était impressionnante. Je n'ai jamais pu l'oublier. Nous remontions les vastes artères que nous connaissions, longions les mêmes palais, les mêmes dômes dorés... Et pourtant, ce n'était plus la même ville ! Partout le silence. Et partout le vide. Plus d'embouteillages, plus de trams bondés, plus d'isvost-chiks, plus d'attelages. Et pas un seul policier à la ronde.

Ce ne fut qu'en tournant sur le quai du Palais que je repérai la silhouette bien connue du soldat qui montait la garde au carrefour. Je l'avais toujours vu nous sourire au passage. Mais ce matin-là, son visage était couleur de cendre. Et quand il leva la main à sa tempe pour nous saluer, je sus avec autant de certitude que si les mots m'avaient été murmurés à l'oreille, que cet homme ne verrait pas la fin du jour.

À peine la voiture eut-elle déposé Moura et Myriam chez elles qu'éclatèrent des coups de feu. Une troupe d'ouvriers et de soldats traversa le square Souvorov, en tirant dans toutes les directions devant l'ambassade. D'autres bandes arrivaient du pont. Celles-là brandissaient des revolvers et des haches. D'autres encore enca-draient des automitrailleuses. Toutes tournèrent sur le quai et se ruèrent vers le palais d'Hiver.

À midi, nous apprîmes que le dépôt de munitions avait été pillé, et les armes distribuées aux émeutiers. Les bâtiments de la Police secrète, ainsi qu'une vingtaine de commissariats, étaient en feu, et le Palais de justice se réduisait à un immense brasier. Au bout de la rue qu'habitait Moura, la foule avait pris d'assaut la prison. Les politiques et les droits communs s'étaient répandus dans les cours des immeubles. Ivres de haine, ils abattaient les chiens de garde, brûlaient les calèches et molestaient les portiers.

La ville était désormais hors de contrôle. La situation dégénérait d'heure en heure.

Au soir, des hurlements m'attirèrent au balcon. Là, de l'autre côté de la Neva, sur la forteresse Saint-Pierre-et-Saint-Paul, là, à la place du drapeau impérial qui m'était si familier, je vis pour la première fois flotter le drapeau rouge.

Oh, revenir, revenir à Yendel,
Être à Yendel pour l'éternité.

Chapitre 11

LA RÉVOLUTION DE FÉVRIER
Février – Octobre 1917

Aux cris, aux tumultes des rues, répondait le silence des intérieurs.

En ce second jour de la « révolution de Février 1917 », on chuchotait dans le noir, sans oser allumer les lampes, de peur d'attirer l'attention des émeutiers et les balles des tireurs.

Plaintes sourdes, murmures angoissés : les quelques femmes du monde, assez courageuses pour se rendre à pied les unes chez les autres, semblaient avoir perdu la voix pour dire, en arrivant, les outrages qu'elles avaient subis, et raconter les horreurs dont elles avaient été le témoin. La sonnerie du téléphone, stridente, venait seule briser leurs messes basses.

Chez Moura, l'appareil, fixé au mur du vestibule, ne cessait de vibrer.

Chacun venait auprès d'elle chercher les nouvelles ou distiller les rumeurs. Elle appartenait à tant de cercles : celui des aristocrates proches de la Cour ; celui de son beau-frère Kotchoubey, député libéral à la Douma ; celui des ambassades alliées... Une plaque tournante, une formidable pourvoyeuse d'informations !

Comme dans l'adolescence, lorsqu'un incident – une petite maladie, un orage, une lettre, les amours des jumelles – venait

151

bousculer les horaires et changer les habitudes de Berezovaya, cette rupture dans la routine de la maison la passionnait.

Quelque chose, un événement extérieur, était enfin arrivé : elle voulait le connaître. Elle devait le comprendre, l'accepter, le maîtriser et le divulguer. Sa disponibilité à répondre aux questions et à broder sur les faits participait de la même fébrilité enfantine qu'au temps où elle servait d'ambassadrice et de messagère entre Alla, Anna et Mummy. Ce rôle la grisait : l'aventure devenait sienne.

Bien qu'elle mesurât – mieux que toutes les femmes de son milieu – l'ampleur du cataclysme : aucun sentiment de peur. Elle ne reconnaissait en elle que ce goût de l'action dont Djon avait jadis parlé dans ses lettres quand, seul à Berlin en juillet 1914, il allait aux nouvelles : *J'en éprouve une forme d'exaltation. Les préparatifs de guerre, les négociations : tout m'intéresse. J'ai honte d'être à ce point content du présent et curieux de l'avenir. Je m'accuse de cette fièvre presque joyeuse, qui m'habite. Mais l'excitation ne passe pas.*

Vingt, trente fois par jour, elle attrapait le petit cornet de bakélite noire pour écouter et réagir aux mille versions contradictoires de ses interlocuteurs. Elle resterait là, debout, collée au poste durant de longues heures.

Le comte de Chambrun, son vieil ami de l'ambassade de France, lui téléphonait pour lui donner les itinéraires à ne pas suivre. La perspective Nevski était barrée, éclairée seulement par un projecteur de marine sur la tour de l'Amirauté. La veille encore, il espérait que tout s'arrangerait. Ce matin, il se disait très inquiet.

Cunard lui téléphonait pour lui confirmer les dires de Chambrun : elle ne devait, sous aucun prétexte, se rendre à la Chancellerie. L'émeute gagnait partout. Les soldats qui étaient passés à la rébellion n'avaient désormais d'autre choix que de pousser plus loin et d'abattre leurs officiers. Cunard lui-même avait vu des mutins arracher ses épaulettes à un vieux colonel et lui cracher au visage. Comme le malheureux protestait, les soldats lui avaient tiré une balle dans la tête, devant l'ambassade, en pleine rue.

La chasse aux sergents de ville était ouverte. Meriel venait d'apprendre qu'on numérotait à la craie les policiers qu'on attrapait, avant de les ficeler ensemble et de les abattre à la mitrailleuse sur le Champ de Mars.

Mummy lui téléphonait pour lui raconter les malheurs de leur parente, la princesse Saltikov, qui partageait son palais avec l'ambassade. Alors qu'hier soir, la princesse se mettait à table, ses garçons de cuisine avaient surgi, affolés : on enfonçait la porte des communs. La vieille dame n'avait eu que le temps de dévaler l'escalier, de traverser la cour et de se réfugier de l'autre côté, dans l'aile qu'occupaient les Buchanan. À quatre-vingts ans, tête nue, en petites chaussures du soir, elle avait couru, trébuchant sur les congères, par un froid de moins quinze degrés. Depuis la fenêtre du cabinet de l'ambassadeur, elle avait pu voir ce qui se passait chez elle : les émeutiers lacéraient ses tapisseries, brisaient ses miroirs et mutilaient à coups de masse les portraits du Tsar et de l'Impératrice. Ces sauvages avaient vidé une à une toutes les bouteilles de sa cave avant de vomir, ivres morts, sur ses tapis. Une bande de femmes étaient venues les rejoindre, pour boire avec eux et forniquer jusque dans son lit. Ce matin, elles avaient barbouillé les soies roses de l'alcôve avec leurs excréments. La princesse avait tout vu. Ces monstres terrorisaient les domestiques, qu'ils forçaient à les servir à genoux, et ne manifestaient aucune intention de quitter les lieux. La princesse n'osait rentrer chez elle et ne savait vers qui se retourner. L'ambassadeur d'Angleterre ne pouvait, paraît-il, la garder plus longtemps, ayant reçu de son gouvernement l'interdiction d'intervenir dans les conflits internes de la Russie.

— Et tu sais ce qu'ils ont fait à mon amie, la comtesse Kleinmichel ?

— Je sais, Mummy. Ils l'ont arrêtée.

Coupées l'une de l'autre par l'impossibilité de traverser la ville, elles se parlaient au téléphone durant des heures. Ces échanges à distance leur étaient désormais aussi naturels qu'une conversation dans un salon.

— Mais tu n'as peut-être pas vu ce qu'ils ont placardé sur son balcon ?

— Si, je l'ai vu… C'est terrible !

— « Les forces révolutionnaires ont capturé une dangereuse espionne au service du Kaiser. Elle restera aux arrêts jusqu'à son procès. » Ils vont forcément la tuer !

— Mais non, Mummy. C'est une vieille dame. Ils la relâcheront.

Quelque chose dans la voix de Moura exaspéra sa mère :

— Change de ton, ma fille. Tu verras quand ces brutes pilleront Yendel ! Je ne te le souhaite pas, mais tu verras… Et j'ai un autre conseil à te donner : change aussi de nom. Ils ont assassiné le comte Friedrich et le pauvre Stackenberg, qu'ils disent, comme ton cousin le comte von Benckendorff, à la solde de l'Allemagne. Tu es la prochaine sur leur liste. Quand je pense, ma petite, quand je pense que tu défends ces criminels…

Moura esquiva l'affrontement :

— Comment avons-nous pu être aveugles – tous ! –, au point de n'avoir rien vu venir ?

— Si le Tsar abdique comme il en est partout question, ce sera la fin de la Russie.

*

Nouveau coup de téléphone de Mummy à l'aube.

— Sa Majesté a abdiqué cette nuit !

Le choc était tel qu'il avait altéré la voix de Mummy jusqu'à la réduire à un filet. Moura ne put réprimer un élan de pitié. Le monde de sa mère s'effondrait.

Impossible toutefois de lui cacher le soulagement et la joie que lui causait cette nouvelle. Elle l'avait apprise quelques instants plus tôt par un coup de fil de Garstin.

— Je comprends ton émotion, Mummy. Mais c'était la meilleure solution, tu sais.

La vieille dame semblait à bout de souffle :

— La Russie est morte !

— Ne t'affole pas ainsi… La Russie va renaître, au contraire.

— Rien ne peut plus nous sauver !

— Sauf peut-être la démocratie.

— Nous allons plonger dans le chaos !

— Mummy, Mummy, le chaos, nous y sommes depuis longtemps.

— Tu t'obstines à approuver ce qui se passe ? Toi ! Tu es la dernière, ma fille, la dernière au monde, à pouvoir t'en réjouir. Les gens comme nous vont tout perdre.

— Ce qui se passe est terrible, oui. Mais les gens comme nous auraient dû comprendre depuis longtemps que tant d'injustices étaient inacceptables… Les gens comme nous auraient dû reconnaître que cela ne pouvait, ni ne devait durer.

— Tout cela m'arrive de façon si soudaine ! Je ne parviens pas à m'y faire. L'abdication du Tsar en quelques heures : entre ce lundi et cette nuit, même pas trois jours !

— Avec un peuple affamé depuis trois siècles, conclut sombrement Moura.

Cette discussion, elle l'avait eue mille fois à Yendel avec Cromie, Cunard et Garstin. Mais sur un autre mode. Ils partageaient, eux, les mêmes idées. Hors de l'Égalité, hors de la Liberté : point de Salut.

Même pour Meriel et Myriam, ces premiers jours de révolution incarnaient ce rêve-là… La promesse d'un monde meilleur.

Même pour Sir George Buchanan, qu'on ne pouvait soupçonner de sympathies socialistes, le changement de régime s'imposait. Une nécessité. Il se gardait bien de formuler pareille opinion. Il se gardait aussi de tout soutien officiel envers le gouvernement qui venait de se former. Il considérait son chef, le bouillant avocat

Kerenski, comme un opportuniste. À peine ce monsieur avait-il fait arrêter le Tsar, qu'il s'installait lui-même au palais d'Hiver : « Pousse-toi de là que je m'y mette ! » grommelait le général Knox.

Au moins, martelait l'ambassadeur, ce Kerenski passait-il pour intelligent. Il réformerait l'armée, continuerait à combattre les Allemands et donnerait peut-être à la Russie les moyens de la victoire… Kerenski ? Un moindre mal, comparé au sieur Lénine et à ses sbires, qui arrivaient de Suisse : ils avaient traversé toute l'Allemagne dans un wagon plombé, avec l'aval du Kaiser, et probablement à ses frais. Ceux-là passaient pour des extrémistes et des démagogues. Ils exigeaient l'arrêt immédiat de la guerre, invitaient les soldats à la fraternisation avec l'ennemi, et prônaient la paix à n'importe quel prix : oui, ceux-là, les bolcheviques, étaient dangereux.

*

Chaque nuit, le fracas d'une voiture blindée, qui passait et repassait sous les fenêtres, réveillait Moura, Micky et les enfants.

Dans la nursery, Micky interdisait qu'on bouge. Mais dans la chambre, Moura en chemise, pieds nus, se dissimulait derrière le rideau : elle regardait ce spectacle que les habitants de la rue Shpalernaïa connaissaient bien. Un gros cafard crachant à la mitrailleuse le feu et les flammes. La voiture patrouillait lentement et semblait tuer au hasard. Quel parti servait-elle ? Les palefreniers et les cochers disaient que l'homme qui s'y cachait était un officier tsariste déterminé à massacrer les prolétaires… Le plus de prolétaires possibles. Les portiers, les majordomes et la haute domesticité prétendaient au contraire que le conducteur n'était autre que Lénine en personne, qui voulait semer la terreur dans le cœur des citoyens de Petrograd.

*

Peu de lait, pas de sucre, pas de viande, même pour les riches. Plus aucun légume. Les enfants maigrissaient.

En ce début d'été 1917, leur mauvaise mine à tous, le moral de Micky qui ne se remettait pas du deuil de son fils, la santé de Mummy brisée par la mort de ses amis et la peur de l'avenir, requéraient le repli de toute la famille à Yendel.

Comme la plupart des propriétaires terriens, Moura se préparait à regagner son manoir à l'époque des moissons. En l'absence de Djon et de ses frères, elle devait vérifier les comptes et veiller au grain. Chaque année, Petrograd se vidait ainsi de son aristocratie, qui migrait en bande vers ses domaines. Un rituel immémorial.

Nul n'imaginait que cette villégiature serait la dernière.

*

En Estonie, le monde ne se ressemblait plus.

Dans le port de Reval, les agitateurs communistes avaient réussi à miner l'élan belliqueux des marins envers les Allemands, et l'avaient transformé en haine contre les nantis. Les promesses des bolcheviques, *La Paix, du Pain et la Liberté,* trouvaient un écho jusque dans les rangs des équipages anglais. Cromie ne parvenait à maintenir son autorité sur ses hommes qu'avec la plus grande difficulté. Le risque que la flotte se livre à l'ennemi sans combattre devenait réel. Auquel cas, le capitaine Cromie devrait saborder lui-même ses navires.

Le temps semblait loin – à peine trois mois – où il dansait le tango avec sa maîtresse dans le salon de Yendel. La comtesse Schilling avait dû fuir et se réfugier à Stockholm avec son mari, ancien officier du Tsar.

Aux yeux de Cromie, Yendel restait toutefois un refuge intouchable, le havre auquel il aspirait.

Comment eût-il pu imaginer qu'à cette heure, Moura et sa mère se terraient dans la grange avec Micky et les petits ? Que, cachées entre les bottes de paille, la main sur la bouche de Paul et de Tania, elles écoutaient avec effroi les paysans mettre la ferme à sac ? Voler les chevaux et les vaches ? Égorger les moutons ? Découper les porcs vivants pour s'emparer du lard ?... Qu'elles les entendaient qui insultaient les maîtres, les menaçant du même sort que leurs cochons ?

La peur. Moura, tétanisée, découvrait la terreur de mourir. Ils allaient les trouver ; ils allaient les tuer ici, maintenant. Elle, et tous les siens.

Pour la première fois, l'épouvante.

La chance voudrait que les paysans se contentent des larcins de la ferme. Qu'ils ne songent pas à forcer les portes de la grange ni celles de la grande maison.

Pas ce coup-ci.

L'incapacité de Moura à protéger les trois enfants blottis contre son ventre, l'avait toutefois ébranlée. La phrase de Mummy : « Tu verras quand ces brutes pilleront Yendel ! » sonnait comme une prophétie.

« Je ne te le souhaite pas, mais tu verras... »

Chapitre 12

LA RÉVOLUTION D'OCTOBRE
Octobre 1917 – Janvier 1918

Sans la protection de Djon et de ses frères, impossible de rester une seconde de plus à la campagne, seules.

Retour à Petrograd.

Moura y avait ramené sa belle-mère et ses fox-terriers qu'elle avait installés chez elle.

Le soir du 7 novembre 1917 – 25 octobre dans le calendrier russe –, elle accompagnait Mummy au concert. Rien d'étrange à cela, rien d'inhabituel : les théâtres de la capitale étaient pleins.

Continuer à vivre.

Le temps où les femmes s'habillaient pour se rendre à l'opéra semblait toutefois loin. La soldatesque gesticulait dans la loge impériale. Les ouvriers, les marins, les étudiants et les prostituées occupaient le parterre. Mummy ne pouvait s'empêcher de pester à l'oreille de Moura et de se lamenter devant ce qu'elle appelait « la chienlit de Kerenski et de son gouvernement provisoire ».

Mummy n'avait encore rien vu.

À l'heure où elle écoutait la poignante voix de basse de Chaliapine entonner le grand air de *Boris Godounov*, les Soviets travaillaient avec diligence à *balayer cette chienlit de Kerenski et de son gouvernement*.

159

*

Quand la mère et la fille se réveillèrent au matin, elles n'entendirent d'abord que le silence. Finies les sonneries du téléphone dans le vestibule. En décrochant, Moura se rendit à l'évidence : les lignes étaient coupées.

Elle ne prendrait que plus tard la mesure des événements. Car, cette fois, impossible d'échanger les nouvelles. D'instinct, chacun se terrait chez soi. Elle, comme les autres.

Dans la nuit, les régiments des Gardes rouges s'étaient emparés des postes et du télégraphe, avaient envahi les gares et investi les journaux. Les bolcheviques occupaient la ville.

Seul le palais d'Hiver, où siégeaient les ministres, tenait encore, défendu par les derniers fidèles : de très jeunes officiers sans expérience et le bataillon de femmes soldats que Kerenski venait de créer. Lui-même avait pris la fuite.

À midi, une suite d'explosions. Le Palais était cerné. Une vingtaine d'automitrailleuses occupaient la place. Sous la voûte de la Morskaïa, deux canons tiraient droit dans les murs de la résidence impériale, écaillant l'enduit rouge de profondes mouchetures blanches. Sur la Neva, le croiseur *Aurore* tournait lentement sa tourelle vers les fenêtres.

Les assiégés s'étaient retranchés au sommet du grand escalier, derrière des sacs de sable et des piles de bûches. Ils ripostaient à coups de grenade.

Le bombardement dura toute la journée et continua jusqu'après minuit. En vérité, les défenseurs n'avaient aucune chance. Ils tombaient comme des mouches. Dehors, on parlait déjà de trois cents femmes-soldats tuées.

Le sort de celles qui survivraient jusqu'au matin ne vaudrait guère mieux. Quand l'immense bâtisse serait envahie, les Rouges les emmèneraient dans leurs baraquements pour les violer, avant de les égorger.

Quant aux ministres qui se terraient au plus profond du Palais, ils seraient, eux aussi, arrêtés et emprisonnés, allant peupler les cachots déjà bondés. Avant d'être exécutés à leur tour.

Au matin, on respirait à Petrograd une odeur bizarre. Ce n'était pas celle du feu, pas non plus celle de la poudre... La ville puait le vin.

La populace avait pillé l'Ermitage : après la destruction des objets d'art, elle s'était attaquée aux caves.

La découverte de dizaines de milliers de bouteilles – les plus grands crus de l'Histoire – avait ouvert les vannes. Le début d'une incroyable beuverie.

Les émanations d'alcool planaient jusqu'au bas de la perspective Nevski.

De tous les quartiers, la foule accourait. Chacun venait participer à l'orgie et s'emparer d'une part de butin. On voyait des femmes se hâter avec des paniers, des enfants tituber sous le poids des magnums. On voyait des voitures pleines de soldats qui convergeaient de partout, pour repartir dans un grand bruit de ferraille, chargées de caisses entières.

Vers midi, les Soviets envoyèrent la Garde rouge. Peine perdue. La horde était devenue incontrôlable, même pour les bolcheviques. À ce stade, mieux valait laisser rouler les hommes saouls dans les caniveaux.

Au soir, parmi les bouts de verre et les débris de bouteilles, des centaines de corps cuvaient leur ivresse. La neige se teintait du rouge sang des vins de Bourgogne et de l'or des vins de Champagne.

L'ère de Lénine et Trotski – connus l'un et l'autre pour leur sobriété – s'ouvrait sous les auspices d'une gigantesque gueule de bois.

*

Nationalisation des grands domaines ; arrestation des suspects ; exécution des bourgeois : j'ai parlé longuement de la situation avec madame Benckendorff, écrivait dans son journal le comte de Chambrun, premier attaché de l'ambassade de France. *Cette petite femme m'amuse. Elle est au fait de tout. Le général Knox m'a raconté qu'elle empruntait les frusques de sa soubrette et s'habillait en femme du peuple pour aller entendre les élucubrations de Trotski, au palais Smolny. En d'autres temps, on songerait aux héroïnes de Marivaux. Il semblerait qu'elle se soit liée d'amitié avec certains tovaritch qui parlent à la tribune. Knox est outré. Pour ma part, je trouve sa curiosité plutôt divertissante. Elle ne juge pas. Elle écoute. J'ai beau tenter de lui faire dire ce que nous pensons tous – que ces bolcheviques sont des voyous et des brigands –, elle ne me laisse pas l'entraîner sur ce terrain. Elle m'a expliqué que le mot burjoui « bourgeois » dont ils usent à tort et à travers – burzhúi – n'avait pas tout à fait le même sens en russe qu'en français. Ici le terme est, par essence, péjoratif. Il ne s'applique pas à une classe sociale, mais désigne les élites de tous les milieux. Les aristocrates, l'intelligentsia, les commerçants, les Juifs, les Allemands et même les révolutionnaires s'ils sont nantis. À entendre madame Benckendorff, le burzhúi incarne l'Ennemi. Traduction : l'ennemi de la Révolution. Bref, aux yeux du camarade Lénine, quiconque prend un bain, porte une chemise blanche et lit avec des lunettes, apparaît comme un parasite dont il faut se débarrasser. Le projet est de les écraser en masse. À une exception près : lui-même... Il est pourtant issu de la petite noblesse.*

Nous avons aussi évoqué, elle et moi, cette invraisemblable nouvelle : trois délégués de l'armée russe auraient signé avec l'Allemagne les préliminaires d'un armistice. Comment Lénine ose-t-il proposer la paix aux Allemands, à l'heure où ils occupent une grande partie de son territoire ? Si les Russes signent un cessez-le-feu, ils trahissent la Triple-Entente. La position de l'ambassade de France et de l'ambassade d'Angleterre à Petrograd va devenir intenable.

162

Madame Benckendorff m'a appris que Sir George Buchanan avait été rappelé. Ce départ la désole. Elle n'en laisse rien paraître, mais je la crois effondrée. Je peux la comprendre. Si l'Angleterre et les puissances alliées abandonnent la Russie, qu'adviendra-t-il de tous nos amis ?

Hier, une délégation d'une vingtaine de femmes d'officiers est venue à l'ambassade nous demander de l'aide. C'était un spectacle poignant que de voir ces infortunées réduites à la mendicité. Elles sont encore vêtues de manteaux et de robes décentes : les derniers vestiges de leur passé. Leurs maris sont prisonniers dans les casernes, où ils mènent une vie de forçat, ne recevant que la solde de simple soldat. Leurs inférieurs les empêchent de travailler ailleurs pour gagner leur pain. L'une de ces dames m'a dit que son époux, lieutenant de la Garde, avait réussi à s'échapper et qu'il avait passé la nuit à décharger des sacs de charbon à la gare. Mais les *tovaritch* s'en sont aperçus et lui ont confisqué les quelques roubles qu'il avait si péniblement gagnés. Le sort des autres Russes, ceux des classes moyennes, n'est guère plus enviable. Les professeurs d'université doivent accepter n'importe quel travail manuel.

On se demande comment peuvent survivre les « burjouis ». Toutes les propriétés sont confisquées, les dépôts en banque saisis, les traitements et les pensions supprimés. C'est la misère. J'ai été chez madame Narichkine pour voir un buste de Marie-Antoinette, qu'elle désire faire acheter par le Louvre. C'est un exemplaire unique, tous les autres ayant été détruits pendant notre Révolution à nous. Il serait bien désirable qu'il n'aille pas orner un jour le salon d'un marchand de cochons transatlantique. Beaucoup de familles d'aristocrates quittent Saint-Pétersbourg. Certaines sont assassinées dans leur fuite. Le ministre du Tsar, le vieux Goremykine – qu'on prétend avoir été l'amant de la mère de madame Benckendorff –, vient d'être égorgé dans sa villa de Sotchi avec sa femme, sa fille et son gendre.

Madame Benckendorff me disait que l'appartement de sa mère, quai de la Fontanka, avait été réquisitionné. Des soldats en armes et plusieurs dizaines de femmes dorment dans son salon, ne lui laissant pour chambre que le réduit qu'elle partage avec sa servante.

Madame Benckendorff héberge aujourd'hui sa mère... Jusqu'à ce que son propre appartement soit confisqué. Elle ne se fait guère d'illusions sur ce point. On est déjà venu trois fois, de nuit, perquisitionner chez elle.

Il y a quelques jours, j'ai vu un général et un pope - toute la Russie d'autrefois - déblayer la neige devant le palais d'Hiver. C'est la seule corvée qu'on leur concède pour ne pas mourir de faim. Une bande de jeunes soldats les regardaient en ricanant.

Si Sir George Buchanan emmène avec lui sa Chancellerie, nous pourrions peut-être employer madame Benckendorff.

Ses origines nous seraient utiles dans nos négociations avec l'Ukraine. La guerre et la Révolution y ont favorisé les tendances séparatistes. Les Ukrainiens n'espèrent plus en un régime de progrès et de liberté sous la souveraineté russe, qu'elle soit monarchiste ou bolchevique. Ils revendiquent le droit des peuples à disposer d'eux-mêmes, que Trotski nous serine.

Hier, leur représentant est venu voir l'ambassadeur, pour lui confirmer l'ardent désir des Ukrainiens d'obtenir l'autonomie, en attendant d'acquérir l'indépendance complète. C'est à la France qu'ils comptent s'adresser pour l'organisation de leur armée, de leurs finances et de leur enseignement. L'Ukraine est le grenier de la Russie. Ses terres sont d'une fertilité proverbiale. Sa réorganisation présenterait, pour notre rayonnement économique et intellectuel, un intérêt que nous ne pouvons méconnaître. Madame Benckendorff servirait de lien avec la jeune république.

Son mariage dans l'aristocratie balte pourrait nous être aussi de quelque utilité dans nos relations avec les patriotes estoniens. Ils luttent avec acharnement contre le double péril de la germanisation et du bolchevisme. Notre ambassadeur leur a promis que le gouvernement français aurait à cœur la cause des petites nationalités, quand l'Entente aurait gagné la guerre et imposerait ses conditions de paix.

Je n'ai pas osé trop m'avancer auprès de madame Benckendorff. Pour l'heure, je me contente d'échanger avec elle sur les potins.

* *

En ce 25 décembre 1917, à la veille du départ de Meriel Buchanan et de ses parents, l'ambassadeur d'Angleterre recevait les membres de son *staff*, ceux de la chancellerie, ceux des missions militaires et navales, l'ensemble de la colonie britannique. Ainsi que ses intimes parmi les rangs de l'aristocratie russe. La soirée d'adieu, l'ultime réception au palais Saltikov.

Le hasard avait voulu que cette nuit, l'électricité ne soit pas coupée et que les cristaux des lustres dans les appartements d'apparat de l'étage noble scintillent de tous leurs feux. Comme autrefois. Comme avant la guerre. Comme avant les deux révolutions.

Seules notes discordantes : les sacs de sable qui calfeutraient les fenêtres jusqu'au plafond. Et les bandes de papier collant qui scellaient les vitres de la salle de bal pour empêcher que ne s'infiltrent les gaz allemands : les gaz dont s'était emparée l'Armée blanche des monarchistes. Celle-là combattait maintenant l'Armée rouge des bolcheviques, et se servait d'armes chimiques.

Autre changement : tous les invités portaient un revolver. Les brownings gonflaient les poches des hommes en smoking ou en frac. Et les femmes, dans leurs sacs du soir, dissimulaient de petits pistolets au barillet chargé. Derrière les rideaux, on apercevait des fusils prêts à servir. Et des boîtes de conserves pour survivre à un siège.

Un verre à la main, les officiers s'employaient à cacher leur tristesse sous les mondanités habituelles.

Les plus désespérés, toutefois, étaient les solitaires qui buvaient sec au buffet : le capitaine Francis Cromie et le capitaine Djon Benckendorff.

Le port de Reval était tombé. Cromie avait dû saborder sa flotte pour éviter que les Allemands s'emparent des sous-marins anglais. Il s'était vu contraint de renvoyer chez eux ses équipages. Autant de gestes dont il ne se remettait pas.

Il venait en outre de céder, à son corps très défendant, aux prières de Sir George. Alors que Cunard quittait Petrograd et que Garstin le suivrait d'ici peu, il demeurerait, lui, à l'ambassade comme attaché naval.

Quand à Djon, son régiment, comme tous ceux de l'armée russe sur le front nord, avait été dissous. La paix séparée que négociaient les bolcheviques avec les Allemands impliquait le cessez-le-feu général.

En cette nuit de Noël, il avait revêtu l'uniforme blanc de la Garde. Il s'obstinait à arborer dans les rues de la ville sa casquette d'officier, ses galons rouge et or cousus sur son manteau gris de militaire. Une bravade qui, à tout instant, pouvait lui valoir une balle dans la tête.

Trois ans de guerre l'avaient vieilli, le rendant plus raide et plus cassant.

L'avenir de la famille impériale l'obsédait. Sa fidélité à la monarchie restait totale. Il formulait en boucle les propos réactionnaires des amis de Mummy.

En l'entendant se lamenter sur le sort de la Russie et regretter à chaque instant « le monde d'avant », Moura ne pouvait s'empêcher de juger sa nostalgie malsaine.

Durant le temps qu'avait duré leur séparation, elle lui avait écrit deux fois par semaine, ainsi qu'il convenait à une bonne épouse. Si elle ne lui racontait pas tous les détails de sa vie à l'ambassade et à Yendel, elle l'avait tenu au courant de ses fréquentations, lui donnant religieusement des nouvelles de leurs enfants, de madame Benckendorff sa mère, de ses trois frères et l'informant des affaires du domaine. Djon lui avait répondu par des lettres courtoises où il ne se livrait pas… Rien de personnel sur sa vie au front. La régularité de leurs échanges leur avait toutefois donné l'illusion d'une véritable intimité. La rareté des permissions de Djon n'avait pas écorné cette impression. À distance et par écrit, ils semblaient s'entendre, oui.

Le destin voulait que leurs différends n'aient jamais été plus sensibles que depuis leurs retrouvailles.

Elle songeait souvent à la conversation qu'elle avait eue à Berlin avec la comtesse de Méricourt, quand celle-ci lui avait demandé comment son mari, d'origine balte, pouvait supporter son écartèlement entre le Tsar et le Kaiser.

Écartelé, Djon l'était aujourd'hui. L'Allemagne occuperait bientôt l'Estonie, l'Allemagne qu'il détestait et qu'il avait combattue. L'Allemagne qu'il désirait continuer à combattre… Mais dont il se disait qu'elle devait triompher pour débarrasser la Russie des bolcheviques.

Il se débattait dans un réseau d'émotions contradictoires et d'impossibles choix. D'une part, sa fidélité aux Romanov et à la guerre à outrance contre l'envahisseur. De l'autre, sa haine des Rouges, et la nécessité d'espérer en la victoire des Allemands.

La soirée, qu'on avait imaginée comme un ultime feu d'artifice, se traînait. Comment rire ? Comment même danser ?

Dans sa longue robe de satin gris, Moura semblait flotter. Elle portait, épinglée à son corsage, la broche d'orchidée que Garstino lui avait offerte, et passait d'un groupe à l'autre, un vague sourire aux lèvres. Comme Djon, comme Cromie et Cunard, elle buvait sec. Elle en avait pris le pli à Yendel, avec ses hôtes. Elle tenait l'alcool.

Mais, au contraire de ses habitudes, elle ne participait pas aux conversations. Elle se taisait, écoutant les échanges de promesses, opinant aux projets – on se reverrait en Angleterre, on se retrouverait tous à Londres après la guerre, on souperait ensemble au Ritz – avec une apparence d'intérêt. Quelque chose dans la mélancolie et la fixité de son regard donnait toutefois l'impression qu'elle n'entendait pas… Qu'elle tentait seulement de graver dans sa mémoire les traits, les voix de ses interlocuteurs.

À minuit, Bobbie, le fiancé cosaque de Myriam Artsimovitch, s'assit au Steinway, et pianota les premières notes de l'hymne national d'antan, l'hymne qui avait accompagné tant de grandes heures de l'Histoire russe. *Dieu protège le Tsar.*

Les conversations cessèrent. L'assemblée se figea. Chacun ici tentait d'oublier le passé qu'évoquait cette musique.

Mais la douleur dans les yeux de Djon, la souffrance qui bouleversait son visage, donnaient la mesure du désespoir qui les étreignait tous.

*
* *

Meriel raconterait :
Moins de quinze jours plus tard, à l'aube du lundi 7 janvier 1918, nous nous retrouvâmes sur le quai de la gare de Finlande.

Plus de tapis rouge, maintenant. Plus d'escorte officielle, plus de bouquet de fleurs ! Juste un petit groupe d'amis venus nous faire leurs adieux.

Ils étaient tous là, battant la semelle pour ne pas mourir de froid, le visage défait, pâli par la lumière blafarde des becs de gaz. Myriam et Bobbie... Moura, les yeux brillants de larmes, luttant contre l'émotion. Quand je l'embrassai, je sentis les pleurs ruisseler sur ses joues.

La tristesse m'étreignait moi aussi, au point de ne pouvoir prononcer une parole. Je montai sur la plateforme. Un coup de sifflet, une secousse. Le train s'ébranla.

Penchée à la fenêtre, je vis s'éloigner l'uniforme kaki de Garstin ; les traits acérés du capitaine Cromie... Et la longue silhouette de Moura dans son dernier manteau de fourrure.

En laissant Petrograd derrière moi, en voyant mes amis disparaître, j'eus le sentiment de les abandonner à une mort certaine.

Chapitre 13

QUELQUE CHOSE ENTRA DANS MA VIE...
Janvier – Avril 1918

Janvier 1918

Cher camarade Trotski,

Le porteur de cette lettre, monsieur Robert Bruce Lockhart, part pour la Russie, écrivait de Londres le chargé d'affaires bolchevique en Angleterre. *Monsieur Lockhart est chargé par son gouvernement d'une mission dont j'ignore le but exact.*

Je le connais personnellement et le juge honnête. C'est un homme qui comprend notre position, et qui sympathise avec nous. Je considère donc son séjour en Russie comme utile à nos intérêts, et vous le recommande.

Le but de la mission, qu'affectait d'ignorer l'auteur de ce pli – Maxime Litvinov – se résumait en deux phrases. Empêcher la Russie de signer la paix avec l'Allemagne. L'en empêcher à n'importe quel prix.

Oui, mais comment ?

Le rappel de Sir George Buchanan et le refus de reconnaître le gouvernement de Lénine privaient l'Angleterre de relations diplomatiques avec les Rouges.

Seule solution : envoyer à Petrograd un agent officieux pour maintenir le dialogue avec les Soviets. L'enjeu était de taille. Si

Lénine signait l'armistice, l'Allemagne retirerait ses troupes du front russe, et les enverrait en renfort sur le front de l'ouest. Et là, aucune armée ne serait plus en mesure de les contenir.

Convaincre les bolcheviques de continuer la guerre, alors que leur popularité reposait sur les promesses de paix ? La consigne était claire.

Mais, encore une fois : comment ?

Monsieur Lockhart avait carte blanche.

Au *Foreign Office*, le choix d'un tel émissaire avait donné lieu à d'interminables discussions. Une gageure, un coup de poker, dont les politiciens n'étaient guère friands. Mais au fond, à ce stade, qu'avaient-ils à perdre ?

Toutes choses considérées, Robert Bruce Lockhart, en dépit de sa jeunesse et de sa réputation d'aventurier, présentait des avantages. D'abord, il parlait le russe. On le disait très littéraire et lié à l'intelligentsia de gauche. Il avait rencontré le grand écrivain ami de Lénine, Maxime Gorki, et chaperonné H.G. Wells lors de son voyage en Russie en 1914.

À Moscou, Lockhart avait passé plus de six ans comme vice-consul, puis comme consul d'Angleterre. L'ambassadeur Buchanan s'était montré fort satisfait de ses services. Il le recommandait même chaudement aux ministres, le jugeant d'une intelligence, d'une énergie et d'une habileté peu communes.

À y bien réfléchir, ses origines (il était écossais, issu de plusieurs clans parmi les plus belliqueux, dont celui des McGregor), son âge (il avait trente ans), sa santé (excellent joueur de rugby et de football, on le disait d'une résistance physique sans égale), son goût du risque et son charme pouvaient se révéler des atouts de poids.

Il était marié, mais on racontait que le couple battait de l'aile et que son épouse avait mal supporté Moscou. Parfait ! Dieu seul savait comment les choses tourneraient... Il partirait seul.

En ce lundi 14 janvier 1918, une semaine après avoir accompagné les Buchanan à la gare, Garstin et Cromie battaient à nouveau la semelle sur le quai. Ils venaient accueillir le consul – leur vieux camarade de Moscou –, et célébrer son retour. Les trois hommes se saluèrent d'une poignée de main.

Ils étaient de la même taille, de la même force. Tous trois grands, sportifs, les cheveux sombres, partagés par une raie sur le côté. Mais ce qui frappait chez Lockhart, ce n'était pas la régularité des traits, l'extraordinaire beauté comme chez Cromie, ni la douceur et la distinction comme chez Garstin, c'était son air d'extrême jeunesse. Un gamin aux oreilles légèrement décollées. Mais un gamin aux épaules d'athlète, plus habitué à courir qu'à marcher. Avec, dans le pas, quelque chose de frémissant et de gai.

Et puis sa voix : l'originalité de ce timbre sonore d'Écossais, reconnaissable entre mille. Un débit à la fois rapide et précis ; des propos où l'arrogance le disputait à l'autodérision, la sûreté de soi à la modestie. Un mélange d'orgueil, d'humour, de culot, et de fantaisie sans mesure.

— Garstin t'a réservé pour ce soir une chambre à côté de la sienne à l'hôtel Astoria. Mais dès dimanche, toi et tes hommes, vous aurez votre propre appartement sur le quai du Palais, tout près de l'ambassade.

— C'est Moura qui l'a repéré. Elle a négocié sa location auprès du propriétaire qui en a besoin pour survivre.

— Madame Benckendorff, précisa Cromie. Tu la connais ?

— Non.

— Mais si, tu la connais ! Tu l'as vue à l'ambassade.

— Peut-être.

— En tout cas, elle, elle te connaît ! Moura connaît tout le monde, même les ministres bolcheviques que tu viens rencontrer... Ne dis pas à Garstin que tu n'as pas remarqué cette femme, il en ferait une jaunisse. Elle est la passion de sa vie,

expliqua Cromie. Il ne t'en dira rien, mais il se ruine en orchi-
dées et se meurt d'amour. En échange, elle lui garde son chien.

— Tu vas trouver la ville changée, coupa Garstin en jetant la
valise sur le siège du véhicule militaire.

Cromie se mit au volant :

— Tu as raté le meilleur de la fête… La révolution d'Octobre.
Et la grande beuverie au palais d'Hiver.

Les deux officiers n'ignoraient pas la raison pour laquelle
Lockhart avait dû quitter Moscou en septembre. Buchanan
l'avait réexpédié *manu militari* à Londres, coupant court à sa
liaison avec une Française, une personne appartenant au monde
du théâtre, jugée peu recommandable par l'ambassadeur. Un
repos forcé dans ses foyers pour étouffer l'affaire.

Lockhart était coutumier de cette sorte de scandale. Au temps
où il travaillait comme planteur de caoutchouc en Malaisie, il
s'était offert le luxe d'enlever la fille d'un chef malais. Il avait
vécu près d'un an avec sa princesse, avant que la malaria et les
services diplomatiques ne le forcent à lever le camp.

Petrograd, en effet, ne se ressemblait plus. Terminé le temps
où des hommes, en chapkas et manteaux blancs, maniaient les
pelles pour déblayer la neige. Aujourd'hui noire et gelée, elle
s'amassait en blocs épars. Elle recouvrait les carcasses des chevaux
crevés qui jonchaient les avenues. La voiture zigzaguait entre les
monticules et patinait sur la perspective Nevski. Sa progression
était rendue d'autant plus difficile que les passants marchaient
au milieu de la chaussée, tentant d'éviter, eux, les plaques de
glace qui se détachaient des toits par pans entiers.

— Tous ces gens meurent de faim, commenta Garstin.

— Et tous ces gens ont peur, renchérit Cromie. Les bolcheviques ont mis la ville en coupe réglée.

— Les anarchistes, rectifia Garstin.

— Les bolcheviques ! Un gouvernement de coupe-jarrets qui
exercent la terreur avec des méthodes de gangsters… Et toi,
Lockhart, si j'ai bien compris, tu viens les aider ?

Le « consul » éluda la question :

— Si les Alliés ne reconnaissent pas le gouvernement des Soviets, si les Alliés n'aident pas Lénine, il signera ce foutu armistice. La seule façon pour nous de gagner la guerre est d'accepter la légitimité de la Révolution.

En l'entendant, Cromie ne put retenir un coup de volant :

— Foutaises, Lockhart ! Tu parles de ce que tu ne connais pas… Tu n'as pas vu ces salauds à l'œuvre.

*
* *

En ce 14 janvier 1918, Djon Benckendorff se trouvait lui aussi sur le quai de la gare de Finlande, avec l'espoir d'attraper le dernier train pour l'Estonie. Il laissait derrière lui sa femme et ses enfants, ainsi que sa mère et sa belle-mère. Les jacqueries dont elles avaient manqué être les victimes durant l'été s'étaient multipliées, atteignant une violence sans précédent dans la région de Yendel. Plusieurs manoirs voisins avaient été pillés et brûlés, leurs propriétaires torturés. Djon comptait reprendre ses paysans en main et faire venir sa famille à Pâques, quand il les aurait matés.

Il partait le cœur lourd et plein d'amertume. Ses désaccords avec Moura – il avait cessé de l'appeler *Marie* – lui paraissaient aujourd'hui d'une gravité au-delà de tout accommodement. Oh, elle faisait toujours preuve à son égard de « gentillesse », la sempiternelle gentillesse de Moura. Pas de scènes de ménage, pas de cris : aucun des deux époux Benckendorff ne s'abaissait à insulter l'autre. Mais l'absence de disputes sous-entendait l'inutilité d'une explication.

Sur tous les plans, elle esquivait l'affrontement. *Wait and See* – « Attendons de voir » – restait sa devise.

Comme si elle n'avait pas suffisamment *vu* de quoi ces voyous étaient capables ! Impossible de lui faire dire son antipathie, impossible de lui faire critiquer leur conduite.

En affectant de ne pas juger les actes des bolcheviques et de respecter leurs idées – le combat pour une société plus juste –, elle le poussait à bout.

Comment pouvait-elle trahir les siens à ce point ?

Il exigeait qu'elle partage son indignation, qu'elle épouse sa colère. Au lieu de cela : rien. Ou des demi-mesures. Elle concédait que le chaos ne plaidait pas en faveur des bolcheviques, mais elle refusait d'admettre le déshonneur et la honte dans lesquels ils plongeaient la Russie.

Il l'avait quelquefois trouvée légère, oui. Trop jeune. Mais, jusqu'à présent, il ne lui avait pas ôté son estime. Bien qu'il l'ait jugée, de longue date, mauvaise mère.

Bizarrement, depuis qu'il la respectait moins, il pouvait la désirer avec une violence, une brutalité même, qu'il ne se connaissait pas. Lors de leurs retrouvailles à Petrograd, au début de sa démobilisation, il l'avait aimée de façon désordonnée. Et Moura l'avait suivi dans cette voie : celle de l'emportement.

Un instant, ils s'étaient retrouvés... Ou plutôt rejoints. Une brève rencontre.

À présent, s'il voulait la posséder, il devait l'en prier ou la forcer. Or il n'avait aucun goût pour le viol : ni les supplications ni les outrages ne lui agréaient. Toutefois, plus son épouse lui devenait étrangère, plus il avait soif d'elle.

Pour le reste, l'expression d'ennui de Moura, la patience avec laquelle elle accueillait le moindre de ses griefs contre les Rouges, ses soupirs quand il se laissait entraîner par son horreur du présent, la lui rendaient exaspérante.

De quel côté se trouvait-elle ? Du côté des Soviets ? Qu'elle l'avoue ! Que pensait-elle ? Était-elle communiste ? Oui ? Non ?

Elle avait une façon de ne pas entendre la question, de détourner la tête au moment de répondre, qui le rendait fou. Comme si le *oui* ou le *non* lui semblait à elle de si peu d'intérêt qu'aucun des deux mots ne valait la peine d'être formulé.

Insaisissable.

Djon ne la comprenait plus.

« Tu dois tenir bon la pelote, lui répétait autrefois sa grand-mère quand, enfant, il démêlait pour elle l'écheveau de ses fils à broder. Tu dois la tenir droite. Tu dois la tenir ferme… Sinon tout s'emmêle. »

Tout, dans le regard de Moura, s'était emmêlé. Il n'y lisait que le doute et la confusion. Elle n'avait plus de direction, plus de discipline… Aucune décence.

Il lui reconnaissait pourtant du courage. Elle se démenait pour assurer la survie de la famille. Infatigable, elle descendait dix fois par jour dans la cour, remontant des seaux de neige, rapportant des bouts de bois qu'elle avait volés Dieu sait où.

Rien à lui reprocher de ce côté-là. Elle abattait, à elle seule, le travail des cinq domestiques d'antan. Si elle y trouvait du plaisir, grand bien lui fasse : elle pouvait remercier le camarade Lénine !

Durant ce mois à Petrograd, il n'avait trouvé de réconfort qu'en Mummy, qui osait clamer haut et fort qu'elle mettait tout son espoir en l'arrivée des Allemands. Elle disait se réjouir qu'ils aient envahi l'Ukraine et qu'ils aient donné le pouvoir à un dictateur à leur botte, un lointain parent de son gendre Kotchoubey. *Exit* les bolcheviques dans la région de Berezovaya. Seul bémol à son soulagement : elle se plaignait d'avoir dû céder à Anna le manoir et l'ensemble des terres, avant que la propriété, aujourd'hui considérée comme russe, ne soit confisquée par les armées du Kaiser.

Elle priait tous les soirs pour que les Prussiens nettoient la campagne de Yendel et rétablissent l'ordre de la même façon qu'en Ukraine.

Sa Haute Noblesse demeurait fidèle à elle-même.

Au physique toutefois, elle ne se ressemblait plus. L'assassinat de son ancien protecteur Goremykine, la perte de son appartement quai de la Fontanka et la vente de Berezovaya à sa fille, en avaient fait l'ombre d'elle-même. De plantureuse, Mummy était devenue une petite vieille dame, qui ne cessait de trembler. Sa faiblesse faisait peine. Moura, qui la voyait dépérir, craignait qu'elle ne fût très malade.

La mère de Djon n'était pas en meilleur état. Le monde s'obscurcissait de jour en jour.

*

Si Djon avait mal supporté la vie conjugale, que dire de Moura ? Sinon que le départ de son mari l'avait soulagée.

L'amertume de Djon, sa façon de revenir inlassablement au passé sans comprendre que le passé n'existait plus, qu'il était révolu à jamais, achevait de l'angoisser. Le présent était assez difficile à vivre pour qu'on essaye au moins de croire en l'avenir.

Elle cherchait à garder confiance et se disait qu'avec un peu d'imagination, chacun pouvait comprendre les ouvriers et les paysans.

Que les usines appartiennent à ceux qui y travaillent, la terre à ceux qui la cultivent : quoi de plus naturel ? Quoi de plus raisonnable ? Les horreurs qui accompagnaient cette prise de possession n'étaient peut-être qu'un tourbillon à la surface d'un courant nécessaire.

Et en dépit de ce qu'en disait Djon, les monarchistes ne se conduisaient pas de manière plus civilisée que les Soviets. L'Armée blanche se révélait d'une cruauté plus abominable encore que celle des Rouges. Les deux camps pratiquaient les mêmes méthodes… Gare aux paysans que Djon corrigerait !

Elle songeait très souvent à son père, le sénateur Zakrevski. Dans ses écrits, n'avait-il pas prévu la révolution ? Elle se souvenait de l'avoir entendu répéter que la Russie, avec son aristocratie superstitieuse, la Russie *aveugle et bornée,* courait à la catastrophe. Il avait dit le désastre inévitable, à moins d'un changement de régime.

Elle se rappelait l'urgence dans sa voix, quand il préconisait l'instauration d'une monarchie parlementaire à l'anglaise. Ou même d'une république, avec des institutions à l'instar de la France, pays qu'il n'aimait pas... *Tout*, plutôt que l'obscurantisme de l'autocratie russe au début du XXe siècle.

Dès l'adolescence, elle avait épousé ses idées progressistes. Et la guerre, qui avait démontré l'incurie des fonctionnaires du Tsar, la corruption de ses ministres et la nullité de ses généraux, l'avait poussée encore bien plus avant dans son exigence de réformes.

Elle avait applaudi à la démocratie de la révolution socialiste de février 1917, acceptant sans réticence, comme bon nombre de jeunes libéraux – nobles ou bourgeois éclairés – l'abdication du Tsar et son remplacement par l'avocat Kerenski.

Le gouvernement de Kerenski s'était révélé nul. Incapable de diriger le pays et de poursuivre la guerre.

Ah *la guerre...* Si Moura partageait la foi de Cromie et de Garstin en l'obligation de la gagner – la nécessité d'arrêter les Boches, d'empêcher le triomphe de l'impérialisme prussien –, elle partageait *aussi* le désir de paix de ce Jean Jaurès dont elle avait jadis dévoré les articles.

Qui oserait ne pas prôner la paix, cette paix universelle entre les peuples que réclamaient les bolcheviques ?

Les terribles Soviets de Lénine : elle ressentait dans sa chair les drames personnels qu'engendrait leur prise de pouvoir. Les pertes, les deuils, toutes les douleurs des hommes et des femmes de son milieu.

Ses pairs suscitaient sa compassion. Elle travaillait à les soulager et tentait d'obtenir, pour eux, la protection de la Croix-Rouge et des Anglais.

Elle essayait, pour elle-même, d'éviter la tragédie.

Mais elle ne pouvait s'empêcher de penser que les valeurs d'un Djon Benckendorff reposaient sur l'égoïsme et ne généraient que l'injustice.

Au moins, l'idéal de Lénine pouvait-il réveiller l'espoir et soulever l'enthousiasme.

Il n'y avait toutefois aucune place en elle pour le triomphe ou
la joie. Aucune place non plus pour la haine envers quiconque,
l'intolérance, ou le mépris.

Restaient les exigences de la survie au quotidien, les soins à
Mummy qui devait aujourd'hui s'appuyer sur l'épaule de Kira
pour se traîner jusqu'à son lit.

Restaient aussi, restaient surtout, les échanges avec ses amis
britanniques. Le dernier plaisir, le dernier miracle.

Jusqu'à quand ?

Les pourparlers de paix à Brest-Litovsk rendaient imminente
la rupture des Alliés avec les bolcheviques. L'Angleterre s'était
offert le luxe de mettre le rappel de Sir George Buchanan sur le
compte de sa mauvaise santé. Mais nul n'ignorait que les Français
et les Italiens s'apprêtaient à fermer leurs ambassades. Le départ
de tous les corps diplomatiques n'était qu'une question de jours.

La Russie serait alors coupée du monde.

Sur un plan matériel, Moura pouvait tout supporter. Elle ne
craignait ni les privations, ni l'inconfort. Mais comment survivre,
coupée du monde ?

*

Au diable la tristesse et la peur ! Au diable la misère et la faim !
Demain, elle irait vendre ce qui restait de l'argenterie, brader le
samovar et les candélabres. Mais aujourd'hui, 30 janvier 1918,
elle offrirait à Cromie un déjeuner d'anniversaire à la mesure de
leurs fêtes à Yendel. Restaient tant de choses à célébrer. Les
trente-six printemps de Cromie, d'abord. L'avancement de Garstino, le retour de leur camarade Lockhart... *La vie quand même*,
selon le vieil adage d'Anna qui, après avoir enterré son premier
mari à Moscou et donné naissance à une petite fille du second,

attendait son quatrième enfant à Berezovaya. Oui, la vie devait triompher.

Micky sortirait la dernière nappe brodée, les derniers seaux à glace, les dernières aiguières. Et la dernière boîte de caviar, seul objet que Mummy avait réussi à dissimuler quand elle avait fui son appartement. Et les trois bouteilles de vodka cachées dans le coffre à jouets des enfants.

Ce fut à cette occasion, écrirait Lockhart, que je fis véritablement la connaissance de Moura.

Elle avait alors vingt-cinq ans. Son immense vitalité qu'elle devait peut-être à une santé de fer, était communicative. Plus russe que russe, elle professait un mépris total pour les petites mesquineries de l'existence, pour les convenances, les conventions, les stupidités du qu'en dira-t-on… Elle faisait preuve d'un courage qui balayait la lâcheté. Toutes les formes de lâcheté.

Là où elle aimait, là se trouvait son univers. Et sa philosophie de l'existence l'avait rendue maîtresse des innombrables conséquences qu'impliquaient ses sentiments.

Elle était une aristocrate. Elle aurait peut-être pu être une communiste. Elle n'aurait jamais pu être une bourgeoise (…)

Je trouvais cette femme extrêmement séduisante, et j'adorais sa conversation qui illuminait ma vie quotidienne. Elle et moi partagions les mêmes goûts littéraires. À dire vrai, nous avions les mêmes idées sur la Russie et la même vision du monde.

Durant mes premiers jours à Petrograd, je fus toutefois trop occupé de moi-même, trop obsédé par ma propre importance, trop submergé par les difficultés de ma mission, pour lui accorder plus que quelques pensées passagères.

— Comment trouves-tu l'ancien consul ? s'enquit Myriam Artsimovitch, alors que les deux jeunes femmes se rendaient au palais Saltikov où elles aidaient à la mise en caisses des dossiers.

Les ambassades alliées évacuaient Petrograd pour se replier à Vologda, une petite ville à quatre cent cinquante kilomètres à l'est de Moscou, qui leur permettrait de fuir la Russie en cas d'occupation allemande. Les légations étrangères ne quittaient donc pas complètement le pays. « N'empêche, songeait Moura, c'est la fin d'une époque. »

À la chancellerie, elle traînait des valises, Myriam cachetait des malles de papiers : autant de tâches qui les déprimaient l'une et l'autre.

De tous leurs gestes, celui de brûler les documents que les officiers ne pouvaient ni emporter ni laisser derrière eux, leur était le plus pénible. Il disait clairement l'abandon et l'isolement où le départ des Anglais les laisserait.

— Et toi ? demanda Moura… Comment le trouves-tu ?

Myriam lui jeta un regard de côté.

— À l'anniversaire de Cromie, vous aviez l'air de vous entendre comme larrons en foire.

— Il est malin.

— Il te dévorait du regard.

— Il est de ces hommes qui dévorent toutes les femmes du regard.

— Sans doute, mais vous étiez à deux de jeu. Tu as mis le pauvre Garstino à la torture.

— Allons donc ! Garstino n'a rien à redouter… Lockhart est un jeune fou.

— Un vieux loup, tu veux dire.

— Il connaît son pouvoir, en effet. Mais sait-il où il met les pieds ?

— Cromie dit que ses chevilles enflent à vue d'œil.

— Cromie est jaloux.

— Détrompe-toi : Cromie l'aime bien, il l'admire même ! À l'entendre, Lockhart est une tête brûlée, mais une tête bien faite. Un phénix qui renaît toujours de ses cendres. Il était rentré à Londres en diplomate fini. Mort de honte et cassé. Le scandale de son adultère avec une personne qui déplaisait en haut lieu, lui avait coûté sa carrière. Il s'en mordait les doigts. Il pensait ne jamais revoir la Russie. Et voilà qu'il revient en seul et unique représentant de l'Angleterre, avec mission d'infléchir les décisions de Lénine et de changer le cours de l'Histoire... Beau rétablissement, tout de même.

— Sa solitude reste totale : l'Angleterre le désavouera s'il échoue.

— Raison de plus pour le voir tel qu'il est. Un aventurier... Habile et dangereux.

Moura se garda de pousser la conversation plus avant. Chaque fois que quelqu'un évoquait devant elle la personnalité de Lockhart, elle ne parvenait pas à contenir son intérêt. Sa curiosité devenait flagrante. Elle éprouvait même, à entendre parler de lui, une sorte d'allégresse.

Myriam cherchait-elle à la mettre en garde ? Savait-elle qu'ils s'étaient revus ?

Bien sûr, elle le savait ! Comment eût-elle pu ignorer que, depuis l'anniversaire de Cromie, ils s'étaient rejoints deux fois chez Kuba, le dernier restaurant français de Petrograd, le dernier restaurant ouvert... Tellement onéreux que seul un agent étranger, ou un commissaire des Soviets, pouvait se le permettre.

Ils y avaient dîné en tête à tête, saluant au passage le dandy du régime : le diplomate Lev Karakhan qui devait partir dans quelques jours à Brest-Litovsk conclure les pourparlers de paix avec l'Allemagne.

D'origine arménienne, Karakhan ne ressemblait en rien à ses collègues bolcheviques. Vêtu avec soin, les ondes de ses cheveux gominées, sa barbe noire taillée au cordeau, il affectait une courtoisie d'un autre temps. Jamais un mot plus haut que l'autre. Une onctuosité qui lui valait les sarcasmes de ses adversaires politiques. Grand connaisseur de vins et de cigares, il semblait l'incarnation du parfait diplomate. Il en avait l'absence de scrupules et la ruse.

Lockhart, qui avait été reçu toute la semaine dans son bureau de l'Institut Smolny, l'avait invité à s'asseoir à leur table. Ripostant à l'imminence d'une paix séparée de la Russie avec l'Allemagne par

181

des propositions d'aide de l'Angleterre, il avait continué leurs entretiens de façon informelle. Offres de soutien financier et de soutien militaire : les deux médiateurs avaient échangé quelques marchandages sur le mode badin. La conversation n'avait toutefois duré que quelques minutes et s'était conclue par une invitation de Lev Karakhan à madame Benckendorff : voulait-elle venir demain assister, avec monsieur Lockhart, à la réunion du Comité sur les conditions de l'armistice ?

Moura s'était empressée d'accepter, comme elle avait accepté une seconde invitation de Lockhart à souper chez Kuba. Sans le chaperonnage de Myriam et des autres officiers britanniques. La disparition de l'ancien monde avait eu, au moins, cela de bon ! songeait-elle. Les conventions sociales n'existaient plus. Une femme pouvait sortir seule avec un homme qui n'était pas son mari, sans que quiconque y trouve à redire, ni même s'y intéresse.

Sur ce point, elle se fourvoyait.

Ses rencontres seule à seul avec l'agent de Sa Majesté le roi George V suscitaient, chez leurs amis anglais, forces commentaires. On riait sous cape... Incorrigible Lockhart ! On s'interrogeait. Avait-il pris dans ses filets la mystérieuse, l'insaisissable madame Benckendorff ?

« Évidemment, elle est mordue, grommelait Cromie en tirant sur sa pipe... Elle ne demandait qu'à l'être ! »

Le plus perplexe n'était toutefois ni Cromie ni son chevalier servant Garstino. Mais le capitaine William Hicks, le grand ami, le grand complice de Lockhart.

Hicks avait jadis fréquenté Yendel. Durant ses deux années à Petrograd, il avait enseigné aux armées du Tsar, puis à celles des bolcheviques, les moyens de se prémunir contre les gaz allemands. C'était même à lui, le capitaine William Hicks – spécialiste mondial de la lutte contre les armes chimiques – que l'ambassadeur d'Angleterre avait dû le calfeutrage de toutes ses fenêtres, le soir de Noël. Hicks était reparti avec le train des Buchanan, retrouvant à Londres son vieux camarade Lockhart. Ce dernier l'avait réclamé comme second dans sa nouvelle mission : le ministère de la Guerre le lui avait accordé. Hicks était donc de retour.

Pour la plus grande joie de Moura.

Elle avait autrefois entouré Hicks des attentions dont elle enveloppait *Ed*, *Crow* ou *Garstino*, et l'avait baptisé, lui, *Hicklet*. Ce diminutif ne faisait pas allusion à sa petite taille et à sa maigreur. Car le capitaine Hicks passait lui aussi pour un athlète, bien qu'il fût d'une beauté moins éclatante et d'une santé plus précaire que ses camarades. Un garçon tout en nerfs, qui travaillait ses muscles et courait chaque matin. Son endurance était proverbiale. Son sérieux aussi. S'il ne manquait pas de sens de l'humour, il ne plaisantait pas avec l'honneur et n'hésitait pas à dénoncer l'absence d'intégrité chez ses proches. En somme, Hicks était un puritain que fascinaient le charme, le culot et la désinvolture d'un aventurier comme Lockhart : la grande exception à toutes ses règles morales.

Pour ce qui touchait aux femmes, il méprisait le flirt, haïssait la coquetterie, et ne comprenait rien aux jeux de la séduction.

De culture trop carrée et trop protestante, il avait pris la chaleur de Moura pour des avances, et confondu ses amabilités avec des déclarations. Croyant à une bonne fortune, Hicklet s'était enflammé.

La déception avait été cuisante.

Aujourd'hui, il en aimait une autre. Et s'il conservait de la sympathie envers son ancien béguin, il gardait ses distances. Au fond, madame Benckendorff demeurait un mystère. Elle lui avait échappé à lui : elle leur échappait à tous.

Il la jugeait aussi généreuse qu'intéressée. Aussi spontanée que calculatrice. Car enfin, les relations privilégiées qu'elle entretenait savamment avec les officiers de l'ambassade d'Angleterre, la protégeaient, elle, des persécutions du nouveau régime. Grâce à l'amitié de Cromie et de Garstin, elle obtenait mille traitements de faveur. Par leur intermédiaire : une recommandation pour conduire sa mère auprès des pontes anglais, les anciens médecins du British Hospital... Double ration de la Croix-Rouge américaine... En son for intérieur, Hicks multipliait les exemples. Oh, il reconnaissait qu'elle ne demandait rien de manière explicite. En tout cas, rien pour elle-même. Mais, sur ce point, il ne nourrissait aucun doute : elle cultivait les attachements qui la servaient. Sous couvert d'affection et d'hospitalité, elle manœuvrait.

L'intérêt de son chef, de son ami, pour cet animal étrange, mi-chat mi-oiseau, ce sphinx ambigu que restait Moura à ses yeux, l'inquiétait. Non qu'il craignît pour sa survie à elle. Il se méfiait pour Lockhart.

Selon Hicks, Lockhart n'avait qu'une faiblesse, mais une faiblesse de taille : *les femmes*, justement.

Certes, il leur avait fait verser bien des larmes. Et celles de son épouse n'avaient pas fini de couler. Mais au bout du compte, il subissait lui-même les conséquences de ses amours. Sa princesse malaise, sa théâtreuse française, ses multiples liaisons moscovites lui avaient valu, sinon la méfiance des politiques à Londres, du moins celle des missions militaires de Petrograd. Hors de question de le laisser répéter, ici, aujourd'hui, les mêmes erreurs ! Hicks était bien placé pour savoir ce que pensait de madame Benckendorff son supérieur d'antan, le général Knox, auquel Lockhart s'opposait sur d'autres fronts.

Hicks se gardait d'aborder le sujet avec lui, mais lui laissait entendre que cette dame russe, au mari trop allemand, était une conquête sans gloire. Une proie facile.

S'il avait cru l'en dégoûter, il faisait fausse route.

Impossible, pour un puritain comme Hicks, de mesurer la rapidité avec laquelle l'ancien consul menait ses affaires. Difficile même d'imaginer la fulgurance de ses assauts.

Non pas « une cour discrète et légère », comme Moura en avait l'habitude. Mais une approche aussi directe que sentimentale.

D'une façon plus générale, Lockhart disait, Lockhart faisait ce qu'il sentait. Sincère dans le présent.

Bien qu'il fût, en effet, trop absorbé par ses négociations avec le gouvernement de Lénine pour accorder à madame Benckendorff davantage que « quelques pensées passagères », il lui avait *déjà* parlé des émotions qui le submergeaient en sa présence. Au terme de leur premier tête-à-tête, dans le traîneau qui la ramenait rue Shpalernaïa, il avait *déjà* tenté de l'embrasser.

Elle avait repoussé l'offensive, affectant d'en rire, l'accusant d'avoir trop bu, le traitant d'affreux coureur de jupons et de vil séducteur.

L'insouciance, la désinvolture même, avec laquelle elle avait choisi de traiter ses quelques tentatives – toutes manquées – leur avaient permis de rester bons amis. Il avait ri, lui aussi. Et promis de ne plus recommencer.

Jusqu'à présent il avait tenu parole, ce qui lui donnait, à elle, le loisir de poursuivre leur relation. Conférences à Smolny. Prêts de livres. Interminables discussions sur la poésie de Pouchkine comparée à celle de Lermontov. Plans d'avenir pour la Russie, autour du samovar de Lockhart.

De ces moments ensemble, elle conservait le souvenir d'une gaieté partagée, d'une complicité un peu différente de ses rapports avec Garstino. Elle restait toutefois calme. Elle se croyait sereine.

Inutile pour Myriam d'allumer les signaux d'alerte *Attention danger !* Au premier regard, Moura avait compris à qui elle avait affaire. Elle ne nouerait jamais une liaison avec un tel personnage. Pas même une vague romance.

Lockhart lui paraissait intéressant, oui... Passionnant, quand il l'entraînait dans les coulisses du pouvoir bolchevique et qu'elle pouvait comprendre, grâce à lui, les événements qui menaçaient le monde.

Intellectuellement : une force de la nature. Joli garçon, de surcroît. Courageux. Et lettré. Que demander de plus ?

Quant au reste… Les assiduités de Lockhart, ses déclarations, sa galanterie ne pesaient pas lourd. Pour elle, comme pour lui, une petite heure de grâce. Une once de légèreté, un peu d'humour dans la tension, la tristesse et le chaos de la vie quotidienne.

Pas plus. Pas moins.

Un mois et demi après mon arrivée, poursuivrait Lockhart, le dimanche 3 mars 1918, les bolcheviques entérinaient à Brest-Litovsk leur traité de paix séparée avec l'Allemagne qui leur arrachait les territoires qu'elle avait conquis et qu'elle occupait. L'Ukraine, les pays baltes, la Biélorussie et la Pologne.

C'était l'échec de ma mission !

Toutefois, plusieurs membres du Parti, qu'effaraient les prétentions allemandes, s'opposaient à la signature d'un accord aussi déshonorant. Les dés n'étaient donc pas totalement jetés. On pouvait encore influer sur les décisions. Je continuais à penser que nous devions soutenir les bolcheviques en leur fournissant des armes et des fonds pour combattre l'ennemi.

Les Soviets, jugeant Petrograd trop proche de la ligne de front, s'étaient repliés sur Moscou, dont ils avaient fait leur capitale. Lénine y était parti le 10 mars. Trotski, que Moura appelait insolemment Trotters sous prétexte qu'il courait partout, le suivrait le 16. De tous les commissaires, Trotski était celui que je voyais le plus régulièrement. Il passait à cette époque pour le héros et, dans une certaine mesure, pour le génie de la Révolution. Je quittai la ville avec lui, dans le train spécial qui lui avait été réservé.

Je ne reconnus pas Moscou. La plupart de mes amis, qu'ils fussent russes ou anglais, l'avaient quitté. Les anarchistes y pillaient, volaient et massacraient la population avec plus d'audace encore qu'à Petrograd. Ici comme là-bas, la bourgeoisie attendait les Allemands avec impatience. Les cabarets étaient pleins. La ville semblait anormalement gaie, d'une gaieté de fin du monde. Les prix étaient élevés, en particulier celui du champagne, qui cependant coulait à flots. J'établis mon quartier général à l'hôtel Élite. J'y retrouvai le responsable de la Croix-Rouge américaine, installé lui aussi à l'Élite avec son équipe. Durant toute cette première période, nous n'eûmes, lui et moi, aucune difficulté à voir Trotski ou à rencontrer Lénine.

La gageure consistait plutôt à garder le contact avec Petrograd. J'écrivais chaque jour à Moura, que je trouvais mieux informée que quiconque des événements dans l'ancienne capitale.

Nos échanges devinrent pour moi une nécessité. J'attendais de ses nouvelles avec une émotion croissante.

Petrograd, jeudi 20 mars 1918

Cher Lockhart,

Merci de votre gentil petit mot, le plus gentil qu'on m'ait jamais adressé. Vous me manquez beaucoup, un cliché qui exprime pourtant ce que je ressens.

Les derniers de vos compatriotes ont quitté la ville aujourd'hui : votre départ leur avait ôté leur dernier courage ! Plaisanterie mise à part, ne reste ici plus personne. Même Garstino a fait ses paquets. À l'heure où je vous écris, il vous aura rejoint à Moscou. Quant à Cromie, il est à Oslo. Écrivez-moi ce que vous-même comptez faire : partir ou rester en Russie ?

Je vous souhaite bonne chance et vous dis à bientôt, peut-être.

Moura Benckendorff

Petrograd, vendredi 28 mars 1918

Cher Lockhart,

Un peu souffrante ces jours-ci, je ne sais pas si je pourrai descendre à Moscou la semaine prochaine, comme vous me le proposez. Que pensez-vous du week-end suivant ?

Télégraphiez-moi pour me dire si ma venue vous paraît trop tardive, si vous aurez déjà quitté le pays.

J'en doute. Pourquoi partiriez-vous ? Mais qui sait ?

Petrograd est devenue une petite ville de province. Je suppose que Moscou ne vaut guère mieux.

Vous, comment allez-vous ? Parvenez-vous à résister aux avances de la gent féminine qui peuple l'hôtel Élite ? Ou bien avez-vous déjà cédé aux chants des sirènes ?

J'espère que mon séjour à Moscou sera possible et qu'il me remontera un peu le moral.

Au revoir.

Amitiés.

Moura Benckendorff

*

En évoquant son moral et sa mauvaise santé, Moura taisait l'essentiel : que Djon avait ouvert Yendel aux Allemands, et qu'il y réclamait sa famille.

Elle taisait aussi que sa propre mère, à laquelle leur médecin venait de diagnostiquer un cancer, ne pouvait entreprendre un tel périple. Ce qui l'obligeait, elle, à rester à Petrograd pour s'en occuper.

Elle taisait surtout qu'en ce dimanche de la Pâque luthérienne, elle avait embarqué les trois enfants – Kira âgée de neuf ans, Paul de cinq ans et Tania de trois ans – sur la malle-poste en partance pour Reval. Son plan était de les rejoindre dès que Mummy serait capable de bouger. D'ici là, Micky veillerait sur eux. Un voyage périlleux que compliquaient la présence de madame Benckendorff-mère et celle de ses deux fox-terriers dont les aboiements risquaient fort d'attirer l'attention des gardes.

Des deux côtés de la frontière, le danger serait le même. Terrible.

Aux yeux des bolcheviques, cette famille n'était rien moins qu'un groupe d'aristocrates qui fuyaient le pays. Aux yeux des Allemands, un groupe d'espions russes. Micky avait interdiction d'ouvrir la bouche. Si quiconque en Estonie devait entendre son accent anglais, elle serait immédiatement fusillée comme ressortissante d'une nation ennemie de l'Allemagne.

Dans tous les cas : le peloton d'exécution pour les adultes. La prison et l'orphelinat pour les enfants.

Dernier détail que taisait Moura : ses nuits blanches à attendre de leurs nouvelles. Sa terreur pour leur vie à tous.

Elle se gardait de raconter à Lockhart qu'assaillie d'angoisses sur le sort des enfants, elle errait dans l'obscurité de l'interminable corridor, les mains croisées sur sa poitrine pour retenir les pans de son peignoir, en réalité pour comprimer les palpitations de son cœur qui battait la chamade. Elle allait, elle venait, elle errait d'une pièce à l'autre, de sa chambre à la nursery, ne s'arrêtant que pour écouter le ronflement de Mummy derrière la porte close. L'idée d'avoir fait le mauvais choix la torturait.

« Aurais-je dû m'opposer à ce voyage ? Oui, oui, sans aucun doute. Ne pas les laisser partir ! Mais comment résister aux ordres de Djon qui exigeait la venue de Paul et de Tania ? Il les disait, à terme, bien plus en sécurité à Yendel qu'à Petrograd ! Avait-il raison sur ce point ? Tort ? Aurais-je dû m'embarquer avec Micky afin de les protéger tous ? Oui, oui, sans aucun doute : j'aurais dû agir autrement ! Mais comment abandonner Mummy seule ici ? »

Elle écoutait le souffle de sa mère qui s'interrompait quelquefois derrière le mur… Mummy atteinte d'une maladie mortelle, Mummy sans défense dans cet appartement qui pouvait être réquisitionné à tout instant.

Aurait-elle dû… ? Sans aucun doute ! Mais interdire, autoriser quoi ? Qu'aurait-elle dû faire ?

Son inquiétude pour la sécurité des siens lui ôtait jusqu'à sa faculté de raisonner : cette fameuse intelligence qu'admiraient tant Garstino et ses amis anglais, aujourd'hui en poste à Moscou. Ses amis anglais ? Seuls le souvenir de leur camaraderie lors de leurs séjours à Yendel et le projet de répéter une fois, une dernière fois, l'expérience magique de leur complicité, lui donnaient la force d'espérer en l'avenir.

Elle ne s'interrogeait pas sur ce qu'elle attendait d'un séjour à la légation britannique. Mais descendre à Moscou lui paraissait un rêve nécessaire dont la réalisation, impérative elle aussi, lui permettrait d'affronter la suite… Toutes les tragédies dont elle avait l'intuition.

Qui dira son soulagement et sa joie en recevant le télégramme de Djon ?

À peine lui eût-il confirmé la bonne arrivée des enfants qu'elle se hâta de s'octroyer l'escapade qu'elle s'était promise et de mettre à exécution le projet de son voyage à Moscou.

*

Depuis que je lui avais fait mes adieux à la mi-mars, notait Lockhart, elle me manquait plus que je ne voulais l'admettre. Nous nous écrivions régulièrement. Ses messages m'étaient devenus aussi nécessaires que l'air ou l'eau. À la mi-avril, elle fit enfin son apparition à l'hôtel Élite.

Elle avait pris le train de nuit, rejoignant Moscou à dix heures du matin, alors que je recevais des délégations qui me retinrent jusqu'à treize heures à l'étage.

Quand je descendis dans le salon de l'Élite où nous prenions nos repas, elle se tenait debout près d'une table. Le premier soleil de printemps illuminait ses cheveux. Je marchai vers elle pour la saluer. J'étais si bouleversé que je n'osais même plus faire confiance à ma voix. Je ne pus que la prendre dans mes bras et l'étreindre.

Quelque chose était entré dans ma vie, quelque chose de plus puissant que tous les autres liens, de plus fort, de plus tenace que la Vie même.

Livre II

LA DEUXIÈME VIE
DE
MOURA BENCKENDORFF

A Romance of Destiny
De l'éblouissement aux ténèbres

Avril 1918 – Octobre 1918

Chapitre 14

L'AVENTURE MAJEURE
15 – 23 avril 1918

Ce que Lockhart avait voulu, ce qu'elle-même avait probablement désiré sans oser le formuler, s'était réalisé.

Et maintenant, dans le train du retour qui la ramenait à Petrograd, elle tentait de comprendre.

Quand il l'avait serrée dans ses bras au milieu du salon de l'hôtel Élite, elle en était restée pétrifiée. Une sidération qui était allée jusqu'au vertige.

Une semaine plus tard – le week-end s'était transformé en sept jours et sept nuits – l'éblouissement continuait de l'aveugler.

Mais de tous ses sentiments, c'était toujours celui-là qui perdurait : *la joie.*

*

Le train. Le retour… Elle avait grimpé sur la troisième planche du compartiment, la plus haute, réservée aux bagages.

Comme à l'aller, Lockhart lui avait retenu cette place au-dessus de la cohue, qui pouvait aussi servir de couchette. Un traitement de faveur. Dans les convois réguliers, la première et la seconde classe avaient disparu. Restaient le « wagon spécial » réservé aux commissaires, les wagons à bestiaux bondés de paysans et de réfugiés, et la troisième pour le commun des voyageurs. Les couchettes de troisième classe étaient dévolues aux correspondants de presse étrangers et aux personnalités semi-officielles du régime. Interdites aux burjouis.

Elle y demeurerait allongée, raide à la façon d'une momie, les mains croisées sur le ventre, les yeux grands ouverts. L'étroitesse de la planche à bagages lui interdirait le moindre mouvement et l'air lui manquerait sous le toit du wagon. Comme à l'aller.

« ...Mais plus rien dans ma vie ne ressemble à *l'aller* ! »

Pourtant, comme à l'aller, elle resterait éveillée toute la nuit. Le vacarme des essieux, les chaos et les coups de frein dans les gares viendraient interrompre le cours de ses pensées. Et chaque arrêt serait scandé par les mêmes mouvements de foule. Les hommes et les femmes se bousculeraient à la fontaine d'eau chaude, en bas, là, sous sa tête. Elle entendrait le tintement de leurs bouilloires contre les tuyaux, leurs disputes au robinet pour se servir les premiers, les chuintements de leurs gorgées de thé quand ils retourneraient s'asseoir sur leurs ballots. Les cris des bébés et les bavardages des soldats. Les uns se plaindraient de la faim, les autres du coût de la vie, les troisièmes s'interrogeraient sur la paix et les intentions de l'Allemagne. L'odeur de la transpiration, l'odeur des pelisses humides, l'odeur des peaux de mouton et des bottes de feutre mouillées lui donneraient la nausée. Loin, si loin du *pullman* des voyages à Yendel !

Mais plus loin encore de ce qu'elle avait pensé *à l'aller*.

Qu'avait-elle pensé ? Elle se posait cette nuit la question. Voyons, en quittant Petrograd, en descendant à Moscou vendredi – mon Dieu, vendredi seulement ? Il lui semblait qu'un siècle s'était écoulé ! – savait-elle ce qui allait arriver ? Elle tentait de se rappeler.

Au fond, depuis le début, rien dans ce voyage ne s'était passé comme prévu.

D'abord Myriam aurait dû l'accompagner. Leur plan à toutes deux ? Rendre visite à Lockhart, oui. Mais aussi à Bobbie le fiancé de Myriam – l'officier cosaque, d'origine anglo-russe, qui travaillait pour Lockhart –, à Garstino, à Hicklet, à tous leurs amis anglais. Ils leur avaient fait envoyer le même laissez-passer, réserver deux chambres au second étage de l'hôtel Élite. Or, à la dernière minute, Bobbie avait annoncé qu'il montait, lui, à Petrograd. Myriam avait donc annulé son billet.

Autre fluctuation dans le programme : Garstino et Hicklet auraient dû venir la chercher. Mais eux aussi avaient quitté la ville.

À l'heure où elle-même sautait sur le quai de la gare à Moscou, le capitaine William Hicks partait en tournée d'inspection à l'est de l'État soviétique et s'embarquait pour Vladivostok. Lockhart l'avait chargé d'aller vérifier les accusations de Trotski qui, fou de rage, affirmait que les Alliés – notamment les Japonais – avaient débarqué en Sibérie… Si oui, les pays de l'Entente manquaient à tous leurs engagements envers les bolcheviques. Si oui, ils manquaient à la parole que Lockhart lui-même avait donnée à Lev Karakhan, en lui jurant que jamais les Alliés ne combattraient les Allemands sur le territoire russe sans l'autorisation de Lénine ; que jamais l'Angleterre n'interviendrait en Russie sans le consentement du gouvernement bolchevique.

Si oui, si Trotski disait vrai, c'était l'effondrement de tous ses efforts. La catastrophe. Et pas seulement pour ses relations avec les Rouges.

Il s'était hâté de déléguer à Vologda – la petite ville à quatre cent cinquante kilomètres de Moscou où s'étaient retirées les ambassades alliées – son autre collaborateur, le capitaine Denis Garstin, avec mission de comprendre la nouvelle politique de son gouvernement. Garstin devait se faire expliquer par le général Knox les changements dans la stratégie de l'Angleterre, changements dont Knox, qui détestait Lockhart, ne s'était pas soucié de l'avertir.

Au cœur de toutes ces crises, il avait oublié de la prévenir, elle, de l'absence à Moscou des uns et des autres.

Oublié, vraiment ?

Il s'était en tout cas bien gardé de lui télégraphier. Bien gardé de la laisser remettre son séjour à plus tard. En y songeant, elle souriait intérieurement. Lockhart savait qu'elle serait seule avec lui. Il l'avait voulu ainsi.

Mais pas plus que Garstino, il n'avait pu venir la chercher : il lui avait dépêché à la gare un chauffeur et un véhicule de la police. Une faveur, un petit service que lui rendait le fondateur de la Tchéka, Felix Dzerjinski, avec lequel Lockhart restait du dernier bien. Cette même voiture avait servi la veille à lui montrer la façon dont Trotski se débarrassait de ses ennemis.

Trotski, qui venait d'être nommé ministre de la Guerre, travaillait à nettoyer Moscou des anarchistes aux mœurs de gangsters. Employant leurs méthodes, il avait envoyé les hommes de la Tchéka sur trente-six de leurs cellules. Il les avait fait mitrailler par centaines, le même jour, à la même heure, dans leurs repaires, à différents endroits de la ville. Cette boucherie avait eu le mérite de décapiter d'un coup l'ensemble du mouvement.

Le lendemain du massacre, le fondateur de la Tchéka avait invité l'agent de Sa Majesté britannique et le chef de la Croix-Rouge américaine à faire la tournée des lieux du carnage. Ils avaient visité les appartements, vu les murs éclaboussés de sang, retourné et inspecté les cadavres. Avis aux amateurs. Pour plus de commodité, Dzerjinski leur avait dépêché un guide en la personne de son propre assistant, et son automobile personnelle.

Avec son culot habituel, Lockhart avait demandé à garder l'usage de la voiture pour lui-même, le jour suivant.

Devant le costume du conducteur – pas vraiment un uniforme : casquette, bottes et veste de cuir noir. Énorme pistolet Mauser en bandoulière –, Moura avait hésité.

Pas le choix.

Moscou, comme Petrograd, tombait en ruines. Aucun moyen de transport. Les isvostchiks n'existaient plus : la plupart des cochers étaient morts de faim, tout comme leurs chevaux. Les tramways avaient cessé de fonctionner. Quant à traverser la ville à pied : le dégel du printemps avait transformé la chaussée en un bourbier impraticable.

Mais ce n'était pas cela qu'elle voulait se rappeler.

En ouvrant sa valise sur le lit de sa chambre à l'Élite, en rangeant ses affaires dans l'armoire, en prenant un bain, en se maquillant, en se coiffant, savait-elle ce qui allait advenir ? Le voulait-elle ? Était-elle venue *pour* cela ?

De bonne foi : *non.*

Et pourtant, devant le miroir ce matin-là, son cœur avait battu d'excitation.

Certes, depuis le mois de janvier – elle calculait : jour pour jour, elle connaissait Lockhart depuis le 30 janvier 1918, soit deux mois et trois semaines –, tous leurs échanges suscitaient en elle ce même sentiment d'allégresse, cette joie qu'elle qualifiait maintenant de *prémonitoire.*

« Voyons, voyons… Ne pas exagérer. Reprendre le fil… Pas à pas. »

Quand elle était descendue dans la salle à manger de l'hôtel Élite, que s'était-il vraiment passé ?

Elle avait vu foncer sur elle la silhouette d'un personnage plus grand, plus carré que dans son souvenir. Son avancée en ligne droite accentuait encore l'impression de force que dégageait la rapidité de son pas.

Elle avait vu, au-dessus du nœud papillon et du col anglais, un visage aux oreilles légèrement décollées que rougissait l'émotion, un visage bouleversé de très jeune homme. Le regard clair, rivé sur elle, la dévorait avec une admiration si visible, un désir si effréné, qu'elle-même en avait ressenti un choc.

Rien toutefois ne l'avait préparée à la rencontre de sa peau contre la sienne, à son odeur, à sa douceur quand il l'avait serrée dans ses bras. Elle n'avait pas bougé. Elle avait juste fermé les paupières.

Les yeux clos, elle avait perçu le sang qui brûlait dans leurs veines. Elle avait ressenti leur fusion. Le même sang.

En vérité, les battements de son cœur étaient devenus si violents qu'elle avait cru qu'elle allait s'évanouir.

Et si elle s'était dégagée de cette étreinte pour reculer d'un pas, ce n'était pas, comme il l'avait pensé lui, parce qu'elle restait maîtresse d'elle-même, en pleine possession de ses moyens – *la solide Moura* –, mais parce que la tête lui tournait. Un vertige qui l'avait obligée à chercher du regard un siège, et à s'asseoir.

La chance avait voulu que nul, parmi leurs amis, n'ait été témoin de cette scène. Et surtout de l'étrange moment qui avait suivi. Ce repas, sans un geste, sans un mot. Aux antipodes de leurs rires de Petrograd et de leurs interminables bavardages d'antan. Aux antipodes de leurs conversations dans l'appartement de Lockhart, de leurs échanges sur les sujets les plus complexes. Cette fois : rien. Incapables de parler ou de bouger.

Cette absence au monde, ce silence qui leur ressemblait si peu, l'impossibilité même de se regarder, exprimaient le tumulte de leurs sentiments et la violence de leur désir, plus clairement que n'importe quelle déclaration.

De longues minutes ils étaient restés attablés là, face à face, immobiles, la gorge serrée, tendus l'un vers l'autre, ne communiquant que par l'émotion qui les tétanisait. Bien qu'ils aient perdu toute lucidité, ils restaient attentifs, très conscients de leur présence réciproque. Chaque détail. Elle respirait encore l'odeur de son eau de Cologne. Elle sentait le grain de sa chair à la naissance du cou. Il songeait à cette bouche qu'il n'avait pas prise, dont il aurait voulu s'emparer, à cette gorge.

Il se souleva légèrement, s'appuyant du coude sur la nappe, se penchant comme pour la saisir à travers la table.

Elle frémit et baissa la tête, contemplant son assiette afin de ne pas fermer les yeux, de ne pas s'abandonner complètement à la sidération qui l'aveuglait.

Moura s'agita sur sa planche de couchette : elle aurait voulu retrouver en elle le cadre, les gens dans la salle. Ne pas arriver trop vite à l'essentiel qui hantait sa mémoire. *L'essentiel?* Informulable.

Le cadre ? Un trou noir. Elle cherchait en vain à fixer une couleur, identifier une forme, un bruit.

À sa décharge, elle n'était plus revenue s'asseoir ici : ils avaient pris tous leurs autres repas, enfermés dans la suite de Lockhart.

Un état cotonneux. Avant. Presque mal au cœur de désir.

Puis il y avait eu la montée dans sa chambre… Et ce bonheur.

La révélation de l'amour avec Lockhart restait d'une telle intensité qu'elle ne pouvait même supporter l'évocation de leurs baisers, de leurs paroles. Un cataclysme physique, moral, sentimental qui la submergeait au point d'en demeurer interdite.

Assez sur ce sujet !

Retrouver maintenant, ici, dans le train, sinon l'équilibre, du moins le calme.

« Me calmer ? Mais pourquoi ? La situation reste simple. »

En vérité, elle se sentait d'une sérénité totale. L'incroyable, c'était peut-être cela : cette paix qui ne la quittait pas. Alors qu'elle se savait ébranlée au plus profond, que tout en elle, le passé, le présent, vacillait, qu'elle continuait de frémir et de trembler intérieurement… Pas un doute ou une peur. Pas même un regret.

Aucune souffrance. Aucun remords.

Elle avait beau tenter de songer à Djon… Aux enfants. À sa mère. Que diraient-ils ? Que penseraient-ils ?

Rien.

Car ils ne sauraient rien. Et même s'ils devaient apprendre quelque chose, elle nierait. « N'avoue pas ! » lui avait autrefois conseillé Anna.

Elle avait trompé son mari, oui. *Femme adultère.* Mais l'idée de la faute qu'elle avait commise, du mal qu'elle avait perpétré et qu'elle comptait répéter, ne parvenait pas à empoisonner son ivresse.

Ses souvenirs étaient trop heureux.

Oublions Djon. Un obstacle. Elle osait reconnaître qu'elle ne l'avait pas aimé… De l'estime, certes. De l'affection. Une forme d'empathie depuis son départ à la guerre ; de la compassion depuis son retour. Jamais ce qu'elle venait de découvrir, jamais cela !

Coupable à son égard ? De quoi ?

Elle ne se jugeait pas coupable ! Encore moins criminelle. Elle avait attendu cet instant sa vie entière.

Elle n'avait grandi, agi, appris, que pour vivre cette minute où Lockhart avait traversé le salon et marché vers elle. Elle avait même l'impression d'être née à ce moment-là, celui où il l'avait étreinte.

Elle éprouvait la conviction de lui avoir toujours appartenu. Cet homme incarnait son destin.

« Voyons, voyons, ne disons pas, ne pensons pas n'importe quoi ! Voyons, où en étais-je ? Reprenons le fil. »

Sans Myriam, sans Garstino, sans Hicklet, l'opinion publique pouvait tout ignorer.

Quoi qu'il en soit, l'aventure durerait peu. En jouir, en savourer toutes les secondes. Après, on verrait. Le futur ne comptait pas.

Elle savait qu'il n'était pas plus libre qu'elle. Marié, lui aussi. Elle savait en outre que les jours d'un agent britannique en Russie étaient comptés.

La surprise résidait plutôt dans ce qu'elle avait découvert du caractère de Lockhart : son émotivité, l'incroyable fragilité de cet homme qu'elle avait cru si direct et tellement audacieux. En vérité, direct et audacieux, il le restait. De ces jeunes mâles qui osent décrire leurs faiblesses, qui osent reconnaître leurs fautes, exprimer leurs regrets et leurs peurs. Il se risquait à évoquer ses travers, à se montrer dans sa nudité, sans fausse pudeur.

En une semaine, ils avaient franchi toutes les étapes de la confiance. Liés par cette entente profonde de l'être, par mille souvenirs déjà, et mille complicités. Intimes comme ils auraient pu l'être au terme de longues années.

Lockhart soutenait que son amour pour elle n'était pas né d'hier. Qu'il en avait eu l'intuition lors de l'anniversaire de Cromie ; mais, qu'échaudé par ses erreurs passées et se méfiant de lui-même, il avait choisi de ne pas reconnaître la profondeur de ses sentiments.

Avec la séparation et l'absence, la cristallisation, si chère à Stendhal, avait fait son œuvre. La peur, vaincue par l'évidence, s'était dissipée. Maintenant les jeux étaient faits. Impossible de revenir en arrière.

Elle voulait bien le croire, tant leur passion lui paraissait un aboutissement. La seule vérité, la seule certitude de toute son existence.

Il s'avouait écrasé par sa vue, écrasé devant le miracle de la trouver là, à ses côtés, en se réveillant, en s'endormant. Écrasé par le miracle de se sentir aimé d'elle.

Mais l'aimait-elle ? Il ne cessait de lui poser la question. Il avait une façon de craindre de la perdre, une façon de se lover contre elle à la manière d'un enfant, qui l'émouvait comme ne l'avaient jamais émue ni son fils ni sa fille. Il était son tendre et vulnérable petit garçon.

Pour le reste, les milieux où évoluait Lockhart – politiques, intellectuels, interlopes – lui convenaient mieux que n'importe quel monde.

En partageant ses jours et ses nuits, elle avait pris la mesure de ses responsabilités en Russie, de l'ampleur de ses activités sur l'échiquier international, de leur importance et de leur extrême complexité.

Elle adorait son courage, elle adorait sa gaieté, son intelligence, sa ruse. Elle adorait sa soif de la séduire et d'être aimé d'elle. Et quand il lui mendiait des compliments, quand il avait besoin qu'elle le rassure, elle reconnaissait haut et fort l'ampleur de son admiration. Elle la lui clamait. Elle se sentait si certaine de sa propre existence, si éloignée de toute crainte de l'avenir, qu'elle conservait une entière liberté en lui avouant son ravissement.

Aucune réticence à lui donner ce qu'il exigeait d'elle. Aucune peur de s'exposer et de se perdre elle-même, aucune crainte de le perdre lui, en se laissant totalement fasciner. Et pour cause ! Elle se trouvait en terrain connu. Ils se ressemblaient.

Comme elle, Lockhart était capable de vivre sur plusieurs plans, dans plusieurs sphères. Exister ici et ailleurs, en même temps. Comme elle, il avait le don de danser sur la corde raide et l'art d'opérer des rétablissements spectaculaires, à la seconde où il allait plonger. Comme elle, il était *tout* et son contraire. Homme d'action et velléitaire. Il pouvait travailler dix jours d'affilée sans se coucher, sans boire, sans manger, ou si peu. Il pouvait aussi se traîner et se plaindre, ne rien faire et dormir, éventuellement jouer, boire et forniquer durant dix autres jours.

Non seulement cyclique, mais double. À la fois téméraire et prudent. Tricheur et sincère. Brutal et doux. Une espèce de Shiva aux mille bras : frappant avec l'un, cajolant avec l'autre.

Comme elle, il pouvait paraître trouble à ceux qui cherchaient à l'enfermer dans un seul personnage ou à le définir moralement.

Au mieux : un être plein de charme et de fantaisie. Au pire : une girouette, doublée d'un subordonné ingérable et d'un collaborateur immature.

Une constante toutefois : il était doté d'une énergie et d'une force vitale qui lui permettaient de ne jamais se trouver où on l'attendait.

D'instinct, elle percevait ses constructions mentales. Il n'avait pas besoin de les lui expliquer pour qu'elle les devine et les comprenne.

Lui-même avait saisi, avec une certitude souveraine, qu'en dehors de cette femme n'existait plus aucune vie possible. Qu'en dehors de cette femme, il ne pourrait plus continuer à se battre. Ni même à exister.

Il adorait, lui, son mélange de lumière et d'ombre. Il adorait sa générosité et sa réserve. Cette réflexion acérée sur le monde, son regard lucide sur les gens ; et ses jugements sans violence, ses conclusions sans haine. Sa façon de n'élever jamais le ton ; et la passion qui explosait dans sa voix trop chaude et si étrangement rauque.

Il adorait aussi le fait qu'elle ne parlât jamais d'elle-même, hormis pour lui dire son amour. Rien sur sa vie personnelle, sur ses souvenirs. Des anecdotes divertissantes, oui : la valse qu'elle avait dansée avec Guillaume II à Berlin en 1911, ou sa rencontre avec l'abominable Raspoutine chez l'une des princesses de Monténégro. Cela, les anecdotes, elle les racontait avec un humour dévastateur qui l'enchantait. Elle le faisait rire... Mais ses pensées, ses sentiments, ses peurs ? Mystère. Elle n'évoquait ni ses relations avec son mari, ni l'absence de ses enfants, sinon en mentionnant vaguement les cauchemars qui l'avaient agitée lors de leur fuite en Estonie. Ils étaient saufs, tout allait bien, inutile de revenir sur le sujet. Et la santé de sa mère qui semblait l'avoir tant inquiétée, début avril ? Elle haussait les épaules en signe d'ignorance. Ou de fatalisme. Elle ne s'expliquait pas... S'entendait-elle avec sa famille ? Quelle sorte de femme était madame Zakrevskaïa ? Ses sœurs ? Elle souriait aux questions, esquivait les réponses.

Pas un mot non plus pour se lamenter des difficultés de sa vie à Petrograd. Le froid, la faim de l'hiver dernier ? Pas une plainte. La pauvreté ?

Lui-même avait vu l'état de son appartement rue Shpalernaïa. Il avait pu juger, au délabrement d'aujourd'hui, ce qu'avait pu être le luxe d'antan. La trace des miroirs, la marque des tableaux, des tapis, des rideaux : tous les objets vendus ou volés.

Il savait que Lénine travaillait à l'éradication de la classe dont elle était issue. Et qu'avec son nom célèbre – un premier *Benckendorff* avait été le chef de la police du « tsar de fer », Nicolas Ier ; un autre *Benckendorff* le dignitaire préféré du tsar Nicolas II – elle était éminemment repérable. À tout instant, elle pouvait être expulsée de chez elle. Au mieux : à la rue. Au pire : arrêtée comme burjoui et incarcérée.

Silence sur la peur de mourir. Et silence sur la douleur d'avoir tout perdu. Aucun apitoiement sur soi. Pas même l'expression d'un regret pour l'insouciance du passé.

Mais, dans le présent, une incroyable disponibilité au plaisir !

Il adorait la sensualité de son corps de femme à la poitrine lourde, au bassin large, aux jambes puissantes, qui savait se faire câline et souple dans l'amour, caressante et sinueuse, aussi légère, aussi imprévisible qu'un chat.

Moura ou l'équilibre.

Moura ou l'harmonie.

Jamais il n'avait rencontré une telle partenaire. Ce prodige d'intelligence, cette merveille de volupté. Quand il lui parlait, quand il l'embrassait, c'était la même sorte d'ivresse. Avec elle, la limite entre le mental et le sensuel, entre l'idée et la caresse, n'existait pas. L'excitation intellectuelle se confondait avec celle de la jouissance.

Elle l'attirait, elle l'absorbait. De toute éternité, elle lui avait été destinée. Il avait enfin trouvé l'amour de sa vie, la compagne dont il rêvait depuis toujours. L'âme sœur.

En l'absence de Hicks et de Garstin, il avait aussi trouvé la meilleure collaboratrice possible. La plus fine. La plus efficace. Durant leur semaine à Moscou, elle avait traduit pour lui les dépêches, dactylographié les réponses.

Ils n'aimaient rien tant que ce partage des tâches qui leur permettait de continuer à communier dans la vie pratique.

De ce côté, le réel et l'action, ils avaient fort à faire.

Toujours plus nombreux, plus rapides, les événements se succédaient et l'Histoire les rattrapait.

En cette seconde quinzaine d'avril 1918, le traité de paix entre les armées de Trotski et celles du Kaiser était signé. Il impliquait l'installation à Moscou d'un ambassadeur d'Allemagne : le très prussien comte de Mirbach. Les bolcheviques l'avaient logé avec ses officiers dans le lieu le plus présentable de la ville : l'hôtel Élite. Lockhart ne décolérait pas. Des Allemands à l'étage de l'agent de Sa Majesté britannique ? Il explosait : une insulte ! Comment osait-on lui imposer la rencontre de l'ennemi dans les couloirs de sa propre légation ?

Devant sa fureur, Trotski avait reculé : il cherchait encore à le ménager. Qui sait si la paix honteuse de Brest-Litovsk, où la Russie avait accepté les exigences allemandes, qui sait si cette paix durerait ? Mieux valait ne pas chatouiller la susceptibilité des Anglais. On trouverait une autre résidence pour Son Excellence le comte de Mirbach. L'incident était clos.

N'empêche, tempêtait Lockhart… Maintenant que les Russes et les Allemands marchaient main dans la main, il n'avait, lui, plus rien à perdre : virage à cent quatre-vingt degrés. Changement total de sa politique.

Inutile désormais de s'obstiner à convaincre l'Angleterre de la légalité du régime bolchevique. Inutile de tenter de se substituer aux *Boches* dans les affections de Lénine. Inutile surtout d'armer et d'aider financièrement le régime soviétique pour qu'il poursuive la guerre.

Trop tard.

Certes, lui-même continuerait de s'opposer à l'avancée des Japonais, dont la présence en Sibérie venait de lui être confirmée par le capitaine Hicks. Il prétendrait encore s'insurger contre la tactique militaire du général Knox avec lequel le capitaine Garstin se colletait en son nom, à Vologda.

Du bluff.

En vérité, il avait envoyé Garstin à Vologda dans un autre but : convaincre l'état-major anglais qu'il n'était pas passé, corps et âme, à la cause bolchevique. Contrairement à ce que Knox affirmait au ministère de la Guerre et à celui des Affaires étrangères – Lockhart : communiste –, minant sa réputation et menaçant sa carrière à Londres.

Lockhart ripostait en présentant Knox comme un réactionnaire trop borné pour rien comprendre à la réalité russe : ne s'obstinait-il pas à décrire Lénine et Trotski comme deux mercenaires à la solde de l'Allemagne ? À entendre Knox, les dirigeants du régime soviétique étaient en réalité des officiers allemands, payés par le Kaiser.

Nonsense !

Les Rouges détestaient l'Allemagne autant qu'ils détestaient l'Angleterre, la France ou l'Italie, toutes capitalistes.

Et Knox restait un crétin nuisible.

Lockhart appuierait toutefois sa stratégie. Il seconderait les Japonais. Et il jouerait – envers les bolcheviques – double jeu.

D'une part : demeurer *persona grata*. Garder ses entrées chez Trotski et continuer à passer, auprès de son propre gouvernement, pour l'avocat du régime. Une couverture qui ne serait pas trop difficile à conserver. Les bolcheviques pouvaient décoder certaines de ses dépêches. Il s'était débrouillé pour leur en faire passer les clés par l'un de leurs agents, afin qu'ils prennent la mesure de son éloquence en défendant leur cause et leurs intérêts. Qu'ils sachent combien lui-même les soutenait à l'Ouest.

De l'autre : préparer en secret l'intervention militaire des Alliés. Un débarquement massif. Maintenir ici, sans le consentement de Lénine, un front qui coincerait les Allemands en Russie et les empêcherait de déplacer leurs troupes ailleurs.

Et donc : financer un réseau de résistance intérieure qui travaillerait au sabotage des infrastructures. Déraillements des trains. Destruction du téléphone, du télégraphe et de tous les moyens de communication. Incendies des usines. Propagande de démoralisation sur les soldats de Trotski. Attentats sur les personnalités du régime.

À terme : renverser Lénine, arrêter ses sbires, se débarrasser des Soviets. Remplacer les bolcheviques par un parti favorable aux Alliés. Et rayer le communisme de la carte du monde. Rien moins. Lockhart s'y employait.

S'il n'évoquait pas devant Moura l'ampleur de ses activités clandestines, il l'encourageait à faire preuve de vigilance : qu'elle regarde autour d'elle, qu'elle écoute. Les rumeurs dans l'ancienne capitale ? Les faits nouveaux ? Que disait-on, que pensait-on à Petrograd ? Qu'elle ouvre grand ses oreilles et ses yeux. Tant auprès de leur ami Cromie et des derniers officiers de l'ambassade d'Angleterre, que des ressortissants des pays neutres, les seuls à occuper encore leurs résidences sur la Neva. Comment réagissaient les diplomates suisses et suédois à la paix de Lénine avec les Allemands ? Qu'elle glane pour lui, dans les multiples milieux qu'elle fréquentait, tout ce qu'il devait savoir. Tout ce qu'elle jugerait, elle, important pour l'avenir de la Russie.

Côté bolchevique, évidemment, elle était assez mal placée. Mais qui sait ? Elle pourrait peut-être cultiver ses relations avec le beau Lev Karakhan ? Le poste de Karakhan aux Affaires étrangères rendait son amitié précieuse. Il voyageait souvent entre Moscou et Petrograd : qui sait, oui, si Moura ne le rencontrerait pas un jour dans le train ?

Lockhart ne poussait pas plus avant. Il n'insistait pas. Rien de lourd dans ses demandes. Il n'entrait dans aucun détail.

Juste cela : humer pour lui l'air du temps. Et l'alerter.

Elle-même n'assistait pas aux réunions de travail ni aux entretiens de Lockhart dans sa suite n° 309 de l'hôtel Élite. Elle disparaissait au second étage, derrière la porte de sa propre chambre, sans jamais rencontrer les visiteurs.

Elle était toutefois bien placée pour ne rien ignorer des allées et venues qui l'obligeaient à sortir de cette suite n° 309. Les échanges avec les agents de l'*Intelligence Service* de Londres qu'elle apercevait, arrivant au bout du couloir, entrant et se volatilisant mystérieusement. Avec les espions et les agents provocateurs des partis libéraux. Avec les émissaires des généraux de l'Armée blanche où combattaient son propre beau-frère Kotchoubey et ses pairs de l'aristocratie tsariste. Avec tous les vieux amis de Lockhart, ses amis d'*avant* la Révolution, du temps où le consul d'Angleterre fréquentait l'aristocratie moscovite et dansait aux bals des grandes familles.

Elle se gardait de poser des questions. Elle se contentait de regarder, d'écouter, de comprendre. Et ce qu'elle découvrait la passionnait.

Sur tous les plans.

*

Pour tous deux, le sort en était jeté : la grande aventure avait commencé. Cette aventure majeure de leur existence, que Robert Bruce Lockhart appelait, en usant des mots de Robert Louis Stevenson son compatriote écossais, *A Romance of destiny.*

Chapitre 15

AGENT DOUBLE ?
Avril – Mai 1918

— Qu'est-ce donc que votre madame von Benckendorff ? Une professionnelle de la danse de Saint-Guy ?

Le général Knox pérorait, une fesse sur son bureau, une jambe dans le vide. Plantés au centre du wagon qui servait de Chancellerie aux Anglais dans la gare de Vologda, les capitaines Garstin et Cromie se tenaient devant lui. Sinon au garde-à-vous, du moins immobiles et muets, ainsi qu'il convenait devant le chef des forces armées britanniques en Russie.

Pour l'avoir beaucoup pratiqué depuis 1916, Garstin et Cromie connaissaient leur Knox. Avide d'égards et pontifiant. Ses cours sur les sujets les plus divers pouvaient durer des heures. Ils le laissaient donc parler :

— ...On la trouve à Moscou le vendredi... Le lundi à Petrograd... Le vendredi encore à Moscou... Aller, retour... Dans un sens, dans l'autre. Increvable, ma parole ! Je plains les pauvres fonctionnaires de monsieur Lénine qui s'occupent de lui délivrer un laissez-passer chaque semaine ! Que dis-je *semaine* : chaque jour !

Garstin et Cromie échangèrent un regard : les nouvelles allaient vite dans ce « trou ». Eux-mêmes venaient d'en être informés : Lockhart avait fait une nouvelle victime. Moura Benckendorff, leur Moura, s'ajoutait à son tableau de chasse. Knox était au courant. Comme tout le monde, ici.

Moura, la maîtresse de Lockhart ? Garstin avait accusé le coup. Et Cromie, gagné son pari. Sacré Lockhart : ne manquait que cela pour arranger sa réputation à Vologda ! Sans parler de sa carrière à Londres.

— Il semble que cette dame ait le don d'ubiquité, continuait d'ironiser le général Knox, en tirant sur sa pipe.

Il contourna son bureau pour prendre place dans le siège à roulettes dont le dossier, tel celui d'un trône, le maintiendrait raide et droit.

De tous les états-majors, le quartier général anglais était le plus miteux.

L'ambassadeur des États-Unis venait de s'octroyer l'ancienne résidence du gouverneur de la province : l'Amérique, en guerre depuis six mois contre l'Allemagne, appartenait désormais au bloc de l'Entente. En fait d'*entente*, le président Wilson ne s'accordait avec aucune des autres nations sur la stratégie à suivre ici. Il s'opposait au débarquement des Japonais en Sibérie, et ne ratifiait pas le projet d'une intervention militaire alliée en Russie. Son ambassadeur restait toutefois le plus puissant et le plus âgé des diplomates. Leur doyen. Par sa fenêtre à lui, on contemplait les cinq croix qui surmontaient les cinq dômes dorés de la cathédrale Sainte-Sophie.

L'ambassadeur de France, flanqué d'une épouse, s'était installé dans une école pour jeunes filles. Par sa fenêtre à lui, on admirait les quarante autres bulbes des églises de Vologda.

L'Angleterre, qui n'avait pas jugé utile de remplacer son propre ambassadeur, le très regretté Sir George Buchanan, campait, elle, sur une voie de garage.

Derrière le général Knox, Garstin et Cromie pouvaient apercevoir les rails qui menaient à un entrepôt. Avec, au loin, le toit pointu de la petite gare en rondins. Patience. Les secrétaires et les attachés s'employaient à meubler deux datchas mitoyennes au bord de la rivière, l'une pour le chef de la mission diplomatique, l'autre pour celui des armées. Patience ! Dans ce wagon, l'essentiel était déjà là. L'*Union Jack*, le drapeau ; le portrait de Sa Majesté George V qui ressemblait trait pour trait à son cousin le tsar Nicolas II, qu'on venait de transférer dans une nouvelle prison ; le tapis aux armes de la famille royale d'Angleterre, les cartes au mur, le bureau plat, le siège, et le rack à pipes : les sept éléments du décorum britannique.

« Ah, Vologda ! » De sa suite à l'hôtel Élite de Moscou, Lockhart ricanait : *Ah Vologda !* Pour comprendre la vie politique russe et garder le contact avec les événements qui secouaient l'Europe, les Alliés s'étaient surpassés : l'eussent-ils voulu, qu'ils n'auraient pu choisir un coin plus perdu, plus déconnecté du monde. Tant qu'à faire, ils auraient dû s'installer au pôle Nord !

Minuscule et somnolente, la ville l'était en effet. Elle comptait plus d'églises que d'habitants ; cinq couvents ; un monastère du XIVᵉ siècle qui s'élevait, solitaire, dans la plaine au-delà des remparts. Seules distractions : les services orthodoxes qui s'y succédaient, en dépit des oukases du commissaire local ; les luttes d'influence entre Français, Anglais, Américains, Japonais ou Italiens, qui se disputaient la prééminence auprès des représentants de Lénine ; les mess des officiers où la paranoïa antibolchevique faisait rage ; et les interminables parties de poker chez le vieil ambassadeur américain qui méprisait les Russes et plumait impitoyablement ses alliés.

Le général Knox lissa sa moustache : il affectait de se montrer amical et débonnaire. Mais il se gardait d'inviter les deux capitaines à prendre un siège. Le nouvel emploi de Garstin auprès de Lockhart à Moscou l'eût sans doute autorisé à se présenter devant lui en civil. Garstin avait toutefois revêtu l'uniforme. Grand, long, avec un visage ovale dont l'étroitesse lui donnait l'air triste, il gardait quelque chose d'un adolescent monté en graine. Sa moustache, elle aussi trop fine, accentuait cette impression de jeunesse... Un excellent officier, en dépit de cet aspect de jeune homme romantique. Son sérieux, son courage et son honnêteté le hissaient au rang des braves.

Quant au beau capitaine Cromie, dont Knox redoutait et détestait la causticité, il arrivait de Norvège. Il était allé discuter à Oslo de l'avenir de la flotte russe. Lockhart en avait négocié le sabordage auprès de Trotski. Il l'avait même convaincu de la nécessité de la détruire. Une belle réussite de Lockhart, car le traité de Brest-Litovsk avait fait tomber la flotte russe en mer Noire dans l'escarcelle de l'Allemagne.

Cromie avait pris le relais de Lockhart, en se chargeant de la négociation auprès des représentants des puissances neutres. Leur accord pour la poursuite d'une destruction systématique intéressait la Royal Navy au plus haut point.

Mais la mission de Cromie et le sort de la flotte russe ne semblaient pas à l'ordre du jour.

— ...Peut-être madame von Benckendorff, qui affectionne tant les trains, va-t-elle nous tomber dessus ici ? grinçait le général. Une petite visite à ses vieux amis du palais Saltikov ? Que seraient pour elle quelques petites heures vers Vologda, comparées à ses nuits en troisième classe entre Petrograd et Moscou ? En wagon de troisième classe, messieurs, songez-y : terrible pour une aristocrate comme elle ! Je dois reconnaître que, de sa naissance, madame von Benckendorff garde l'instinct des belles choses : dans toute la Russie, ce garçon reste le seul qui présente bien. En tout cas le plus joli des trois commissaires aux Affaires étrangères. Ce monsieur Lev Karakhan...

— Karakhan !

— Cela semble vous étonner capitaine Garstin ? Vous avez l'air choqué. Mais oui, monsieur Karakhan et madame von Benckendorff dînent ensemble à Petrograd. Ils se rendent au ballet ensemble – les théâtres, dit-on, n'auraient pas trop souffert du mauvais goût des Soviets –, ils assistent ensemble aux séances publiques des comités. Et Dieu sait ce qu'ils font d'autre ensemble à l'Institut Smolny... Ou ailleurs !

— Ils se sont rencontrés une fois au restaurant, hasarda Garstin. En compagnie de Robert Bruce Lockhart.

— Chez Kuba peut-être ? Vous avez raison : ils y soupent après le spectacle, comme au bon vieux temps.

— Lev Karakhan était l'un des principaux interlocuteurs de Lockhart au mois de février, avant que tous deux ne suivent le gouvernement à Moscou, intervint Cromie. Karakhan reste son meilleur contact au sein du Parti. Mais…

— Ah, oui, Lockhart, Lockhart, Lockhart, notre ami Lockhart : parlons-en ! Je crois savoir, capitaine Cromie, qu'avant de partir pour Oslo – il y a de cela, si je ne m'abuse, près d'un mois –, vous aviez jugé utile d'envoyer une note « urgente et confidentielle » aux services secrets de la Royal Navy. Et que cette note disait à peu près ceci : « Une personne bien informée m'a averti que les bolcheviques sont en possession de tous les chiffres des légations et des ambassades alliées. » Est-ce exact ?

— En effet, mon général.

— Et vous ajoutiez encore ceci : « En conséquence, les dépêches de monsieur Robert Bruce Lockhart adressées au Premier ministre à Londres et au ministère de la Guerre et à celui des Affaires étrangères de Sa Majesté britannique, ont été lues par messieurs Lénine, Trotski et Karakhan. » Est-ce exact ?

— Oui.

— Puis-je vous demander *qui* était cette personne «bien informée » ?

— Pardonnez-moi, mon général, mais je ne puis vous répondre sur ce point : il m'est impossible de livrer les noms de ceux qui nous aident.

— Ceux, ou celles… Vos indicateurs. Je comprends.

Le général Knox n'insista pas. Il savait que le capitaine Cromie, militaire de carrière relevant du ministère de la Marine, avait été prié de demeurer en observation à Petrograd par *C* : le commandant *Cumming* de la Royal Navy, aujourd'hui chef de la Sécurité intérieure britannique. Cromie travaillait donc pour le

MI5 – Military Intelligence, Section 5. Et les services de renseignement ne communiquaient pas aux officiers de l'armée régulière l'identité de leurs informateurs. Du moins, pas directement. Le capitaine Garstin, du fait de sa mission auprès de Lockhart, se trouvait dans la même obligation de silence.

Les deux hommes, qui n'avaient aucune vocation pour la clandestinité, détestaient ce rôle d'agent secret que la guerre les obligeait à endosser.

— Je vous entends, reprit Knox. Oublions votre télégramme d'avril, capitaine Cromie. Sachez toutefois que le ministère des Affaires étrangères a reçu à Londres un second télégramme, du même tonneau que le vôtre. Et que ce télégramme-là émanait de votre supérieur, mon ami l'amiral Hall, qui a bien voulu m'en envoyer copie, avec la réponse du ministère. Lisez vous-même…

Knox lui tendit la dépêche :

— …À haute voix, s'il vous plaît, pour le bénéfice du capitaine Garstin.

— « *Que le Foreign Office soit informé des faits suivants :*

« *À cette heure plusieurs de nos bureaux, occupés à des missions confidentielles en Russie, emploient des assistantes de nationalité étrangère. Nous considérons que l'emploi de ces femmes est très dangereux et qu'il doit cesser immédiatement. Il semble qu'elles aient quotidiennement accès au Chiffre. Si tel devait être le cas, le risque est immense. À ce stade, la moindre fuite serait d'une utilité capitale pour l'ennemi. J'insiste sur le fait que ces femmes ne doivent, à aucun prix, travailler à l'encodage ou au décodage des télégrammes. Jamais. Telle est mon opinion.* »

— Intéressant, commenta Knox. Depuis deux ans, je ne répète pas autre chose ! Capitaine Cromie, auriez-vous maintenant l'amabilité de nous faire part des commentaires du capitaine Edward Cunard, en poste à Londres aujourd'hui. Cunard : l'ancien secrétaire d'ambassade de Sir George Buchanan. Un ami à vous, je crois ? Qu'a-t-il griffonné en marge du papier que vous tenez ?

— « *Cette note fait évidemment allusion à madame Bencken-dorff et à mademoiselle Artsimovitch qui ont été employées de façon semi officielle par différents organismes britanniques de Petrograd. Et ce, dès le début de la guerre.*

« *J'ignore si tel est toujours le cas et si d'autres femmes – en dehors de madame Benckendorff et de mademoiselle Artsimovitch – travaillent encore pour nous à l'ambassade.*

« *Je pense en effet que toutes nos missions doivent être mises en garde contre le danger que constitue leur présence à proximité du Chiffre. Et qu'il faut, par prudence, cesser de les employer dans nos bureaux.*

« *Pour ce qui touche à madame Benckendorff et mademoiselle Artsimovitch, elles n'étaient pas, de mon temps, employées à coder ou à décoder les dépêches.*

« *Mais depuis le départ de l'ambassadeur : qui sait ?* »

Ménageant ses effets, le général Knox attendit un instant avant de reprendre :

— Bien. Les bolcheviques sont en possession de nos codes : aucune incertitude sur ce point. Vous-même, capitaine Cromie, le tenez d'une personne *bien informée.* Si les bolcheviques possèdent nos codes, c'est que quelqu'un les leur a donnés. Selon vous, messieurs, je vous le demande : qui cela pourrait-il bien être ?

Cromie ne se donna pas la peine de jouer le jeu et sauta à la conclusion :

— Il me semble, mon général, que si madame Benckendorff et mademoiselle Artsimovitch travaillaient pour les Russes, elles seraient plus discrètes.

— En la matière, la meilleure couverture demeure la plus totale des visibilités. Reste toutefois une question : laquelle des deux femmes a pu accéder au Chiffre et disposer d'assez de temps pour en recopier les clés ? Je pencherai pour votre indicatrice, capitaine Cromie, celle qui vous *informe,* qui *informe* monsieur Lockhart et qui *informe* le camarade Karakhan.

— Moura, explosa Garstin, ne peut être une espionne : c'est absolument impensable, mon général !

— Et pourquoi donc *impensable* ?

— Madame Benckendorff est une aristocrate, intervint Cromie. Aucun bolchevique ne lui ferait confiance. Elle restera toute sa vie l'incarnation de la burjoui dont ils veulent se débarrasser.

— Cela n'exclut pas qu'avant de s'en débarrasser, ils se servent d'elle. D'autant qu'elle passe pour être de leur bord.

— Moura est une idéaliste… Pas une communiste !

— Quelle différence, capitaine Garstin ? Et que ne ferait-on par idéologie ? Je me suis laissé dire que cette dame applaudissait bien fort aux théories de monsieur Lénine : *la terre aux paysans… Les usines aux ouvriers…* Tout ce fatras ! Une doctrinaire. Une extrémiste. Je le répète : que ne ferait-elle par idéologie ? Et, dans son cas, que ne ferait-elle par intérêt ?

— Les origines de madame Benckendorff la lient aux intérêts des officiers de l'Armée blanche, mon général. Pas à ceux des Rouges.

— Je suis bien d'accord avec vous, capitaine Cromie : les Blancs, les Rouges, les Alliés… Elle mange à tous les râteliers.

Cromie ne put retenir un ricanement :

— *Agent triple*, alors ?

— Pourquoi pas ?

— Vous oubliez les Allemands, mon général ! persifla Garstin.

— Tant qu'à faire, appuya Cromie, sarcastique… *Agent quadruple* !

Knox ne perçut pas leur ironie :

— Les Allemands aussi. Les Allemands, les premiers… Les Russes – rouges ou blancs – ne sont arrivés qu'après. Les Allemands, eux, l'emploient depuis le début. Et probablement avant 1914 : qui sait ce qu'elle fichait à Berlin avec son mari ? La preuve en est qu'à cette heure, l'époux von Benckendorff collabore avec les Prussiens en Estonie. Ainsi votre amie, messieurs, restera-t-elle proche de *chacun* des partis, quels que soient le sort des armes et l'issue de la guerre.

Knox changea de ton pour conclure avec froideur :

— …Faites en sorte que cela cesse. Suis-je clair ? Je ne veux plus voir cette femme rôder autour de l'ambassade, ni autour d'aucun de vous. Je ne veux plus qu'elle ait le moindre contact avec un officier britannique ni avec quiconque parmi les officiers alliés et les représentants des puissances neutres. À Petrograd, à Moscou, nulle part… Transmettez ce message à Lockhart de ma part. Qu'il la mette à la porte dans la seconde, sinon je l'envoie, lui, demain, au poteau avec sa Mata Hari !

*

Petrograd, vendredi 28 mai 1918

Mon amour de Locky,

Bien reçu tes deux télégrammes. Et maintenant cette lettre merveilleuse qui vient de me parvenir par le messager de la légation. Il attend ma réponse dans l'entrée et je me hâte. À toute allure, je voudrais te dire l'important : que mon présent et mon avenir t'appartiennent. Que je serai honnête et franche avec toi, quoi qu'il arrive. Ne te fais aucun souci. Tu n'imagines pas combien j'ai aimé les mots que tu m'écris, Babyboy, et oui, oui, nous parlerons sérieusement de tout quand je viendrai à Moscou vendredi. Nous discuterons, nous attendrons, nous trouverons une solution. Tout ira bien. Car il y a deux choses que je désire plus que tout : ton bonheur et ta paix.

Que tu viennes à moi lorsque tu seras fatigué et que tu auras besoin que je te soutienne. Que je sois ta maîtresse quand tu chercheras la passion. Ton havre, quand tu voudras la tranquillité. Et puis aussi, je désirerais te donner un petit garçon que nous nourrirons au whisky écossais et à la viande crue pour qu'il devienne un vrai footballeur.

217

Ici, Petrograd meurt de désespoir. Même moi, que tu dis si placide, si difficile à démoraliser, je ne parviens plus à secouer cette chape de tristesse qui pèse et m'écrase. L'avenir semble si noir... Peu importe. Espérons que la Providence sera clémente et qu'Elle échangera cette période terrible contre des jours merveilleux pour mon pays.

Les bourgeois – nos burjouis – n'appellent plus les Allemands au secours pour les débarrasser des bolcheviques. Depuis la signature de l'armistice à Brest-Litovsk, ils ont compris que le Kaiser marchait de conserve avec Lénine.

Des Boches, ils n'attendent plus leur délivrance. Du coup, ils basculent de ton côté et souhaitent l'arrivée des Alliés. Nul ne parle encore de l'éventualité de votre débarquement et d'une intervention militaire massive. Le silence sur ce chapitre vaut mieux. La victoire anglaise sur le front de l'Ouest est néanmoins connue.

Voici toutes les nouvelles que je puis te donner.

Cromie est de retour d'Oslo. Il est passé par Vologda. Sais-tu la question qu'il m'a posée ce matin ?

Il m'a demandé : « Vous aimez bien Lockhart, n'est-ce pas ? Vous ne lui voudriez aucun mal ? »

J'ai répondu : «Bien sûr que non ! Quelle idée ! »

« Alors cessez vos allées et venues. Ne retournez plus à Moscou ! Lockhart a beaucoup d'ennemis... En Russie et ailleurs. Et votre présence continuelle à l'hôtel Élite lui porte un grand préjudice ! »

Que voulait-il dire ?

Nous devons parler de cela aussi, car je ne vois pas du tout ce à quoi Crow fait allusion. Évidemment, quand cela m'arrange, j'ai le sens psychologique d'une autruche !

Je t'aime Babyboy.

Moura

P.-S. : Où est passée la fleur que Garstino devait me rapporter de Vologda ? Il l'a oubliée chez Knox ? Si oui, cela ne lui ressemble pas.

P.-S. P.-S : Hicks, mon cher Hicklet, est-il rentré de Sibérie sans encombre ? Te dit-il toujours du mal de moi ? Essaie-t-il encore de te convaincre que je ne suis pas la femme que je parais ? Pas celle que tu crois ? Pas celle que tu vois ?

Assise devant le petit secrétaire de sa chambre, Moura cessa d'écrire. La plume en suspens, elle hésitait. Fallait-il poursuivre sur ce thème ? Non... Sur ce mode ? Sûrement pas. Au diable le badinage ! Terrain miné, même en jouant la légèreté, même en affectant de rire des potins. Surtout ne pas s'avancer davantage.

Elle verrait Hicks à Moscou ce week-end. Elle tirerait au clair ses insinuations et ses médisances dont Lockhart lui avait fait part avec désinvolture. Elle confesserait Hicklet, elle le confronterait si besoin était.

En vérité, l'idée que ses amis anglais puissent la suspecter de jouer double jeu, qu'ils osent la soupçonner d'espionner et de trahir Lockhart, lui était une torture trop insupportable pour pouvoir la formuler.

Elle avait toutefois compris qu'ils prenaient leur distance. En devenant la maîtresse de l'un d'entre eux, était-elle tombée de son piédestal ? Oui. Aucun doute sur ce point : à leurs yeux, l'aristocratique madame Benckendorff était allée rejoindre le troupeau des dames russes qui frayaient avec les Alliés au lit. Moura connaissait assez le monde, assez les hommes, pour ne se faire aucune illusion sur ce point : elle était devenue banale.

Mais il y avait pire !

Son cher Garstino n'avait pas oublié *par hasard* l'orchidée qu'il lui avait promise et rapportée à grands frais. Il dérogeait sciemment à sa conduite chevaleresque d'antan. Il obéissait à des consignes.

Quant à Crow, il ne s'était pas exprimé par énigmes, contrairement à ce qu'elle laissait croire dans sa lettre. Il lui avait fait part — avec beaucoup plus de précision qu'elle ne le répétait à Lockhart —, des ordres de Knox et des foudres qui menaçaient les officiers britanniques, dussent-ils poursuivre leur liaison avec elle.

Elle souffrait à un tel degré de la suspicion de Garstin, de Cromie, de Hicks, et même des soupçons de Knox, que cette souffrance lui commandait de jouer, sinon les idiotes, du moins les pures et les naïves.

Ignorer les offenses. Dissimuler les blessures. Nier toutes les vexations.

Lockhart, songeait-elle, ne devait à aucun prix mesurer la gravité de la méfiance de ses compatriotes envers elle. Et il ne devait pas non plus mesurer sa douleur à elle devant une réserve aussi injuste. Lui-même affectait d'ignorer les mises en garde de Knox. Elle empruntait le même chemin et choisissait, comme lui, d'y réagir avec souplesse. Les doutes de Knox ne pesaient rien. Impossible de dévier de cette ligne de conduite : la légèreté, l'insouciance. Elle soupira. Oui, la candeur à tout prix ! Sous peine de plonger dans le drame.

Et des drames, elle en vivait assez.

Les nuits blanches baignaient la pièce d'une lumière laiteuse. Une clarté qui révélait le dépouillement des lieux.

De sa chambre, naguère si confortable, ne restaient que le lit, ce minuscule bureau et, dans l'angle sur une tablette, l'icône de la Vierge, avec sa veilleuse rouge. Elle tenait plus que tout à son petit sanctuaire et se démenait pour dénicher les bougies, désormais introuvables à Petrograd, qui devaient brûler devant la Reine des Cieux.

Elle avait toujours cru en Dieu. Mais, depuis sa rencontre avec Lockhart, elle devenait un peu mystique. Comme si l'amour du Seigneur se confondait dans son âme avec l'amour pour cet homme.

Elle réfléchissait, ne se décidant ni à cacheter sa lettre, ni à la continuer. Par écrit, elle en avait déjà trop dit.

Les courriers entre Petrograd et Moscou étaient probablement lus. Même une missive comme celle-ci, qui serait remise en main propre par un messager au service des Alliés et dévoué à Lockhart, pourrait être ouverte par les bolcheviques. Ou par les Anglais.

Certes, elle ne doutait pas de la probité de ce brave Miller, porteur de tous les mots d'amour que Lockhart lui écrivait chaque jour. Miller, au visage rougeaud, allant et venant entre l'hôtel Élite et l'ambassade d'Angleterre où résidait Cromie. Miller dont elle attendait les passages éclair rue Shpalernaïa avec tant d'impatience !

Fiable. Mais qui sait ?

De toute façon, ce qu'elle aurait voulu lui confier, le véritable sujet de sa lettre, ne pouvait être livré au papier. Seulement de vive voix.

Et même de vive voix, devait-elle partager la nouvelle : son secret, sa joie ? Et la terreur immense qui allait de pair ?

Parler de *cela* à Lockhart ? Ajouter à son fardeau ? Il était déjà si pressé par la vie… Les décisions à prendre, les actes à accomplir. Accablé de responsabilités.

Lui parler tout de suite ? Ou bien remettre à plus tard, quand les circonstances le permettraient ?

Oui, plus tard… Mais quand ? songeait-elle. Le temps jouait contre eux et l'étau se resserrait.

Cromie avait clairement dit que la situation de Lockhart à Moscou était devenue intenable. La signature de l'armistice qui cédait un tiers de la Russie à l'Allemagne, et les honneurs rendus par Lénine au prussien Mirbach, l'ambassadeur du Kaiser, fragilisaient sa position, tant auprès des bolcheviques que des Alliés.

De Londres, son épouse ne répétait pas autre chose. Dans ses courriers, elle l'informait des rumeurs qui couraient sur son compte au ministère des Affaires étrangères, comme à celui de la Guerre. On s'interrogeait sur ses sympathies communistes. On parlait d'une possible trahison de sa part. Elle le suppliait de rentrer en Angleterre, avant que son rappel ne tourne à la disgrâce.

Moura ne pouvait que reconnaître la justesse de cet avis.

Elle aimait assez Lockhart pour chercher à le protéger et oser l'encourager à lever le camp. Elle ressentait toutefois cette nécessité du départ – et de la séparation – comme une menace sur sa propre vie. Il partageait son effroi.

Et plus elle le poussait à quitter Moscou, plus il confondait dans une même adoration son amour pour elle et sa passion pour la Russie. Plus elle insistait sur la nécessité d'abandonner la partie, plus il lui disait ne pouvoir se passer d'elle.

À défaut, elle l'engageait à entreprendre, au moins, le voyage vers Vologda. Rencontrer Knox et s'expliquer personnellement auprès des ambassadeurs de l'Entente.

Il comptait suivre ce conseil. Et Dieu sait combien de temps durerait son absence.

Devait-elle lui parler avant ? Après ? Jamais ? La question l'obsédait.

Devait-elle lui dire *cela* : qu'elle attendait de lui un bébé ?

Un fils, elle n'en doutait pas ! Un adorable petit garçon avec un nœud papillon, qui ressemblerait à son père. Il aurait ses oreilles un peu décollées et son regard clair, pétillant, si plein de vie.

En son for intérieur, elle avait déjà donné un nom à leur enfant. Il s'appelait Peter.

Comment Lockhart réagirait-il ? Diplomate de carrière, il ne pouvait se permettre un nouveau scandale. Il était marié. Elle aussi. La passion était une chose, l'arrivée d'un bâtard une autre.

Ils s'aimaient depuis moins de deux mois. Lui demanderait-il d'avorter ? Cette possibilité la terrifiait. S'il l'exigeait ?

Et Djon ? Comment allait réagir Djon ? Ils s'étaient quittés en janvier. À moins qu'elle aille le rejoindre très vite, il saurait que ce bébé n'était pas le sien.

Certes, elle pouvait divorcer. Les bolcheviques avaient banalisé la procédure.

Mais Lockhart ? Le divorce en Angleterre passait pour une aventure compliquée, plus longue et plus honteuse que dans les autres pays d'Europe. Lui-même en avait évoqué la possibilité dès leur premier week-end. D'après ses confidences, son épouse ne le lui octroierait jamais.

Là n'était pas la seule question… Djon, non plus, ne lui rendrait jamais sa liberté.

Il ne se considérait déjà plus comme russe, mais comme estonien. Et dans la noblesse balte, on ne divorçait pas. En tout cas, pas de la femme adultère. On la mettait au ban de la société. On la répudiait. Au pire, on la tuait. Au mieux, on l'exilait. Dans tous les cas, on l'empêchait de voir ses enfants.

Elle soupira.

Au fond, elle se trouvait aujourd'hui dans la même situation qu'Alla : enceinte d'un homme qui ne l'épouserait pas.

Pour avoir vu souffrir sa sœur et ressenti dans sa chair la solitude de sa nièce Kira, l'enfant illégitime, elle savait très exactement ce qui les attendait, elle et son petit Peter.

Mummy, déjà si malade, ne se remettrait pas de cette nouvelle chute. Elle ne lui pardonnerait pas son déshonneur. Elle en mourrait peut-être. La peine qu'elle-même allait infliger à sa mère la perturbait plus que n'importe quelle autre peur.

Elle chassa ces idées noires… Un problème à la fois. Allons, un peu de nerf !

Anna, son autre sœur, qui avait elle aussi attendu un bébé hors mariage, s'en était sortie. Et même fort bien. Elle avait pris le risque de devenir bigame pour protéger l'avenir de ses enfants. Aujourd'hui, Anna régnait sur ses terres en Ukraine, entourée d'Allemands et de sa vaste progéniture.

Anna ? *La vie quand même* !

Moura se connaissait assez pour savoir qu'elle aurait la force, comme Anna, de trouver une issue. Laquelle ? Mystère.

Pour l'heure, la question était de décider si elle devait partager la responsabilité du bébé avec un père qui ne pourrait le reconnaître... Ou se taire. Laisser Lockhart en paix. Absolument libre, comme il avait besoin de l'être en cette période.

Elle aviserait ce week-end, à Moscou.

Moura revissa le bouchon de son stylo, cacheta l'enveloppe, et se hâta vers le vestibule où le messager Miller patientait.

Chapitre 16

LITTLE PETER
Juin – Juillet 1918

Allongée nue contre lui, elle écoutait la passion vibrer dans la voix du père de l'enfant qu'elle espérait. Elle ne bougeait pas, elle gardait les yeux clos. Les questions qu'elle s'était posées, les problèmes insurmontables de Petrograd, il les avait résolus d'un geste, en homme que n'entravait aucune des contraintes de la prudence ou de la mesquinerie.

Après avoir eu si peur de sa réaction, elle éprouvait un sentiment de sécurité, une sorte d'assurance qu'elle ne connaissait pas. Ou plutôt le sentiment d'une liberté absolue.

En apprenant la nouvelle, il était simplement tombé à genoux.

La nouvelle… Elle ne la lui avait pas dite : il l'avait devinée.

Quelque chose l'avait alerté quand elle avait franchi la porte de la suite 309, quelque chose dans son sourire, dans sa démarche, ou peut-être dans son corps. Une intuition fulgurante. Était-ce possible ?

Lockhart avait l'expérience des femmes, il les aimait. Un regard, un pressentiment, une question avaient suffi.

— Tu es enceinte ?

Elle avait acquiescé.

Il était tombé à genoux. Il avait enfoui sa tête dans les plis de sa jupe, étreignant ses jambes, l'encerclant tout entière. La bouche contre son ventre, il balbutiait des remerciements, mille mots incohérents de gratitude et d'amour.

Jamais elle ne l'avait senti plus fier, plus heureux, qu'en cet instant à ses pieds.

Quand il eut surmonté son émotion, il lui confia qu'au temps de son consulat, sa femme avait attendu un bébé. L'accouchement s'était mal passé. Leur petite fille était morte deux heures après sa naissance. Il avait porté son cercueil contre lui, dans la voiture consulaire, jusqu'au cimetière allemand, ici même à Moscou. Il allait souvent rendre visite à sa tombe. De cette tragédie, il était resté inconsolable.

Comment eût-elle pu imaginer qu'il désirait à ce point un enfant ?

Il le lui avouait aujourd'hui.

Et maintenant, dans le grand lit de la suite n° 309, ils s'aimaient avec une tendresse nouvelle.

— Nous l'appellerons Pierre, déclara-t-il. Comme Pierre le Grand, le bâtisseur de Saint-Pétersbourg, ta ville.

Elle sourit :

— J'avais choisi le même prénom, mais en anglais. Ton fils s'appelle *Peter* dans ma tête… *Little Peter* depuis quinze jours.

— Si ce crétin de Knox obtient mon rappel, tu pars avec moi. Nous nous installerons chez ma grand-mère en Écosse. Ou bien au bout du monde. Je ferai de toi une planteuse de cacao au Chili.

— Pour cela, il faudrait que nous soyons mariés l'un à l'autre, Babyboy. Sans bague au doigt, tes camarades Lénine et *Trotters* ne me laisseront pas partir. Ils sont plus conventionnels que tous nos burjouis.

— Je t'enlèverai !

Elle l'en savait capable. Il réussirait à l'arracher d'ici.

— Et mes enfants ? murmura-t-elle… Kira, Paul et Tania. Je ne suis certes pas pour eux une mère idéale, mais je ne peux pas, je ne veux pas les perdre !

— Alors, tu ne les perdras pas et c'est moi qui resterai.

De cela aussi, tout quitter et rester en Russie, il était capable. Il irait jusqu'au bout.

Elle n'avait cependant aucune intention de le laisser se sacrifier pour elle.

La foi en leur destinée commune – quelle qu'elle soit – la délivrait de toute crainte pour l'avenir. Cette confiance lui permettait de ramener Lockhart au présent.

— Tu dois voir Karakhan… Lors de mon dernier dîner avec lui, je l'ai trouvé très soupçonneux. D'après ce que j'ai compris, un incident a éclaté en Sibérie, une altercation entre des officiers de l'Armée rouge, des prisonniers tchèques et un contingent allié.

— Exact. Les Français se sont colletés avec les Soviets. Et Karakhan a fait arrêter à Moscou toute la délégation tchèque, que protégeait l'immunité diplomatique. Cette façon qu'ont les bolcheviques de jeter les diplomates en prison est inadmissible ! Je suis allé l'engueuler. Je l'ai menacé de rendre la pareille à ses représentants à Londres. Il ne m'avait jamais vu aussi furieux et s'est confondu en excuses.

— Fais attention ! Tu défends les Tchèques que les Soviets considèrent comme leurs ennemis.

La voix de Moura, ses conseils dans l'obscurité l'enivraient. Que lui importaient, à lui, les mises en garde de Hicks ? Cette femme était la mère de son fils : décidément la femme de sa vie !

Hicks, toujours si méfiant, allait devoir accepter la présence de Moura ici, à l'Élite, et dans tous les lieux de leur ancienne vie de garçons. Il pouvait comprendre la passion, que diable ! N'avait-il pas lui-même succombé au charme d'une Russe ? Hicks avait noué une liaison avec la nièce de l'ancien maire de Moscou, une charmante divorcée du nom de Liuba. Il en était fou. Il comptait l'épouser et la ramener en Angleterre. Il était donc mieux placé que quiconque pour savoir ce qu'une telle rencontre signifiait dans l'existence d'un homme.

Quant à Knox, qu'il aille se faire foutre ! Comment osait-il prétendre que Moura, cette merveille de bienveillance et de courage, présentait un danger pour l'Angleterre ?

Lockhart ressentait le besoin de la protéger, un désir aussi fort, aussi exigeant que celui d'être défendu par elle.

Rassurante, elle l'était d'instinct. Même son corps s'abandonnait avec une générosité qu'il n'avait connue chez aucune autre femme.

Elle veillait sur lui, elle veillait sur sa carrière, elle veillait sur sa sécurité. Elle n'avait pas plus de certitudes idéologiques qu'autrefois. Seulement la conviction d'aimer la Russie. Et la conviction de l'aimer, lui. Elle acceptait toutes les conséquences de ses sentiments.

Là où Moura aimait, là se trouvait son univers.

Il la serra plus étroitement. Elle chuchota :

— …Et d'après ce que je sens, Karakhan est prêt à user des moyens les plus retors pour se débarrasser des Alliés à Vologda.

Il adorait quand elle évoquait le danger… au lit.

Elle mêlait l'aventure, la politique et l'amour, confondant leurs destins avec la marche de l'Histoire et le plaisir des sens.

Et cela aussi, il l'adorait.

*
* *

Petrograd, le 7 juillet 1918

Baby, my Babyboy,

Je suis follement inquiète. Cromie vient de m'apprendre l'assassinat du comte de Mirbach, l'ambassadeur d'Allemagne que tu détestes.

Nul ne doute ici que tu sois le commanditaire de ce crime. On dit que le meurtrier a habité l'hôtel Élite. Qu'il s'était enrôlé dans les rangs de la Tchéka, mais qu'il appartenait en réalité au parti des révolutionnaires qui s'opposent à la paix infamante qu'a signée

Lénine. Et qu'il a tué Mirbach pour provoquer la colère de l'Alle-magne... Pour rallumer la guerre entre les armées du Kaiser et la Russie.

La mort de Mirbach aura de graves conséquences ! Les Allemands ne peuvent se laisser massacrer à Moscou sans réagir. Ils exigeront des têtes parmi les bolcheviques. Les policiers de la Tchéka seront en première ligne : ils se dédouaneront en rejetant la culpabilité sur les Alliés. Sur toi !

...Toi qui as tant travaillé à contrer la signature de l'armistice. Tant œuvré auprès de Karakhan et de Trotski pour la reprise des hostilités.

Ne crois-tu pas que l'heure est venue de te sortir de ce guêpier et de t'échapper ? Souviens-toi du sort réservé à la délégation tchèque qui croupit en prison. Tu es en danger, Babyboy. S'il te plaît, s'il te plaît, pense à préparer ton départ. Si tu ne te préoccupes pas de ta sécurité, songe à ce qu'elle signifie pour moi. Je ne te presserais pas de partir si je pensais que tu pouvais encore être utile à la Russie. Mais je ne le crois pas. Et le meurtre de Mirbach te fait courir des risques inutiles. De quelque façon que je réfléchisse à ta position, je ne trouve plus le sommeil.

Rue Shpalernaïa, soir du 7 juillet 1918

Je reprends cette lettre commencée ce matin. La visite du médecin l'avait interrompue. Les nouvelles de ma mère ne sont pas bonnes. Mais je ne veux pas t'attrister. Me voilà à nouveau près de toi.

Dans ton message d'hier, tu me demandais mes intentions. Mes plans n'ont pas changé.

Toi qui me connais si bien, tu ne peux même imaginer à quel point l'action que je vais commettre envers mon mari me répugne. J'en déteste l'idée, crois-moi.

Ajoute à l'indignité de mon acte, l'horreur que suscite en moi l'imminence de ton départ : tu vas probablement devoir quitter la Russie sans que je t'aie revu.

Ajoute encore à cela – la douleur de te perdre pour longtemps – mon dégoût à la perspective de retomber dans les ornières d'autrefois.

Je vais devoir retourner à l'existence d'antan, aux décors d'antan, aux gens d'antan, au monde d'antan, quand je ne suis plus la même. Quand le meilleur de ma personne, mon âme, mon cœur, mon corps, t'appartiennent. Quand mon avenir, quand mon destin sont à toi.

Je t'aime, Babyboy. Plus que la vie. Et Dieu sait si j'aime la vie ! Je te serai fidèle à travers toutes les difficultés qui nous attendent. Tu dois me croire. Tu le dois.

Je ne peux pas retarder mon départ pour l'Estonie plus longtemps. L'homme qui me fera passer la frontière et me conduira à Reval répète qu'il doit partir demain. Il est de nationalité suisse et sans lui, je ne pourrai jamais arriver à Yendel. Même avec le laissez-passer russe que m'a remis Karakhan. Même avec celui du général allemand de l'autre côté, l'hôte de mon mari, qui occupe notre maison.

Love and courage : je me souviendrai chaque jour de ta devise, Babyboy, jusqu'à ce que nous nous retrouvions.

D'ici là, je devrai soutenir cette comédie avec Djon durant neuf mois. Je sais que tu ne supportes pas l'idée qu'il me touche.

Je vais être honnête avec toi et je vais te dire ce que je t'ai déjà dit. J'aime mes enfants et la perspective de les perdre me torture.

Je n'ai peut-être pas « l'instinct maternel » tel que la société l'entend. Mais j'aime mes enfants ! Les mettre dans une situation fausse et ne plus les voir m'est insupportable. Je cherche à trouver le moyen, sinon le plus gentil, en tout cas le moins dur, de les quitter... Sans les abandonner.

À dire vrai, je voudrais me conduire de cette manière envers tous les êtres que concerne notre amour. Je pense à ma mère et à mon mari.

Essayer de ne pas trop faire souffrir mes proches ne change toutefois rien à ma décision de vivre avec toi. Je ne me demande jamais, pas une seule seconde : « Serait-ce plus sage de m'amputer de lui ?

Serait-ce plus prudent de revenir à l'existence d'autrefois ? » Impossible ! Revenir en arrière signifierait pour moi renoncer à la lumière, renoncer à l'eau, à l'air. Renoncer à la vie.

Cesse de te tourmenter, mon adoré. Tu n'imagines pas tout ce que tu incarnes à mes yeux. Je reste capable de supporter n'importe quoi, de tout braver, pour être avec toi. Tu n'as aucune raison d'avoir peur de me perdre, Babyboy. Aucune raison d'être jaloux. Aucune raison de penser que je regretterai un jour ma décision de te suivre.

Mais je ne dois pas négliger les détails qui affecteront autrui, et notamment mes enfants. Je dois faire les choses correctement.

Et donc, pour l'heure, préserver les apparences, jouer cette immonde comédie, avec toutes les conséquences qu'elle implique.

J'ai beau tourner et retourner les choses dans ma tête, je ne vois pas d'autre solution.

Nous sommes mariés tous les deux. Tu dois quitter la Russie. Et le monde est en guerre.

Non, je ne vois pas d'autre solution ! Simuler une réconciliation avec mon mari et maintenir notre entente durant neuf mois : c'est la seule façon d'épargner Paul et Tania, et d'épargner notre petit Peter.

Au fond, ton amour a fait de moi un homme. N'est-ce pas étrange ? J'entends par là que je sais désormais qui je suis... Ce que je veux. Et je sais aussi comment l'obtenir. Ma détermination est totale. Yes, Sir !

Je pars donc demain. Pense à moi, Babyboy, car j'ai peur. Si on m'arrête à la frontière à cause du choléra ou pour une autre raison, je reviendrai en arrière, je filerai à Moscou, je volerai vers toi ! J'aurai essayé. J'aurai raté. Et je serai la femme la plus heureuse de la terre.

Assez pour aujourd'hui. Bonne nuit, mon amour.

Sache que je serai toujours avec toi, que je t'écrirai, que je te rejoindrai.

Yours for ever.

Moura

*
* *

Elle sentait peser sur sa nuque la main puissante de Djon. Le temps du respect était passé. Il ne lui offrait plus le bras, ni pour arpenter les allées ni pour enfiler le couloir qui conduisait à leur chambre.

Le manoir de briques rouges que Moura avait tant aimé, avec sa tour crénelée, ses fenêtres à meneaux et ses terrasses, ne lui apportait aucun réconfort.

En cette fin du mois de juillet 1918, tout semblait pourtant rentré dans l'ordre. Le parc était en fleurs. Les paysans travaillaient la terre. La période des moissons approchait. Les enfants, sous la surveillance de Micky, apprenaient à nager. Et madame Benckendorff-mère recevait chaque jour ses quatre fils et leurs familles dans le relais de pêche au bord du lac, pour la cérémonie du thé autour du samovar.

On entendait monter du court de tennis derrière les communs, le bruit mat des échanges de balles et les exclamations des jeunes gens qui disputaient une partie. À travers les arbres, on apercevait les silhouettes des joueurs en costumes blancs. Mais au lieu de *out* et de *play*, ils criaient *Aufschlag* et *Einstand*. Et sur le ponton du lac, à la place de Cunard, de Garstin et de Cromie, s'ébattaient des grappes de Prussiens, torse nu au soleil.

Yendel servait aujourd'hui de base à l'état-major des officiers allemands qui occupaient l'Estonie. Leur général attendait de la châtelaine les honneurs : que Moura les reçoive selon leur rang et qu'elle les divertisse par de petits récitals au piano.

Elle se pliait mal aux exigences de son rôle. Elle était russe. Et les Allemands occupaient son pays. Elle appartenait à l'autre camp. Celui de Lockhart et de Hicks qui contraient l'avancée des hordes du Kaiser : les ennemis de l'Angleterre, les envahisseurs... *Les Boches*, à l'origine de tant de malheurs. Responsables à ses yeux de la plus grande boucherie de l'Histoire.

Ici, en Estonie, ils se conduisaient en maîtres. Leur ambition, leur arrogance et leur brutalité visaient à mettre les habitants à genoux.

Djon, qui acceptait leur loi et collaborait avec eux, s'était laissé égarer par sa haine des bolcheviques. Elle ne le jugeait pas lâche, mais aveugle. Il avait beau jouer les seigneurs, il les servait.

Pour sa part, elle évitait de leur adresser la parole. Quant à leur chanter des lieder au clair de lune et leur jouer Wagner sur le grammophone du salon, ainsi que Djon l'y invitait : elle ne s'exécutait qu'avec la plus mauvaise volonté. Une répugnance qui n'était toutefois rien, comparée au dégoût que suscitaient en elle ses autres obligations d'épouse.

Djon ignorait la gravité de la trahison de Moura et l'ampleur de ses fautes envers lui. Il ignorait qu'elle le trompait avec un agent anglais et qu'elle passait plus de temps dans un hôtel de Moscou qu'à Petrograd auprès de sa mère malade, ainsi qu'elle l'affirmait pour justifier son absence de Yendel. Il ignorait qu'elle frayait avec les dignitaires du régime. Qu'elle dînait avec le sieur Karakhan, l'un des ministres de Lénine.

Quant à imaginer que l'arrivée de Moura en Estonie n'était due qu'à la protection d'un dignitaire du Parti ? Inconcevable ! L'idée qu'elle n'aurait jamais pu passer la frontière sans l'accord de Karakhan ne l'effleurait pas.

Non, Djon ne savait pas qu'elle lui mentait sur tout. Et pourtant leurs dissensions politiques lui avaient valu la perte de son estime : il la sentait coupable, il la condamnait... Coupable à ses yeux d'insensibilité envers les malheurs d'autrui, de leurs amis, de tous leur proches. Coupable d'indifférence envers l'avenir de leurs familles et la survie de leurs enfants... Un monstre de froideur qui aboyait avec les loups et crachait dans la soupe. Méprisable.

Conséquence : il la traitait en courtisane et la désirait comme jamais.

La main de Djon qui s'abattait sur la nuque de sa femme à toutes les heures du jour n'était que le prélude à ses autres gestes de la nuit. Le symbole de sa possession.

Sous le poids de cette paume, Moura sursautait et se raidissait. Elle devait toutefois apprendre à calmer ses nerfs. N'avait-elle pas entrepris ce voyage à Yendel précisément pour cela : accomplir son devoir conjugal ?

Elle devait le reconnaître : elle avait surestimé ses capacités.

Le périple entre Petrograd et Reval l'avait probablement épuisée. Ne plus y penser. La tension, les marches et les fouilles des soldats russes, allemands, estoniens n'étaient pas grand-chose, comparées au quotidien.

Elle ressassait mentalement ses interrogations… Le plus terrible, c'était le dégoût d'aujourd'hui. Son mari.

Elle se découvrait incapable de supporter le contact de Djon.

L'arrivée du crépuscule – et ce qui allait suivre – l'écœurait et la bouleversait.

Pour le reste, un abîme d'absence.

Alors qu'elle avait attendu, avec un bonheur fou, de serrer contre elle Paul et Tania, elle ne ressentait à leur égard qu'une forme de gêne. Pas une once de plaisir. Juste cela : le sentiment de sa culpabilité envers eux. Et ce sentiment aboutissait chez elle à une forme de distance, de tristesse et de peur.

Elle savait, en les étreignant, qu'elle comptait les quitter. Dans neuf mois, dans un an, elle partirait. Elle suivrait Lockhart.

L'empathie toutefois demeurait. Sa conduite la navrait.

Mais elle avait beau dire, elle avait beau faire, elle ne parvenait à *rien* exprimer.

Sa passion envers Lockhart et Little Peter l'avaient comme amputée de ses autres affections.

Elle s'en voulait. Elle se forçait.

Par chance, Paul et Tania étaient encore trop jeunes pour avoir conscience de son détachement. Et pour en souffrir. Mais Kira, sa douce Kira, avait aujourd'hui neuf ans. Dans ses prunelles sombres, Moura devinait l'attente, les besoins, l'inquiétude. Et Moura ne pouvait y répondre.

Incapable de rien donner à Kira. Incapable de rien donner à quiconque.

Le pire restait les questions directes.

Quand Kira lui demandait, en la regardant droit dans les yeux :

— Tu ne vas pas partir, n'est-ce-pas ? Tu vas habiter Yendel avec nous ?

Quand Paul, jouant à s'accrocher à sa jupe, reprenait en écho :

— Tu es ma maman et tu restes avec moi !

Elle rougissait de honte et se taisait.

Elle aurait pu les rassurer : « Où voudriez-vous que j'aille, mes chéris ? » Leur sourire et leur jurer une présence éternelle au manoir familial. Leur expliquer que son devoir la rappellerait peut-être auprès de Mummy à Petrograd... Mais qu'elle reviendrait la semaine suivante, pour toujours.

Inventer des prétextes et gagner du temps ne lui avaient jamais posé problème.

Avec eux : impossible ! Quelque chose en elle se révoltait à l'idée de leur raconter, à eux, des histoires. Devant ses enfants, l'angoisse lui serrait la gorge, au point de ne pouvoir articuler d'autres mots que des paroles hachées, comme si elle avait couru trop loin et qu'elle était à bout de souffle.

Que savait-elle de leur avenir ensemble ? Elle avait beau faire, elle n'en imaginait aucun ! Elle s'était trompée en venant ici. À peine arrivée, elle n'aspirait qu'à fuir cette maison.

Elle n'attendrait pas neuf mois. Ni même un seul. Dès que possible, elle irait rejoindre Lockhart à Moscou, à Londres, n'importe où. La conduite de Djon envers les Allemands, sa brutalité au lit, lui avaient ôté ses derniers scrupules. La tendresse dont il faisait preuve à l'égard de Paul et de Tania, sa patience avec les trois enfants, achevaient de le lui rendre étranger et, dans un sens, de la libérer. Un père merveilleux. Une mère incapable.

Elle plantait là Kira et les petits, chargeant leur gouvernante de prendre la relève pour l'après-midi.

À l'usage exclusif de Micky, elle ajoutait une phrase qui ne lui ressemblait guère : elle la priait de s'occuper d'eux si quelque chose devait lui arriver, un jour… Une demande qu'elle savait superflue mais qui la rassurait.

Grâce au ciel, Micky veillait. Grâce au ciel, Micky montait la garde et protégeait les enfants ! Elle était même devenue le lien, le pilier de la famille Benckendorff dans son ensemble : le havre de tous les proches de sa *Marydear*.

Entre les deux femmes, il ne pouvait être question d'aveux, ni même d'épanchements et de confidences. Moura gardait le silence. Micky ne l'interrogeait pas. Elle se contentait de froncer le sourcil en trouvant Mary si mal avec elle-même.

Quand Micky l'observait le matin, pâle et fantomatique devant le petit déjeuner qu'elle ne parvenait pas à avaler, elle comprenait que Mary sortait d'une nuit de cauchemar. Et que ses relations avec Djon en étaient la cause.

Mais pas seulement.

Elle sentait qu'il y avait autre chose. Quelqu'un.

Micky devinait l'existence d'une liaison, d'une passion.

De ce savoir ténu, Moura était consciente. Loin de s'en inquiéter, de craindre un jugement, elle lui savait gré de cette intuition. Le pressentiment qu'avait Micky de l'existence de Lockhart était la seule complicité qui comblât vaguement l'abîme de sa solitude à Yendel.

*

Yendel, le 20 juillet 1918

Babyboy,

J'ai beau faire, j'ai beau essayer, je ne parviens pas à surmonter le désespoir de ne plus te voir.

Comment t'expliquer ce que j'ai ressenti en traversant la ligne de démarcation sous escorte allemande ? La honte d'être passée du côté de l'occupant. Un officier m'a demandé : « Sprechen Sie Deutsch ? » Je l'ai regardé comme si je ne le comprenais pas. Il m'a demandé : « Russkaïa ? » J'ai répondu : « Da », presque en criant.

Ici, nous ne parlons qu'allemand. Pire encore que ce que j'imaginais. J'ai l'impression que je me suis souillée en venant à Yendel. Je me suis moralement coupée de toi. Moralement coupée de ton pays et de la Russie. J'ai piétiné ma dignité, je n'ai plus d'amour-propre.

Je ne suis pas certaine de réussir à tenir le coup, même pour protéger notre enfant.

Je me sens perdue.

Je ne pense qu'à toi. Je me demande comment tu vas. Je supplie le Ciel de me laisser te revoir, avant que tu t'en ailles. Je suis malheureuse et lamentable.

Moura

*

À huit cents kilomètres de là, Lockhart notait en écho :

La pire période de ma vie.

L'absence de nouvelles me rend fou. Je n'ai pas dormi une minute depuis son départ. Dix jours. Incapable de rien. Je passe mon temps à faire des patiences et à bombarder le pauvre Hicks de questions stupides.

L'exécution du Tsar et de toute sa famille dans la nuit du 16 au 17 juillet a donné au monde la mesure de la sauvagerie des bolcheviques.

J'ai été, semble-t-il, le premier parmi les agents étrangers à être informé de leur massacre : j'en ai immédiatement télégraphié la nouvelle au Premier ministre Lloyd George.

De Vologda, Knox m'a démenti, affirmant que ce bruit n'était qu'une rumeur, que le Tsar avait été transféré d'Ekaterinenbourg dans une autre ville. Et même qu'il s'était échappé.

*À force d'arrogance et de bêtise, Knox vire au danger public...
J'ose espérer qu'il prépare un débarquement à la mesure des forces
russes. Et qu'il ne sous-estime pas les bolcheviques, sous prétexte qu'il
les déteste.*

*Trotski a réorganisé l'Armée rouge. Elle connaît le terrain. Pas
nous. Seuls la qualité de notre armement et l'envoi de nombreux
contingents peuvent nous donner l'avantage. Je doute que Knox
sache ce qu'il fait. En vérité, avec un chef pareil, je crains le pire
pour les soldats britanniques.*

*Karakhan me fera arrêter au premier affrontement... Partir.
Plus le choix.*

*Je ne quitterai pas la Russie avant de l'avoir revue ! Elle avait
dit qu'elle téléphonerait.*

Mais, silence.

*Les appels quotidiens que je passe chez elle à Petrograd sonnent
dans le vide. Lors de mon premier coup de fil, je suis tombé sur sa
mère. Madame Z. a eu l'air de comprendre qui j'étais : elle m'a rac-
croché au nez.*

*

Chaque jour de l'été semblait à Moura plus oppressant, plus
hostile. La poussière des chemins, le bourdonnement des guêpes
sur la terrasse, la stridulation des grillons dans les champs. Elle
étouffait. Seul son désir de prendre la fuite et de retourner à
Moscou restait vivant.

Impatiente, elle marchait jusqu'à la grille du parc. Elle attendait là, en plein soleil, le regard tourné vers la gare, guettant les
bruits du dehors, imaginant des choses idiotes, rêvant que Lockhart apparaissait avec sa valise au détour de l'allée.

Elle apercevait les paysans qui cherchaient l'ombre à la pause
de midi et se dirigeaient vers la forêt par petits groupes. Certains,
les vieux, s'allongeraient en lisière. Mais les plus jeunes s'enfonce-
raient dans le bois.

Elle n'ignorait pas ce qu'ils allaient y faire.

Elle repérait alors un gars qui suivait une fille. L'œil aux aguets, elle regardait le couple disparaître sous la futaie. Ils avançaient l'un derrière l'autre, la fille en tête, toujours. Leur marche vers un bosquet à l'écart, leur progression lente, si tranquille en apparence, lui évoquait la montée de l'escalier vers la suite 309 de l'hôtel Élite.

Ils avaient disparu. Quelle importance ? Elle savait qu'en cet instant, la fille ralentissait le pas.

« Elle s'est arrêtée. Ça y est... Elle se retourne... Elle le regarde... Il s'approche... Il a le visage empourpré, cette expression sérieuse, méchante des hommes pleins de désir, des hommes que l'amour rend fous. Il l'attrape. Il la presse. Il la renverse sur l'herbe... »

Elle-même restait debout, immobile, si bouleversée au souvenir des étreintes de Lockhart qu'elle sentait les pointes de ses seins durcir sous son chemisier.

...Ils sont couchés dans l'ombre. Elle a posé sa main sur son cou... Cette nuque presque enfantine de Lockhart. Elle perçoit le picotement de ses cheveux rasés de frais, qui poussent drus sous ses doigts. Elle-même sent dans son dos la paume de Lockhart qui lentement la caresse. Il la tient serrée. Elle sent sa poitrine qui s'écrase contre son torse. Son ventre contre son ventre. Ses genoux contre ses genoux. Le visage un peu plus bas que le sien, elle a lové sa tête au creux de son épaule. Elle appuie ses lèvres sur l'artère qui bat.

Quand le garçon et la fille, la bouche rougie par les baisers, surgissaient du bois pour retourner aux champs, elle se hâtait de quitter la grille. Elle abandonnait le soleil et fuyait derrière les volets clos de sa chambre, avec le sentiment d'avoir été amputée de tout ce que la vie avait à offrir. De tout ce que le destin pouvait encore lui donner. Frustrée de l'essentiel, du miracle de l'union parfaite que Lockhart lui avait fait découvrir. Il ne s'agissait pas seulement de volupté… Le plaisir n'était pour elle que le signe du miracle.

C'était ce moment que Djon choisissait pour entrer, poser la main sur sa nuque, lui courber la tête.

Yendel, 20 juillet 1918

Babyboy,

Je suis en train de m'effondrer. Je ne peux plus écrire. Je crois que je sombre.

Je sais seulement que je t'aime.

Ta Moura

*

Aucune de ses lettres ne me parvenaient. Elle avait purement et simplement disparu, résumerait Lockhart dix ans plus tard.

Je raisonnais faux et sombrais dans la dépression. Mon sang-froid m'abandonnait. Je ne réfléchissais qu'au moyen de franchir les lignes de front et de passer en Estonie à la barbe des bolcheviques et des Allemands.

Et voilà que l'après-midi du 28 juillet 1918, alors que je n'avais pas réussi à me lever de la journée tant son absence, son silence me déprimaient, le téléphone sonna… Hicks. Trop accablé pour désirer lui parler ou parler à quiconque, je ne bougeai pas.

Le standard insistait. Je finis par décrocher.

…C'était Moura !

Elle avait traversé à pied le no man's land qui séparait l'Estonie de la Russie. Elle avait marché trente kilomètres. Son retour, avec les attentes dans les gares et les changements de direction, lui avait pris six jours.

Elle était arrivée à Petrograd ce matin, elle prenait le train pour Moscou ce soir, elle serait dans mes bras demain.

Plus rien d'autre ne comptait.

Chapitre 17

Valses tsiganes
au-dessus d'un nid d'espions
31 juillet – 31 août 1918

En cette nuit du 31 juillet 1918, les Tsiganes de l'illustre cabaret Le Streilna se produisaient pour la dernière fois. Ce charmant palais de verre, qui se dressait parmi les datchas dans les faubourgs de Moscou, était connu pour avoir été le temple des plaisirs « burjouis ». Petites femmes, champagne, musique : l'incarnation de tous leurs vices. Demain, la Tchéka fermait définitivement les lieux, comme elle avait fermé les autres cabarets.

Par quel miracle le Streilna avait-il échappé, durant huit mois, à la vigilance de la police ? Mystère. La propriétaire des lieux, *la Reine* Maria Nicolaïevna, la plus émouvante des chanteuses tsiganes, avait-elle su toucher le cœur des membres du Parti et leur faire monter, à eux aussi, les larmes aux yeux ? Sans doute… Car si *les Gens d'Avant* avaient disparu de chez elle – ainsi appelait-on, désormais, les aristocrates et les bourgeois – les hommes de la Révolution, notamment Karakhan et ses amis, les avaient remplacés autour de ses tables rondes. Religieusement, durant l'hiver et le printemps, le cercle des commissaires aux Affaires étrangères était venu engloutir ici ses *charochki*. Ah, les *charochki* qu'on buvait au son du violon, à la santé de la Reine : des coupes en argent, assez hautes, assez larges pour contenir une demi-bouteille de champagne. On les avalait cul sec, avant de les retourner sur le plateau avec un tintement argentin, comme les gobelets de vodka.

Quoi qu'il en soit, terminé le champagne ! Le Streilna, cabaret favori de Lockhart et quartier général de sa liaison avec Moura, ne survivrait plus longtemps.

Ce soir, il était vide. Depuis l'interdiction qui frappait la boîte, même les dignitaires du régime ne s'y risquaient plus.

Restait la musique. Pour la dernière fois.

En dépit de la chaleur du mois de juillet qui eût commandé que les musiciens se tiennent dans le jardin, ils avaient aligné leurs chaises à l'intérieur pour ne pas trop attirer l'attention.

Sur le fond noir des murs lambrissés, les six hommes en costume traditionnel russe – chemise blanche boutonnée sur le côté, pantalon dans les bottes – joueraient debout. Deux violons, deux guitares, une balalaïka, un accordéon. En face d'eux, attablés ensemble : les six grands admirateurs de leur art, leurs fidèles clients. Lockhart et Moura ; Hicks et sa fiancée Liuba, la brune aux yeux clairs qu'il comptait ramener en Angleterre ; Garstin qui venait d'être rappelé dans l'armée active et vivait ce soir son ultime nuit à Moscou.

Enfin, un personnage bien connu de la Reine Maria Nicolaïevna, lui aussi : un habitué du nom de monsieur Constantine. De taille moyenne, maigre, le cheveu noir et le teint basané, divinement élégant dans son smoking coupé à Londres, monsieur Constantine était réapparu au Streilna en mai dernier.

Et Moura le rencontrait ce soir, pour la première fois.

Au diable la prudence.

Monsieur Constantine... alias *Sidney Reilly* : le maître absolu en matière d'infiltration et de sabotage. L'espion qui s'était emparé, entre autres, des plans de la marine allemande à Berlin en 1913. L'*As des As,* ainsi que l'appelaient ses collaborateurs, les autres agents britanniques.

Au diable toutes les précautions !

Depuis l'échec du voyage de Moura en Estonie, ce périple désastreux entrepris pour se protéger et protéger ses enfants des conséquences de sa liaison, elle avait lâché prise.

Fataliste, elle ne tentait plus de contrôler l'avenir. Elle ne planifiait plus. Elle ne calculait plus. Son destin se trouvait dans la main de Dieu. Et le peu de temps qui lui restait à vivre avec Lockhart, elle le vivait librement, sans tricher. Oui, au diable la sacro-sainte *circonspection* que commandait la peur !

Lockhart partageait la même vision. Durant le peu de temps qui leur restait ensemble, au diable les demi-mesures ! La tempête d'émotions qu'avait engendrée en lui la disparition de Moura, son retour et son installation à Moscou, avait, chez lui aussi, changé le sens de son engagement.

Il ne voulait plus rien lui cacher.

Il la présentait à ses contacts comme sa collaboratrice, utilisant ouvertement ses talents de secrétaire. Elle lui servait d'assistante jusque dans ses relations épistolaires avec Trotski, dont la secrétaire personnelle était – elle aussi – la maîtresse d'un Anglais, le correspondant du *Daily News* à Moscou.

Au grand dam de Hicks, Lockhart introduisait Moura partout. Il partageait et discutait avec elle le contenu du moindre de leurs dossiers : son activité dans les tâches officielles. Et son implication dans les autres.

Elle savait donc ce qu'on pouvait savoir sur Sidney Reilly. Qu'il était d'origine russe, né à Odessa, et qu'il travaillait pour l'Angleterre depuis plus de dix-huit ans. Qu'il plaisait follement aux femmes, qu'il avait des goûts de luxe et les moyens personnels de les assouvir. Qu'il avait vécu à New York où il avait fait fortune dans le commerce des armes... Non sans œuvrer, en même temps et avec succès, à la faillite des entreprises allemandes qui tentaient de s'implanter aux États-Unis. Et à l'entrée en guerre de l'Amérique.

Qu'il répondait au nom de *Signor Massimo* à Petrograd, où son talent pour les langues et son génie du déguisement lui permettaient de se présenter comme un diamantaire italien. Qu'il était *monsieur Constantine* à Moscou, un homme d'affaires grec. Le *capitaine Sidney Reilly*, en grand uniforme de l'armée britannique, quand il demandait audience à Lénine, se disant porteur de lettres d'introduction du Premier ministre d'Angleterre, Lloyd George, qui le déléguait auprès du commandement bolchevique pour s'assurer de la véracité des rapports de Lockhart.

Elle savait aussi qu'il répondait à Londres au nom de code : *ST1*. Et que « *C* », le grand patron des Services de renseignement anglais, l'avait renvoyé en Russie afin qu'il prépare le débarquement secret des Alliés.

Passant d'une « planque » à l'autre, d'un travestissement à l'autre, d'une maîtresse et d'une épouse à l'autre – Reilly était « marié » partout –, l'agent ST1 sillonnait le pays. D'ouest en est, il montait et finançait des réseaux contre-révolutionnaires. Il travaillait de conserve avec ses collègues, le capitaine Cromie, le capitaine Hicks… Et sous la férule de son supérieur : Robert Bruce Lockhart.

Moura savait encore que Lockhart admirait l'indifférence de Reilly devant le danger, qu'il adorait son cran et son incroyable toupet.

Elle savait surtout qu'il se méfiait de lui.

Mais de tout cela, ce soir, elle se moquait comme d'une guigne.

Pas un regard pour le nouveau venu.

Qu'un aventurier tel que *Sidney Reilly* ne suscitât chez elle aucune curiosité intellectuelle était, en soi, le signe d'un cataclysme dans son tempérament : la preuve que la passion l'habitait tout entière. Les folles équipées du nouveau venu ne l'intéressaient que dans la mesure où elles affectaient Lockhart : les dangers qu'il courait, lui.

Et lui seul.

Le dernier soir, ici, à écouter les *Gypsies*. Le dernier soir ensemble dans cette Russie des Tsiganes qu'ils aimaient tant l'un et l'autre.

La voix de Maria Nicolaïevna avec ses inflexions profondes qui évoquaient des sanglots, dévorait l'âme de Moura d'une mélancolie impossible à contrôler.

Rien ne pouvait la distraire du visage de la Reine, une petite vieille dont les grands anneaux d'or luisaient entre ses longs cheveux gris. Cette silhouette, si lourde au repos, devenait l'incarnation de la grâce quand elle chantait.

Les deux femmes ne se quittaient pas du regard. La Tsigane semblait ne s'adresser qu'à Moura et à Lockhart. Elle leur avait prédit l'avenir. Elle avait lu dans la main de Moura les tragédies qui l'attendaient.

Les trémolos du violon, les vibrations de la mandoline et le pincement des guitares accentuaient encore la tristesse de son chant, suscitant chez les amoureux une émotion pleine de sensualité qui les submergeait de plaisir et d'inquiétude.

On dit que mon cœur est léger comme le vent
Qu'à une seule femme, je ne saurais être fidèle...
Alors, alors, pourquoi ai-je oublié toutes les autres, pourquoi ?
...Quand je ne me souviens que de toi !

Peu importait la banalité des paroles. Prononcées sur ce mode, elles leur serraient le cœur et le déchiraient.

On dit qu'à une seule femme, je ne saurais être fidèle...
Alors, alors, pourquoi n'ai-je pas oublié, jamais, jamais,
Pourquoi n'ai-je pas oublié de me souvenir de toi ?

Lockhart fixait Moura. Elle semblait au bord des larmes.

Du plus profond de son être, remontaient en elle la peur de la séparation, l'incertitude de l'avenir, le sentiment de sa destinée inaccomplie. Et, déjà, la nostalgie de leur amour.

De quelque façon qu'elle considère la situation, leur aventure à Moscou tirait à sa fin. Il ne pouvait rester en Russie... À moins de renoncer à sa famille, à son pays, à sa carrière. Quant à elle... Comment le suivre à Londres, mariée à un autre, sans le sou ? En abandonnant ses enfants ? En laissant derrière elle sa mère atteinte d'un cancer dans un monde en plein chaos ? La musique le disait si clairement : cette nuit pouvait être leur dernière nuit.

Lockhart, quant à lui, évoquerait dans ses souvenirs les mêmes impressions : celles d'un chant du cygne, de l'ultime moment de grâce au bord du gouffre. *Maria Nicolaïevna chanta pour nous, comme elle n'avait jamais chanté. Elle savait, elle aussi, que son règne avait pris fin et que ses jours, nos jours, étaient comptés en Russie. Elle égrena tous nos airs favoris : « Je ne peux t'oublier », « Les Yeux Noirs », « Les Deux Guitares ». Le son obsédant des basses dans les instruments à cordes, la beauté glorieuse de sa voix, la chaude immobilité de la nuit d'été, le parfum entêtant des tilleuls... Mon Dieu, comme toutes ces sensations me reviennent, vivantes à la façon des expériences qu'on ne peut répéter !*

(...) J'envoyai les autres se coucher et conduisis jusqu'à la colline aux Moineaux avec Moura.

Serrés l'un contre l'autre, nous regardâmes le soleil se lever sur le Kremlin. Il surgit au-dessus des murailles, sanglant telle une boule de feu qui annonçait la destruction et la mort.

L'aube n'apporta ce matin-là aucune joie.

*

AOÛT 1918
RAPPORTS PUBLICS ET RELATIONS SECRÈTES
GROS TITRES ET DÉPÊCHES CODÉES

Moscou, 1er août

Les événements se bousculaient. Rupture de rythme et changement de ton : une folle accélération de l'Histoire.

Deux nouvelles faisaient les gros titres des journaux.

Tout d'abord, les ambassades de l'Entente avaient refusé l'aimable invitation du Parti de venir s'installer à Moscou. Elles avaient quitté en toute hâte Vologda pour le port d'Arkhangelsk sur la Baltique. S'apprêtaient-elles à fuir par la mer ? Ou bien y organisaient-elles un débarquement allié ?

Au même moment en Ukraine, le gouverneur allemand, représentant du Kaiser, était tué à Kiev par une bombe : un meurtre qui visait, comme celui de l'ambassadeur Mirbach, à briser le traité de Brest-Litovsk. Nul ne doutait de la complicité des Alliés dans ce nouveau crime.

*

Ce 1er août, Lockhart reçut de l'un de ses indicateurs un rapport codé, l'avisant que la première question de la police à l'assassin du dignitaire allemand avait été : « Connaissez-vous à Moscou un dénommé Lockhart ? »

L'étau se resserrait. Le temps des Anglais était compté.

Lockhart augmenta la cadence.

En cette période de fuite en avant, il multipliait ses soutiens aux partis contre-révolutionnaires et finançait plus largement les mouvements russes pro-Alliés. Moura le secondait dans toutes ses activités.

Moscou, 3 août

L'espion Sidney Reilly présenta à Lockhart deux officiers de la garde prétorienne de Lénine. Ces derniers l'informèrent que les régiments lettons seraient prêts à trahir les bolcheviques et à combattre pour la liberté aux côtés de l'Angleterre.

Lockhart se méfiait.

Il craignit d'avoir à faire à des agents provocateurs et demanda à rencontrer leur chef, le lieutenant-colonel Berzin, dont l'artillerie protégeait le Kremlin.

Moscou, 4 août

Coup de tonnerre : les Alliés avaient débarqué dans le port d'Arkhangelsk !

Moscou fut saisie de panique. On racontait que les envahisseurs marchaient sur la capitale avec cent mille hommes. Les responsables du Parti perdaient la tête. Ils mettaient leurs archives en caisses et se préparaient à la fuite.

Lockhart se rendit au Kremlin pour y rencontrer l'un des commissaires aux Affaires étrangères.

Karakhan lui dit que les bolcheviques étaient perdus.

Moscou, 5 août

Les Soviets rompirent leurs relations avec les pays de l'Entente. L'invasion du territoire russe, au mépris de toutes les lois internationales, justifiait à leurs yeux une telle mesure. La Tchéka investit les consulats, arrêta les représentants des nations étrangères.

Lockhart échappa à ces rafles : il bénéficiait encore du blancseing de Trotski, un laissez-passer qui, depuis six mois, lui garantissait l'immunité diplomatique.

La légation d'Angleterre fut toutefois expulsée de l'hôtel Élite.

De la suite 309, Lockhart transporta ses effets au quatrième étage du 19 Khliebny Pereulok, dans le quartier de l'Arbat : l'appartement conjugal qu'il avait occupé du temps de son consulat. Il emmenait avec lui son collaborateur, le capitaine Hicks, et sa secrétaire, madame Benckendorff.

Privés de leurs passeports, les deux Anglais étaient désormais otages du gouvernement. Leur départ était ajourné *sine die*.

À la fois inquiète et heureuse de cette situation qui lui laissait l'homme de sa vie encore quelques jours, Moura veilla personnellement au bien-être des hôtes de Khliebny Pereulok. Sur ce plan, Hicks la laissa faire. Occupé par ses propres amours, il se félicitait qu'elle prenne en main l'organisation de leur quotidien.

Il lui reconnaissait du tact. Cette femme avait le don d'aplanir les difficultés. Extraordinairement légère à vivre, en effet. Elle ne pouvait ignorer les doutes qu'il professait à son égard. Elle ne lui en faisait pas grief. Aucun reproche. Jamais de procès d'intention. S'il continuait à s'en méfier, il avait baissé les armes.

Elle organisa leur nouvelle existence en maîtresse de maison, engageant pour eux une cuisinière et un valet de chambre. Le siège de la mission anglaise – qu'elle appelait désormais « notre ménage à trois dans le petit ermitage » – devait garder, aux yeux des autorités bolcheviques, toutes les apparences du prestige. Ce sursis lui donnait l'illusion que l'existence passée, avec l'emploi de domestiques, et l'avenir auprès de Lockhart dans un poste diplomatique restaient possibles.

Elle jouissait intensément de cette forme d'existence conjugale dont elle tentait de retenir toutes les sensations… Pour après.

Moscou, 10 août

Lockhart écrivait :

En ce matin du 10 août, les journaux proclament ce fait incroyable : « la défaite des Alliés ». L'Armée rouge les aurait vaincus lors d'une bataille navale dans le port d'Arkhangelsk.

J'ai d'abord considéré cette information comme une plaisanterie, une tentative des bolcheviques pour redonner courage à leurs partisans.

Karakhan, que j'ai revu cet après-midi, m'a fait déchanter. Son soulagement est trop manifeste pour être de la comédie. Tout sourire, il affecte de me rassurer : « La situation est sans gravité. Les Alliés ont à peine débarqué quelques centaines d'hommes. »

L'intervention, en soi, m'avait toujours semblé une erreur.

Mais l'intervention avec des forces insuffisantes est un crime : l'image même des demi-mesures qui conduisent aux massacres.

Mes pires craintes se réalisent aujourd'hui.

Notre nullité aura des conséquences désastreuses.

Non seulement notre défaite va redonner confiance aux Soviets, mais elle détruit définitivement notre prestige auprès d'eux.

Je ne parle même pas de notre responsabilité envers les contre-révolutionnaires qui nous ont soutenus. Notre débarquement a soulevé chez eux un espoir que nous nous révélons incapables de satisfaire. Je n'ose imaginer ce que notre fiasco va leur coûter.

Ce débarquement mal préparé, cette occasion manquée, vont aggraver la guerre civile et envoyer des milliers de Russes blancs à la mort.

Moscou, 15 août

L'un des deux officiers lettons, qui s'était déjà présenté chez Lockhart, revint au « petit ermitage ». Il était accompagné du commandant de l'artillerie du Kremlin, le lieutenant-colonel Berzin, que Lockhart avait exigé de rencontrer.

En guise de garantie, Berzin lui apportait une lettre signée de Cromie, l'ami et l'agent en qui Lockhart avait toute confiance.

Cromie écrivait qu'il lui recommandait ces deux hommes : le lieutenant-colonel Berzin pouvait rendre aux Alliés de grands services.

Lockhart se méfiait encore. Aucun doute, toutefois : la lettre était bien de la main de Cromie. Il y faisait allusion à une conversation privée, un échange autour de leur départ où Cromie disait vouloir « claquer la porte au nez de ces salauds avant de ficher le camp ».

Plus encore que cette expression, qui lui appartenait complètement, se justifierait Lockhart, l'orthographe était sienne : Cromie, comme Frédéric II de Prusse, ne connaissait pas l'orthographe. Et sa lettre était truffée de toutes les fautes dont il était coutumier.

Rassuré, Lockhart demanda à ses visiteurs ce qu'ils attendaient de lui, exactement. Le lieutenant-colonel Berzin lui répondit qu'il aurait besoin d'un sauf-conduit, afin de se présenter aux généraux de l'état-major allié à Arkhangelsk. Il dit que le monde savait que les Alliés allaient gagner la guerre contre l'Allemagne. Qu'en conséquence, la Lettonie voulait les aider.

Lockhart hésita. La défection des régiments lettons pouvait en effet porter un coup fatal à l'Armée rouge.

Je l'ai prié de me laisser réfléchir et de revenir le lendemain.

Moscou, soir du 15 août

Lockhart convoqua chez lui les représentants de l'Entente, les quelques diplomates libérés par la Tchéka. Ils décidèrent à l'unanimité d'appuyer les démarches du lieutenant-colonel Berzin et de lui donner un sauf-conduit pour les Alliés. La secrétaire de Lockhart prit en note les termes de l'accord.

Moscou, 16 août

Les deux Lettons reçurent les documents qu'ils réclamaient. Ils reçurent aussi, des mains de Lockhart, une importante somme d'argent, qui leur permettrait de financer le soulèvement des régiments du Kremlin, ainsi que ceux postés à Riga et dans les autres pays baltes.

Moscou, 17 août

Au commissariat des Affaires étrangères, le départ, tant souhaité par les ressortissants des puissances alliées, restait toujours en suspens.

Karakhan jouait les imbéciles.

Bien sûr, bien sûr, il leur rendrait leurs passeports. Mais où ces messieurs avaient-ils l'intention d'aller ? Les Allemands tenaient la Finlande et l'Estonie. Les Turcs, Constantinople. Monsieur Lockhart aurait-il par hasard l'intention d'emprunter le sentier qui traverse l'Afghanistan, en passant par la Perse ?

Karakhan se moquait.

Et Lockhart se délectait : plus on le retenait en Russie, plus il était heureux. Il vivait cet empêchement de quitter le pays comme une bénédiction qui lui permettait de ne pas se séparer de Moura.

Aucune nouvelle cependant de Cromie et de Reilly.

Moscou, 25 août

Sous l'égide des Américains et des Français, les représentants des services d'espionnage alliés se rencontrèrent au consulat des États-Unis afin de coordonner leurs actions.

Reilly était présent. Lockhart, non.

Le soir même, l'un des participants, le journaliste français René Marchand, rendit compte de cette réunion à la Tchéka. Il avertit les bolcheviques que les Alliés prévoyaient de renverser le gouvernement. Il ajouta que l'agent Sidney Reilly se faisait fort de déculotter Lénine et Trotski et de les promener dans Moscou, sous les huées du peuple russe.

Le coup d'État était prévu pour le 6 septembre, date des meetings du Parti au Bolchoï.

Le témoignage de René Marchand mouillait l'ensemble des services de renseignement, qui tombèrent dans les filets des bolcheviques.

Tous, oui. À l'exception de Lockhart qui n'était pas cité.

Moscou, 26 août

Au siège de la Tchéka, le camarade Yacob Peters – bras droit du fondateur de la police politique – reçut dans son bureau du 11 rue de la Loubianka son agent provocateur : le lieutenant-colonel Berzin.

Ce dernier lui remit le laissez-passer écrit et signé par Lockhart, à l'intention des envahisseurs alliés : la preuve de sa complicité dans les activités antibolcheviques.

La trahison des régiments lettons était un leurre. L'Anglais était tombé dans le piège.

Berzin fournit en outre à son chef la liste et les adresses de la plupart des espions qui opéraient dans le pays. Cette liste, il l'avait obtenue en fouillant l'appartement de Signor Massimo – Sidney Reilly – à Petrograd.

Pour sa part, Reilly s'était volatilisé. Mais de nombreux Russes en contact avec les Britanniques allaient être arrêtés.

La Tchéka décida de ne pas inquiéter Lockhart.

Jusqu'au 6 septembre, date du projet de coup d'État contre le Parti, il pouvait encore servir d'appât.

Berzin devait poursuivre leurs relations.

Petrograd et Moscou, 30 août

À Petrograd, le chef de la Tchéka locale fut abattu de trois coups de feu. Son meurtrier tenta de s'enfuir en passant par un appartement que les Anglais avaient occupé : leur club sur le quai de la Neva. Les Soviets rendirent les Britanniques responsables de ce nouveau crime.

À Moscou, le soir de ce même jour, Lénine fut, lui aussi, victime d'un attentat.

Alors qu'il quittait un meeting dans une usine, on lui tira dessus. Une balle lui perfora le poumon gauche, une autre l'épaule. Le Parti craignit pour sa vie.

Son assassin était une jeune femme du nom de Fanny Kaplan, qui appartenait au Parti socialiste-révolutionnaire, le parti des exécuteurs de Mirbach. Un mouvement antiallemand et antiso-viétique, qu'on disait soutenu par les Alliés, bien qu'il fût marxiste.

Cette fois, pour les bolcheviques, la mesure était comble.

*

Au 19 Khliebny Pereulok, Lockhart et ses deux collaborateurs évaluèrent très précisément l'ampleur de la catastrophe.

Ils n'entraient en rien dans l'affaire de cet attentat contre Lénine, pas plus que dans l'assassinat du chef de la Tchéka à Petrograd.

Mais si Lénine devait mourir cette nuit, il emporterait avec lui tous ses opposants au tombeau. Les étrangers et les burjouis, les premiers.

La *Terreur rouge* avait commencé.

*

« NOTRE MÉNAGE À TROIS DANS LE PETIT ERMITAGE »

En ce soir du 31 août 1918, dans la cuisine du « petit ermitage », l'atmosphère était sombre. On avait congédié les domestiques. On dînait sans appétit.

Autour de la table, les attentats du jour soulevaient mille interrogations.

D'où sortait cette demoiselle Kaplan qui avait tiré sur Lénine ? Et d'où sortait l'assassin du chef de la Tchéka à Petrograd ?

— Quoi qu'il en soit, grommela Lockhart, la Kaplan et l'autre nous ont coupé l'herbe sous le pied.

— Tu parles ! renchérit Hicks. Ils nous grillent au poteau.

— Et ils nous y envoient avec eux, plaisanta Moura.

Les deux hommes savaient que la tentative d'assassinat perpétrée sur la personne de Lénine sonnait le glas de leurs aventures en Russie. Cette fois, le blanc-seing de Trotski ne leur serait d'aucune utilité. Karakhan les expulserait *manu militari* dès demain. Au mieux.

Après le tumulte des questions, le silence.

Incapables désormais d'évoquer l'avenir, ils passèrent la soirée à mettre de l'ordre dans leurs affaires, s'employant à faire disparaître toute trace de leurs activités clandestines, brûlant les codes et les derniers papiers. Pour le reste, leurs effets personnels, les valises des deux Anglais étaient prêtes.

Lockhart et Moura s'affairaient sans un mot. Tels deux automates, ils allaient d'une pièce à l'autre, vérifiant avec méthode, de façon mécanique, qu'aucun document compromettant n'avait été oublié dans les tiroirs. Mais ni l'un ni l'autre ne réfléchissait sérieusement aux éventuelles conséquences d'une fouille. Ils étaient habités par bien autre chose. La séparation. Elle était là, elle dévorait tout.

Comme le jour de leur première étreinte, lors de ce repas à l'hôtel Élite où ils n'avaient pu ni boire ni manger, leur tension était si palpable qu'ils n'osaient échanger un geste, une parole. Ils ne parvenaient plus à se parler, à se regarder, encore moins à se toucher.

Ce qu'ils avaient redouté chaque matin depuis avril se réalisait en cette dernière aube du mois d'août. Le couperet, qu'ils avaient senti peser au-dessus de leur tête à tous les instants de leur amour, tombait demain. L'approche du dénouement leur causait une fatigue infinie qui les vidait de leurs derniers élans. Même de l'émotion, même de la peur.

Lockhart alla se coucher le premier. Il s'endormit d'un coup.

Trop crispés pour trouver le sommeil, Hicks et Moura poursuivirent leurs rangements.

Aucun d'entre eux n'imaginait que l'immeuble était déjà cerné.

Dans son autobiographie, le chef du commando venu les arrêter, Pavel Malkov, témoignerait en ces termes des péripéties de cette nuit du 31 août 1918 :

Nous avions trouvé sans difficulté l'entrée du n°19 et nous étions montés au quatrième étage en nous éclairant avec nos briquets – il n'y avait naturellement pas de lumière et l'escalier était plongé dans les ténèbres.

Deux heures du matin sonnaient.

Je plaçai mes hommes de part et d'autre de la porte, de façon à ce qu'on ne les voie pas de l'intérieur quand on ouvrirait. Je frappai énergiquement (la sonnette ne marchait plus, comme dans tous les appartements de Moscou). Deux ou trois minutes s'écoulèrent avant que j'entende des pas. La clé cliqueta, une chaînette tinta, et le battant s'entrouvrit. La lumière était allumée et j'aperçus, dans l'entrebâillement, la silhouette de la secrétaire de Lockhart. Je la connaissais : je l'avais déjà vue dans le train lors d'un voyage de Petrograd à Moscou.

J'essayai d'entrer, mais en vain. La secrétaire avait pris la précaution de laisser la chaîne, et la porte résistait.

Je me plaçai alors dans le rai de lumière afin qu'elle puisse me voir et me reconnaître elle aussi. Je la saluai le plus aimablement possible, lui disant que j'avais besoin de rencontrer monsieur Lockhart d'urgence.

Elle ne bougea pas, affectant de ne pas se souvenir de moi. Elle feignait même de ne pas comprendre ce que je lui disais et me demanda en mauvais russe, comme l'aurait fait une Anglaise, qui j'étais et ce que je voulais.

Je coinçai mon pied dans la porte et déclarai que je voulais voir monsieur Lockhart en personne et que je n'expliquerai qu'à lui le but de ma visite tardive.

La secrétaire, cependant, ne cédait pas. Elle ne manifestait même aucune intention d'ouvrir la porte.

Je ne sais comment se serait terminée cette altercation qui commençait sérieusement à m'agacer, si l'adjoint de Lockhart, monsieur Hicks, n'était apparu dans l'entrée. Il m'aperçut par la fente et, esquissant un semblant de sourire, il ôta la chaîne.

— Mister Mankov ! (C'est ainsi que les Anglais m'appelaient en écorchant mon nom... J'avais croisé Hicks et Lockhart à Petrograd, quand j'étais commandant de la Garde rouge à l'Institut Smolny). Que puis-je pour votre service ?

J'écartai Hicks et entrai en trombe avec mes hommes dans l'appartement. Sans lui fournir d'explications, je lui demandai de me conduire à la chambre de Lockhart.

— Mais permettez, monsieur Lockhart se repose. Je dois le prévenir.

— Je m'en chargerai, déclarai-je d'un ton si résolu qu'il comprit de quoi il s'agissait. Il s'écarta de mon chemin et me montra en silence la porte de Lockhart.

Nous entrâmes tous les quatre, mes deux hommes, Hicks et moi-même, dans la chambre. C'était une petite pièce étroite, meublée de riches tapis d'Orient, de deux confortables fauteuils, d'une armoire en bouleau de Carélie, d'une table de toilette garnie de babioles en argent et d'un large sofa avec un joli couvre-lit qui descendait jus-qu'au sol. Lockhart dormait sur ce sofa. Et il dormait si profondé-ment qu'il ne se réveilla même pas quand Hicks eut allumé la lumière. Je dus lui toucher l'épaule. Il ouvrit les yeux.

— Vous, Mister Mankov ?

— Je vous arrête sur ordre de la Tchéka. Habillez-vous ! Voici le mandat d'amener.

Je dois avouer qu'il ne parut pas surpris et qu'il n'exprima aucune protestation. Il jeta un coup d'œil au mandat, sans même se donner la peine de le lire. Visiblement, son arrestation n'avait rien pour l'étonner.

Je lui dis que j'étais obligé de perquisitionner l'appartement pen-dant qu'il s'habillait. Mes hommes s'occupèrent de Hicks et de la secrétaire. Je m'employai personnellement à fouiller sa chambre et son cabinet de travail attenant.

Les tiroirs de son bureau renfermaient des papiers divers, un pis-tolet et des balles. Ainsi qu'une très importante somme d'argent en grosses coupures tsaristes et soviétiques, sans parler des billets émis sous Kerinski. Je ne trouvai rien d'autre dans le cabinet de travail. Pas plus que dans les autres pièces. Nous fouillâmes l'ensemble avec soin, effeuillant les nombreux livres, tâtant les sièges, sondant les murs et les planchers. La perquisition fut minutieuse, mais le cama-rade Yacob Peters m'avait demandé qu'elle fût discrète : on ne décolla pas le papier peint, on ne lacéra pas les rideaux, on n'éventra ni les matelas ni les coussins.

Le récit de Lockhart divergerait quelque peu de la version de Malkov. Il ajouterait, lui, qu'il avait été réveillé par le canon d'un pistolet appuyé sur sa tempe. Et qu'à ses questions sur les raisons d'un tel outrage, on lui avait répondu de se taire et de suivre les policiers. On l'avait ensuite poussé avec Hicks dans une voiture blindée.

Moura ne se trouvait pas avec eux. D'autres policiers la gar-daient derrière, dans l'appartement.

Une seconde voiture attendait en bas.

Ce véhicule devait la conduire, elle aussi, à la terrible prison de la Loubianka, siège de la Tchéka.

Chapitre 18

LE COMPLOT LOCKHART
1er septembre – 10 septembre 1918

La salle était sombre, nue, étroite comme un corridor. Pas un meuble, sinon quatre petites chaises disposées de part et d'autre d'une table, où brûlait une lampe.

Dimanche 1er septembre. Minuit. Le premier interrogatoire de Moura au terme d'une nuit sans sommeil et d'une longue journée d'incarcération, à attendre.

On ne l'avait pas laissée se laver, encore moins se coiffer, pour se présenter devant le camarade Yacob Peters.

Avec son pantalon noir rentré dans ses bottes, sa chemise blanche boutonnée à la russe, son baudrier où pendait un gigantesque pistolet Mauser, le camarade Peters semblait bien l'incarnation du tchékiste. À quelques variantes près... Les ondes de son épaisse chevelure rejetée en arrière, son front haut et sa pâleur lui donnaient *aussi* l'aspect d'un poète. Et le bracelet-montre étincelant qui ornait son poignet, l'air sinon d'un nouveau riche, du moins d'un homme moderne qui ne boudait pas les objets dernier cri.

Une apparence trompeuse car Peters vivait chichement, et passait pour incorruptible.

Quant à son corps robuste, il trahissait ses origines paysannes.

Enfin, dernier trait détonnant qui résumait le personnage : ses doigts aux ongles calcinés qui disaient clairement le supplice dont il avait été la victime. Sa fierté. Yacob Peters prenait bien soin de les montrer aux suspects qu'il interrogeait, afin de leur rappeler les tortures dont les policiers du Tsar l'avaient lui-même gratifié.

En dépit de son nom de famille, qui pouvait paraître anglo-saxon, Peters était d'origine lettone comme son agent provocateur, le lieutenant-colonel Berzin. Et sa réputation n'était plus à faire : l'un des bourreaux les plus cruels de la Tchéka. Une célébrité.

Jeune, toutefois. Une trentaine d'années.

Ultime détail : il parlait un anglais parfait pour avoir vécu en exil pendant dix ans à Londres. Il y avait même laissé une épouse britannique, à laquelle il se disait très attaché.

Yacob Peters venait de renvoyer les deux soldats qui lui avaient amené la « secrétaire » et la dévisageait, sans mot dire, de son œil d'acier.

La peur la rendait, en apparence, digne et froide.

Terrifiée en effet, Moura se gardait de soutenir son regard. Elle arborait une expression résolument neutre. Elle se tenait droite : une posture sinon naturelle, du moins maîtrisée. Elle affectait d'attendre le bon vouloir de son interlocuteur, en fixant la table.

Le faisceau de la lampe tombait sur les mains de Peters qu'il avait posées bien à plat, en pleine lumière, à côté d'un second pistolet. Il maintenait fermée une chemise de carton.

Il soupira, se détourna de sa prisonnière et se plongea dans l'examen de son dossier. Il en feuilletait les pages avec lenteur. À mesure qu'il lisait, son accablement devenait plus sensible.

— C'est une affaire grave, finit-il par conclure en anglais. Je suis navré de vous découvrir mêlée à ce complot.

Il parlait avec politesse. Son ton ne laissait toutefois planer aucune ambiguïté sur ses conclusions.

— …De tels actes ! Très graves. Le Parti aurait dû en être informé ! Pourquoi n'êtes-vous pas venue ici rapporter ce que vous saviez ?

— Je n'avais rien à rapporter. Je ne suis que la secrétaire de monsieur Lockhart. Et je n'ai accepté cet emploi que parce que le Parti tient monsieur Lockhart en très haute estime… Il a été invité à Moscou par le camarade Trotski et bénéficie, pour lui-même et son équipe, des privilèges d'une mission diplomatique.

— Vraiment ?

Yacob Peters sembla de nouveau absorbé par sa lecture :

— …D'après mes informations – certainement erronées –, vous vivez maritalement avec monsieur Lockhart… Depuis le 15 avril exactement. Cinq mois.

— Je connais monsieur Lockhart depuis le temps de son consulat. Cinq ans. Et je ne vis pas maritalement avec lui. Je demeure, hélas, l'épouse d'un Balte auquel on m'a mariée à l'âge de dix-sept ans. Un homme que je méprise. Je suis allée jusqu'en Estonie le lui dire. J'aurais pu y rester, mais je suis revenue chez moi, en Russie… Rien ne m'y obligeait.

— En effet, rien.

— Sinon ma fidélité au Parti.

— Quoi d'autre, sinon la *fidélité*, pouvait ramener à Moscou une aristocrate du nom de Benckendorff ?

— Le camarade Karakhan vous dira que cette « aristocrate du nom de Benckendorff » admire passionnément le camarade Lénine, qu'elle a lu tous ses écrits et qu'elle soutient la Révolution bolchevique, depuis toujours. S'il vous plaît, téléphonez-lui…

— Le camarade Karakhan est l'auteur du dossier que j'ai sous les yeux. Il dit exactement le contraire de ce que vous me racontez. Qui dois-je croire ?

Elle garda le silence. Yacob Peters poursuivit :

— …Le camarade Karakhan écrit : « La dénommée Maria Ignatievna Zakrevskaïa, épouse Benckendorff, n'a aucune conviction politique. Seuls ses intérêts personnels la gouvernent. Et probablement ses émotions. Les unes et les autres la portent vers l'Angleterre. Et notamment vers monsieur Lockhart… Elle serait prête à trahir la Russie, quel qu'en soit le prix. »

— Le camarade Karakhan n'a jamais pu écrire une chose pareille : il connaît mon amour pour la Russie !

— Vous ne parlez probablement pas de la même nation.

— Je parle de la Russie éternelle.

— Et moi je parle de la Russie bolchevique, que votre amant, monsieur Lockhart, tente d'anéantir.

— Monsieur Lockhart n'est pas mon amant.

— Ah oui… Et cela ?

Yacob Peters brandit devant ses yeux une photo. Moura y figurait dans les bras de Lockhart sur la colline aux Moineaux.

C'était le 30 juillet dernier à la sortie du Streilna. L'aube, avec son soleil rouge, avait permis au photographe de prendre le cliché sans flash.

Ils n'avaient jamais soupçonné qu'ils étaient suivis.

Yacob Peters savoura en silence l'expression de son interlocutrice.

Le calme l'avait quittée.

Il s'offrit un petit triomphe supplémentaire en lui montrant une seconde photo, où elle apparaissait nue sur les genoux de Lockhart, dans la suite n° 309.

Elle était devenue si pâle qu'elle semblait sur le point de s'évanouir.

Trop tôt.

Yacob Peters avait encore beaucoup de questions à lui poser. Il rangea posément ses clichés sans s'appesantir sur le sujet. Il se contenta de soupirer et de poursuivre l'interrogatoire sur un autre ton, non sans être passé de l'anglais au russe.

— Nom ? Prénom ? Patronyme ? Date et lieu de naissance ?

— Zakrevskaïa. Maria Ignatievna. 6 mars 1893. Dans la province de Poltava en Ukraine.

— Ukrainienne ? J'aurais dû m'en douter. J'adore les Ukrainiennes, moi : de vraies femelles qui ont le sang chaud ! Ainsi tu as vingt-cinq ans… Le même âge que mon épouse anglaise. Elle est restée là-bas à Londres… Elle me manque, tu ne peux imaginer combien ! Ah, la beauté, ah la jeunesse ! Qui sont tes complices dans l'assassinat du camarade Lénine ?

— Je n'ai pas de complices. Et je ne complote pas contre le camarade Ilitch… je l'admire ! Je ne parviens pas à croire que le camarade Karakhan vous ait dit le contraire. J'ai assisté avec lui à plusieurs réunions du Parti, il sait que loin d'éprouver de l'hostilité…

— Tu mens bien. Mais en t'obstinant à me tromper, tu n'aides pas ton amant. Tu m'obliges à le considérer comme coupable. Connais-tu la femme Kaplan ?

— Non.

— Où est passé Sidney Reilly ?

— Je ne sais pas.

— Mais lui, tu le connais ?

— Non.

— Tu me mens encore ! On t'a vue avec lui au cabaret Streilna il y a un mois.

— J'ai bien dîné chez Streilna. Nous étions six. Il s'agissait d'un dîner d'adieu pour un ami de monsieur Lockhart, l'un des officiers anglais qui quittait Moscou.

— Et Sidney Reilly n'était pas là ?

— Pas que je sache… En plus de la fiancée de monsieur Hicks et des Anglais, il y avait seulement un Grec.

— Et ce Grec, comment s'appelait-il ?

— Je ne m'en souviens plus. Je ne lui ai pas parlé.

— Mais Lockhart lui a parlé ?

— C'est possible.

— Que se sont-ils dit ?

— Nous écoutions les Tsiganes. Il y avait beaucoup de bruit.

Yacob Peters fouilla un instant parmi ses papiers. Il exhuma le laissez-passer que Lockhart avait remis à Berzin à l'intention des généraux de l'état-major allié.

— Tu reconnais cette écriture ?

— Sans mes lunettes, je ne vois rien.

— Tu te fous de moi ! Est-ce l'écriture de Lockhart ?

Elle ne répondit pas. Il la fixa d'un long regard :

— …Ce serait mieux *pour lui* si tu me disais la vérité.

Elle baissa la tête et garda le silence.

Il agita la clochette sur son bureau. Les deux gardes entrèrent. Il leur ordonna de s'en saisir et de l'emmener au sous-sol, dans le quartier des femmes. Une cellule isolée, jusqu'à nouvel ordre.

Au moment où elle franchissait la porte, il lança dans son dos :

— Ce serait mieux *pour lui* : tu lui éviterais le sort du capitaine Cromie.

Elle se retourna. Il lui sourit :

— Ah, tu ne sais pas ? Il est mort. Et salement. Nous avons dû l'abattre comme le chien qu'il était.

Cromie, mort ? Son Crow…

La douleur fut telle que Yacob Peters crut encore qu'elle allait s'évanouir.

Il ne s'attendait pas à ce que cette nouvelle lui cause un tel choc. Qu'elle l'impressionne, oui. Mais pas ce vertige.

Il fit signe aux gardes de la ramener, de la rasseoir et de lui apporter un verre d'eau.

Elle avait perdu la notion de ce qui l'entourait. Son malaise durait. L'un des gardes lui jeta le verre d'eau à la figure.

Cromie… Elle n'entendait que vaguement le récit de Peters. Une voix au loin qui évoquait l'assaut de l'ambassade d'Angleterre à Petrograd. Peters lui donnait toutes les explications. Cromie : abattu quelques heures avant sa propre arrestation et celle de Lockhart.

Un luxe de détails.

Il lui racontait comment Cromie avait résisté à la perquisition de la Tchéka au palais Saltikov. Comment il était apparu sur le premier palier, pistolet au poing, pour défendre son repaire de salauds, qu'il disait territoire britannique. Comment il avait tiré sans sommation sur deux malheureux policiers. Comment les autres avaient riposté d'une rafale de balles. Comment il avait roulé au pied de l'escalier.

Comment les camarades avaient reconnu sur son uniforme une infâme décoration tsariste, comment ils avaient écrasé cette croix à coups de bottes, l'enfonçant dans sa poitrine jusqu'au cœur. Comment Cromie avait mis plus d'une heure à mourir.

— Il pourrit là-bas, au pied de son grand escalier. Et il y pourrira jusqu'à ce que je l'envoie à la fosse commune, comme tous les espions et tous les traîtres.

Plus que la prison, plus que la peur, plus que toutes les émotions des derniers jours, la mort de Cromie la frappait au plus profond.

Yacob Peters avait atteint son but.

Il changea de ton, arborant de nouveau un discours mesuré où la conciliation le disputait à la politesse.

— Vous me dites, camarade Maria Ignatievna, que monsieur Lockhart n'est pas coupable. Prouvez-le moi. Si vous saviez : je ne demande que cela ! Croire en son innocence... *Vous croire*, Maria Ignatievna... Personnellement, je trouve votre Lockhart très sympathique. Nous nous sommes rencontrés à plusieurs reprises. Je l'avais emmené faire la tournée des cadavres, après l'exécution des anarchistes au mois d'avril. Nous nous étions bien amusés tous les deux, en retournant les corps. Nous avions même admiré celui d'une prostituée complètement nue, que la mort avait surprise en pleine orgie... Je n'irais pas jusqu'à dire que nous étions devenus amis. Mais pas loin. Je lui avais même prêté ma voiture le lendemain : il en avait besoin pour aller chercher l'une de ses amies à la gare… Franchement, je détesterais devoir signer l'ordre de son exécution. Vous n'imaginez pas combien la signature d'un arrêt de mort me rend malade. Aidez-moi à l'éviter. Dites-moi ce que vous savez. Collaborez avec moi… Et sauvez-le.

Elle fut prise de nausées.

Yacob Peters fit à nouveau signe aux soldats de l'emmener.

*
* *

Pas de fenêtre. Pas d'électricité. Les gardiens avaient ôté l'ampoule du plafond. Ils avaient éteint le couloir. Leurs yeux se colleraient par intermittence au judas, mais le vantail ne livrerait pas une lueur.

À côté d'elle, le seau hygiénique n'avait pas été désinfecté depuis le passage des suspectes qui l'avaient précédée dans cette cellule. Il empestait. Elles, on ne les avait pas conduites au premier étage dans le bureau où statuait Yacob Peters. Mais au fond des caves pour les abattre d'une balle dans la nuque.

La puanteur : le dernier lien de Moura à la réalité.

En dépit des émois de Yacob Peters à chaque fois qu'il signait un arrêt de mort, il prendrait sur lui. Sur sa nature trop sentimentale. Sur son tempérament trop romantique… Sans doute lui réservait-il, à elle aussi, une balle dans la tête.

Elle se demandait ce que la balle allait laisser. Un petit trou au bas du crâne ? Ou une cervelle explosée ?

D'elle, que resterait-il ?

Recroquevillée sur sa paillasse, elle revoyait Cromie dansant le tango à Yendel. L'incarnation de la beauté, de la jeunesse et du courage. Elle savait très bien avec quelle décoration les tchékistes l'avaient torturé. Sa croix de Saint-Georges. Il l'avait reçue pour son exploit de 1915, quand il avait coulé plusieurs sous-marins allemands : ceux qui croisaient en mer Baltique au large de l'Estonie.

L'important était que Lockhart fût sauf... Vivant, lui !

Une dernière fois, elle tenta de faire la part du bluff dans les propos de Yacob Peters.

Quelles preuves détenait-il vraiment ?

« La Tchéka n'osera pas le toucher. La Tchéka n'osera pas le torturer. La Tchéka n'osera pas l'exécuter. Yacob Peters ne peut rien contre lui : Lockhart représente l'Angleterre, il reste un diplomate... Mais Cromie aussi était un diplomate ! »

Lockhart... Se trouvait-il ici ? Enfermé dans le quartier des hommes : le couloir du dessus ? Elle tentait de réfléchir. Yacob Peters ne manquerait pas de l'interroger, lui aussi. Qui sait si elle ne le croiserait pas demain ?

Elle devait lui parler, lui dire, le prévenir : surtout qu'il se taise !

Elle grelottait.

En elle, le passé, le présent se mêlaient. *N'avoue pas, n'avoue rien...*

Elle avait la fièvre. Ou bien était-ce déjà les contractions de l'accouchement ?

Impossible.

Enceinte de trois mois.

Little Peter ?

Un liquide chaud lui coulait entre les jambes.

Elle ne comprit pas tout de suite.

Elle mit même un certain temps avant de reconnaître qu'elle avait du sang sur les doigts.

Elle ne poussa pas un cri. Elle ne bougea pas. Elle avait entendu tant de femmes hurler durant la nuit précédente, hurler en vain, qu'elle n'essaya même pas de demander du secours.

Elle demeura là, immobile, dépouillée de tout, même du sens de l'espace et du temps. Sans nom. Sans âge. Sans avenir.

Elle sentait sa vie qui s'échappait.

Elle sombra.

*
* *

— Vous nous avez fait une belle peur ! s'exclama Yacob Peters, en la recevant une semaine plus tard dans son petit bureau. Ne restez pas debout. Asseyez-vous... Pourquoi diable ne m'aviez-vous pas prévenu que vous étiez enceinte ? Nous aurions fait le nécessaire. Une cellule plus confortable... Enfin, nous voilà tous rassurés ! Demain, vous aurez à nouveau le teint rose et vous gambaderez. Le médecin est très satisfait de vos progrès : une constitution de fer, dit-il... Vous êtes jeune, ma chère. Oui, oui, je sais, votre santé ne vous intéresse guère : vous vous inquiétez du sort de monsieur Lockhart. Rassurez-vous, il se porte très bien, lui aussi. Et vous pourrez avoir ensemble beaucoup d'autres bébés... Autant même qu'il vous plaira. C'est une belle histoire d'amour que vous vivez là, tous les deux ! Une belle rencontre... Un peu la même histoire que mon mariage à Londres. Le revers. Elle est anglaise, je suis russe. Les deux moitiés de l'orange qui s'emboîtent pour ne devenir qu'un seul et même fruit. La fusion des âmes, telle qu'on n'en fait qu'une seule fois l'expérience... Voulez-vous que je vous dise ? Monsieur Lockhart vous est très attaché. J'oserais même dire qu'il vous aime à la folie... Et la passion de monsieur Lockhart me touche personnellement. Figurez-vous que le lendemain de son arrestation, ou peut-être le surlendemain, je l'avais relâché. En vérité, je n'avais rien contre lui dans mes dossiers. Je l'ai donc laissé libre d'aller où bon lui semblerait. Il a regagné son appartement vers midi le 1er septembre, en compagnie de monsieur Hicks que j'avais relâché lui aussi. Hicks est allé rejoindre dare-dare sa fiancée. Mais votre ami Lockhart – notre ami –, ignorant ce que vous étiez devenue et ne vous trouvant pas dans votre petit ermitage, a complètement perdu la tête. Il se doutait que vous étiez incarcérée... Où ? Dans quelle prison ? Il a pris d'assaut les bureaux des commissaires au Kremlin durant trois jours et causé du scandale partout. Il était, je crois, malade d'inquiétude à votre sujet. Il a même forcé la porte du camarade Karakhan auprès duquel il a plaidé votre cause brillamment. Karakhan – qui a le cœur tendre et vous aime beaucoup, Maria Ignatievna, oui, beaucoup, beaucoup – m'a passé un petit coup de fil pour appuyer la demande de Lockhart qui exigeait de vous récupérer immédiatement. Il est revenu ici vous chercher. Et ici, malheureusement, j'ai dû le faire arrêter une seconde fois. La consigne était tombée en fin de matinée et venait du camarade Trotski. Vous auriez dû voir la tête des gardiens en regardant monsieur Lockhart monter quatre à quatre mon escalier ! Ils avaient mission de le chercher partout en ville... Et il était là. Son retour nous a évité bien des problèmes. Je dois avouer que je lui sais gré de cette reddition si spontanée... De la Loubianka, nous l'avons donc transféré dans un appartement du Kremlin, que nous réservons aux prisonniers de haut vol. Aucun, jusqu'à présent, n'en est sorti vivant. Qui sait si monsieur Lockhart ne sera pas, grâce à vous, l'exception qui confirme la règle ? Encore une fois, ne vous inquiétez pas : il va bien... Tout va bien. Ah oui, avant que j'oublie, incidemment : le médecin m'avait dit de vous dire que le fœtus était bien conformé : un garçon.

Elle ne put réprimer un sanglot. Son désespoir ne faisait aucun doute.

Sa semaine à l'infirmerie l'avait moralement et physiquement éprouvée. Elle était pâle. Lors de sa fausse couche, elle avait perdu beaucoup de sang. Yacob Peters avait beau la prétendre en pleine santé, elle avait beau affecter de goûter le compliment, elle sortait amoindrie de l'épreuve.

Elle baissa la tête. Elle cherchait à cacher sa faiblesse. Il poursuivit :

— ...Monsieur Lockhart, pour sa part, est en pleine forme, vous pourrez en juger par vous-même. Je vais vous donner la permission de lui écrire – et qui sait ? – même d'aller lui rendre visite dans son appartement du Kremlin. Si...

Nouvelle réaction : un regard qui trahissait une espérance folle.

Elle garda toutefois le silence. Il continua :

— Si... Oh, ma condition ne sera pas difficile à remplir. Il vous suffit de me rendre compte de tout ce dont vous avez été le témoin, dans le passé... Et de tout ce que vous verrez, tout ce que vous entendrez, *dans l'avenir.*

Elle releva la tête :

— Vous voulez que je le trahisse !

— Ce n'est pas trahir que d'aider la Révolution et de sauver l'homme qu'on aime. Vous aimez la Russie, n'est-ce pas ? Et vous aimez Lockhart... Vous l'aimez au moins autant qu'il vous aime ? Du moins, je l'espère ! Car cet homme, par amour pour vous, cet homme s'est jeté dans la gueule du loup. Il l'a fait sans hésitation. Il aurait pu fuir. Se volatiliser comme Sidney Reilly et les autres. Non... Tel Orphée aux Enfers, il est venu vous réclamer jusqu'ici. Son sort est aujourd'hui entre vos mains. Allez-vous le laisser mourir ?

Elle resta impassible. Mais chaque coup portait, il le sentait.

Il poussa l'avantage :

— ...Ce que je vous offre d'accomplir pour moi – que dis-je pour moi ? *Pour la Russie* ! – ce que je vous propose n'est *rien* comparé à la survie de monsieur Lockhart... Ne faites pas ce visage, ou alors je vais penser que vous me mentez encore. Je vais croire que vous servez la classe des *Gens d'Avant* qui complotent et veulent la mort du camarade Lénine. Que vous préférez le triomphe des burjouis à celui du peuple russe !...Quelle armée servez-vous ? Celle des oppresseurs ou celle des opprimés ? Le moment est venu pour vous de choisir ! Le passé ou l'avenir : à quel monde appartenez vous ?

— J'appartiens à la Russie.

— Et qu'est-ce donc que je vous propose pour la Russie ?

— De lui servir de moucharde et d'espionne !

— Les grands mots, tout de suite. Je vous croyais plus intelligente que cela, Maria Ignatievna. *Espionne* ?…Si vos sentiments pour le malheureux Lockhart sont trop faibles pour le protéger, j'en appelle à votre sens du devoir et à votre patriotisme : protégez la Russie des Alliés qui l'envahissent. Je ne vous demande que ce que votre amour pour la Russie vous commande. La balle est dans votre camp.

— La balle ? ricana-t-elle.

— Ne jouez pas sur les mots. Balle, ballon, moucharde, trahison… Ces paroles vous choquent ? « Espionne ! » dites-vous en retroussant les lèvres de mépris… *But my dear*, espionne, vous l'êtes déjà ! Plongée jusqu'au cou dans le milieu. Prise dans la nasse depuis belle lurette. Que croyiez-vous donc que vous faisiez chez Kuba, quand vous tiriez les vers du nez au camarade Karakhan ? Quand vous couriez au Strelna répéter à votre amant ce que Karakhan vous avait confié ? Quand vous reveniez auprès de Karakhan lui raconter les réactions des Anglais ? La moitié de nos services croient que vous travaillez pour nous. L'autre moitié que vous travaillez pour les Alliés. Pareil de l'autre côté, chez les Britanniques… Vous devriez lire les rapports du général Knox ! Je ne doute pas que les Français imaginent, eux aussi, que s'ils vous payaient plus cher que les autres, ils pourraient vous employer. Espionne. Et même agent double, et même agent triple. Sans parler des Allemands. Ceux-là vous ont vue débarquer chez votre mari en Estonie, quand les voies de communication avec la Russie étaient coupées… Puis, ils vous ont vue repartir dans l'autre sens, tranquille comme Baptiste, par le même chemin ! À votre avis, qu'en ont-ils conclu ?

— Je n'espionnais personne ! Et certainement pas mon mari !

— Peu importe. Ils l'ont cru. Ils pensent que vous étiez protégée. J'entends : *protégée par le Parti…* Ce en quoi, ils n'avaient pas tort : sans la protection du camarade Karakhan, vous n'auriez jamais pu franchir la frontière.

— D'après ce que vous dites, je suis grillée partout. Repérée par les puissances du monde entier... Piètre agent sur le marché des renseignements ! Je ne peux rien pour le Parti.

— Vous ne *pouvez rien*, non... Excepté pour votre mère qui n'a, semble-t-il, que votre soutien. Comment survivra-t-elle si vous choisissez de l'abandonner ? Je ne parle même pas de vos enfants ! Vous avez déjà perdu un petit garçon. C'était la semaine dernière. En disparaissant cette nuit, en disparaissant définitivement au sous-sol de cet immeuble, allez-vous faire de votre fils et de votre fille deux orphelins ? Vous ne *pouvez rien*, non. Excepté pour la vie de votre amant : elle est entre vos mains... Mais je ne veux pas vous forcer. Vous restez parfaitement libre d'accepter d'aider la Russie et de sauver votre amant, ou non... Vous n'avez toutefois rien à perdre. Car si vous n'avez pas encore compris l'ampleur du complot auquel vous êtes mêlée – *déjà* jusqu'au cou ! –, lisez cet article en première page de l'*Izvestia*. Il ne manquera pas de vous intéresser.

Yacob Peters fit glisser le journal devant elle, poussant l'amabilité jusqu'à le lui tourner à l'endroit, sur la table :

LE COMPLOT LOCKHART
LA CONJURATION DES ALLIÉS IMPÉRIALISTES
CONTRE LA RUSSIE SOVIÉTIQUE

Ce 2 septembre, un complot organisé par des diplomates anglais et des diplomates français a été liquidé.

Il était dirigé par le chef de la mission britannique, un certain Robert Bruce Lockhart, et par ses sbires.

Ce complot visait à déporter tous les commissaires du Peuple et à assassiner les camarades Lénine et Trotski. À faire exploser les trains qui ravitaillent Petrograd et Moscou et à réduire la population à la famine. Puis à proclamer une dictature militaire en Russie.

Les conjurés agissaient sous le couvert de l'immunité diplomatique et sur la base de certificats signés de la main de monsieur Lockhart, dont la Tchéka panrusse possède à présent de nombreux exemplaires.

Il a été établi qu'en l'espace des dix derniers jours, Lockhart a remis la somme d'un million deux cent mille roubles à un dénommé Sidney Reilly, l'un de ses agents chargé de s'occuper pour lui de la corruption de l'Armée rouge.

Le complot a été découvert grâce à la loyauté des garnisons lettones et à la fermeté de leurs commandants auxquels les conjurés avaient offert d'immenses sommes d'argent. L'enquête se poursuit énergiquement.

— Je suis certain que ce rapport n'est qu'un tissu d'exagérations, conclut Peters, en rangeant le journal. Et probablement une suite de mensonges. Mais, pour m'en convaincre, j'aurais besoin d'un complément d'information.

Moura baissa la tête encore une fois. Sa lecture lui avait causé un nouveau choc.

Gagner du temps. Réfléchir.

Elle ignorait que les Soviets avaient baptisé l'affaire de leur arrestation de ce nom terrible : « le Complot Lockhart ». Mais elle n'ignorait pas ce qui se passait dehors. Un décret avait été promulgué, appelant à fusiller sur-le-champ les ennemis de classe de la République soviétique, et tout individu impliqué dans les organisations de l'Armée blanche, les insurrections ou les émeutes.

Durant la semaine qu'avait duré son séjour à l'infirmerie, les gardiennes qui y servaient d'aides-soignantes, l'avaient aussi informée des détails et des chiffres.

Elle savait qu'au lendemain de la tentative d'assassinat de Lénine, mille trois cents otages de la bourgeoisie avaient été massacrés dans les prisons de Petrograd et de Cronstadt. Que cinq cents autres otages avaient été exécutés les trois jours suivants.

Que, dans les six jours à venir, la Tchéka comptait exécuter près de quinze mille personnes parmi « les Gens d'Avant ». Et que le nombre d'exécutions prévues pour le mois d'octobre serait de deux à trois fois supérieur aux condamnations à mort par le régime tsariste… en un siècle.

Ainsi en avaient décidé le fondateur de la Tchéka, Felix Dzerjinski, et son second, Yacob Peters.

— …N'allez pas imaginer que le statut de monsieur Lockhart le protège : il n'a pas rang d'ambassadeur. Il n'est porteur d'aucunes lettres de créance. Il a même cessé d'être consul en 1917. L'Angleterre y a veillé : un diplomate officieux qu'elle peut désavouer et lâcher en cas de problème… Un espion, comme vous dites, un vulgaire *espion* ! En vérité, un homme seul. Il n'a qu'une carte dans son jeu, aujourd'hui : vous. Si vous tenez à lui, Maria Ignatievna, vous n'avez pas trop le choix. Et le marché me paraît nettement à votre avantage. Je n'exige de vous qu'un peu de rigueur et d'honnêteté envers la Russie… Que monsieur Lockhart soit coupable envers elle ? Une évidence ! La chose est entendue. Et, de vous à moi, là n'est pas la question. Ce que j'attends de vous, alors ? La preuve de la culpabilité de l'Angleterre et de *l'ensemble* de son gouvernement. Je veux la preuve de l'ingérence de l'Angleterre dans les affaires intérieures russes. Je veux la preuve que Lloyd George, ses ministres et son roi ont commandité tous les actes dont les journaux accusent Lockhart. Je veux la preuve que l'Ouest capitaliste est coupable envers nous d'une suite de crimes politiques qu'aucun pays au monde ne saurait admettre ! En échange, je vous garantis la vie sauve pour votre mère. Je ne mentionne pas votre vie à vous, qui ne vous intéresse peut-être pas suffisamment ? Quoique… La vie *avec* Lockhart ? Obtenez de lui qu'il proclame son désir de rester en Russie. Il vous aime assez pour cela. Et vous l'aimez assez pour le rendre heureux ici ! Quel triomphe ce serait, n'est-ce pas ? Quel triomphe pour vous, pour la Russie, pour la Révolution, si Robert Bruce Lockhart, le diplomate britannique, devait librement *choisir* de ne pas rentrer en Angleterre ! De toute façon, il est grillé à Londres : sa carrière est finie. Que diriez-vous s'il s'établissait à Moscou ? Tenez : je serai bon prince avec vous... Meilleur que les impérialistes l'ont jamais été envers moi... Voici une plume, de l'encre et du papier. Rassurez-le, car je ne vous cacherai pas qu'il est un peu déprimé. Dites-lui que vous vous portez bien et que vous l'aimez. En russe s'il vous plaît, pour que je puisse viser et tamponner votre lettre devant vous. Il aura votre message dans l'après-midi. Écrivez.

Elle prit le stylo qu'il lui tendait, se pencha sur la feuille. Comment avouer, sous le regard de Yacob Peters, qu'elle avait perdu leur bébé ? Comment s'excuser de ne pouvoir lui donner l'enfant qu'il avait tant espéré ? La gorge serrée par les sanglots, elle hésitait.

Yacob Peters, impatient, se tenait debout au-dessus d'elle : il guettait ses mots d'amour comme s'ils lui étaient destinés.

— ...Écrivez, ou vous ne le reverrez jamais !

Chapitre 19

DANS LA NASSE
11 septembre – 3 octobre 1918

Relâchée.

En fin d'après-midi, Moura s'était retrouvée devant la porte du 11 rue de la Loubianka, l'état-major de Yacob Peters à deux pas du Kremlin où résidait Lénine.

En vérité tout le pâté de maisons était occupé par les services de la Tchéka. Un gigantesque complexe. Non seulement le n° 11, mais les n°s 2, 7, 9, 13, 14, 18, 22… De gros édifices dont les plus cossus avaient servi de siège à des compagnies d'assurance.

Éblouie par la lumière, assommée par ces dix jours de terreur et de deuil, elle était restée là de longues minutes, sans oser y croire, sans oser bouger.

Elle avait fini par se diriger vers le numéro 2, le plus imposant des immeubles, un palais de style néobaroque qui servait, lui aussi, de prison, de lieu de torture et d'exécution. Il donnait sur la place.

Le quartier, naguère grouillant d'automobiles, était désert. Une évidence : il avait mauvaise réputation. Personne ne descendait des rares tramways, tous bondés, tous assaillis de grappes humaines, qui passaient sans s'arrêter.

Elle avait sauté sur n'importe lequel, la première plateforme qui pouvait la prendre. Dans son hébétude, elle ne s'était aperçue qu'au bout de la ligne qu'elle voyageait dans le mauvais sens. Il lui fallut près de trois heures pour regagner à pied l'appartement de Khliebny Pereulok. La nuit était tombée. Elle grimpa à tâtons les quatre étages.

Sur le palier, elle trouva deux gardes. Ils avaient pour mission, lui dirent-ils, de défendre l'appartement des pilleurs. Ils la laissèrent passer et reprirent leur faction. La porte, entrouverte, bâillait sans serrure.

Elle poussa le battant, le rabattit vite derrière elle, chercha à s'enfermer avec ce qui restait du verrou. En vain. Elle tourna le bouton de l'interrupteur… Et découvrit le désastre.

Si Yacob Peters avait demandé que la première fouille fût « discrète », il avait changé ses consignes lors de la seconde arrestation de Lockhart. Une perquisition en règle. Cette fois, ses policiers avaient dépecé les matelas, décollé le papier peint, épluché tous les livres. Même l'écouteur du téléphone pendait le long du mur, telle une araignée au bout de son fil. Le premier geste de Moura fut de le raccrocher.

Et de décrocher à nouveau le combiné. Un vieux réflexe… Rester reliée au monde.

Elle hésita. Elle savait désormais que son appel serait écouté. Que depuis son emménagement ici, pas une conversation n'avait échappé à la Tchéka.

Peu importait, elle devait appeler Mummy !

Téléphoner à sa mère, la rassurer. Moura gardait ses réactions d'antan. Elle n'avait pas encore bien évalué l'ampleur des changements survenus dans sa vie.

Pauvre Mummy, elle devait être terrifiée ! À moins qu'elle n'ait pas mesuré le danger auquel sa fille venait d'échapper. La croyait-elle encore dans les provinces baltes ? Ignorait-elle sa fuite d'Estonie et son retour en Russie ?

Sans doute.

Moura ne l'avait pas prévenue de son passage à Petrograd, fin juillet. Redoutant les explications sur l'échec de sa vie conjugale, elle avait filé à Moscou, sans la voir. Et durant le mois d'août, elle avait gardé le silence. Inutile de clamer à Mummy cette bonne nouvelle : que sa Mourochka cocufiait Djon, et vivait en concubinage avec un homme marié.

Elle soupira. Elle l'appellerait demain. Ce soir, elle n'avait pas le courage de lui raconter son séjour en prison.

Elle abandonna le téléphone et se dirigea vers la chambre de Lockhart. Ici aussi, les tchékistes s'en étaient donné à cœur joie. Pas un meuble qui ne fût démonté. Même les lattes du parquet sous les tapis d'Orient avaient été soulevées.

Autre réflexe d'antan : ranger. Ramasser les bibelots. Remettre de l'ordre dans les objets. Dans ses idées.

Depuis sa captivité, elle n'avait qu'une obsession : sauver Lockhart.

À quoi d'autre devait-elle penser ?

En rassemblant machinalement les livres, elle tentait de classer ses souvenirs, d'organiser ses impressions, de revivre ce qui s'était passé durant ces dernières semaines. Et de les comprendre.

Que lui avait demandé Yacob Peters durant ses interrogatoires ? Qu'exigeait-il ?

Certes, elle l'avait bien entendu : elle devait lui remettre les « documents » prouvant aux bolcheviques que le monde capitaliste travaillait à un coup d'État contre Lénine.

Mais les preuves de l'ingérence de l'Angleterre dans les affaires intérieures de la Russie, Yacob Peters les détenait déjà toutes ! Lui-même avait monté le piège des régiments lettons, prêts soi-disant à trahir le Kremlin au profit des Alliés. Il possédait jusqu'au laissez-passer qu'avait signé Lockhart à son espion Berzin. Il savait les moindres détails de leur vie dans cet appartement. Les moindres détails de son intimité à elle.

Il connaissait la maladie de Mummy, les prénoms de Tania et de Paul, les dates de son voyage en Estonie. Il avait probablement lu toutes ses lettres. Il connaissait même la teneur des dépêches que Knox envoyait à Londres, les télégrammes chiffrés exprimant les doutes des Anglais sur sa moralité.

À genoux devant la bibliothèque, Moura se laissa tomber sur le sol : elle venait de saisir à quel point elle était à la merci de Yacob Peters et de la Tchéka.

Effondrée par l'ampleur de ce qu'elle découvrait, elle demeura là, les jambes repliées, les bras ballants.

… Fichée et filée par la police depuis des mois ! Probablement depuis la première révolution. Peut-être même avant… Par la police du tsar, qui sait ? Ne passait-elle pas à l'époque pour une libérale ?

Mais là n'était pas le plus terrible.

Le pire ? Non seulement la Tchéka la suivait, mais la Tchéka la *protégeait.*

Tout les actes de Moura durant sa liaison avec Lockhart – ses allers et retours entre Petersbourg et Moscou, ses séjours à l'hôtel Élite, son installation ici –, elle les avait accomplis avec l'assentiment de Yacob Peters. Elle se remémorait ses paroles : *Prise dans la nasse depuis belle lurette. Espionne, vous l'êtes déjà !*

Elle ricana. Comment avait-elle pu espérer passer entre les mailles du filet ? Rester pure ? Intouchée par la guerre ? Extérieure à la Révolution ?

Non pas le juge, mais l'arbitre impartial de l'Histoire.

Comment avait-elle pu croire qu'elle y échapperait ? N'était-elle pas programmée pour cela : obéir à son intérêt, espionner et trahir ?

Le général Knox allait se réjouir. Le destin lui avait donné raison. Il triomphait sur tous les points. Oui, madame von Benckendorff était un agent double, qui travaillait à la fois pour les Anglais et pour les Russes. Oui, son mari collaborait avec les Allemands.

Djon, lui aussi, triompherait : n'avait-il pas cessé de répéter qu'elle devait opter pour un camp ou pour l'autre ? Les Blancs ou les Rouges ? Yacob Peters avait prononcé les mêmes mots :

Le moment est venu pour vous de choisir ! Quelle armée servez-vous ? Elle avait le sentiment de n'appartenir à aucune armée !

Elle avait sincèrement cru en l'idéal de fraternité des bolcheviques. Au début.

Aujourd'hui, l'idée de les seconder lui donnait la nausée. Les massacres des dernières semaines révélaient leur barbarie. Des bourreaux. Comment « choisir » d'informer leur police ? Comment « choisir » d'appartenir à la Tchéka ?

Mais avait-elle le choix ?

Avant de la libérer, Yacob Peters l'avait fait revenir chez lui pour un petit couplet.

Terminés les interrogatoires : maintenant un échange entre *camarades*.

Il lui avait raconté l'histoire la plus romantique du monde. Celle de son propre retour à l'idéal révolutionnaire. Il disait qu'à l'époque de son exil à Londres, il se trouvait dans la même situation qu'elle. Confortablement installé dans sa vie de jeune marié, amoureux fou de son épouse anglaise et père d'une petite fille qu'il adorait. Tous ses rêves d'égalité et de fraternité avaient disparu. Et puis un jour, il s'était réveillé en sursaut, honteux de son égoïsme et de sa lâcheté. Il avait décidé de quitter son emploi, d'abandonner sa famille. Et de reprendre le combat auprès de Lénine. Depuis, il luttait pour la paix et pour le bien de l'Humanité… Qu'elle n'imagine pas que cette lutte fût facile ! Il était lui aussi une victime de la Révolution. Bien plus que les burjouis et les *Gens d'Avant* ! Bien plus que tous les contre-révolutionnaires qu'il exécutait !

Il lui avait montré son pistolet sur la table et lui avait demandé :

— Sauriez-vous tirer avec ce truc ?

Elle avait répondu :

— Je crois que je saurais.

— Mais vous en êtes-vous déjà servi pour tuer un être humain ?

— Non.

— Vous êtes une veinarde, comtesse Maria. Je jure sur la tête de ma petite fille que j'aurais bien préféré, moi aussi, ne pas avoir à l'utiliser.

Il avait poursuivi son discours en lui expliquant que, personnellement, il était contre la peine de mort. Et Lénine aussi. Et tous les bolcheviques. Il avait ajouté que, quand Trotski, au début de la Révolution, avait émis l'idée de construire une guillotine, le Parti s'était insurgé.

Mais voilà… Aujourd'hui, en ce mois de septembre 1918, la Russie se trouvait étranglée par les intrigues des conjurés qui voulaient son anéantissement. Les camarades étaient bien forcés de se juger en état de siège. Et la Terreur était leur seule défense. Dès que le pays serait en sécurité, la vie reprendrait un cours normal.

Toujours prostrée parmi les livres, Moura tentait de décrypter le sens de ces confidences. Le personnage de Yacob Peters lui échappait.

Il l'avait épargnée. Il l'avait libérée. Il lui avait promis qu'elle reverrait son amant. Il avait même suggéré que Lockhart obtiendrait l'autorisation de rester en Russie et d'y occuper un emploi à sa mesure. Ses paroles avaient soulevé en elle un espoir fou.

Elle ne parvenait pas à le haïr.

Elle avait même confiance en lui. Elle le sentait sincère.

Elle n'était toutefois pas assez naïve pour ne pas saisir qu'il se servait d'elle comme d'un leurre. Et de l'Anglais comme d'un outil de propagande.

Elle devait résister à la tentation de pousser Lockhart dans les bras du Parti. Résister au rêve de s'installer avec lui à Moscou.

Elle comprenait en outre qu'avec ses couplets sentimentaux, Yacob Peters tentait de justifier sa cruauté et de lui faciliter, à elle, le passage dans son camp.

Mais quelle utilité pouvait-elle avoir à ses yeux, pour qu'il prenne ainsi tant de soin à l'enjôler, à l'enrôler ?

Mille questions se bousculaient dans sa tête.

Pourquoi l'appelait-il « comtesse » ? Était-il à ce point fasciné par l'aristocratie ?

Elle n'était pas *comtesse* Benckendorff, et il le savait. Pourquoi lui donnait-il ce titre auquel elle n'avait pas droit ?

Elle essayait de se rappeler ses paroles.

Il avait dit qu'elle était l'une des seules femmes de son milieu qui ait témoigné quelque sympathie envers l'idéal de Lénine… L'une des seules nobles qui n'ait pas cherché à combattre la Révolution.

Mais cela ne la protégeait à aucun moment d'une balle dans la nuque.

Pourquoi lui avait-il laissé, à elle, la vie sauve, alors qu'il tuait tous les autres ? Avait-il à ce point besoin d'indicateurs chez les burjouis ?

Il lui avait montré la pile des ordres d'exécution :

— Il est de mon devoir de veiller à ce que les prisonniers soient humainement et rapidement éliminés. J'accomplis cette tâche qui me répugne avec une diligence dont les condamnés devraient me savoir gré. Car il n'y a rien de plus horrible qu'un exécuteur dont la main tremble et dont le cœur vacille. Croyez-moi, comtesse, comme je vous l'ai déjà dit, je ne signe aucun de ces papiers avec joie. Mais parce que la disparition des traîtres qui complotent contre la Russie est nécessaire à la survie de l'État.

Sur cette allusion à la culpabilité de Lockhart, il l'avait raccompagnée à la porte de son bureau, comme un danseur ramène poliment sa cavalière à sa chaise au terme d'un tour de valse.

Écroulée au pied de la bibliothèque de Khliebny Pereulok, Moura tremblait de tous ses membres. La tension était tombée. Elle se savait au fond du gouffre. Elle avait peur.

Elle tenta de se reprendre.

Qui pouvait la sortir des griffes de la Tchéka ? Qui pouvait sauver Lockhart ?

L'As des as : le super espion Reilly ?

Les survivants de son réseau étaient à cette heure jugés et condamnés. Lui-même avait disparu.

Hicks ?

Oui, elle devait trouver Hicks !

Lors de sa fausse couche, elle avait appris par les gardiennes qu'au contraire de son chef, Hicks avait échappé à sa seconde arrestation en se réfugiant à la résidence américaine devenue la légation norvégienne, depuis la rupture des relations diplomatiques des Alliés avec les bolcheviques. À cette heure, il s'y trouvait encore calfeutré, avec tous les diplomates menacés de mort pour leur implication dans le « Complot Lockhart ».

Impossible de parvenir jusqu'à eux. L'immeuble était cerné. Trotski, que gênait le scandale international de l'assassinat du capitaine Cromie à l'ambassade d'Angleterre, hésitait à ordonner l'assaut. Il comptait obliger Hicks et les autres à se rendre, en les affamant.

À part Hicks, à part les diplomates alliés, qui pouvait sauver Lockhart ?

D'un geste mécanique, Moura avait recommencé à placer les livres dans la bibliothèque. Son esprit cliquetait.

…Qui ?

Les représentants des puissances neutres.

Eux seuls gardaient le pouvoir de faire pression. Le représentant de la Suisse, le représentant du Danemark, le représentant de la Suède. Elle les connaissait tous : ses années de vie mondaine à Berlin, à Petersbourg, à Moscou, n'avaient pas été vaines. Pendant la guerre, elle avait continué de dîner avec eux. Ils la recevraient, ils l'écouteraient. Elle plaiderait auprès d'eux la cause de leur collègue britannique.

Elle verrait aussi et surtout le représentant de la Croix-Rouge : Alan Wardwell. L'évocation de cet Américain de haute taille, dont elle savait la sagesse, le courage et la sympathie, la rassura. Wardwell... Appeler Wardwell. Elle fonça à nouveau vers le téléphone et s'arrêta net.

Non... Inutile d'alerter Yacob Peters. Que cherchait-il, sinon justement qu'elle le conduise aux amis de Lockhart ? Il voulait tous les complices.

À part Wardwell, qui d'autre ?

Un membre du Parti. Elle devait taper au plus haut... Karakhan ? Bien sûr, Karakhan ! Yacob Peters n'avait-il pas dit que Karakhan l'aimait beaucoup ? Ils avaient soupé assez souvent ensemble pour qu'elle le sache. Elle tenterait de le circonvenir demain.

Qui d'autre ?

Elle avait retrouvé sa pugnacité. Elle en oubliait les sentinelles qui surveillaient le palier.

Demain, elle ferait jouer ses relations. Demain, elle courrait la ville, demain elle verrait les dignitaires de tous les clans, elle convaincrait tous les cercles, elle forcerait les puissances du monde entier à intervenir en faveur de Lockhart et à l'arracher à la mort.

Le mieux, ce soir, était encore de prendre un bain et de dormir. Elle chercha sa chemise de nuit parmi les tas d'habits jetés au hasard.

Alors qu'elle enfilait son peignoir, elle sentit un poids dans sa poche. Son carnet de notes.

Mon Dieu !

Les tchékistes avaient fouillé la maison de fond en comble. Elle-même avait détruit, en compagnie de Hicks et de Lockhart, tous les papiers qui pouvaient les compromettre. Mais ni les uns ni les autres n'avaient pensé à cela : les poches.

Elle feuilleta le petit cahier. Son sang se glaçait... Les comptes rendus de chacune des réunions ! Elle avait consigné sur ces pages la lettre et l'esprit, jusqu'aux dialogues des échanges qui s'étaient tenus ici. Les propos des diplomates anglais, français, américains, les noms des agents de l'Armée blanche, les plans des divers réseaux d'opposition. Et même les instructions et les mises en garde de Lockhart à ST1 : Sidney Reilly, que la Tchéka recherchait entre tous.

Exactement « la preuve » que voulait Yacob Peters.

Affolée par cette découverte, elle l'emporta dans son lit et la glissa sous son oreiller. Le cœur battant, les yeux grands ouverts, elle réfléchissait.

Que faire ?

Elle en appelait de toute son âme aux conseils de Lockhart... À ceux de son père... À ceux de sa sœur Anna... Oui, Anna, toujours si pragmatique : Anna, comment aurait-elle agi ? Aurait-elle remis ce carnet à Yacob Peters, lui prouvant par ce geste son appartenance et sa soumission au Parti, envoyant à sa place, à la place de son amant, des dizaines de personnes à la mort ?

Ou bien aurait-elle refusé tout compromis, gardant les informations par devers elle, au risque de se trancher la gorge et de laisser exécuter l'homme qu'elle aimait ?

« Non, non, je raisonne faux ! Je ne me pose pas les bonnes questions ! »

Elle s'était mise sur son séans. Elle alluma la lumière.

« Penser autrement. Éviter le *oui* ou le *non*... Sortir à tout prix du dilemme moral.

« Revenir aux choses.

« Le carnet...

« Le donner ou le détruire ?

« Des deux possibilités : laquelle sauvera la tête de Lockhart ?

« Aucune !

« Si je remets ces procès-verbaux, il va droit au poteau d'exécution. Si je ne les remets pas, il ira aussi. »

Elle s'agita. Toutes les solutions conduisaient à la mort.

Rejetant son drap, Moura sauta du lit... La porte de l'entrée était ouverte : les hommes de Yacob Peters pouvaient surgir à tout instant. Brûler ce carnet, et vite !

…Mais, avant de le brûler, elle devait le recopier.

Créer une seconde version avec les mêmes dates, les mêmes noms… Répéter minutieusement tout ce que Yacob Peters savait déjà. Rajouter pour lui quelques révélations. Nourrir sa curiosité en lui fournissant une foule de détails. Gommer les éléments dangereux, supprimer les confidences mortelles.

Et lui remettre un faux.

Elle se rua dans le bureau.

Parmi les fournitures, il devait bien exister un cahier vierge !

Quand elle l'eut trouvé, elle passa la nuit à fabriquer ce mélange savant dont elle avait le secret : une suite de demi-vérités et de mensonges qui satisferait tout le monde.

Rassurer Peters et préserver Lockhart.

Son œuvre achevée, elle se hâta vers la cuisine. Le désordre y était à la mesure du reste. Elle chercha en vain un briquet, une allumette. Restait l'eau : elle fit couler le robinet sur les feuilles du manuscrit original. Le papier mollissait, l'encre coulait, mais les mots dangereux restaient lisibles.

Elle alla aux toilettes, arracha les pages une à une, les déchira en petits morceaux, les jeta dans la cuvette, tira la chaîne. La chasse d'eau faisait un bruit d'enfer. Comment engloutir ici un cahier entier sans ameuter les deux tchékistes devant la porte ? Elle charria des bassines et les déversa.

Au matin, elle avait effacé les traces du premier carnet.

Au matin, elle tenait ses réponses.

Elle se rendrait utile aux dirigeants du Parti, aussi précieuse que possible à Karakhan et aux commissaires aux Affaires étrangères. Elle relaierait auprès d'eux les potins, les bruits, l'atmosphère des milieux internationaux qu'elle fréquentait. Elle écouterait ce qu'on y disait, elle répèterait ce qu'on y pensait.

Elle demeurerait toutefois attentive à ne transmettre que les rumeurs. Jamais les faits.

Les faits ? Yacob Peters les connaîtrait toujours mieux qu'elle !

Elle négocierait avec lui le seul service qu'une « comtesse Benckendorff » pouvait lui rendre, une aristocrate appartenant à cet univers auquel un tchékiste n'aurait jamais accès. Elle respirerait pour lui l'air du temps dans la haute société... Ce qui restait du grand monde. Elle sentirait pour lui le sens du vent chez les puissants. Ceux d'avant la Révolution et ceux d'après.

Elle ne se fermerait aucune porte et sauverait son Babyboy.

*
* *

Entretiens avec le Suédois Asker. Avec l'Américain Wardwell. Avec le Russe Karakhan. Avec le Letton Peters. Elle avait toujours su compartimenter ses amitiés. Hiérarchiser ses relations. Manipuler ses partenaires. Et disputer plusieurs parties à la fois. Elle était passée maître dans les jeux de la séduction, sur tous les terrains.

Aller de l'un à l'autre, leur raconter ce qui se passait ailleurs, leur dire ce qu'ils désiraient entendre et taire ce qu'elle-même ne voulait pas qu'ils apprennent : l'éducation de Moura l'avait formée à ce sport.

Contrairement aux accusations qui courraient plus tard, elle ne couchait pas avec les membres du Parti. Ni avec Yacob Peters, ni avec Lev Karakhan. Le premier se proclamait un pur, un sentimental. Le second se révélait peu intéressé par le sexe.

Son intimité avec les hommes de la Tchéka l'impliquait cependant de façon bien plus compromettante qu'un baiser ou une étreinte.

Elle avait beau n'être devenue la maîtresse d'aucun d'entre eux, leur complicité la souillait.

Son absence de haine à leur égard n'était pas feinte : ils gardaient à ses yeux le pouvoir d'épargner l'homme qu'elle aimait.

Elle espérait en eux et cherchait à leur plaire. Chaleur humaine, intelligence, humour : elle déployait à leur profit tout l'arsenal de ses charmes. Elle n'avait pas conscience qu'en les fréquentant, elle s'égarait. Elle n'imaginait même pas que pour sauver Lockhart, elle vendait son âme.

Et pour cause ! Elle ne dérogeait à aucune des lois qu'elle s'était inventées et se tenait, contre vents et marées, aux règles de sa propre morale.

Relayer les informations, sans livrer les personnes. Répéter les propos, sans citer leurs auteurs. Ne fournir aucun renseignement qui mette quiconque en danger.

Elle restait obsédée par cette exigence : ne jamais franchir la ligne qui séparait le potin de la trahison, la frontière entre la vie et la mort.

Une telle gymnastique requérait d'elle une vigilance de tous les instants. Comment distinguer dans la seconde, comment différencier à coup sûr, le ragot anodin du détail mortel ?

Elle naviguait à vue, elle maintenait le cap. Mais elle avançait sur le fil du rasoir. Et cela, elle le savait.

Elle songeait quelquefois à Djon : il lui aurait sans doute reproché de ne pas savoir choisir son camp. Elle l'entendait s'exclamer : « Encore et toujours, tu cherches à ménager la chèvre et le chou ! » En son for intérieur, elle acquiesçait. Oui, elle tentait de ménager les deux parties. Et alors ? Pouvait-on lui suggérer un autre chemin pour épargner tout le monde ?

Elle se gardait de reconnaître qu'à l'exception de Lockhart, elle ne discernait plus clairement ce qu'elle éprouvait envers quiconque… Du dégoût ou de la sympathie pour Yacob Peters ?

Si elle l'avait vraiment détesté, si elle lui avait vraiment joué la comédie, elle aurait peut-être pu faire la différence entre sa propre hypocrisie et sa sincérité. Mais à force de jongler avec le vrai et le faux, elle finissait par tout confondre. Et par se perdre elle-même.

Au diable, les fioritures de la conscience !
Seul l'instinct demeurait. Il se réduisait à un mot. Survivre.

Le cahier qu'elle avait remis à la Tchéka avait rempli son office : prouver sa bonne foi. Aujourd'hui, en cette fin du mois de septembre, Moura détenait sinon ses entrées à la Loubianka, du moins un accès facile au plus dangereux de ses tortionnaires.

*

Au terme de ma première semaine d'incarcération au Kremlin, je reçus la visite de Yacob Peters, raconterait Lockhart. Il me dit que je pouvais être content de lui. Il avait non seulement libéré Moura, mais lui avait donné la permission de m'expédier du linge et quelques vivres.

Peters était d'humeur magnanime. En vérité, son dieu Lénine se portait mieux. On le disait tiré d'affaire, en pleine convalescence.

Les nouvelles du front bolchevique étaient en outre excellentes. Les Rouges avaient repris Uralsk aux Tchèques et Kazan était sur le point de capituler.

Dans l'après-midi, j'eus la preuve de la libération de Moura, sous la forme d'un panier. Elle avait pensé à tout. Même à mon tabac, même à un jeu de cartes pour tromper mon angoisse avec des réussites et des patiences. Elle avait aussi choisi pour moi des livres. « Les Œuvres complètes » de Thucydide, « Les Souvenirs d'enfance et de jeunesse » d'Ernest Renan, « L'Histoire des papes » de Ranke, « L'Aiglon » d'Edmond Rostand, « Le voyage avec un âne dans les Cévennes » de R.L. Stevenson. Et « L'Île du Docteur Moreau » d'H.G. Wells. Enfin, pour faire bonne mesure et plaire au Parti, elle avait ajouté « Contre le courant » de Zinoviev et de Lénine... J'étais un garçon lettré en ce temps-là !

Karakhan, que Moura voyait régulièrement, vint m'interroger plusieurs fois. Il cherchait à me sonder sur les intentions de l'Angleterre. Il voulait connaître les termes selon lesquels nous accepterions d'interrompre notre intervention en territoire russe et de négocier une paix séparée. Ces visites me rassurèrent : si les Bolcheviques étaient prêts à discuter de la paix avec les Britanniques, ils ne pouvaient se permettre de me fusiller en même temps.

D'un autre côté, les journaux ne cessaient de me clouer au pilori. À les lire, j'étais déjà mort.

Moura obtint du consul général suédois, un vieux monsieur idéaliste et charmant du nom d'Asker, qu'il exige la preuve que je n'étais ni affamé, ni torturé. Yacob Peters accepta de le conduire dans ma chambre.

Notre conversation fut limitée. Peters voulait que nous parlions en russe, alors qu'Asker n'en savait pas un mot. Il se débrouilla toutefois pour m'informer que ma secrétaire faisait l'impossible, qu'elle remuait ciel et terre, qu'elle avait mobilisé l'ensemble de la communauté internationale. Et que le scandale de ma détention faisait les gros titres à Londres.

Le lendemain, le dimanche 22 septembre 1918, je reçus une nouvelle visite de Yacob Peters. Il me dit que c'était son anniversaire (il avait trente-deux ans) et qu'il préférait de loin donner des présents plutôt que d'en recevoir. Qu'en conséquence, il m'apportait une surprise. Un cadeau qu'il s'offrait à lui-même : Moura.

De toute ma captivité, ce moment de l'apparition de Moura fut le plus bouleversant. Je la revois encore, si mince, si longue dans sa jupe et son pull rouge. Elle était pâle, elle avait beaucoup maigri. Sur sa bouche flottait une ébauche de sourire. Mais pas plus. Elle parvenait mieux que moi à dissimuler son émotion.

Peters ne nous laissa pas nous parler, ni même nous approcher. Il se plaça entre nous, s'assit à la petite table qui me servait de bureau et se lança à nouveau dans ses récits de jeunesse. Je ne l'écoutais qu'avec la plus grande difficulté.

Moura, qui se tenait derrière lui – et face à moi –, affectait de feuilleter mes livres. Elle les prenait et les remettait négligemment sur l'étagère. Cette tablette était surmontée d'un miroir.

Elle retint mon regard, brandit un message et le glissa dans l'un des volumes. Il eût suffi que Peters tourne la tête d'un millimètre pour voir son geste dans la glace.

J'étais terrifié.

J'acquiesçai de la façon la plus légère possible : à peine un hochement de tête. Mais Moura, pensant sans doute que je n'avais pas remarqué sa manœuvre, la recommença bien clairement. Elle brandit à nouveau son papier et le remit dans le livre. Mon cœur s'arrêta de battre. Et cette fois, je hochai la tête comme un épileptique.

Par chance, Peters était trop pris par son propre récit pour rien remarquer. Eût-il repéré son manège, je n'ose imaginer ce qui se serait passé.

Il me demanda si j'avais à me plaindre de quoi que ce soit. Quand je l'eus remercié de sa magnifique humanité et de sa sollicitude, il s'excusa de la brièveté de sa visite, qui n'était due, disait-il, qu'à un excès de travail. Il promit de revenir me voir et de me ramener Moura. Il se leva, l'entraînant avec lui.

Je mesurai dans la seconde combien la présence de cette femme m'était nécessaire. Si quelqu'un pouvait me sortir de là, c'était elle ! Nous n'avions pas échangé un mot, mais l'espoir en moi venait de renaître. Grâce à Moura, je me sentais de nouveau vivant.

À peine fut-elle sortie que je fonçai sur le livre : « La Révolution française » de Carlyle. J'en exhumais son bout de papier. Le message était court. Seulement six mots : « N'avoue rien. Tout ira bien. »

*

Elle bluffait. Elle affectait l'optimisme. En vérité, elle mentait : jamais elle n'avait été plus inquiète.

Au lendemain même de sa propre libération, elle avait appris de Yacob Peters que Lockhart allait être livré à un tribunal révolutionnaire. Jugé comme espion et comme traître. Terrible nouvelle.

Peters s'en montrait « navré ». Le cahier qu'elle lui avait remis, les informations qu'elle lui fournissait ne changeaient rien à l'affaire : leur ami était cuit. Son sort ne dépendait plus de la magnanimité de la Tchéka, mais d'un procès dont l'issue ne faisait aucun doute. Il n'échapperait pas à une balle dans la tête.

Affolée, elle avait couru à la résidence de la légation hollandaise. Là, elle avait convaincu son représentant de télégraphier la nouvelle au 10 Downing Street : l'exécution de Lockhart était imminente.

Le gouvernement anglais avait répliqué par un autre télégramme : une note menaçante adressée à Lénine. Si la Russie fusillait Lockhart, l'Angleterre se conduirait de la même manière avec le consul bolchevique à Londres et avec tous les membres de sa légation.

Lloyd George joignit le geste à la parole en prenant des otages. Un acte qui mettait l'Angleterre au ban des nations civilisées. Il fit arrêter et jeter en prison une dizaine de personnes, notamment Maxime Litvinov, l'homme qui avait introduit Lockhart auprès de Trotski lors de son départ pour Petrograd.

Aujourd'hui, les deux nations s'accordaient sur la possibilité d'un troc : la vie de Lockhart contre celle de Litvinov. Mais où ? Quand ? Comment ? Les tractations stagnaient.

L'Angleterre combattait les bolcheviques sur le territoire russe au nord de Moscou : elle considérait Lénine et ses commissaires comme des bandits. Elle ne voulait pas, la première, lâcher ses pions et perdre la main.

La Russie, humiliée par une telle défiance, parlait d'en finir rapidement. L'idée d'un procès par un tribunal révolutionnaire avait été abandonnée : trop long. Mais pas celle d'une exécution sommaire dans les caves de la Tchéka, comme les centaines d'autres exécutions dont se chargeaient les hommes de Peters.

Sous la férule de Moura, les Hollandais, les Suédois, les Danois, les Norvégiens et les Suisses, les représentants de l'ensemble des puissances neutres, bataillaient auprès de Lord Balfour à Londres, auprès de Lev Karakhan à Moscou, pour trouver une solution.

En dépit des efforts, les deux camps restaient sur leurs positions.

Moura se rendait au Kremlin deux fois par jour. Elle redoutait d'y apprendre l'exécution de « l'espion », que les membres du Parti se scandalisaient de savoir encore vivant. Le mot d'ordre placardé sur les murs de Moscou et de Petrograd n'était-il pas *Mieux vaut fusiller cent innocents que de laisser vivre un coupable* ? En l'occurrence, la culpabilité de l'Anglais ne faisait aucun doute.

Encore vivant, ce matin. Encore vivant ce soir.

Temporairement rassurée, elle revenait à l'assaut auprès des neutres, auprès de Karakhan, auprès de Peters. Elle ne lâchait pas prise. Inlassable, elle assiégeait, elle harcelait tous les négociateurs, se gardant toutefois de les agresser et de les agacer. Difficile équilibre…

Avec calme, avec éloquence, elle leur proposait de nouvelles idées, suggérait de nouveaux compromis.

Elle les influençait. Elle les encourageait. Elle les galvanisait.

Mais elle pensait rarement que *tout allait bien.*

Lockhart raconterait :

Une semaine après la première visite de Moura dans ma chambre, Yacob Peters revint me voir avec elle. C'était le samedi 28 septembre 1918. Il portait sa veste de cuir, son pantalon kaki et l'énorme pistolet Mauser que je lui avais vu lors de mon premier interrogatoire. Mais cette fois, son visage arborait un immense sourire. Il venait m'annoncer que je serais relâché mardi pour être expulsé et reconduit à la frontière. Maxime Litvinov et ses camarades quitteraient Londres le même jour, à la même heure. L'échange des prisonniers aurait lieu à Bergen, en Norvège, début octobre. (…) Lui-même reconnaissait qu'il n'avait pas trouvé la preuve formelle de ma culpabilité. Que j'étais soit très bête pour m'être ainsi laissé piéger, soit très rusé pour m'en tirer aussi bien. Il souligna que mon gouvernement ne me pardonnerait jamais... Qu'il ne me pardonnerait ni mon échec en Russie, ni les problèmes que je lui avais causés, ni les actes auxquels je l'avais contraint. Que je serais probablement incarcéré là-bas. Alors, pourquoi rentrer en Angleterre ? Le capitalisme était de toutes façons condamné ! Il ajouta qu'il ne me comprenait pas. Non, il ne me comprenait pas ! Comment pouvais-je envisager de quitter une femme aussi merveilleuse que Moura ?

Il m'avait entrepris sur le sujet bien des fois, soulevant en moi plus de tempêtes et de tentations qu'il ne l'imaginait. Avant mon incarcération, j'avais songé à cette possibilité : demeurer avec elle en Russie. Et maintenant que Yacob Peters m'annonçait que je m'en allais, je ne voulais plus partir.

Il me laissa seul avec elle.

En larmes tous les deux, pleurant et riant à la fois, nous nous étreignîmes. C'était la première fois que je la serrais contre moi, depuis près d'un mois.

*

À partir de ce moment, dès l'aube à l'ouverture des grilles, jusqu'au coucher du soleil quand elles se refermaient, Moura et Lockhart ne se quittèrent plus. Deux jours.

Jamais ils n'avaient été plus heureux. Entre les murailles de la prison, elle l'avait tout à elle.

Ils avaient même reçu de Yacob Peters l'autorisation de sortir de l'ancien appartement des demoiselles d'honneur, où Lockhart se trouvait enfermé, et d'arpenter ensemble les jardins du Kremlin : une courte allée de buis entre les fortifications.

Escortés par deux gardes, ils se parlaient à mi-voix, allaient, venaient, marchaient à pas lents jusqu'à une petite chapelle consacrée à la Vierge, dans une batterie du mur. Là, veillait une icône que les bolcheviques avaient négligé d'ôter. Elle s'appelait *Notre-Dame-de-la-Joie-Inattendue.*

Ils souriaient d'avoir, en ces lieux, rencontré leur sainte patronne et lui rendaient grâce. Mais ils se gardaient d'évoquer l'avenir.

Ils se contentaient du passé. Ils évoquaient leur première rencontre à Petrograd, chez elle, lors de l'anniversaire du pauvre Cromie, les soirées tsiganes, la beauté de tous leurs moments ensemble. Et les semaines l'un sans l'autre. Elle lui racontait que leur ami américain, Alan Wardwell, avait été héroïque. Qu'il n'avait pas laissé les bolcheviques en paix une seule seconde, qu'il avait négocié les moindres détails de sa libération. Qu'il l'avait nourrie, elle, avec les provisions de la Croix-Rouge, ainsi que Hickie et tous les diplomates retranchés dans la légation norvégienne. Elle lui racontait que Yacob Peters n'était pas le monstre qu'il paraissait. Qu'en Angleterre, Lockhart devrait aller trouver sa femme et sa fille, leur donner de ses nouvelles et leur apporter les lettres que Peters leur destinait.

*

Le jour de la libération de Lockhart, Moura vint l'aider à rassembler ses livres, son jeu de patience, toutes les lettres qu'elle lui avait écrites sur le papier à en-tête de la Tchéka.

En vérité, elle était malade. Elle avait trente-neuf de fièvre. Mais elle s'activait sans une plainte, emballant les affaires, bouclant les valises.

Assis sombrement sur le lit, Lockhart la regardait faire. Après avoir été si proche de la mort, il connaissait le prix du bonheur. Il n'acceptait pas l'inévitable.

Il sauta sur ses pieds et la saisit dans ses bras :

— Et si je ne prenais pas le train ? Si je restais ici ?

Elle affecta de rire :

— J'adorerais, Babyboy ! Mais impossible. Tu ne peux manquer à tes obligations envers ton pays au moment où les télégraphes du monde entier cliquettent pour te rendre la liberté.

— Si. Je pourrais faire comme les Français, comme le capitaine Sadoul et le lieutenant Pascal qui ont choisi Lénine. Ces hommes ne sont pas des traîtres.

— Non, mais ces hommes sont des communistes. Elle affecta encore de plaisanter. Et pour avoir pas mal fréquenté ton copain Yacob Peters, je peux te dire une chose : tu n'as pas l'étoffe d'un bolchevique !

— Sans toi à mes côtés, je cesse de vivre.

— Une séparation de quelques mois, Baby… Le temps de te justifier à Londres et de mettre tes affaires en ordre.

— Il faut, Moura, il faut que tu prennes conscience d'une chose : à la seconde où j'aurai passé la frontière, le tribunal révolutionnaire me condamnera à mort par contumace… Je ne pourrai jamais revenir en Russie te chercher.

— Dès que tu m'appelleras, je te rejoindrai.

— Alors, dans quinze jours : *avant* la fin d'octobre, avant mon retour en Angleterre, dès mon échange à Bergen… Dès que je serai redevenu un homme libre !

Ces mots la mirent au bord des larmes. « Si partir avec lui pouvait être aussi simple ! Si… »

Il s'emballait :

— …Quand j'aurai atteint la Suède, je t'écrirai et te donnerai le moyen de me retrouver à Stockholm. Tu me suivras ?

Incapable de parler, elle hocha la tête en signe d'acquiescement. Il répéta sa question :

— Tu viendras ? À n'importe quel prix ? Même si ta mère est malade… Même en quittant tes enfants… Tu viendras. Jure-le !

— Je jure de t'appartenir toute ma vie.

— Tu es ma femme, mon épouse à jamais !

*

Nous fûmes, Moura et moi, reconduits sous bonne garde à Khliebny Pereulok et consignés à résidence dans mon appartement. Il nous restait vingt-quatre heures.

La fiancée de Hicks – Liuba – vint me supplier d'obtenir de la Tchéka qu'elle laisse sortir Hicks de la légation norvégienne – une heure –, afin qu'elle puisse l'épouser.

Quand Yacob Peters m'apporta la lettre et la photo que je devais remettre à sa femme, je pris bien soin de lui présenter le problème sur le ton qu'il affectionnait : mi-sentimental, mi-moqueur. Il éclata de rire. Personne, sauf un Anglais aussi fou que moi, n'aurait osé lui faire une telle requête à un tel moment. Décidément, j'appartenais à un peuple cinglé ! Il allait voir ce qu'il pouvait faire.

Hicks et Liuba se marièrent le lendemain. Eux rentreraient en Angleterre, ensemble.

Moura, pour sa part, avait l'autorisation de revenir chez sa mère. Yacob Peters lui fournirait le laissez-passer nécessaire à son retour rue Shpalernaïa. En temps ordinaire, une arrestation doublée d'un séjour à la Loubianka entraînait – au minimum – une assignation à résidence, loin des villes : un « passeport intérieur » de couleur jaune qui signalait l'infamie de son titulaire et le périmètre de son exil. Dans le cas de Moura, aucune marque n'entacherait ses papiers.

Aucune obligation non plus de se présenter à la Tchéka de Petrograd.

Ce que les faveurs de Peters allaient lui coûter, Moura ne voulait, ne pouvait pas y songer.

Le départ de Lockhart était prévu à minuit.

À six heures du soir, quatre fourgons de l'Armée rouge allèrent chercher les diplomates du « Complot Lockhart » à la légation norvégienne et dans les prisons de Moscou. Ils conduisirent cette trentaine de personnes à la gare.

À neuf heures, le représentant de la Suède, le courageux monsieur Asker, vint prendre Lockhart en voiture. Moura les accompagnait.

Ils retrouvèrent sur le quai Alan Wardwell. Et la famille russe de Liuba, venue faire ses adieux à la nouvelle Mrs Hicks. Ils retrouvèrent aussi les collègues de Lockhart, qui l'accueillirent fraîchement. Tous le rendaient responsable des maux qu'ils venaient d'endurer. Le petit groupe était silencieux et tendu.

Moura et Lockhart enfilèrent le quai. Le train attendait, parmi les hangars, sur une voie éloignée. Des régiments de gardes lettons patrouillaient.

Nuit noire. Ils marchaient côte à côte, sans se toucher. Elle trébucha plusieurs fois en traversant les rails. Quand ils eurent atteint le wagon, ils s'aperçurent que le convoi n'était pas prêt. On les laissa là, dehors, à patienter.

Ils attendirent bien au-delà de minuit. Rien… Aucun signe de départ. Chez les compagnons de voyage de Lockhart, l'angoisse devenait palpable. Y avait-il eu contre-ordre ? Allait-on les garder ?

Une seconde, Moura se prit à espérer. Encore un jour avec lui… Mais elle connaissait assez les trains russes pour savoir qu'il s'agissait seulement de leur habituel retard.

Il était maintenant près de deux heures du matin.

Elle ne réussissait plus à échanger que des banalités avec Lockhart : la fraîcheur du soir à Moscou en octobre, l'hiver qui approchait… Bientôt la neige, qui rosirait les murailles du Kremlin, bientôt les stalactites qui enchâsseraient leur petite chapelle avec l'icône de *Notre-Dame-de-la-Joie-Inattendue*.

Elle frissonnait, elle claquait des dents, elle tremblait de fièvre. Plus malade encore que la veille.

Lockhart finit par héler Wardwell sur le quai :

— Moura n'est pas très bien… Inutile qu'elle attende ici dans le froid. Puis-je te demander de la raccompagner ?

Elle ne résista pas. Son émotion, sa faiblesse étaient telles qu'elle ne put protester. Ni même lui faire ses adieux.

Juste une brève étreinte.

— Quand nous serons séparés, lui murmura-t-il à l'oreille, souviens-toi de cela… Que chaque jour qui passe nous rapproche de celui où nous nous retrouverons.

Elle ne parvenait plus à sourire, elle ne parvenait plus à pleurer. Elle hocha la tête.

Wardwell la prit par le coude.

Lockhart resta longtemps à la regarder, qui s'éloignait à travers les voies.

Quand elle eut disparu, il monta dans le wagon.

Livre III

LA TROISIÈME VIE
DE
MARIA IGNATIEVNA

De Profundis *mais peu importe*

Octobre 1918 – Mai 1921

Chapitre 20

CHAQUE JOUR QUI NOUS RAPPROCHE...
3 octobre – 11 novembre 1918

Bien que, de tout temps, elle eût été consciente de l'imminence de la séparation, bien qu'elle l'eût longuement redoutée et qu'elle s'y fût préparée, Moura n'avait pas prévu cela. Un tel arrachement.

Quand l'ami américain, Wardwell, l'avait reconduite à l'appartement de Khliebny et laissée seule dans le petit ermitage, elle ne s'était pas effondrée, ni même jetée en pleurs sur le lit. Mais, tremblante de douleur et de fièvre, elle s'était attablée au bureau, là, tout de suite, à trois heures du matin, afin de prolonger sur le papier l'instant de l'adieu sur le quai.

Premières heures sans toi. Interminables déjà.

Mais ne crois pas que je me laisse aller. Au contraire. Je ne cesse de me répéter ce que tu m'as dit à la gare : que, désormais, chaque instant me rapproche de celui où je te retrouverai.

Ce qui reste de moi n'est qu'une enveloppe. Mon âme est partie avec toi.

Je ne parviens pas à prendre la mesure de ton absence. Je n'arrive pas non plus à imaginer ce que va être mon existence ici, la vie amputée de toi.

Je rentrerai tout à l'heure à Petrograd m'occuper des papiers de ma mère et tenter de la faire sortir du pays. J'y attendrai ton signal de Suède. Lorsque tu m'appelleras à Stockholm, je serai prête.

Ne te fais aucun souci pour moi, tu as déjà assez d'inquiétude comme cela ! Tu sais que je ne suis pas sans défense, que je m'en sors toujours. Je trouverai le moyen de mettre ma mère à l'abri en Finlande. Je trouverai une solution avec Djon pour ne pas perdre mes enfants. Oui, j'arrangerai les choses d'une façon ou d'une autre... Peut-être par l'intermédiaire d'Asker et des neutres.

En vérité, je suis seulement fatiguée, fatiguée. Et cela passera.

Quand tu m'auras écrit que, toi, tu vas bien, que tu ne souffres pas, qu'à Bergen l'échange de prisonniers s'est passé comme prévu, que tu es redevenu un homme libre... tout ira mieux. Et tout ne va déjà pas si mal puisque tu es sain et sauf, que tu m'aimes et que ta lettre arrivera bientôt.

Bon voyage mon amour, bonne nuit pour ce soir. Que Dieu te garde et te protège !

Moura

*

Dans cette lettre, la première de la centaine à venir, toutes plus dignes les unes que les autres – à terme, plus déchirantes –, elle répèterait ces mots qui visaient à le rassurer.

Ne te fais aucun souci pour moi.

Avec pudeur, avec générosité, elle maintiendrait cette image aristocratique d'elle-même, une fiction modelée sur la bravoure, sur l'intelligence et la loyauté qu'elle prêtait à Lockhart. La conviction qu'elle devait affronter noblement les difficultés reposait sur le sentiment de sa chance. Partager la passion d'un tel homme était un cadeau du destin.

Habitée par la volonté de ne pas rajouter à sa peine, elle élevait, pour le protéger, un rempart de tendresse dont il n'aurait jamais idée. Elle faisait preuve de panache et de cran. Elle donnait le change.

La souffrance de Moura était cependant physique, morale, totale.

Tu sais que je ne suis pas sans défense, que je m'en sors toujours.
Faux.

Quoi qu'elle en dise, le départ de Lockhart la mettait à nu sur tous les plans, son absence l'exposait sur tous les fronts. Et pas seulement celui des sentiments.

Elle le savait.

Finis les passe-droits diplomatiques, les rations de la Croix-Rouge, les multiples privilèges dont elle avait bénéficié jusqu'à ce jour. La disparition des derniers Anglais la renvoyait au destin des autres Russes. Comme sa mère, comme sa sœur Anna, comme toutes les femmes de son milieu, elle appartenait à la classe des Gens d'Avant. Sans la protection de la communauté internationale, elle redevenait un élément anonyme dans un groupe condamné.

Elle ne s'attendait toutefois pas à ce qu'elle allait retrouver à Petrograd.

Le 5 octobre 1918 – soit trois jours après le départ de Lock-hart –, Lénine, de nouveau sur pied, avait publié un décret interdisant à quiconque de vendre la moindre nourriture aux burjouis ne pouvant justifier d'un emploi. Seuls les *travailleurs* avaient droit à une carte de ravitaillement, pas les *parasites*. Ceux-là, les parasites – les burjouis, entre quinze et soixante-quinze ans – devaient s'acquitter de corvées d'utilité publique, pointer chaque mois au commissariat du Travail, et produire leur livret estampillé par les Comités. Quiconque ne pourrait prouver qu'il avait accompli ses corvées, se verrait privé de sa carte de ravitaillement, et donc de toute possibilité de survie.

Quant au reste, un burjoui ne pouvait occuper chez lui qu'une seule pièce. Son appartement – avec ce qu'il contenait – appartenait désormais à l'État et aux familles du prolétariat qui y habitaient. Gare aux traîtres de classe qui ne mettaient pas spontanément leur propriété à disposition des Soviets. Jetés dehors, ils ne pourraient se reloger nulle part. Sans toit, sans livret de travail, sans carte de ravitaillement : un arrêt de mort.

Petrograd, le 23 octobre 1918

Si tu me voyais, Babyboy : un poulet sans tête qui court en zigzag dans une ville fantôme. Rues vides. Magasins fermés. Rideaux de fer, grilles, planches. Immeubles condamnés.

Plus de coups de feu, comme l'année dernière, pas de voiture péta-radante chargée de bolcheviques en armes... Logique : il n'y a plus personne dans les avenues sur qui tirer. Et plus personne pour t'arracher ton manteau : ils ont tous été déjà arrachés ou vendus. Plus de chevaux non plus, même des chevaux morts : ils ont tous été mangés.

Dans ce silence, si lourd qu'on entend ses oreilles bourdonner, je cherche un emploi. Mais je ne sais aucun métier. Dactylo ? Je tape encore si mal que personne ne veut de moi... Alors je fonce à l'Université où je prends des cours de droit international. Et là, je me retrouve. Oui, oui, le droit, j'adore cela ! Et j'apprends aussi à cuisiner avec l'ancien chef de ma tante, la princesse Saltikov. Et je lis, je lis, je lis Platon, Nietzsche et Kant, pour devenir un bas-bleu aussi lettré que toi. Tu vois, Babyboy, quand tu me récupéreras, je serai une femme sensationnelle. Avocate, philosophe et cuisinière : pas mal non ? Blague à part, tu n'imagines pas ce qui se passe ici. Petrograd était déjà un cimetière au printemps. Mais rien, comparé au char-nier de cet automne ! Les rafles et les perquisitions sont quotidiennes. En deux mois, les bolcheviques ont arrêté près de trente-deux mille personnes. Ne crois pas que j'exagère ! Ce sont les chiffres que Yacob Peters publie dans « Le Glaive rouge », la feuille de la Tchéka. Au début, il publiait aussi la liste des condamnés. Plus maintenant. À Petrograd, les bourreaux donnent les corps des fusillés aux animaux du zoo. Quand quelqu'un est emmené, il disparaît complètement. Nous ne savons plus qui est encore vivant ; qui est déjà mort. Sans parler des épidémies qui tuent tout le monde. Myriam a été conduite hier sur la route de Peterhof avec trente autres femmes, pour creuser les tombes des victimes du typhus. Les gardes l'ont ensuite emmenée dans leur caserne pour lui faire nettoyer leurs latrines. Quant à sa mère, elle a dû déblayer jusqu'à l'aube le charbon tombé sur les rails, à la gare de Finlande... Un travail aussi épuisant qu'absurde, puisqu'aucun train ne part de là et que le charbon est déjà calciné. Les corvées qu'ils imposent n'ont en général aucun but. Elles sont même, par principe, inutiles. Elles servent à nous humilier et à nous briser. Je dis « nous », mais ne t'inquiète pas pour moi. La chance a voulu que ma mère ait oublié de payer sa taxe d'habitation, et même oublié de payer tous ses impôts de l'année dernière. Résultat : nous n'apparaissons sur aucun registre. Et l'appartement de la rue Shpalernaïa n'a été encore ni réquisitionné ni même répertorié. Malheureusement, elle a aussi oublié de faire sa corvée de balayage devant l'immeuble, hier.

Et cela...

Cela, Babyboy, ne va pas arranger nos affaires.

Diable ! Je crains que ma lettre ne finisse par t'évoquer le « De Profundis » d'Oscar Wilde. Ne t'y arrête pas... Un petit coup de spleen, voilà tout. J'ai eu une journée un peu compliquée.

Et tu me manques tant, Babyboy ! Ton absence rend le quotidien plus douloureux qu'il ne l'est en réalité. Sans toi, les choses tristes apparaissent plus tristes, et les belles, minuscules.

Quand j'aurai reçu ta lettre, tu verras, je redeviendrai cette incurable optimiste, dont tu disais que rien ne pouvait l'abattre.

Demain, j'irai batailler pour que ma mère ne perde pas sa carte.

*

Facile à dire. La ville n'avait jamais connu pareille bureaucratie, ni semblable corruption.

D'abord, négocier avec l'ancien portier qui présidait aux destinées des soixante habitants : le chef du comité de l'immeuble. C'était lui qui guidait les tchékistes lors des perquisitions, lui qui choisissait pour eux les appartements à fouiller, lui qui veillait à la saisie des objets et à leur enlèvement. Naguère un brave homme, il se révélait aujourd'hui un redoutable salaud.

La chance avait voulu que Moura, du temps de sa splendeur, se soit montrée généreuse avec lui. Elle continuait de lui offrir de menus présents, qu'il bradait au marché noir.

— C'est la loi, camarade Maria Ignatievna. Qu'y puis-je ? Votre mère n'a pas accompli ses trois heures de balayage règlementaire... Je dois la signaler.

— Mais si je balaye à sa place ?

— Ce serait irrégulier : vous avez déjà fait vos heures.

— Ma mère est âgée, Piotr Ivanovitch : elle souffre d'un cancer et n'a plus toute sa tête.

— Est-ce ma faute ? Allez voir les gars du commissariat à l'ancienne sucrerie König.

— Sans votre visa sur son livret de travail, ils confisqueront sa carte de ravitaillement. Elle va mourir de faim.

— De toutes façons, la vieille a vécu cinq ans de trop.

La bêtise et les abus de pouvoir ne faisaient que commencer.

Moura savait ce qui l'attendait : un incroyable steeple-chase administratif, jalonné de dessous de table et de pots-de-vin, qui la laisserait exsangue.

Elle hésitait. Se présenter au commissariat König ? Probablement une erreur. Les sous-fifres qui régnaient sur les délits mineurs lui prendraient son argent, sans même tenter de régler le problème.

Frapper plus haut.

Qui, parmi ses relations, connaîtrait la bonne personne ? Elle reprenait les raisonnements d'antan, de l'époque où elle travaillait à la survie de Lockhart. Qui ?

La police de Petrograd comptait deux autres commissariats-prisons : le terrifiant quartier général de la Tchéka rue Gorokhovaïa ; et sa succursale du 25 rue Shpalernaïa, à quelques mètres de chez elle. L'un et l'autre étaient dirigés par des femmes. Auprès de ces matonnes-là, Moura n'avait aucune chance.

En appeler à Yacob Peters à Moscou ? Une folie ! Elle n'allait pas griller ses cartouches, en dérangeant Yacob Peters pour lui demander un passe-droit dans une histoire de carnet de travail. Qui d'autre ? Le commissaire aux Affaires étrangères Lev Kara-khan ? Encore une folie !

À ce stade, le moins dangereux restait encore le plus risqué : ne se présenter nulle part.

L'unique façon de ne pas attirer l'attention sur soi. Et sur mille autres infractions. Sur les coffres de Djon, dont elle n'avait pas remis les clé aux nouveaux directeurs de la banque. Sur les impôts de l'année dernière, sur l'appartement, sur…

On lui avait parlé d'un réseau qui truquait les livrets de travail, trafiquait les cartes de ravitaillement, fournissait même de faux passeports.

*

— Alors ? Tu l'as ?

— Oui.

Mummy l'avait cueillie dans le vestibule, la guettant au retour d'une énième journée de démarches harassantes.

Pauvre Mummy ! Sans les soins d'une femme de chambre, elle ne savait ni se coiffer ni s'habiller. Totalement perdue. Et sa haine des bolcheviques ne lui était d'aucun secours pour résister.

Avec sa longue pelisse qui lui servait de robe d'intérieur, son chignon lâche d'où s'échappaient des mèches grises, elle offrait un spectacle déprimant qui bouleversait Moura. Elle avait aujourd'hui soixante ans. Elle en paraissait vingt de plus.

Moura ôta son châle, s'octroyant quelques secondes de réflexion. Que devait-elle lui dire ? Que pouvait-elle partager ? Rien.

Mummy ne contrôlait plus ses nerfs et clamait ses malheurs à qui voulait les entendre. Impossible de lui avouer la vérité, impossible de lui parler de faux papiers.

Impossible aussi de lui cacher les difficultés et de prétendre que tout allait bien.

Moura enfila le couloir :

— J'ai obtenu une autorisation pour une demande de visa.

— Nous allons enfin pouvoir sortir de là !

— Ce n'est pas gagné, Mummy.

Moura se laissa tomber sur une chaise. Elle soupira :

— …Nous devons en obtenir dix-sept autres.

— Autres quoi ?

— Autorisations… Pour émigrer en Finlande, il nous en faut dix-huit au total. Sans parler des certificats médicaux. Des cadeaux aux docteurs et des pourboires aux nombreux préposés des dix-huit services.

— Des cadeaux ? Nous n'avons plus rien… Ils nous ont déjà tout pris. Nous mourons de faim, nous mourons de froid !

— Si je réussis à obtenir ces autorisations…

— Tu les obtiendras, Mourochka, tu les obtiendras, j'ai confiance en toi. Sinon, nous partirons sans.

— Les frontières sont verrouillées, Mummy. Même si nous échappions aux Rouges, les Finnois ne nous laisseraient pas entrer. Il nous faut un visa en règle.

— Je m'en moque ! Partir, partir, partir à n'importe quel prix ! Elle criait… Partir sans rien. Partir sans argent, sans passé. Partir nue. Mais partir ! Qu'ils nous exterminent à la frontière ou dans la prison du bout de la rue : quelle différence ? De toute façon, les bolcheviques nous tirent comme des lapins. Ils n'appliquent pas « la peine de mort » – elle leur est interdite –, ils écrasent la vermine. *Le camarade Lénine purifie la société des punaises qui l'infectent* : ils l'ont placardé en bas, dans la cour. Commode pour justifier leurs crimes ! Nous ne sommes plus des humains, mais des poux. Ton mari avait raison sur toute la ligne... Djon avait vu, lui, il avait compris ce qu'étaient les bolcheviques !

Moura baissa la tête. Les crises de Mummy se succédaient, chaque jour plus proches de l'hystérie. Mieux valait se taire, attendre, ne pas tenter de la rassurer. Quand la panique la saisissait, aucun raisonnement au monde ne pouvait l'atteindre.

Son angoisse finissait cependant par devenir communicative.

— ...Regarde-moi, poursuivait-elle. Méconnaissable ! Ce n'est pas mon cancer... Regarde mon ventre, il est si gonflé que j'ai l'air de ce que je suis : la victime d'une famine. Et l'Europe s'en moque ! Personne ne songe à nous sauver. Les Alliés moins encore que les autres. On dirait qu'ils ont perdu jusqu'au sens de l'honneur. Lénine prend d'assaut leurs ambassades, Lénine assassine leurs diplomates. Et eux ? Rien. Ils laissent faire ! Comment acceptent-ils ce qui se passe ici ? Ils ne peuvent pas dire qu'ils l'ignorent : ils l'ont vu ! Même le gentil capitaine, celui dont tu nourris le chien – encore une stupidité de ta part ! –, ce garçon qui écrivait des vers et que tu disais tellement idéaliste qu'il sympathisait avec les bolcheviques...

— Denis Garstin.

— Même lui, il a *vu* ce qui se passait ! Veux-tu que je te dise ? Tes amis les Anglais se fichent pas mal de ce qui peut nous arriver. Que pensent-ils des Russes aujourd'hui ? Sans doute quelque chose de tout simple, comme quand ils pensent aux Indiens qui meurent de faim : cela ne leur paraît pas bien grave. Banal même, à leurs yeux ! Et l'autre, ton consul à Moscou que tu me décrivais si malin ? Il est, dit-on, *persona grata* à Stockholm. Pourquoi ne t'écrit-il pas ? Pourquoi ne t'appelle-t-il pas ? Le téléphone n'est pas coupé, que je sache ! Et pourquoi ne t'envoie-t-il pas un visa pour la Suède ?

Mummy avait rencontré Lockhart, comme les autres amis de Moura. Par les journaux, elle connaissait le complot dont il avait été accusé, l'histoire de son incarcération, son départ. Mais elle

313

ignorait tout du drame que vivait sa fille. Elle n'avait même aucune idée de la passion qui liait Moura à cet homme.

Et pourtant, selon son ordinaire, avec un instinct très sûr, Mummy visait juste, tapait dans le mille et frappait fort.

Oubliée ? Abandonnée ? Moura se révoltait.

Impossible !

*

Voyons, que savait-elle de lui depuis un mois ?

L'échange de prisonniers à Bergen s'était déroulé sans incident : cela, le représentant de la légation de Suède le lui avait dit.

C'était le 9 octobre.

Lockhart était parvenu rapidement à Stockholm : cela aussi, elle l'avait appris par la légation.

C'était le 15 octobre.

Lors de son passage en Suède, il s'était entendu avec les représentants des puissances neutres pour que ses courriers parviennent à Petrograd, via les canaux des pays scandinaves. Moura serait avertie de l'arrivée d'enveloppes à son nom par le personnel de l'une ou l'autre des légations… Prévenue non par téléphone, mais par un messager. La prudence exigeait qu'elle vienne les chercher en personne, qu'elle lise leur contenu sur place, qu'elle les détruise à chaque fois.

Mais il n'y avait pas eu de *à chaque fois* ! Juste deux.

Dans ses deux merveilleuses lettres, écrites l'une et l'autre au lendemain de leur séparation, Lockhart lui criait son amour. Pas un mot qui n'exprimât son incapacité à survivre sans elle. Pas une phrase qui ne racontât l'immensité de sa détresse, qui n'évoquât leur avenir ensemble, leur plan de retrouvailles. Et son impatience, sa soif de la serrer à nouveau contre lui.

Malheureusement pas tout de suite, pas *à la seconde*, pas *dès qu'il serait redevenu libre*, comme il l'avait espéré.

314

Pressé de toute part, contraint de s'expliquer rapidement auprès de son gouvernement, il devait se hâter vers l'Angleterre. Un peu inquiet tout de même, plaisantait-il dans sa seconde lettre, un peu méfiant quant à ce qui l'attendait à la maison.

Il avait débarqué à Londres le 19 octobre.

Cela, Asker, le représentant de la Suède, le lui avait confirmé.

Trois semaines.

Et depuis : rien.

Pourquoi les nouvelles n'arrivaient-elles plus ?

Avait-il été arrêté à l'instant même où il posait le pied en Angleterre, comme l'avait prédit Yacob Peters ? Jeté en prison et jugé ?

Non ! Cela, elle l'aurait aussi appris par les neutres. Ils n'auraient pu omettre une telle information. D'autant qu'ici, en Russie, on ne parlait à nouveau que du « traître Lockhart ».

Le 28 octobre 1918 s'était ouvert à Moscou le procès des conjurés du fameux complot qui portait son nom : chaque jour, chaque seconde, Moura tremblait de voir apparaître le sien dans les comptes rendus. Tous les journaux titraient sur les crimes de l'espion anglais. Faire sauter les trains... Affamer le peuple... Assassiner les commissaires.

Au terme d'une semaine de procédure, Lockhart venait d'être condamné à mort par contumace, ainsi qu'il l'avait lui-même prévu. On avait pendu et brûlé son effigie, en l'aspergeant d'un bidon d'essence à l'entrée du tribunal. Ses complices, Sidney Reilly et deux Français ayant assisté aux réunions de Khliebny Pereulok, étaient, comme lui, condamnés à mort *in absentia*.

Leurs auxiliaires russes qui n'avaient pu, eux, s'enfuir à l'étranger, avaient déjà été fusillés ou envoyés dans les camps.

Pas un mot toutefois sur « la secrétaire ». Dans les actes du procès, aucune trace de son existence. Par quel miracle *madame Benckendorff*, bourgeoise entre les bourgeoises, n'était-elle pas citée ? Comment ? Pourquoi ? Moura n'allait pas s'en plaindre ! Mais elle s'interrogeait. Devait-elle cet incroyable silence à la protection de Karakhan ? De Yacob Peters ?

Elle préférait ne pas y penser.

Oublier cela : la *mansuétude* de Yacob Peters. Lors de leurs adieux dans la capitale, il s'était contenté de lui promettre une visite de courtoisie à l'occasion de l'un de ses passages à Petrograd. Une rencontre amicale, entre deux rendez-vous.

Et depuis : rien. Plus de nouvelles. Elle pouvait penser que Yacob Peters l'avait oubliée. L'espérer, en tout cas. Jugeait-il qu'elle avait rempli sa part du contrat, en lui livrant son cahier de notes ? En lui relayant les propos des neutres ?

Elle n'y croyait pas une seconde. Mais la vie était trop dure pour oser songer longtemps à Yacob Peters.

Elle reconnaissait qu'il l'avait probablement tirée d'affaire.

Surtout, surtout ne pas se demander ce qu'il exigerait d'elle, en échange !

Un problème à la fois.

Dans les milieux internationaux, elle exhalait déjà un parfum de scandale qui lui causait assez de soucis !

Si nul parmi les membres de sa famille ne savait son aventure avec Lockhart, les représentants des puissances neutres, eux, connaissaient les détails de leur liaison. Ils détenaient même toutes les preuves de son infidélité conjugale. Elle leur apparaissait aujourd'hui comme la *maîtresse d'un espion condamné à mort :* on en jasait. L'adultère et l'espionnage restaient de mauvais goût.

Diablement écornée, la réputation de la petite Benckendorff ! Ses allées et venues pour récupérer son courrier chez les concierges commençaient à agacer. Elle avait cessé d'être *persona grata* dans les légations scandinaves.

« Attention aux Danois », lui avait écrit Lockhart dans la première de ses deux lettres. Il ne s'étendait pas sur les raisons, mais Moura était bien placée pour savoir que l'épouse du représentant du Danemark, une dame de grand mérite que les Gens d'Avant disaient d'une bonté, d'un dévouement et d'un courage exemplaires à leur égard, l'appelait désormais *l'indigne madame B.* Moura haussait les épaules. Dans tous les mondes, la Révolution n'avait rien changé à la méchanceté.

En d'autres temps, ces potins l'auraient blessée. Aujourd'hui, que lui importait ? Du moment qu'ils n'atteignaient ni les enfants ni Mummy, elle se souciait des ragots comme d'une guigne. Son amour pour Lockhart l'avait affranchie, pensait-elle, de la crainte de déchoir. Il avait fait d'elle un être capable de conquérir la peur. Libre de tous préjugés. Les siens, comme ceux des autres.

Ce changement, elle l'éprouvait au plus profond. Moins hypocrite. Moins lâche… Leur rencontre l'avait transformée et rendue meilleure. Lockhart ne disait-il pas, lui aussi, qu'il n'était plus le même homme ? Cela seul comptait.

Elle avait tort de s'impatienter. Elle-même n'avait jamais cru, au fond, que la séparation ne durerait que quelques semaines. Ils avaient, l'un et l'autre, tant de choses à régler avant de pouvoir se rejoindre et s'unir !

Elle ne devait plus se laisser influencer par la terreur de Mummy. Elle devait garder confiance.

Elle calculait, elle comptait les jours. Si Lockhart était parvenu à Londres le 19 octobre, son silence n'avait rien d'anormal. Impossible de recevoir la moindre lettre de lui avant… Nouveaux calculs. Un mois. Oui, un mois *minimum.*

Aucune raison de s'inquiéter.

Chapitre 21

LES MILLE DEGRÉS
D'UNE DESCENTE AUX ENFERS
Hiver 1918 – 1919

La nuque ployée, le regard fixe, Moura reprenait souffle contre la rambarde du pont Dvortsovy. Le vice-recteur de l'université avait été arrêté. Et, par quelque erreur d'un sous-fifre, le corps du malheureux venait d'être rendu à sa veuve. Un visage si défiguré, un cadavre tellement torturé que la pauvre femme, devant cette bouillie sanglante, ne cessait plus de hurler. Ses cris avaient attiré tout un bataillon de policiers. Les amphithéâtres grouillaient de tchékistes. En poussant les portes, Moura avait compris. Terminés l'enseignement du droit international et la perspective d'apprendre un métier. Lénine se méfiait trop des intellectuels pour laisser les étudiants prospérer. Leurs origines bourgeoises en faisaient, par essence, des ennemis de classe, l'incarnation du « traître social ».

Aujourd'hui, les cours étaient annulés. Demain, l'université fermerait. *Exit* l'espoir de trouver un emploi et de s'en sortir. *Exit* son ultime plaisir.

Avec ses congénères, elle avait filé et couru droit devant elle.

Elle traînait maintenant seule sur le pont. Elle regardait la Neva qui charriait les premiers blocs de glace. L'image de ce flot évoquait en elle mille autres clichés : la nostalgie de l'espace, une exigence de fuite.

Un fleuve qui coulait vers la mer : voilà ce qui restait de la liberté en Russie. Avec les nuages qui couraient dans le ciel et le vent qui soufflait du large.

Le reste, toutes les beautés de Petrograd qui se dressaient autour d'elle, le dôme doré de l'Amirauté, la flèche de la cathédrale Pierre-et-Paul, n'abritaient que des lieux de torture et ne suscitaient que des visions de cauchemar.

Elle se secoua. « Je deviens morbide. Je vais finir neurasthénique comme Mummy. »

Pleurer sur soi-même, quand on avait la chance de connaître un amour aussi précieux que celui de Lockhart, était inacceptable. On n'avait le droit ni de se plaindre ni de faiblir.

Ne jamais perdre cela de vue : ce cadeau. Parmi les hommes et les femmes que le malheur frappait, elle se considérait comme une privilégiée du destin. Pour la vie.

*

Petrograd, le 10 novembre 1918

My darling Babyboy,
Un coursier de la légation hollandaise m'a averti de l'arrivée d'une grosse enveloppe. Enfin de tes nouvelles ! Tu n'imagines pas combien l'existence m'a soudain paru légère. J'ai attrapé mon châle et foncé. Le malheureux concierge qui mettait des heures à trouver mon paquet a manqué se faire écharper.

Les lettres venaient en effet d'Angleterre. Elles étaient toutes de Meriel et de Lady Buchanan. À l'exception d'un petit mot de Cunard où il faisait allusion à la mort de Garstin.

Cunard m'écrit que Garstin a été tué quelques jours avant Cromie... Fauché en août, lors du débarquement allié d'Arkhangelsk.

Je ne savais pas, Babyboy, je ne savais pas qu'il était mort ! Tu connaissais la nouvelle, toi, n'est-ce pas ? Sans doute as-tu voulu m'épargner.

Cette fois mon cœur saigne. J'aimais tendrement Denis Garstin. Je ne parviens pas à accepter.

Je vais tenter de te faire passer ses manuscrits. Il me les avait laissés avec Garry, son chien, quand il était parti combattre. Trois manuscrits. Je les avais tapés ces dernières semaines et mis en ordre. Pourras-tu t'occuper de les publier ? S'il te plaît, s'il te plaît, Babyboy, ne laisse pas Garstino mourir complètement ! Peut-être ses manuscrits auraient-ils besoin d'une introduction, un petit texte expliquant quel érudit, quel gentleman, il était... Quel officier, aussi. Pourrais-tu t'en charger ? Ou bien demander cette préface à son ami Walpole ? Ou à Hicks ou à Cunard ? Les livres de Garstino sont très bons. Je t'en prie, fais en sorte que leur auteur ne tombe pas dans l'oubli ! Il s'est toujours conduit envers moi avec tant de noblesse. Et moi, en retour, je l'ai traité si légèrement.

La dernière lettre de Meriel date d'il y a huit jours. Elle y joint quelques coupures de journaux. Ton retour semble avoir soulevé beaucoup d'intérêt. Est-ce finalement un triomphe ? Quelle joie de te voir en photo ! Sur toutes, tu es splendide. J'adore celle où tu montes en voiture. Qui est le personnage qui s'efface devant toi ? Avec ta baguette sous le bras, ton cigare à la bouche, et ton nœud papillon, tu as l'air très important... Très distingué !

Ici, la neige continue de tomber, comme lors de ton arrivée à Petrograd, l'année dernière.

Bientôt onze mois que tu es apparu à la maison pour la première fois. Nous fêtions alors l'anniversaire de Crow.

Pourquoi tes lettres ne me parviennent-elles plus ? Aujourd'hui, je me sens maussade. Et dure.

Mais je t'aime, Babyboy.

*

Les yeux fermés, comme si ses paupières la protégeaient contre la douleur, elle caressait doucement la grosse tête de Garry. Il

321

avait posé son museau sur ses genoux. Lui aussi fermait les yeux. « Tu l'aimais, ton maître. »

Garstino, mort.

Ne pas en vouloir à Lockhart d'avoir *oublié* de la prévenir. Il avait tant à faire. Trop occupé… Il devait rendre compte de sa mission à Lord Balfour. À Lloyd George. Probablement au roi d'Angleterre… Écrire des rapports. Donner des conférences. Publier des articles.

Elle trouvait mille excuses, mille explications à son silence, toutes plus logiques, plus rationnelles les unes que les autres.

Que savait-elle de ce qui se passait dans le monde ? Ne restaient pour s'informer que les feuilles de propagande qui mentaient. Les autres journaux avaient été supprimés. Elle ne savait rien ! Sinon que la guerre en Europe continuait. Et que la guerre civile entre l'Armée rouge de Trotski et l'Armée blanche faisait rage.

Autre certitude : les Alliés soutenaient les Blancs. Mais quelles étaient leurs intentions ?

Dans la rue, certains affirmaient que les Anglais avançaient, qu'ils se trouvaient à quelques trentaines de verstes, qu'ils allaient libérer Petrograd des bolcheviques. Les rumeurs se contredisaient… D'autres soutenaient l'inverse : que les Anglais reculaient, qu'ils avaient même quitté le pays.

Rumeurs, rumeurs, partout des rumeurs.

Que se passait-il en Ukraine ? À Berezovaya ? Anna ne donnait plus aucune nouvelle. Était-elle encore vivante ? Moura se gardait d'aborder le sujet avec Mummy. On disait Kiev à feu et à sang, prise entre les Prussiens, les Rouges, les Blancs, les séparatistes et les pillards.

Que se passait-il en Estonie, où les Allemands avaient, paraît-il, évacué Reval, laissant le champ libre aux Russes, qui reprenaient les territoires cédés à Brest-Litovsk ? Ils y confisquaient les propriétés, massacraient les burjouis, fusillaient par milliers les collaborateurs des Boches et les complices des puissances capitalistes.

Où se trouvait Djon ? Les communications avec les pays baltes étaient coupées. Où se trouvaient Kira, Paul et Tania ?

Tétanisée par l'angoisse, Moura ne pouvait supporter même l'évocation de Yendel.

Et à Londres ? Que se passait-il vraiment à Londres ?

Depuis l'arrivée des enveloppes de Meriel Buchanan et d'Edward Cunard, elle avait pris la mesure de la rapidité du courrier via les légations. Censurait-on les lettres de Lockhart ?

Elle ne comprenait pas les raisons de son mutisme !

« M'en voudrait-il de quelque chose ? »

Elle en perdait le sommeil. Elle s'endormait, oui, pour se réveiller deux heures plus tard, et rester là, les yeux écarquillés.

« Quelqu'un l'aurait-il mis en garde contre moi ? Aurait-il entendu des ragots à mon sujet, des propos désagréables sur ma conduite, quelque chose qui lui compliquerait la vie ?

« Qui sait ce que lui raconte Hicks, ce qu'il lui dit de mon intimité avec Yacob Peters ? »

Durant leurs semaines dans le petit ermitage, elle avait cru Hickie revenu à leur affection d'antan. Mais sur le quai, la nuit du départ, il lui avait fait cette réflexion bizarre... Une phrase à propos de la Tchéka, dont elle ne parvenait pas à se souvenir.

Elle conservait de leurs adieux une impression désagréable. Hicks ne chantait sûrement pas ses louanges. Répétait-il à Lockhart une variante des discours du général Knox à Cromie : *une moucharde à la solde des bolcheviques* ?

Elle devait cesser de se poser des questions.

Assez de jérémiades.

Quand on a peur, quand on a mal, on n'ennuie pas les gens. On cache sa peine. On la tait. On l'enfonce en soi. Et l'on se débrouille pour vivre non pas avec sa douleur, mais avec le reste.

Arrêter d'encombrer Lockhart en lui distillant des soucis qui ne le regardaient pas. Lui redonner courage, au contraire ! Le soutenir dans ses combats.

Elle sauta sur ses jambes. Oui, assez ! Elle-même avait mille batailles à mener. Elle devait empêcher qu'on ouvre le coffre de Djon à la banque. Empêcher qu'on installe des familles dans l'appartement. Empêcher, empêcher, empêcher…

Petrograd, le 14 novembre 1918

My darling Babyboy,

Hourrah : c'est la Paix chez toi ! Les journaux viennent de publier les termes de l'Armistice !

Entre nous, je les trouve trop durs envers l'Allemagne. Même pour ma germanophobie et mon horreur des Boches. Je me moque bien de leur sort, ils ont mis le monde à feu et à sang, je ne les plains pas. Mais un tel excès de rigueur et d'humiliations me paraît une politique maladroite et dangereuse de la part des Alliés.

J'ai entendu dire que la Conférence pour la Paix allait se tenir à Paris. Si par hasard tu devais y aller, Babyboy, va voir ma sœur Alla de ma part. Elle habite 11 quai d'Orsay et s'appelle aujourd'hui madame René Moulin. C'est tout ce que je sais d'elle.

Dis-lui qu'elle exagère de ne jamais répondre à mes lettres ! Dis-lui qu'elle me manque, dis-lui combien je l'aime… Dis-lui aussi que sa fille Kira est en Estonie avec mes enfants. Seulement, toi, ne tombe pas amoureux d'elle ! Elle est très belle, avec une splendide chevelure rousse qu'elle coiffe à merveille. Donc attention : je peux être très jalouse. Mais je t'en prie, donne-moi de ses nouvelles, raconte-moi comment elle va.

Quel anachronisme de t'écrire sur cet ancien papier à en-tête de l'ambassade d'Angleterre ! Aujourd'hui le palais est un mythe, une maison solitaire dont les fenêtres sont barricadées. Tu ne reconnaîtrais pas l'intérieur… ce qu'ils en ont fait. Et puis le pire : sur le tapis au pied de l'escalier, la grande nappe de sang coagulé. Le sang de Cromie qu'ils se vantent d'avoir torturé et tué.

Les méthodes des bolcheviques sont atroces.

Tu sais que je ne me suis jamais montrée hystériquement agressive envers eux, ni aveuglément opposée aux principes marxistes. Au début, leur arrivée m'était même apparue comme un espoir. Une régénération. Je pensais qu'ils allaient nous débarrasser de l'hypocrisie, de la corruption, de l'injustice, de tous les dysfonctionnements de l'ancien monde. Erreur. En fait de liberté, ils instaurent une morale qui repose sur la peur, sur l'envie, sur la délation.

Pour ma part, ils me rendent malade. Qu'ils décampent !

Même toi, Babyboy, qui connais si bien les écrits de ton copain Trotters, même toi, tu ne pourrais imaginer combien la situation est devenue insoutenable.

Il me vient désormais des idées horribles, absurdes.

Si je n'avais pas perdu ton enfant, notre amour aurait été pour toi autre chose, j'aurais eu cette joie, ce bonheur à t'offrir. Pardonne-moi, Babyboy, pardonne-moi d'avoir interféré avec ton avenir, sans pouvoir rien te donner en échange.

Mais sache que je t'aime. Et que l'incertitude sur ton sort, l'absence de nouvelles, est peut-être le pire des maux.

Stop ! Pas de pathos. Et jamais de reproches. Inutile d'évoquer pour lui les étapes de cette interminable descente aux enfers.

Elle ne lui parlerait pas de l'hiver et du froid. Elle ne lui dirait pas que, dans la maison, les tuyaux avaient gelé avant d'exploser. Qu'il faisait six degrés dans sa chambre, qu'elle grelottait et ne pouvait lui écrire qu'au lit.

Qu'ailleurs dans l'appartement, c'était pire. Que la cuisine et le couloir étaient de véritables patinoires. Qu'elle avait dû arracher les boiseries et les parquets pour les brûler et tenter de réchauffer Mummy, dont la maladie empirait. Son médecin parlait de l'opérer.

Elle n'allait pas l'assommer avec les angoisses de la vie quotidienne.

Rien non plus sur la faim. Elle tairait qu'aujourd'hui, elle avait vu une longue file d'attente devant une affichette :

Viande de chien : trois roubles la livre.
Souris : vingt kopeks.

Elle lui raconterait, au contraire, des anecdotes, tous les détails piquants sur les gens en place, les potins légers qui pourraient sinon l'amuser, du moins l'intéresser.

Elle finissait toujours par se remettre sur son séant, par gratter l'allumette pour sa bougie, par se pencher au pied du lit, par reprendre son bloc, et continuer à lui écrire.

Sa vie se réduisait à cela : ses moments d'intimité avec lui. Sa consolation. Sa torture.

Elle irait porter toutes ses lettres à la légation demain matin. Les tramways, comme le téléphone et l'électricité, ne fonctionnaient plus. Elle marcherait le long de la Neva, jusqu'à l'autre bout du quai. Huit kilomètres par moins vingt degrés. Sans fourrure et sans bottes.

Petrograd, le 14 décembre 1918

Baby,

Enfin ! Je tiens ta lettre ouverte sur mes genoux. La troisième. Et je la lis, et je la relis, encore et encore, avec une ivresse que tu ne peux même imaginer. J'ai eu si peur que tu aies cessé de m'aimer. Pardonne-moi d'avoir douté. Et pardonne-moi de te faire tant souffrir.

Oh Baby, je suis si désolée d'être pour toi une source de problèmes. L'idée que notre liaison empêche, ou qu'elle ralentisse, ta carrière me torture. Que tu connaisses des difficultés à Londres, du fait de mon existence...

Ne sacrifie rien pour moi, que tu pourrais regretter par la suite !

Je n'ai cependant pas le courage de te conseiller de me quitter. Autant je n'ai peur de rien avec toi, autant la pensée d'un avenir sans toi me glace d'une terreur que je ne parviens pas à surmonter.

Quand j'ai reçu ta lettre ce matin, j'ai fondu en larmes... Mais tout va bien, c'était des larmes de joie !

Pour ce qui touche aux ragots que tu évoques, ces bruits qui me collent à la peau, je n'ai pas été placée auprès de toi par la Tchéka, plantée comme tu dis, pour t'espionner à Khliebny Pereulok : je suppose que tu n'en doutes pas !

Je ne connaissais pas Yacob Peters, quand je t'ai rencontré. Et je n'avais pas eu le moindre lien avec lui, ou avec quiconque de la police secrète, avant ton arrestation... Ni avant. Ni depuis. Ce que j'ai fait pour sauver ta vie, toute femme amoureuse l'aurait fait à ma place. Et c'est sans importance.

En ce qui concerne les difficultés du quotidien : ce que tu as entendu à ce propos est vrai. Mais là encore, ne t'inquiète pas pour moi. Je supporte relativement bien la pauvreté et n'ai aucun besoin de confort. Une chance ! Cela me rend les choses bien plus faciles qu'à d'autres.

Tant que je sais que tu m'aimes, rien ne m'atteint.

Je viens d'être interrompue par la visite de Kornëi Tchoukovski : tu sais qui il est ? L'ancien interprète de Sir George Buchanan et du général Knox à l'ambassade. Il travaille aujourd'hui pour la Maison de la littérature mondiale, la maison d'édition que fonde Maxime Gorki. Un gros pari. Gorki s'est mis en tête de faire lire Shakespeare au peuple. Il veut publier en russe tous les classiques étrangers. Il recherche des traducteurs. Tchoukovski venait me proposer de m'occuper des œuvres de Stevenson et de Ruskin. Il va soumettre ma candidature au maître. Croise les doigts : ce serait grandiose !

Tu vois que je m'en sors toujours et que j'ai raison de ne pas désespérer !

Je vais même demain jouer au bridge chez la vieille princesse Saltikov. Tout un programme ! Tu te souviens d'elle ? La propriétaire de l'ambassade d'Angleterre qui occupait l'étage noble à l'arrière du palais. Un personnage... Elle ne sort que pour écouter Wagner. Oui, oui, il y a encore des concerts, ici. Avec elle, je ris et je tremble. Elle est un peu sourde et décrit les malversations des personnalités bolcheviques qu'elle aperçoit dans la salle, en hurlant... Intarissable sur les écrivains vendus au régime. Sur Maxime Gorki, justement, qui est sa tête de turc. Elle le hait. Je me garderai bien de lui avouer

327

que j'espère de toute mon âme travailler pour lui. Elle le sait probablement déjà. Elle sait tout. Elle sait même que je t'aime. Comment ? Mystère. Elle a refermé hier l'Izvestia – toujours plein d'inepties sur tes crimes – en me lançant en français : « Eh bien ma petite amie, à ce que je vois, tu deviens historique ! » En vérité, elle est redoutable, mais je l'adore. Son esprit XVIIIᵉ m'amuse. À quatre-vingts ans, elle cohabite avec trois familles de Gardes rouges qu'elle mène à la baguette, et vit reléguée dans le gourbi de son ancienne femme de chambre. Elle préfère les bêtes aux humains et je lui amène toujours le griffon de Garstino, histoire d'empêcher que notre ex-portier le mange dans mon dos. Garry parade chez elle avec un gros nœud papillon, écossais en ton honneur, Babyboy. Et moi, je porte ma robe gris perle que tu aimes, la dernière du genre.

Et oui, nous tentons de vivre quand même, comme dirait ma sœur Anna. Et j'ai repris ma place parmi les Gens d'Avant, celle que j'occupais quand je ne te connaissais pas.

Je n'ai plus le sentiment de leur appartenir. Mais ils me touchent. Ils n'ont pas encore compris que l'ancien monde était mort. L'évidence atteint leur tête, pas leur cœur.

Nous prétendrons nous être habillés ainsi qu'il convient pour jouer au bridge entre personnes de bonne compagnie. Nous ferons mine d'être élégants et le temps semblera, une seconde, suspendu.

Aujourd'hui me paraît toutefois un jour important dans l'Histoire : les neutres quittent le pays.

Comment pourrons-nous continuer à communiquer, Babyboy ?

Ils partent tous. Les Danois, les Suédois, les Suisses, tous ! Ils laissent la Russie sans aucun représentant étranger.

Sans aucun témoin.

Chapitre 22

PARMI LES GENS D'AVANT
Janvier 1919

— Dans ce désert de laideur et de bêtise, tu resteras quand les autres seront partis, n'est-ce pas ma petite amie ? Tu me tiendras un peu compagnie.

Au contraire de Mummy que le malheur ratatinait, la princesse Anna Sergueïevna Saltikova semblait encore plus imposante qu'autrefois.

Elle avait été une douairière à forte poitrine et voix de stentor. La maigreur, qui accusait ses traits, la transformait aujourd'hui en un grand cheval. Et le rouge à joues, le rouge à lèvres, le kohl, tous les fards dont elle abusait, ne la féminisaient plus.

Célèbre jadis pour l'extravagance de ses chapeaux, elle continuait d'arborer des coiffes étranges qu'elle fabriquait avec d'anciens napperons et les plumes mitées de ses aigrettes. N'étaient son port de tête, l'autorité de ses gestes, et quelque chose de royal dans la démarche, on l'aurait prise – en d'autres temps – pour une vieille folle.

Aujourd'hui sa volonté de maintenir un semblant de décorum, faisait d'elle l'incarnation du chic.

On ne pouvait en dire autant de son appartement. Un squelette vide et sale. Les perquisitions successives avaient dépouillé ses salons de leurs objets d'art.

— Rien que de très banal, soupirait-elle. Nous en sommes tous là.

Mais chez elle, on avait démantelé la décoration du palais jusque dans ses moindres ornements. Outre les tableaux, les tapis, on avait emporté les cheminées, les moulures, même les serrures, les poignées de porte, les baguettes et les anneaux des tentures.

Une catastrophe pour Anna Sergueïevna, qui avait roulé ses derniers billets de banque dans les tringles à rideaux, et dissimulé au fond des tiges les perles qu'elle n'avait pas encore vendues.

L'ensemble s'empilait à cette heure de l'autre côté de la cour, dans les anciennes galeries de l'ambassade d'Angleterre qui servaient aujourd'hui d'entrepôts aux biens d'État. La caverne d'Ali Baba. Toutes les splendeurs, arrachées aux maisons burjouis et saisies par ordre des comités, s'entassaient là-bas, en un vaste capharnaüm dont la star du régime, Maxime Gorki – toujours lui – s'employait à faire l'inventaire.

La princesse aimait à raconter que cet infâme Gorki, et les soi-disant « connoisseurs » issus du prolétariat, n'avaient vraiment aucune idée de rien ! Car ces rustres lui avaient laissé la plus précieuse de ses antiquités : *Divin-Coco*, le perroquet de la confidente de Catherine II.

L'oiseau, une relique déplumée qu'Anna Sergueïevna prétendait âgée de cent quarante ans, avait certes cessé de parler. Mais il continuait de chanter *Gloire à la Grande Catherine*, l'hymne qu'avait composé le poète Derzhavine en l'honneur de l'Impératrice. On entendait son horrible voix de la cour.

Le seul bien des Saltikov que Gorki avait refusé.

Une telle faute de goût déchaînait l'ire de la princesse. Et malheur à qui défendait le talent de l'écrivain. « Ah, parce que votre Gorki serait un esthète peut-être ? Elle retournait les lèvres de dégoût… Un être sans culture. Je dirais même *inapte* à la culture. On dit qu'il vole – pour ses collections personnelles – tout ce qui lui plaît. Il aimerait les jades et la porcelaine chinoise.

Les bibelots les plus vulgaires, certainement : il n'a aucun œil. Et pour cause ! Comment ce moujik pourrait-il comprendre quelque chose à l'art Ming ? »

Un sujet douloureux : les vases Ming de feu son époux avaient fait la gloire du palais Saltikov.

Les autres dépouilles de l'appartement, celles qui n'avaient pas été emportées – le poêle à charbon, les ustensiles de cuisine – avaient été recyclées ou vendues au marché noir par les dix-huit personnes qui étendaient leur linge dans la salle de bal.

La pièce où s'était retirée la princesse en compagnie de Divin-Coco, ne faisait pas exception au désordre et à la misère du reste. Elle ne comptait qu'un lit de sangle, un bout de glace, une profusion d'icônes et l'immense cage à oiseau qui encombrait toute la chambre. L'endroit, au bout du couloir, loin des salons, présentait toutefois l'avantage d'une relative intimité. On entrait par la porte de service, et l'on s'enfermait à distance des « criailleries du peuple ». La proximité de la cuisine permettait de réchauffer l'eau du thé, sans devoir enfiler les corridors glacés.

C'était là, sous l'image de la Vierge, que les derniers hôtes de la princesse se regroupaient autour d'une malle d'osier, qui leur servait de table de bridge.

Toujours les mêmes quatre ou cinq vieilles personnes.

Le comte Paul Benckendorff, premier personnage de la cour du Tsar, son maître de cérémonie, célèbre autrefois pour sa gouaille et son appétit, corpulent malgré la famine, que torturait continuellement le manque de nourriture.

Son épouse, la malheureuse comtesse Marie Benckendorff – l'homonyme de Moura – dont les deux fils, nés d'un premier lit, venaient d'être arrêtés et probablement fusillés.

Le général Mossolov, ancien chef de la Chancellerie impériale, qui travaillait à un manuscrit sur les proches de Nicolas II, « un témoignage capital » dont les premiers chapitres circulaient sous le manteau.

Trois survivants – les trois piliers du cercle – qui bravaient chaque semaine les trous dans les chaussées, les montées d'escalier obscures, les descentes d'étages à tâtons. Et le risque constant d'agression, les attaques impunies envers les burjouis que les bandits dépouillaient et laissaient nus dans le dédale des cours. Toutes ces difficultés, ils les affrontaient religieusement pour apparaître, sinon pimpants, du moins assidus aux « Mercredis » de la princesse, commenter avec elle les nouvelles du jour, et disputer ensemble leur partie de cartes.

Les autres joueurs venaient ou disparaissaient, au gré des tragédies qui décimaient leur famille. Mais nul ne sautait « le jour » d'Anna Sergueïevna, sans un cas de force majeure.

Le ventre et la tête vides, l'esprit obsédé par ce qu'ils mangeraient ce soir, par la taille de la ration d'avoine qui allait leur servir de repas et par le prix de la minuscule pomme de terre qu'ils ne pourraient s'offrir, ils continuaient, vaille que vaille, à taper le carton.

Se connaissant de longue date, ils se chamaillaient souvent et s'accusaient les uns les autres de manquer de concentration.

Ils bavardaient ensuite et revenaient éternellement sur les privilèges dont jouissaient ceux qu'ils appelaient, eux, les *Gens d'Après*.

Leurs échanges se réduisaient désormais à cela : la litanie des deuils. Et aux commérages, toujours plus aigres, sur la conduite de leurs nouveaux maîtres. En dépit des efforts pour commenter leurs malheurs avec détachement, ce que disait l'un, ce que disait l'autre apportait une nouvelle pierre à leur Golgotha. Et la réunion tournait toujours au réquisitoire.

Le grand sujet, celui qui emportait tous les suffrages, qui créait à la fois la discussion et le consensus, restait cet horrible Maxime Gorki : la bête noire de la princesse, qu'on disait à la fois l'ami intime des commissaires et leur censeur le plus bruyant. Un paradoxe. L'ambiguïté du personnage leur permettait d'évoquer le régime, sans parler des décrets de Lénine qui ordonnait leur extermination ; sans raconter les cruautés de Yacob Peters qui torturait leurs proches ; et sans détailler les exactions de Grigori Zinoviev, le nouveau tyran de Petrograd, qui mettait leur ville en coupe réglée. En somme, une façon de critiquer les bolcheviques, par le biais de la littérature qu'ils avaient tant aimée.

— L'autre jour, ânonnait le gros Paul Benckendorff, mon médecin, qui est aussi *Son* médecin, me racontait que, quand il est allé chez Gorki lui demander d'intercéder en faveur de mon beau-fils, il a eu la malchance de tomber en plein déjeuner. Sur la table du maître s'étalaient des boulettes de viande, des concombres frais, de la gelée d'airelles. Croyez-vous qu'*On* lui en aurait proposé ? Pensez-vous ! Non seulement Gorki n'a pas levé le petit doigt pour sauver Sacha, mais à son cher docteur, il n'a concédé que le privilège de le regarder manger !

En vérité, la faim avait eu raison de leur sens de l'humour. Dans cette chambre glaciale où le vent sifflait, il leur était impossible de poursuivre la grande tradition de la causerie, telle qu'ils l'avaient pratiquée ici, au coin du feu. S'ils tentaient encore de garder les apparences de la dignité, ils avaient renoncé à l'art de la conversation.

Une semaine sur deux, Anna Serguéïevna conviait un membre de la jeune classe : de préférence leur favorite à tous, l'épouse du cher Djon Benckendorff, son cousin par alliance et le parent de ses hôtes.

Moura, leur merveilleuse Moura pimentait de sa bonne humeur et de son indomptable énergie, le rituel des réunions. Du fait des liens familiaux et de la différence de générations, elle les appelait tous « Ma tante » et « Mon oncle ». Ils l'adoraient. C'était elle, *Moura, leur merveilleuse Moura,* qu'ils chargeaient d'aller vendre leurs dernières frusques au marché noir. Elle, qui allait pour eux faire viser leurs cartes de ravitaillement dans les commissariats. Elle, qui partait batailler au bout de sa rue avec les tchékistes de la prison Shpalernaïa, pour obtenir des nouvelles de leurs disparus. Elle, qui les protégeait et leur rendait mille services.

Avec le temps, elle leur était devenue indispensable.

Certains se risquaient bien à dire que *Moura, leur merveilleuse Moura,* n'était pas la jeune femme irréprochable qu'elle paraissait. Qu'ailleurs, chez d'autres amis, elle jouissait d'une renommée malsaine, que sa réputation était compromise, que des racontars disaient que…

Ceux-là, la princesse les faisait taire immédiatement. Et si quiconque s'obstinait à critiquer sa *chère petite amie,* elle le chassait. On ne touchait pas à sa parentèle. Nul autre qu'elle-même n'avait le droit d'égratigner les Benckendorff.

En fille de la maison, Moura l'aidait à recevoir.

Son chien Garry sur les talons, elle allait, elle venait dans le couloir gelé, ouvrait la porte, escortait tante Marie, oncle Paul jusqu'à la chambre, leur avançait un carton en guise de chaise, leur apportait un châle, leur servait le thé, et les distrayait par mille anecdotes qu'elle tirait Dieu seul savait d'où. Elle était en outre une joueuse de bridge hors pair, qui relevait le niveau des parties.

L'ensemble de la cérémonie durait deux heures. Quand la maîtresse du lieu commençait à s'ennuyer et décrétait clos son « Mercredi », Moura se chargeait de raccompagner les convives. *No sticky departure, please,* assénait l'hôtesse. Pas d'adieux collants, s'il vous plaît.

Après avoir verrouillé derrière eux la porte de service, Moura regagnait le sanctuaire où la princesse l'attendait.

Telle madame Récamier, Anna Sergueïevna s'était allongée et calée parmi ses oreillers. Avec son nez en bec d'aigle et son napperon à plumes sur la tête, elle évoquait Divin-Coco qui, dans sa cage au-dessus d'elle, scandait le temps de ses *Gloire à la Grande Catherine.*

Dernier rite : le bavardage en tête à tête. La princesse n'aimait rien tant que ce moment où elle gardait « la jeunesse » pour elle, et se permettait, entre quatre yeux, toutes les indiscrétions. Son sujet préféré restait l'amour. Mais elle attaquait prudemment, en reprenant, au mot près, la conversation où les anciens l'avaient laissée.

— ...Cela dit, ta mère a raison : nous avons passé les bornes du supportable. Nous croyions l'année dernière qu'il y aurait des limites à l'horreur. Il n'y en a aucune ! Mais de quoi nous plaignons-nous ? Nous n'en sommes pas encore à manger du cuir. Cela viendra... Moi, c'était les gants que j'aimais et, par chance, j'en ai possédé beaucoup. Je pourrai dévorer mes gants beurre-frais du matin ou mes gants en pécari prune du soir. Et puis mes longs gants blancs pour le bal. Dommage qu'on m'ait volé mon argenterie : j'aurais pu imaginer, en les enroulant sur une fourchette, que je dégustais des spaghettis... Pour en revenir à ta mère, elle ne devrait pas s'agiter comme elle le fait : quelle idée de vouloir à toute force émigrer à son âge ? Elle devrait suivre mon exemple : rester tranquille. Qu'ira-t-elle faire en Finlande, malade et sans le sou ? De toute façon, nous serons mortes toutes les deux au printemps. Alors autant mourir chez soi. Mais toi... La princesse fronça le sourcil : toi, tu n'as plus que la peau sur les os. Elle la dévisageait. Ces pommettes saillantes, ces yeux fiévreux : tu files un mauvais coton ! Mon Dieu, ma petite amie...

Sentant venir les questions, Moura se hâta de couper court :

— Moi, ma tante, je vais très bien ! Et j'adore bavarder en français avec vous.

— Ne prends pas ce ton ridicule... Je sais bien que tu préférerais parler en anglais avec quelqu'un d'autre.

Silence.

— ...C'est la première fois, je suppose, que tu tombes amoureuse ?

Pas de réponse.

— ...Quel âge a-t-il ?

— Trente et un ans.

— Et toi ?

— Dans deux mois... vingt-six ans.

335

— Une gamine ! Tu as toute la vie devant toi pour répéter l'expérience. Un conseil cependant : la prochaine fois, ne laisse pas partir ton amant sans avoir un autre homme sous le coude.

Moura esquissa un sourire :

— Je n'avais pas tellement le choix.

— Et cette passion aura duré combien… ? La princesse ne lui laissa pas le temps de répondre. Pas même six mois, si je ne m'abuse ! Tu veux savoir ce que j'en pense ?

Nouveau silence

— …Il t'écrira de moins en moins. Avant de ne plus écrire du tout.

Moura attrapa sa timbale de thé et tenta d'en boire une gorgée. En vain. Elle la reposa dans un tremblement. Elle maîtrisait si mal ses gestes que le métal du gobelet cliqueta contre la casserole qui servait de samovar.

— Pourquoi me dites-vous cela ?

— Parce que je t'aime. Et que te voir dans cet état me désole. Cesse de jouer les Madame Butterfly. Cesse d'attendre. Cesse de te ronger. Cesse de te tuer en traversant toute la ville pour chercher des lettres qui ne sont jamais parties.

— Il les écrit et il les envoie.

— Tu penses comme une femme de chambre ! Écoute-moi, ma chère. Et tâche de regarder cette histoire avec un peu de distance. Tu vis une liaison avec un diplomate ambitieux et marié… Jusque-là, tu es d'accord ? Un aventurier. Un homme qui travaille à changer le cours de l'Histoire dans un pays qui n'est pas le sien… Tu es toujours d'accord ?…Qui s'éprend d'une autochtone, la plus jolie, la plus lettrée, et la mieux introduite : une maîtresse qui le sert dans tous ses projets et le tire d'un très mauvais pas. Là-dessus, les circonstances le contraignent à retourner chez lui. Non pas en triomphateur… En vaincu.

— Il n'est pas revenu en vaincu ! Il règle ses affaires à Londres.

— Et comment diable rentre-t-il chez lui, ce héros, sinon la queue entre les jambes ? Il n'a pas empêché la signature du traité de Brest-Litovsk, il a provoqué une crise diplomatique majeure. Même pas un échec. Un désastre ! Crois-moi, à cette heure, il se préoccupe beaucoup plus de relever sa réputation en Angleterre que d'organiser vos retrouvailles en Suède. Et si lui-même a eu le cœur brisé, ce dont je ne doute pas un instant – il était désespéré en te quittant –, il s'est déjà laissé reprendre par des considérations beaucoup plus pratiques. Il souffre de votre séparation, oui : c'est un garçon *sincère*. Mais il va de l'avant, il reconstruit sa vie. Il règle ses affaires, comme tu dis. Laisse-moi te poser une question. Ton histoire – certes *unique* avec lui – ne t'en rappelle-t-elle pas une autre ? Celle d'un jeune planteur anglais qui s'éprend d'une princesse musulmane en Malaisie. Qui l'aime à la folie. Qui la courtise, qui l'enlève, qui vit avec elle, qui tombe malade. Et qui rentre à Londres, contraint et forcé par les bolcheviques. Pardon, par la malaria… Je vais te poser une autre question, ma petite amie : qu'est-il arrivé ensuite à la princesse malaise ? Après son départ, s'est-il jamais préoccupé de son sort ?

— J'entends, ma tante, ce que vous essayez de me faire comprendre.

— Je n'essaye pas : je te le dis. Les sentimentaux du genre de ton Lockhart sont les pires ! Il a repris, ou il va reprendre, la vie conjugale. Et toi, tu devrais en faire autant. Bats-toi afin de rejoindre ton mari. Et ne me parle pas de l'impossibilité d'abandonner ta mère, seule ici. Pour elle comme pour moi, c'est fini. Obtiens de ces sauvages un visa pour l'Estonie. Je me suis laissé dire que tu étais dans leurs petits papiers : qu'ils t'expédient à Yendel.

*

Quand Moura sortit du palais Saltikov, elle remonta l'ancien quai des Anglais, filant à toute allure le long de la Neva. Le soir était tombé. La lune sur la glace du fleuve suffisait à éclairer sa route. Son châle rabattu sur la tête, le menton dans son giron, elle se fondait dans la nuit. Rien ne la distinguait d'une femme du peuple. Excepté la présence de Garry qui, au bout de sa laisse, la dénonçait dans la seconde comme une bourgeoise promenant son chien.

Attentive au moindre bruit, elle se hâtait. Elle pouvait être suivie, attaquée à tout instant. Surtout arrêtée. *Interdiction de sortir après huit heures.* Manquaient quelques minutes avant le couvre-feu. Déjà, plus un passant. Et pas une lueur aux fenêtres. Tant mieux. Si l'électricité avait brûlé dans l'un ou l'autre des immeubles, aucun doute sur la signification de la lumière : les policiers de la Tchéka se livraient à une fouille.

En général, les perquisitions avaient lieu vers minuit. Les victimes, surprises dans leur sommeil, s'affolaient et se trahissaient plus vite. La nuit les rendait vulnérables. Elle permettait leur disparition sans témoin. Mais, en la matière, aucune règle. N'importe quand, n'importe où.

Les méthodes, toutefois, restaient constantes. Les policiers bouclaient le quartier, cernaient la maison, se répandaient dans les étages, ébranlaient les portes à coups de poing. Ils faisaient irruption dans les appartements par groupe de quatre ou cinq, le revolver à la main, l'insulte à la bouche, en quête de vivres du marché noir, de billets de banque, d'or, de bijoux et de frusques. Parmi eux, souvent des enfants : les meilleurs limiers pour trouver les cachettes... Les plus audacieux pour grimper sur les armoires et sur les poêles, les plus méticuleux pour s'intéresser au contenu des commodes, et s'offusquer que les burjouis y puissent encore conserver quelque chose.

La plupart du temps, les tchékistes ne recherchaient rien de spécifique, ni personne en particulier. Mais gare : une liste de numéros de téléphone pouvait devenir une liste de coupables. Ils embarquaient toujours quelqu'un. Un suspect, dix suspects. Au hasard... Les fourgons attendaient dehors.

De loin, Moura comprit tout de suite ce qui se passait au n° 8 de sa rue. Elle se mit à courir.

Quand elle parvint sous le porche, les camions démarraient, emportant leur butin d'hommes et de femmes qui ne reverraient jamais le jour. Elle monta les étages quatre à quatre.

Elle ouvrit une première porte. Personne. Un désordre inextricable. L'état habituel, après cette sorte de visite. Les derniers objets du salon avaient disparu. Une seconde porte. *Mummy ?* Pas de réponse. *Where are you ?* Elle criait en anglais, la langue de toutes ses émotions… *Are you here ?*

Vides. Vides. Les pièces étaient vides. Ne restait plus que la nursery.

Mummy était là, assise par terre, le regard fou, une girafe de Tania entre les mains !

Soulagée de la trouver vivante, Moura se baissa pour la relever. Peine perdue. La vieille dame refusa de bouger.

Alors Moura entreprit de rassembler les jouets et les habits de bébé, qu'on avait jetés autour d'elle.

Comme jadis chez Lockhart à Moscou, elle ramassait avec méthode, remettant en place le contenu des tiroirs. Infatigable, elle réunissait par paires les dizaines de chaussons. Elle défroissait les brassières, étalait les bavoirs, rangeait les bloomers, pliait les robes minuscules dont elle avait naguère revêtu ses enfants.

Et soudain, tombant d'un bloc aux côtés de sa mère, elle s'effondra.

Tassée sur elle-même, le visage enfoui dans le petit costume marin de Paul, elle resta là toute la nuit. Inconsolable. Elle pleurait, pleurait…

Il semblait que Moura ne pourrait plus jamais s'arrêter de pleurer.

Chapitre 23

LA MAISON DE
LA LITTÉRATURE MONDIALE
Février – Mai 1919

Au siège de la Maison de la littérature mondiale, les éditions que dirigeait Maxime Gorki 64 perspective Nevski, la salle de conférence était comble. Outre les représentants du régime, tout ce que Petrograd comptait d'illustre comme écrivains, philosophes et dramaturges s'y pressait.

Rien d'élégant dans le décor. La pièce était vétuste, à peine chauffée par un poêle à charbon. Seuls vestiges de la décoration d'antan : le miroir du XIXe siècle, les frises en stuc et les moulures du plafond. La peinture s'écaillait partout. Et les ampoules du lustre distillaient une lueur glauque.

— J'ai défoncé notre porte en bas : pardon.

« Le chantre du peuple », « le barde du prolétariat », comme l'appelaient la presse et ses millions de lecteurs, Gorki venait de débouler. Il était ici chez lui : les locaux avaient jadis abrité son journal, *La Vie nouvelle*, aujourd'hui supprimé.

— …Et j'ai cassé la sonnette de l'entrée. Pardon, pardon ! Mais c'est invraisemblable : j'arrive de la Direction du papier, c'est invraisemblable !

En grimpant sur l'estrade, il avait ôté son grand chapeau de feutre noir, jeté son manteau et ses gants à sa place, ouvert son cartable, sorti une liasse de manuscrits, une poignée de cigarettes, d'allumettes… Sans parvenir ni à occuper son siège ni à maîtriser sa fureur.

La réunion visait à établir le programme officiel des publications : la liste des auteurs étrangers qu'il jugeait dignes d'une nouvelle édition. Son rêve ? Vulgariser les classiques : mettre à la disposition des Russes les meilleurs écrivains de tous les temps et de tous les pays. Mais l'exaspération que lui causait la réunion dont il sortait, l'empêchait d'attaquer la séance.

Deux des plus grands poètes contemporains – Alexandre Blok et Fiodor Sologoub – encadraient sa chaise vide. Le premier venait de terminer un exposé sur les traductions de Heine, qu'il avait corrigées. Le second sur les traductions de Mallarmé et des symbolistes français.

Les personnalités du monde des lettres, assises dans les premiers rangs sous le podium, se bousculaient à leurs pieds. Le menu fretin – le groupe des traducteurs – se tenait debout, au fond.

Appuyée contre le mur, Moura écoutait. Elle ne quittait pas des yeux les orateurs. Depuis des jours, des mois, elle n'avait pas connu cela ! Ce plaisir. Cette ivresse.

Elle restait sidérée par l'intelligence, par l'éclat des communications de Blok et de Sologoub, qu'elle venait d'entendre. Comment la princesse Saltikov osait-elle qualifier de barbare et de béotien le groupe de poètes qui gravitait autour de Gorki ? Se fourvoyer à ce point, faire preuve d'une telle mauvaise foi : *une bande de singes descendus de leur arbre* ? Brillantissimes, au contraire !

Quant à la star elle-même, que les Gens d'Avant disaient un paysan inculte et corrompu…

Très grand, très maigre, les yeux écartés, les pommettes saillantes, Gorki pouvait en effet ne paraître que cela : un Russe et un moujik.

Avec son regard d'un bleu délavé qui passait en quelques instants de la rage à la mélancolie ; ses paupières tombantes qui lui donnaient un air à la fois interrogateur et doux ; son front haut, complètement dégagé de la chevelure rude, raide, drue, qu'il coiffait vers l'arrière ; et sa moustache qui lui recouvrait la bouche et qu'il mâchonnait, il dégageait mille impressions contradictoires.

D'abord une présence physique, une force vitale dont on ne pouvait manquer d'être conscient, même à cent mètres. Beau, de surcroît, d'une beauté de très jeune homme que la vie avait marqué et commençait à voûter. Il avait cinquante ans.

Émotionnel et théâtral, il arpentait l'estrade, grommelait sous sa moustache, pestait dans son giron, vitupérait à part soi, et fumait à la chaîne. Son monologue, en apparence intérieur, ne s'adressait toutefois qu'à son public.

Un grand acteur qui mettait en scène son indignation, et ménageait ses effets :

— Et merde ! Ces cochons prétendent que, pour nos bouquins, il n'y aura plus de papier… Je leur ai dit, à ces bureaucrates, qu'ils étaient des misérables : c'est honteux d'agir de la sorte ! Ils m'ont répondu que, sur les mille tonnes de papier dont dispose la Russie, le commissariat pour l'Instruction publique en avait besoin de deux mille : les crétins, ils ne savent même pas compter, deux mille sur mille !

Un mégot coincé entre ses longs doigts, il marchait de long en large, toussait et parlait en même temps.

— …Pour obtenir quelque chose, il faut leur signer cinquante formulaires à ces bureaucrates, cent attestations, cinq cents demandes. Et je parie que leurs fichus formulaires, ils les paument… Et après ça, ils nous diront qu'il n'y a plus une once de papier en Russie ! Les imbéciles !

Moura se pencha à l'oreille de Tchoukovski, l'ancien interprète de l'ambassade qui se tenait à côté d'elle contre le mur. La violence de ces propos la stupéfiait. Elle chuchota :

— Je croyais qu'il était bolchevique ?

— Pas aussi simple, Benckendorff. Pas aussi simple !

Depuis deux mois qu'ils collaboraient, ils s'étaient liés d'amitié. Par bien des côtés, Tchoukovski – qu'elle avait baptisé *Tchouk,* selon sa bonne habitude des diminutifs – lui évoquait Garstino. Il avait sa haute taille, sa petite moustache brune, et sa longue silhouette. Il avait aussi son humour et sa générosité.

Marié, père de famille, Korneï Tchoukovski était de dix ans plus âgé qu'elle. Il gagnait sa vie comme critique littéraire. Et comme illustrateur de livres pour enfants. Très doué, très spirituel et très lettré, il connaissait tous les représentants de la littérature contemporaine, tant en Russie qu'en Angleterre. Ses amitiés dans l'intelligentsia lui avaient valu sa nomination à la tête du département anglo-saxon de la MLM. Moura appartenait désormais à son équipe. Pas la meilleure de ses traductrices, non. Mais la plus rapide, la plus enthousiaste, et surtout la plus souple. *Benckendorff,* ainsi qu'il l'appelait cavalièrement, acceptait les critiques avec grâce, et reprenait ses textes. Travailler avec elle était un plaisir.

Aucune intimité entre eux, cependant. Leur relation se limitait aux échanges intellectuels.

S'il connaissait vaguement ses inquiétudes sur le sort de son fils et de sa fille, il ignorait tout de sa situation. Il ne savait ni l'ampleur de ses difficultés financières ni l'abîme de sa détresse morale. Elle prenait soin de les lui cacher.

Mieux vaut faire envie que pitié : selon son vieil adage, elle ne se présentait au monde que le sourire aux lèvres et le front olympien. Elle ne livrait rien.

Résultat : Tchoukovski la trouvait pleine de mystère, et charmante.

Nouvel aparté au fond de la salle :

— Tout de même, murmurait-elle, je le pensais acquis au régime ? Sinon vendu...

— Déchiré. Il vit pour les valeurs de la Révolution. Il croit en l'espoir d'une vie meilleure. Mais il est horrifié par les méthodes.

— À l'Instruction publique, poursuivait Gorki, ils disent que notre Maison de la littérature mondiale grouille de bourgeois et de bourgeoises. Mais je vous demande un peu si les commissaires qui roulent en voiture avec leurs épouses ne sont pas, eux aussi, des burjouis ?

— Il ose cela, chuchota-t-elle sidérée. Attaquer Zinoviev ?

Elle désignait du menton la tignasse d'un personnage massif, qui siégeait au premier rang. Flanqué de sa femme, il incarnait le pouvoir, même de dos... Zinoviev, l'homme qu'on appelait « le dictateur de Petrograd ». Et dont la Rolls, justement, stationnait devant l'immeuble.

La rivalité entre Zinoviev et Gorki était de notoriété publique. Tous deux amis intimes de Lénine, qu'ils connaissaient de longue date et qu'ils appelaient familièrement Ilitch, ils se disputaient sa faveur. De là à s'en prendre directement l'un à l'autre...

Cette fois, ce fut Tchoukovski qui se pencha à l'oreille de Moura :

— Les gars qui nous sucrent le papier et nous empêchent d'imprimer sont aux ordres de Zinoviev. Il méprise les intellectuels. Il veut la tête de Gorki et l'emmerde de toutes les façons possibles... Cette sortie contre les bureaucrates et les commissaires va nous coûter un million de roubles. Mais jouissez du spectacle, Benckendorff : la colère de Gorki en vaut un milliard ! Je l'ai rarement vu aussi magnifique.

— Pourquoi, ironisait-il, pourquoi, je vous le demande un peu mes amis, nos commissaires n'auraient-ils pas le droit d'aimer les belles voitures ? Et pourquoi ne trouveraient-ils pas du plaisir à porter de beaux manteaux et à se laver avec de beaux savons chaque matin ? Au moins, leurs enfants à eux n'attrapent pas des poux et ne propagent pas le typhus ! Et c'est très bien ainsi... En Russie, tout le monde devrait pouvoir bien se laver et s'habiller correctement. Et tout le monde devrait pouvoir rouler en voiture. Et tout le monde devrait pouvoir lire de bons livres !

Il attrapa enfin sa chaise et consentit à s'asseoir, trônant entre ses voisins demeurés impassibles. Il écrasait ses cigarettes à demi consumées dans les trois cendriers qu'on avait placés devant eux.

En vérité, l'air maussade, il reprenait souffle. Une tentative de suicide dans sa jeunesse l'avait privé d'un poumon et le tabac n'arrangeait pas les choses.

Il s'absorba dans ses pensées un instant avant de changer de ton.

— …Au commissariat d'où j'arrive, on m'a demandé de ne pas vous parler d'auteurs étrangers. Juste de Gogol et de Dostoïevski. Mais moi, je préfèrerais vous parler de la littérature mondiale. Et de Victor Hugo… Pour ce qui touche au cas de Victor Hugo (qu'entre nous, je n'aime pas plus que Dostoïevski), je me permettrais de vous recommander une publication limitée… Seulement deux ou trois volumes. Je ne choisirais pas *Les Misérables*, qui me semble un prêche pour la patience et l'humilité. Plutôt *Les Travailleurs de la mer*, qui chante la victoire de l'homme sur les éléments. Qu'en pensez-vous ?

La question était de pure forme. Non qu'on ne puisse discuter ses choix : il savait écouter, il pouvait changer d'avis. Rarement.

En vérité, Gorki faisait office de ministre de la Culture. Un ministre omniprésent.

Il avait créé cette Maison de la littérature mondiale et s'occupait, oui, de la conservation du Patrimoine dans le capharnaüm de l'ancienne ambassade d'Angleterre. Mais il avait aussi fondé le Comité de l'histoire et du théâtre, qui devait produire rien moins que l'adaptation sur scène de tous les événements cruciaux de l'Histoire universelle. La Maison des arts qui devait rassembler tous les représentants de tous les métiers artistiques. Et la Maison des érudits qui devait rassembler tous les scientifiques et tous les universitaires. Ces entreprises titanesques, dans une ville qui mourait de faim, auraient paru utopiques à n'importe qui. Pas à lui. *Il faut y croire* restait sa devise. Et son charisme était tel qu'il communiquait sa foi aux plus sceptiques.

Impossible cependant d'imaginer que cet homme qui avait tout lu et qui se souvenait de tout, des auteurs, des titres, des dates, cet homme qui pouvait citer des pages entières de romans, fût un autodidacte.

Seul indice qui trahissait l'humilité de sa naissance : sa façon complètement fantaisiste de prononcer les noms des écrivains étrangers. Le fait qu'il ne parlât ni l'anglais, ni le français, ni aucune langue à l'exception du russe, disait clairement ses origines. En vérité, il n'avait pas passé six mois sur un banc d'école. Et ce qu'il savait, il ne le devait qu'à lui-même. À son énergie physique, à sa curiosité intellectuelle, à sa passion des livres, et à sa mémoire. Prodigieuses toutes les quatre.

Surtout à sa confiance en l'humanité et à sa certitude de la rédemption de l'homme par la connaissance.

De son vrai nom Alexeï Maximovitch Pechkov, il était né à Nijni-Novgorod, d'un père tué par le choléra quand il avait trois ans. Son grand-père le battait. Après la mort de sa mère, il avait dû prendre la fuite et gagner sa vie à douze ans. Tour à tour apprenti boulanger, garçon de magasin, débardeur, clochard, vagabond, il avait vécu sa jeunesse dans les bas-fonds. Et ce pseudonyme de Gorki – *Amer* – qu'il avait choisi à l'âge de vingt-quatre ans pour signer ses premiers textes, disait clairement sa colère et sa détermination à dénoncer d'*amères* vérités sur les injustices et la brutalité de la vie en Russie. Six ans plus tard, en 1898, il publiait *Croquis et Récits*, le recueil qui le rendrait célèbre. Et depuis, il ne cessait plus d'écrire. Le triomphe de sa pièce *Les Bas-Fonds*, puis la parution de *La Mère* en feuilleton dans une revue new-yorkaise en 1906, l'avaient propulsé sur la scène internationale. Nouveauté du sujet, nouveauté de la forme, nouveauté du regard : on comparait aujourd'hui son génie à celui de Tolstoï. Les deux hommes s'étaient bien connus. L'un et l'autre comprenaient la littérature comme un acte politique qui pouvait changer le monde.

La détermination de sortir les livres des bibliothèques de la classe privilégiée et d'en faire un bien commun à la portée du plus grand nombre, participait de cette croyance.

Dans la salle, l'un des érudits du comité de lecture venait de suggérer le remplacement de Victor Hugo par un autre auteur français dont nul n'avait jamais entendu parler.

Gorki enchaînait :

— Oui, vous avez raison, dans *Les Délassements de l'homme sensible*, Baculard d'Arnaud, cet illustre inconnu, a écrit quelque chose d'intéressant sur les relations entre l'auteur et son critique. Mais la prose reste faible. En revanche *De l'esprit des traductions* de madame de Staël... Ah cela, oui, cela, nous devons le retraduire et le publier dans son intégralité ! Qui d'entre vous pourrait s'en charger ? Dans une langue accessible ? Une femme, peut-être ? Tchoukovski, mon ami, pendant que j'y suis : prenez bien garde à cela... Quand vous attribuez un texte à un traducteur, songez à ses affinités électives avec l'écrivain. Celui qui s'est occupé de Ruskin et de Stevenson... Très mauvais sur les dialogues. Aucun sens de la poésie. Son écriture pourrait toutefois convenir aux essais... Cette personne parle-t-elle aussi le français ? Il chaussa ses petites lunettes, recherchant dans la pile des traductions qu'il avait annotées, raturées, corrigées, réécrites pour la plupart, le nom auquel il songeait... *M. I. Benckendorff* ?

*

Moura s'en revint chez elle dans un état qui lui était, sinon étranger, du moins inhabituel.

Une révélation.

Gorki lui apparaissait comme la porte vers une possible liberté. La clé de sa survie. Le sauveur.

Exaltés, sa tête, son cœur battaient la chamade et s'emballaient. L'enthousiasme était total.

Certes, l'admiration s'y confondait vaguement avec l'espoir et l'intérêt. Le calcul n'ôtait toutefois rien à la spontanéité. Le raisonnement, chez elle, ne faisait même qu'attiser la chaleur de sa sympathie.

Ne disait-on pas que Gorki avait le pouvoir d'intercéder auprès de Lénine ? Et qu'il ne refusait jamais d'aider ceux qui le lui demandaient ? Il pourrait peut-être obtenir, au nom de Mummy, un visa pour la Finlande ? L'autorisation d'émigrer ? Certes les quémandeurs et les courtisans étaient nombreux : tous se pressaient autour de lui avec cette sorte de requête.

Mais qui sait ?

Travailler. Travailler. Travailler.

Elle enchaînerait les traductions. Elle s'y absorberait. Elle s'y noierait. Ainsi appartiendrait-elle à ce monde qu'elle venait de découvrir, cet univers en marche de la MLM, grouillant de projets, fourmillant d'idées, qui s'opposait en tout à la nostalgie et aux regrets des Gens d'Avant.

*

L'aube la trouvait devant sa vieille machine à écrire, une Underwood que l'ancien portier – le chef du comité qui occupait désormais l'étage noble sur le même palier – entendait cliqueter jusque tard dans la nuit. Il n'ignorait pas la relation de sa voisine avec l'illustre Gorki : cette association, fût-elle lointaine, donnait à Maria Ignatievna un regain de prestige dans l'immeuble.

Elle avait désormais un métier, un emploi. Elle gagnait trois cents roubles par traduction. Ridicule, si l'on songeait qu'un minuscule sac de farine en coûtait huit. Mais suffisant : les vingt volumes de Dickens permettraient de payer le médecin de

Mummy, qui insistait sur la nécessité d'une opération. On l'avait programmée pour mai.

Avec la fonte des glaces qui libérait le cours de la Neva, avec le retour du soleil et des premiers bourgeons sur les arbres, le quotidien redevenait un peu moins sinistre.

Sur le plan pratique, elle commençait à s'en sortir.

Sur un autre plan...

Elle songeait que la princesse Saltikov s'était trompée en accusant Gorki : elle pouvait donc s'être trompée en méjugeant d'autres situations et d'autres personnes.

Le silence de Lockhart restait, certes, assourdissant. Mais le départ des neutres pouvait l'expliquer.

Il faut y croire : elle n'avait pas oublié l'adage de Gorki qui continuait de croire en la Révolution, de la sentir bonne et sage, en dépit des actes dont il était le témoin.

Gorki.

Les lettres de ses lecteurs lui parvenaient du monde entier. Il correspondait, lui, avec l'étranger. Par son intermédiaire, elle réussirait peut-être à recevoir des courriers d'Angleterre ?

Au moins, au moins, des nouvelles de Yendel !

Après l'armistice de 1918, l'Estonie avait continué le combat pour son indépendance : elle se voulait une nation souveraine. Libre de toute ingérence et de toute tutelle. Elle luttait à la fois contre les Allemands qui prétendaient encore à la possession des pays baltes, et contre les bolcheviques qui les avaient envahis. « La guerre pour la Liberté » était loin d'être achevée. Un gouvernement provisoire, qui rêvait de démocratie, avait toutefois pris le pouvoir. Et depuis le mois d'avril 1919, les régiments indépendantistes gagnaient la plupart de leurs batailles.

Ces victoires estoniennes signifiaient-elles la paix et la sécurité pour Djon et les enfants ? Avait-il pu les mettre à l'abri ?

Nous devons y croire.

Elle avait retrouvé sa confiance en l'avenir.

*

— Maria Ignatievna Benckendorff ?

Alors qu'elle sortait porter son travail du mois à la MLM, un homme l'avait rattrapée dans la rue. Elle crut qu'il voulait lui arracher sa sacoche. Elle se dégagea. Il la retint.

— Vous êtes bien Maria Ignatievna Benckendorff ?

Il se cramponnait à la bandoulière et tentait de la pousser sous le porche. Petit, râblé, il prononçait son nom d'une façon familière. Sa figure lui disait vaguement quelque chose.

— Vous êtes bien Maria Ignatievna Benckendorff ? insista-t-il pour la troisième fois.

Elle le dévisagea un instant.

— Oui.

— J'ai un message pour vous… D'Estonie.

Elle cessa de lutter. Son sang avait reflué sur son cœur. Elle était devenue pâle.

D'une voix que l'émotion altérait, elle demanda :

— Vous m'apportez des nouvelles de Yendel ?

— On m'a juste demandé de vous dire cela : il est mort.

Elle n'eut pas l'air de comprendre. Il explicita :

— …Votre mari, on l'a assassiné. Il est mort.

Chapitre 24

EN CHUTE LIBRE
Mai – Septembre 1919

Le choc fut si violent qu'elle ne posa pas au messager les mille questions qui lui vinrent plus tard à l'esprit.

Elle apprit cependant que Djon avait été assassiné à Yendel le 18 ou le 19 avril dernier. Et que les meurtriers l'avaient abattu de trois coups de fusil dans la forêt, le visant du petit pont qui enjambait le sentier. Lui-même passait alors sous ce pont, empruntant le chemin entre le manoir et le lac, qu'ils avaient tant de fois parcouru pour aller se baigner.

En l'occurrence, Djon n'allait pas se baigner : il rentrait chez lui, dans le relais de pêche du lac de Kallijärv. En janvier 1919, au lendemain du décès de sa propre mère, il avait choisi de s'y installer avec les enfants, les nounous et la cuisinière. De par sa modestie même, la datcha lui paraissait plus sûre que la grande maison. En tout cas moins dangereuse et moins tentante pour les pillards. En cette période de troubles, Yendel avait été plusieurs fois pris d'assaut et saccagé par des meutes armées qui se réclamaient des Rouges. Djon cherchait à mettre sa famille à l'abri... Durant son absence. Car lui-même faisait alors son bagage : il partait rejoindre « le régiment Benckendorff » qui combattait pour l'indépendance de l'Estonie contre les Rouges de Latvie.

Deux mois plus tard, en mars 1919, il était rentré chez lui pour trouver la région de Yendel à feu et à sang, divisée entre les régiments de la noblesse balte qui tenaient à garder leurs terres et leurs privilèges, les milices républicaines qui briguaient le pouvoir et cherchaient à nationaliser les châteaux, les bandes de paysans qui maraudaient et s'emparaient de ce qu'elles pouvaient prendre... Une violence à laquelle il avait tenté de mettre bon ordre.

On l'avait tué à ce moment-là.

Pourquoi ? À entendre le messager, nul ne voulait aucun mal au maître. Sinon peut-être le fils d'un ancien métayer, un garçon du nom de Rudolph Rosentrauchi que Djon avait jadis corrigé de trente coups de knout, pour avoir tenté de violer l'une des servantes qui travaillait au manoir. C'était avant 1914. Mais ce Rosentrauchi avait la mémoire longue. Du front, il était revenu la tête farcie d'idées bolcheviques, jurant qu'il se vengerait du tyran et lui ferait payer chacun de ses trente coups.

Immédiatement soupçonné, Rosentrauchi avait été arrêté et conduit à Reval pour y être jugé. Mais de sa culpabilité, n'existait aucune preuve. Était-il l'assassin ? Mystère. En prison, il avait agressé l'un de ses gardes et réussi à s'échapper. Les trois frères de Djon s'employaient à le retrouver. Le messager travaillait pour eux.

En recherchant à Petrograd la veuve du seigneur de Yendel, en l'avertissant que l'aîné des Benckendorff reposait en terre depuis près de trois semaines, l'homme obéissait aux ordres de la famille. Mission accomplie. Tout était dit. Il l'avait plantée là, sous le porche, disparaissant dans la rue, aussi rapidement qu'il l'avait abordée.

Et maintenant ?

Maintenant, prendre sur soi. Se taire. Cacher à Mummy la mort de Djon. On était le 6 mai, deux jours avant l'opération de son cancer, programmée ce mercredi à l'hôpital de la Trinité. Ne rien lui dire.

Aller, venir, la rassurer et lui sourire.

Depuis la nuit d'hiver où elle avait affronté seule la perquisition des tchékistes, Mummy ne se ressemblait plus. Terminées les scènes de panique. Finis la révolte et les cris. Le silence.

Ce n'était pas la paix, cependant. Mais un effroi sourd, une épouvante continuelle qui la tétanisait.

Nul n'aurait pu reconnaître en cette vieille femme passive et bizarrement douce, *la Vipère* d'antan.

Mummy avait aimé son gendre. Elle n'aurait pas la force de surmonter ce nouveau chagrin. La nouvelle la tuerait.

*

— Donne-moi la main, Mourochka, reste avec moi, parle-moi… Raconte-moi des choses gaies !

Dans la salle commune de l'hôpital de la Trinité, derrière le paravent qui la séparait des autres malades, Mummy, les yeux clos, se préparait à l'épreuve.

Moura s'était changée dans les latrines, se débarrassant en hâte de ses voiles et de ses crêpes afin de ne pas l'alerter sur le malheur qui les frappait, roulant au fond de sa sacoche son chemisier et sa jupe noirs. Même en ces temps troublés, l'usage l'obligeait à porter le deuil. Se fût-elle présentée à la princesse Saltikov et aux oncles Benckendorff autrement qu'en tenue de veuve, pour leur annoncer la mort de son mari, ils n'auraient pas compris le scandale de sa conduite.

Sous le regard des infirmières, elle avait fait son entrée en chandail rouge, pimpante et royale, traversant la salle à grands pas, sans un regard aux autres lits, jusqu'au réduit où reposait madame Zakrevskaïa.

Assise à son chevet, elle luttait maintenant pour surmonter les larmes.

En vérité, Moura, comme Mummy, avait peur. Le chirurgien avait beau prétendre qu'il n'existait pas d'alternative à l'ablation du sein… Un coup d'œil sur les opérées, qui geignaient dans les grabats voisins, laissait augurer du pire.

Le pire. Elle ne pouvait s'empêcher de songer à Djon. Elle pensait à lui jour et nuit. Sa disparition suscitait en elle un chagrin où se mêlaient le remords et la honte. Une tristesse sans fond.

Elle avait pris la main de sa mère et la caressait. Les souvenirs affluaient. Elle revoyait la cérémonie de son mariage, sous la férule de sa sœur Anna et de Micky. La bénédiction dans la petite chapelle de l'ambassade de Russie, à Berlin. Et Djon, debout devant l'iconostase. Il lui paraissait si rassurant, alors.

Elle était bien placée pour savoir combien, pour lui, elle avait été une mauvaise épouse. Une compagne sans amour ! Elle avait pourtant cru qu'ils pourraient se rejoindre. C'était après la naissance de Paul, quand ils avaient rêvé ensemble l'aménagement de Yendel. Puis la guerre mondiale était arrivée, interrompant à jamais ce moment de complicité.

Dans son repentir, dans sa compassion, dans sa tendresse même, se glissait un autre sentiment, plus douteux, un sentiment qu'elle n'osait formuler tant il l'épouvantait… Elle éprouvait une forme de soulagement. La sensation d'une délivrance. La mort de Djon la libérait. Veuve, elle cessait d'être une femme adultère. Veuve, elle cessait d'être une mère indigne et n'avait plus besoin d'affronter le scandale d'un divorce. Elle pouvait impunément aimer Lockhart, même l'épouser sans perdre Paul et Tania.

Et là, surgissait une troisième émotion qui lui serrait la gorge, un sentiment plus prégnant que tous les espoirs et tous les regrets, plus accablant que la pitié, plus angoissant que le remords : la terreur pour la survie de ses enfants. Où étaient les petits à cette heure ? Privés de la protection de Djon : trois orphelins.

Le messager avait dit que la gouvernante se trouvait avec eux à Kallijärv. Mais que pouvait Micky sans Djon, sans argent, que pouvait Micky, seule, pauvre, dans un pays en guerre ? Elle ne parlait même pas la langue !

Répondant aux angoisses de sa fille, Mummy murmura :

— Ton mari s'emploie certainement à t'obtenir un passeport... Avec l'élection d'un gouvernement provisoire à Reval, tu auras droit à la nationalité estonienne. Djon va certainement t'envoyer les papiers. Il va certainement nous faire venir toutes les deux à Yendel.

Moura réprima un sanglot.

— Certainement, Mummy : il s'en occupe.

— Aime-le bien, ton Djon. S'il devait m'arriver quelque chose... Aime ton mari, ma chérie, prends soin de lui et prends soin de toi. Si je devais ne pas me réveiller de l'opération...

— Mummy ! Ne dis pas des choses pareilles.

— Si je devais ne pas me réveiller, je voudrais que tu fasses brûler mon corps... Ne sois pas trop triste pour moi, Mourochka, la vie a été si terrible.

— Tout va bien se passer. Le docteur Milioutine est le meilleur chirurgien de Petrograd. Et tu lui as été recommandée par l'illustre Maxime Gorki, en personne.

— Dans mes derniers moments, je penserai à toi, ma chérie, en admettant qu'on puisse réfléchir jusqu'au bout, comme on le prétend. Et je penserai à Djon. Et je prierai pour que vous soyez toujours heureux ensemble... Je vous embrasse tous les deux beaucoup, beaucoup.

*

Mummy ne mourut pas tout de suite. Elle revint chez elle, rue Shpalernaïa, où elle passa l'été.

De son côté, Moura cumulait les emplois. Elle travaillait maintenant comme secrétaire de Korneï Tchoukovski au « Studio », l'organisme chargé par Gorki du développement des scénarios pour le cinéma. Ce second salaire lui permettait de nourrir et de soigner sa mère.

Bataille perdue.

Mummy finit par s'éteindre à l'hôpital, lors d'une nouvelle opération. C'était au mois de septembre 1919, un an presque jour pour jour après la perte de *Little Peter* dans la prison de la Loubianka.

*

Lorsque l'infirmière lui remit les maigres affaires de feu madame Zakrevskaïa, Moura les prit sans mot dire.

La disparition de Mummy, l'assassinat de Djon, le silence de Lockhart... Elle n'avait plus de larmes pour pleurer. Assommée par la douleur, tête basse, son baluchon sous le bras, elle s'enfuit, pressée de rentrer chez elle et de s'y terrer. Elle franchit presque en courant le pont Troitski.

— Papiers !

Un jeune tchékiste l'avait arrêtée :

— Vos papiers, j'ai dit !

Dans son hébétement, elle manqua d'attention.

Comment put-elle faire une chose pareille ? Elle, Moura, si maîtresse d'elle-même, si vigilante de nature... Son instinct, cette fois, ne l'avertit pas du danger. Elle y fonça tête baissée, commettant la plus absurde, la plus aberrante des fautes.

Au lieu de présenter le certificat établi par son employeur Tchoukovski, un certificat de travail en règle, visé par le commissaire Grinberg de l'Instruction publique, elle farfouilla au hasard dans le baluchon de sa mère.

Elle en exhuma le faux livret de travail de Mummy et sa fausse carte de ravitaillement.

Les deux documents, dont l'âge du titulaire ne correspondait pas au sien, attirèrent l'attention du policier. Un coup d'œil plus prolongé lui suffit pour reconnaître la contrefaçon.

— Où t'as acheté ces merdes ? Au marché noir ? Tu trafiques ? Allez ouste... Avec les autres !

Il la poussa à coups de crosse vers le fourgon cellulaire qui stationnait à l'angle du quai, juste devant l'ancienne ambassade d'Angleterre.

Embarquée à la terrible prison de la rue Gorokhovaïa, siège de la Tchéka.

*

— Téléphonez au camarade Yacob Peters à Moscou, suppliait-elle en s'adressant aux deux matons qui l'encadraient dans le couloir du second sous-sol.

— Ben voyons !

— Faites ce que je vous dis, s'il vous plaît... Appelez-le. Appelez Yacob Peters !

— Pourquoi pas Lénine pendant que t'y es ?

— Yacob Peters vous dira que vous commettez une erreur.

— C'est ça.

— Il vous dira de me libérer !

— Ta gueule, ou je t'en fous une... Allez, rentre là-dedans. Et boucle-la !

La cellule n'était ni minuscule, comme celle de la Loubianka, ni vide. Des femmes dormaient partout. Les unes somnolaient debout, retournées contre le mur dans les angles, les autres couchées sur le sol et les grabats. Il y avait là, côte à côte, d'anciennes bourgeoises et des prostituées, des aristocrates, des voleuses et des trafiquantes du marché noir, des jeunes, des vieilles. Certaines se trouvaient dans un tel état de délabrement que leur misère disait clairement le temps qu'elles avaient passé ici. Des mois, déjà.

La porte de fer s'était refermée derrière Moura.

Incapable de comprendre ce qui lui arrivait, elle resta adossée au judas, serrant contre elle sa couverture et sa gamelle.

L'ampoule, qu'on n'éteignait jamais au plafond, distillait un jour blême sur la dizaine de corps encastrés et sur les visages, plaqués contre terre. Les têtes, dont on ne distinguait que les cheveux, restaient enfouies, pour se protéger de la lumière.

Foudroyée, elle n'osait bouger. Elle sentait juste sa raison l'abandonner. Son ébranlement moral était tel qu'elle ne songeait même pas à chercher une place parmi les détenues et à s'allonger entre elles.

Elle fut tirée de sa consternation par un nouveau fracas de verrous. Deux gardiennes en blouse grise ouvraient le vantail en aboyant :

— Maria Ivanovna Tcheu...

Les corps remuèrent vaguement, s'étirant comme des asticots, se regroupant, s'écartant un instant pour laisser passer la malheureuse qu'on appelait. Les matonnes ne prononçaient jamais que la première syllabe du nom de famille – pas le nom entier – afin que nulles, dans les cellules mitoyennes, n'apprennent l'identité de leurs voisines. Cela, Moura l'avait appris lors de son arrestation à la Loubianka, en septembre.

Tous ses réflexes de détenue lui revenaient. Aucun besoin d'un mode d'emploi. La prison restait inscrite dans sa chair. Elle y connaissait le rythme de la vie, de la mort. Elle savait qu'en prison, les interrogatoires avaient lieu de nuit. Comme les exécutions.

— Les mains derrière le dos.

La prévenue obéissait en automate. Les geôlières, le visage impassible et les yeux sans regard, la ligotaient et donnaient leurs ordres :

— Avancez.

Moura entendit le pas des trois femmes s'éloigner et mourir dans le couloir.

— Vous êtes ici pour quoi, vous ?

L'une des captives, dérangée dans son mauvais sommeil, s'était mise debout et chuchotait à son oreille.

Moura savait cela aussi : qu'en prison, on devait se garder des confidences aux mouchardes.

— Pour rien… Et vous ?

— Pareil. Pour rien.

Durant la semaine qui suivit, trois obsessions tournèrent en boucle dans sa tête… Sortir de là. Gagner l'Estonie. Rejoindre ses enfants.

Ces trois idées, seuls trois hommes avaient le pouvoir de les réaliser. Yacob Peters. Lev Karakhan. Maxime Gorki. Encore devaient-ils être prévenus de son incarcération !

Nul parmi les fonctionnaires qui instruisaient son dossier ne prenait la peine de la rencontrer. Il semblait qu'on l'ait oubliée dehors. Et dedans.

Chaque nuit cependant, le contingent des prisonnières changeait. Certaines étaient appelées pour leurs interrogatoires et revenaient. D'autres disparaissaient sans qu'on sût si elles avaient été libérées ou exécutées. D'autres débarquaient des prisons annexes et les remplaçaient. D'autres n'étaient jamais appelées… Comme elle.

*

— Maria Igniatievna Ben… Les mains derrière le dos !

Enfin ! Elle se leva d'un bond et se laissa emmener, se hâtant vers la redoutable séance qui terrorisait ses compagnes.

Les commissaires-instructeurs travaillaient dur sur leurs dossiers. Le tchékiste chargé de son cas avait poursuivi d'autres interrogatoires jusqu'à l'aube. Épuisé, il était allé se coucher. Il reviendrait en fin de matinée.

Inutile de redescendre la prisonnière au sous-sol. Qu'elle attende.

Six heures debout, devant la porte close de l'une des salles d'interrogatoire, se chargèrent de vider Moura de son énergie et de ce qui lui restait de pugnacité.

Comme à Moscou, l'immeuble de la Tchéka de Petrograd était un ancien hôtel particulier. Les salons d'apparat avaient été compartimentés en bureaux, mais le grand escalier, les frises néo-classiques en stuc, les guirlandes de nœuds et de fleurs au plafond offraient un contraste saisissant avec les gouttelettes de sang qui tachaient les murs et les cris qu'on entendait par intermittence monter derrière les cloisons.

La pendule sur la cheminée était arrêtée. Elle calcula toutefois que midi sonnait quand on la poussa dans le cabinet de son commissaire-instructeur. Il avait dû passer par le couloir du fond car elle ne l'avait pas vu entrer.

Le lieu évoquait une pièce qu'elle connaissait bien. Une table, une lampe, une chaise. Et deux photos de Lénine, trônant sur les murs au-dessus de deux hommes assis : les deux fonctionnaires qui allaient l'interroger.

Le tchékiste attablé en face d'elle était jeune, mince, avec des lunettes rondes. Celui qui se tenait dans son dos semblait plus âgé et plus lourd.

Ses codétenues lui avaient expliqué les règles du jeu. Le cadet poserait les questions et beuglerait des insultes. Le vieux jouerait les pacificateurs. Ils se relaieraient, alternant les menaces et la cordialité. Ils pourraient aussi s'échanger les rôles. Le but était de la déstabiliser jusqu'à la signature de ses aveux au bas du procès-verbal.

Le jeune attaqua :

— Qu'est-ce que tu foutais sur le pont Troitski avec des fausses cartes de ravitaillement ?

— Je ne vous répondrai qu'avec l'accord du camarade Yacob Peters.

362

— Tu sais ce que ça coûte les fausses cartes ? Le peloton… Allez, soyons optimisme : disons, dix ans de camp. Si tu coopères : cinq. Qui t'a fabriqué ces papiers ? Donne-moi le nom des faussaires, et je te sors de là.

— Téléphonez à la Loubianka.

— Paraît qu'elle répète ça toute la journée, marmonna le vieux derrière elle. Elle veut la Loubianka et elle veut Yacob Peters.

— C'est du gâtisme, tu crois ? demanda le jeune. Ou de la connerie ?

— Remarque, ce matin, elle a du bol : il est de passage à Petrograd.

Elle avait tressailli… Peters, ici !

— Il devrait même se trouver cet après-midi dans nos murs.

— Probable… À un moment ou un autre.

Le plus jeune des tchékistes s'adressa de nouveau à Moura :

— Si tu es tellement sa copine, on peut lui demander de venir, au camarade Peters. Mais je t'avertis : c'est pas un rigolo. Dérange-le pour rien, et ça va barder. Je ne pourrai pas négocier ta peau avec lui.

Pour la millième fois, elle martela ces trois mots :

— Appelez Yacob Peters !

*

Il portait les mêmes bottes, la même veste de cuir, le même pistolet Mauser en bandoulière. Mais en onze mois, il avait forci et vieilli de vingt ans. Était-ce le poids, la crampe, de son paraphe au bas des arrêts de mort qu'il signait par centaines ? Elle le trouva changé. Et réciproquement. Ni l'un ni l'autre ne s'arrêtèrent sur la question.

— Laissez-nous seuls.

Éberlués, les deux tchékistes se levèrent et marchèrent vers la porte.

— …Et faites monter une tasse de thé pour la camarade Ben-ckendorff. Avec des biscuits.

Ils sortirent. Yacob Peters revint vers Moura et prit place sur la chaise qui lui faisait face.

— …Vous mourez de faim, n'est-ce pas ?

Elle sourit, adoptant dans la seconde le ton mi-sentimental mi-badin qu'il affectionnait :

— Je crois qu'en de telles circonstances, vous êtes le seul homme au monde qui aurait pensé à cela.

— Voulez-vous dire, Maria Ignatievna, que vous me trouvez gentil ? ironisa-t-il.

Elle réfléchit longuement :

— Je pense que vous êtes bon, Yacob Kristoforovitch.

La réponse le surprit assez… pour qu'il parte d'un grand éclat de rire et change de sujet :

— Quelles nouvelles de notre ami Lockhart ?

Elle rit à son tour :

— Réunions, réceptions, honneurs : le monde capitaliste l'a dévoré tout cru. Je crois qu'il n'était vraiment pas fait pour nous.

— Tant pis pour lui… Pauvre Lockhart. Vous auriez dû le voir durant ses interrogatoires. On aurait dit un âne hésitant entre deux bottes de foin : la Russie ? L'Angleterre ? Laquelle des deux étables serait la mieux fournie pour son petit confort ? Laquelle des deux carottes conviendrait le mieux à sa gourman-dise ?… Pathétique. Pas du tout ce qu'il raconte !

— Je vous croyais bon et vous tirez sur une ambulance.

— Vous l'aimez toujours ? Ah les femmes… Bien, bien, l'affaire est close. Quant à la question de vos fausses cartes de ravitaillement…

— Ce n'était pas les miennes. Et je ne savais pas qu'elles étaient fausses.

— Mais vous les portiez sur vous.

— Elles appartenaient à ma mère, qui est morte la semaine dernière à l'hôpital. Elle-même a été incinérée là-bas. On m'a donné ses affaires pour que je les brûle. Elle avait été en contact avec des malades du typhus. Je ne comptais rien garder.

— Bien, bien... Vous connaissez Maxime Gorki, n'est-ce pas ?

Elle ne put réprimer un froncement de sourcil.

— Vaguement.

— Le camarade Grigori Zinoviev désirerait que vous le connaissiez beaucoup mieux. M'est avis qu'il ne va pas être déçu, Zinoviev. Un ramassis de pourritures que je me ferai un plaisir de coffrer... Il voudrait que vous lui racontiez un peu ce qui se dit chez le grand homme. Ses fréquentations. Ses projets.

— Mais je n'ai pas accès à Gorki ! Je travaille à la maison. Et je ne suis qu'une modeste traductrice parmi vingt autres.

Peters changea de ton. Il devint glacial.

— Vous m'avez mal compris, Maria Ignatievna... Vous écoutez à merveille, vous saisissez à merveille, vous résumez à merveille. Et vous dissimulez à merveille : vous êtes une femme remarquable. Mais vous m'avez mal compris... Ce qui me navre. Car je vous avais gardé toute mon estime. Et si j'avais été à la place de cet âne de Lockhart, je n'aurais pas balancé, même une seconde, entre mes deux étables et mes deux carottes : je vous aurais choisies, vous *et* la Révolution... C'eût été, d'ailleurs, la même chose ! N'êtes-vous pas des nôtres depuis toujours ? C'est du moins ce que vous m'avez assuré à Moscou l'automne dernier. Auriez-vous changé d'avis à Petrograd l'automne suivant ? En considération de vos mérites, je vous ai fait beaucoup de fleurs... Je ne serai pas assez lourd pour vous rappeler le nombre et l'importance de mes faveurs. Mais, sur le fond, vous avez raison : *gentil*, et même *bon*, je l'ai été envers vous. Le temps est maintenant venu de me prouver que notre affection est réciproque.

— Elle l'est !

— Me voilà rassuré. Car ce n'est pas une nouvelle amitié que je vous propose, mais une coopération que je vous demande de

poursuivre. Ou plutôt de commencer... Vous souvenez-vous ?
Un accord scellé il y a... Quoi ? Un an ?

— Je me souviens. Sans savoir comment...

— Vous savez très bien *comment*... Si vous voulez retrouver
vos enfants un jour – et, dans l'immédiat, sortir vivante de cette
pièce –, vous irez rendre compte chaque semaine au camarade
Zinoviev de ce que vous aurez vu et entendu chez vos nouveaux
amis de La Littérature mondiale.

On frappa à la porte :

— ...Ah, voilà enfin votre thé ! Avec vos petits gâteaux qui
arrivent.

*
* *

Piégée.

Et, cette fois, piégée à vie.

Au bout du compte, tous, le général Knox, le capitaine Hicks,
Robert Bruce Lockhart, tous avaient vu juste. Elle était devenue
ce qu'ils l'accusaient d'être. Une espionne. Une informatrice.
Une moucharde au service de la Tchéka.

Ce qu'on appelait, dans le jargon des trahis et des persécutés,
une *seksote*.

*

Pas le choix, en effet. Plaire, mentir, survivre.

Au même moment, à l'heure de son incarcération et du passage de Yacob Peters chez Grigori Zinoviev à Petrograd, la
Tchéka exécutait soixante-sept personnes à la Loubianka et
vingt-neuf rue Gorokhovaïa. La plupart étaient des professeurs
d'université, des savants et des membres de l'intelligentsia.

En ce mois de septembre 1919, l'ami de Moura, le grand
critique littéraire Korneï Tchoukovski, écrivait dans son Journal :

Je viens de voir pleurer Gorki (...) Je l'ai suivi [dans un bureau du comité de rédaction de La Littérature mondiale] pour lui demander d'intervenir en faveur de Benckendorff (ma secrétaire au « Studio ») qui a, elle aussi, été arrêtée. Je lui ai raconté ce qui se passait. Il a commencé à faire une longue phrase, ponctuée de gestes muets. Cette phrase inachevée disait à peu près ceci : « Qu'est-ce que je peux faire ? (...) Ils veulent [mes amis] à tout prix. Je leur ai dit, à ces cochons, ou plutôt à ce cochon [de Zinoviev], que s'il ne relâchait pas [mes amis] immédiatement, je ferais du scandale. Que je laisserais définitivement tomber les communistes... Qu'ils aillent au diable, d'ailleurs ! » Gorki avait les yeux mouillés de larmes.

Chapitre 25

LES DEUX FAUVES
Septembre 1919 – Février 1920

Totalement seule. Sans mari, sans amant, sans enfants. Sans parents : même la vieille princesse Saltikov était morte dans l'année, morte de faim ainsi qu'elle-même l'avait prédit.

Sans amis : Myriam Artsimovitch avait été arrêtée en mai. Et son fiancé Bobbie Yonine – accusé d'avoir travaillé pour les Anglais – venait d'être condamné à cinq ans de détention au terrible camp de Kojoukovski.

Sans ressources et sans toit : durant son incarcération, d'autres s'étaient installés dans l'appartement de la rue Shpalernaïa et l'en avaient chassée.

Elle avait transporté ce qu'elle avait pu sauver de sa mémoire – du moins de la mémoire familiale : les portraits de son père et de Djon – dans la chambre de bonne du général Mossolov, qu'elle avait fréquenté chez la princesse Saltikov. Bien qu'il fût menacé d'expulsion, elle camperait chez lui jusqu'à la prochaine catastrophe.

Elle avait même perdu son chien Garry, disparu en son absence, probablement mangé.

On pouvait difficilement accumuler autant de malheurs en si peu de temps et se sentir plus vulnérable.

N'en rien laisser paraître.

*

En cette après-midi de septembre 1919, Moura traversait à nouveau le pont Troitski et franchissait en sens inverse le *check point*, où elle avait été arrêtée le mois précédent. Elle était accompagnée de son employeur Tchouk qui l'emmenait prendre le thé chez leur mentor, qu'elle tenait à remercier de son intervention auprès de la Tchéka.

Gorki n'entrait en rien dans sa libération : elle était bien placée pour le savoir. Mais ses collègues de La Littérature mondiale le croyaient son sauveur. Et nul ne devait soupçonner les liens qui l'enchaînaient à Zinoviev. Elle venait donc exprimer sa gratitude au maître.

Le vent qui soufflait dru entre les réverbères du pont soulevait les pans de son grand manteau – une relique de Lockhart – et la décoiffait. Sa maigreur, qu'accentuait la capote d'homme, et les quelques mèches qui lui tombaient dans les yeux, lui donnaient l'air d'une jeune fille. La prison l'avait émaciée. Ses sourcils semblaient plus étirés et ses pommettes plus saillantes.

Elle avançait d'un pas rapide, sur lequel même Tchouk, avec ses grandes jambes, s'alignait difficilement. Volubile, il évoquait pour elle le monde dans lequel il allait l'introduire. Un monde qui, lui-même, le fascinait. Gorki, la prévenait-il, vivait en bande. « Vous verrez, Benckendorff : il s'entoure d'une cour inouïe et ne se déplace qu'avec sa tribu. »

Ils avaient enfilé un bout de l'avenue où se dressait jadis l'ancien hôtel particulier de la favorite de Nicolas II, la danseuse Kchessinskaïa : le premier palais où les révolutionnaires avaient planté le drapeau rouge en 1917. Elle se souvenait de l'avoir vu flotter de l'autre rive, des fenêtres de l'ambassade d'Angleterre.

Et de là, ils avaient tourné à gauche sur la perspective Kronverkski.

L'appartement que Gorki occupait au numéro 23 était un lieu désormais mythique. Les traducteurs de La Littérature mondiale le décrivaient comme un labyrinthe peuplé de créatures de légende : ce que la Russie comptait de plus intelligent et de plus doué. Les trois arches, en blocs de pierres noires, qui scandaient les trois porches de l'immeuble, évoquaient en effet l'antre du Minotaure. Et les masques de comédie antiques qui surplombaient les piliers de la porte centrale, ajoutaient encore à cette impression. L'ensemble se voulait à la pointe de la modernité. Le dédale des cours et la dureté de l'escalier s'inscrivaient toutefois dans la misère de Petrograd.

L'ambiance du bâtiment changeait au troisième étage. L'odeur du tabac et la rumeur sourde de mille conversations animaient soudain le désert des lieux.

Tchouk poussa la porte sans sonner, lança sa casquette sur le porte-manteau et franchit en deux enjambées le seuil de la salle à manger. Elle l'y suivit.

La première chose qui frappa Moura fut le samovar qui trônait au centre de la nappe. Gros, gras, doré... le samovar d'autrefois. Et puis, tout autour, les gens dans la pénombre, debout, assis, trop nombreux pour la table : une vingtaine de personnes, qui bavardaient, plaisantaient et se disputaient. De ce joyeux brouhaha, émergeaient ici et là de rares propos intelligibles : cancans de bas étage ou grandes idées philosophiques... Impossible de distinguer les traits des causeurs. Leurs visages se confondaient dans le halo blanc de la fumée des cigarettes qu'ils allumaient à la chaîne. Des hommes et des femmes de tous les âges qu'elle avait déjà aperçus à la MLM, et qui lui parurent aussi mal habillés qu'elle.

Le décor restait simple. Ici, comme ailleurs, l'électricité ne fonctionnait plus et la pièce n'était éclairée que par une grosse lampe à pétrole qui pendait du plafond. Le carillon d'une horloge sonnait cinq heures et le buffet semblait sorti des intérieurs petits-bourgeois du XIXe siècle. Les bibelots qui s'alignaient sur les étagères de guingois auraient toutefois exaspéré la princesse Saltikov : une collection de vases chinois de porcelaine bleue.

Accrochés au mur entre les rayonnages, le masque de Pouchkine et le portrait de Nietzsche trônaient au-dessus de la chaise du maître. Elle était vide, et les hôtes l'écartèrent pour laisser une petite place aux derniers arrivants. Comment ne pas se délecter de la saveur du thé qu'on servait ici ? Rien à voir avec l'infusion de carottes sèches qu'on buvait ailleurs. Chez Gorki, le thé restait certes léger, mais il était réel : du *vrai* thé. Comme les personnes autour de la table : des êtres *vivants*, au contraire des sbires de la Tchéka.

La porte du cabinet mitoyen s'était ouverte. La haute silhouette de Gorki apparut. Il portait une vieille robe de chambre chinoise de soie rouge, un calot de mandarin sur la tête. Il était flanqué de deux de ses meilleurs amis, qui sortaient avec lui d'une longue discussion. Moura reconnut le commissaire du peuple à l'Instruction et le chanteur Chaliapine, qu'elle avait rencontré à maintes reprises dans les réceptions d'avant-guerre. Les trois hommes poursuivirent leurs échanges en s'installant.

— Non, ce qui est important pour moi, développait Gorki à leur intention, c'est la naissance d'un nouvel homme cultivé... Il alluma une cigarette, tandis qu'on lui servait son thé. Ce qui est important pour moi, c'est l'ouvrier d'une raffinerie de sucre lisant Shelley dans l'original.

Chacun s'était tu pour l'écouter. Il n'eut pas l'air de s'en apercevoir.

— ...Je sais, je sais, vous allez tous me dire que je suis un romantique, un rêveur, un affreux utopiste ! Et oui, oui, oui, je suis un utopiste : si l'on croit de toutes ses forces aux illusions, je demeure convaincu qu'elles se réalisent... Ne serait-ce que parce que l'homme est Dieu et que s'il le veut, il peut tout. Pourquoi ? Car il est doué de raison ! Et la raison est omnipotente. Il suffirait de la développer, de l'élever, de la nourrir, pour qu'elle améliore le monde sur les trois plans qui répondent aux besoins de l'humanité : celui du développement intellectuel, du perfectionnement moral et de la prospérité économique.

Emporté par ses théories, Gorki fumait, toussait et ne prêtait attention qu'à ses interlocuteurs immédiats. L'imposant Chaliapine faisait autant de bruit que lui, réfutant ses généralisations sur la Raison et pestant avec lui contre « la connerie » des bolcheviques.

Assise loin des stars, Moura ne pouvait les approcher. Ni même les saluer. Encore moins remercier Gorki et lui exprimer sa gratitude pour son coup de fil à la Tchéka. De toute façon, la chose était ici banale : chacun autour de cette table sortait plus ou moins de prison... Cet après-midi-là, elle ne réussit même pas à accrocher le regard du maître.

Sa première visite avenue Kronverkski ne fut cependant pas vaine. Les autres messieurs apprécièrent sa présence. Son voisin le peintre Rakitski, un petit bonhomme moustachu d'une quarantaine d'années, gentil et peu porté sur la séduction, lui raconta son arrivée ici l'an passé. Il avait débarqué dans cet appartement, à demi nu et mort de faim. On l'y avait nourri, baigné, vêtu... Il n'en était jamais reparti. Lui-même reconnaissait dans cette jeune femme, qui savait se taire et l'écouter, les symptômes de sa propre fascination. Il devinait ce qu'elle éprouvait en cet instant. Ce mélange d'envoûtement et de bien-être. Ce désir de se lier avec chacun des membres de la communauté. La nécessité d'appartenir à cette bohème si rassurante.

La longue marche du retour en compagnie de Tchouk lui apporta, sur le monde qu'elle venait d'entrevoir, tous les détails qui pouvaient l'intéresser.

Aussi séduit, aussi excité qu'elle, intarissable, il agitait ses longs bras en développant le thème « Gorki », un sujet dont il se plaisait à analyser les facettes.

« Vous les avez entendus, Benckendorff ? Ils l'appellent *Douka*, le Duc, ce qui est tout de même un comble pour le champion de la lutte des classes ! Douka en italien : très chic... Une allusion à ses années d'exil à Capri et à ses instincts de chef de meute. En vérité, la meute qui galope à ses trousses grossit chaque jour. Vous avez compris ce que je voulais dire tout à l'heure, en évoquant sa tribu ? Le nombre de personnes qui vivent à ses crochets est invraisemblable ! Vous n'aurez peut-être pas bien mesuré… Sa famille d'élection d'abord, ses intimes : sa première épouse et leur fils Max ; son ancienne compagne ; sa maîtresse actuelle ; ses amis de cœur, leurs femmes et leurs enfants… Il partage avec eux chaque instant de son quotidien. Entre parenthèses, il les loge tous dans l'appartement que vous venez d'apercevoir. À mon avis, il fait preuve, à leur égard, d'une confiance exagérée ! Entre nous, il est naïf : certains de ses proches sont des bandits ! »

La nuit tombait, redoutable pour les promeneurs. Ni Tchouk ni Moura ne s'en préoccupaient. Leurs deux silhouettes se détachaient sur le pont, entre le ciel et l'eau.

Cette journée de septembre avait été sublime, avec un ciel d'un bleu cristallin, dont la Neva reflétait encore les dernières lueurs. Derrière eux, la flèche de la forteresse Saint-Pierre-et-Saint-Paul devenait d'un or plus sombre à chaque seconde. Devant, se dressait la façade de l'ancienne ambassade d'Angleterre, avec son enfilade de fenêtres murées. Cette fois, Moura n'y prêta pas attention. Elle regardait Tchouk, avec sa casquette vissée sur la tête, ses cheveux trop longs dans les yeux, qui gesticulait en parlant. Elle l'écoutait sans l'interrompre.

« …Remarquez, sa fidélité à l'endroit de ses proches ne l'empêche pas de nouer d'autres liens. Gorki n'aime rien tant que les coups de foudre et les nouvelles rencontres ! À condition toutefois que les derniers venus plaisent aux anciens. Si son cercle juge acceptable l'être qui suscite sa curiosité, il s'emballe, s'engage corps et âme dans une relation amicale ou une liaison amoureuse. Faites attention, Benckendorff : son magnétisme et sa puissance de séduction deviennent alors irrésistibles. À l'inverse, si les siens se révèlent hostiles à l'objet de ses désirs, il coupera court à son enthousiasme. Plaisez à ses amis : autrement, vous êtes mort ! Pour le reste, peut-être pas un despote, mais un meneur. Il a beau afficher un comportement démocratique, parler avec simplicité, plaisanter avec bonhommie, il exerce sur chacun de nous une forme de tyrannie. On l'adore, oui. On l'admire. On le craint, aussi. Les plus puissants comme les plus humbles… Si quiconque peut le contredire et discuter ses idées, gare à celui qui continuera de s'opposer à son verdict, après l'échange d'opinions. Il reste le Chef. Un *Duc* d'âge mûr, malade du poumon, et peu soucieux de son apparence… Doté néanmoins d'une élégance particulière et d'un charme sans égal. Un grand séducteur. Comme je vous le disais, Benckendorff : attention à vous, il déchaîne les passions. Je vous rassure : c'est un sentimental, il ne collectionne pas les maîtresses. Mais les femmes qui ont partagé ses aventures continuent de compter dans sa vie et pèsent lourd. Il les a beaucoup aimées, beaucoup tourmentées. Non par cruauté, mais parce qu'il est trop têtu pour accepter de regarder la réalité en face, quand elle dérange son idéal. *En dépit des difficultés, on doit y croire.* En dépit des bolcheviques, on doit croire à la Révolution. En dépit du désamour, on doit croire à l'Amour. Je le pense incapable de renoncer à ses rêves. Du coup, il triche avec ses sentiments, se ment à lui-même, et torture dix fois plus subtilement la maîtresse qu'il ne veut pas chagriner. Quant à lui, il peut, paraît-il, verser des torrents de larmes lorsqu'on menace de *rompre* : un mot dénué de sens, qui n'appartient pas à son vocabulaire. Et comme tout commence avec lui par l'émotion, et que tout finit avec lui par l'émotion, il ne quitte ni n'abandonne jamais personne.

« Résultat : avec le temps et les succès, il est pris d'assaut par une foule de gens qu'il s'épuise à soutenir. Vous l'avez constaté vous-même : un défilé continuel… Les représentants de ses grands chantiers – non seulement nous, les collaborateurs de sa Maison de la littérature mondiale et de sa Maison des arts, mais aussi ceux de sa Maison des écrivains et de sa Maison des sciences – s'installent à tout moment pour discuter de leurs plans à sa table. Évidemment ! Les projets de Gorki doivent leur permettre de créer et de survivre : ils ont l'ampleur d'une tour de Babel et s'étalent sur trente ans... Sa guerre avec l'abominable Zinoviev pour sauver l'intelligentsia ne fait que commencer ! »

Sur ces paroles, Tchouk trébucha et manqua tomber dans l'un des trous qui ponctuaient la chaussée du quai Koutousov : de véritables fondrières où l'on se rompait le cou, conséquences des pillages de l'hiver dernier. N'ayant plus de bois pour se chauffer, les habitants de Petrograd avaient creusé les rues pour s'emparer des madriers qui soutenaient les pavés.

Elle l'avait retenu *in extremis* par le bras. Ils contournèrent la crevasse. Tchouk reprit son monologue sans même s'être aperçu de l'interruption.

« ... Comme si cela ne suffisait pas, Gorki accueille aussi des ouvriers, des marins, des burjouis qui, tous, viennent le supplier d'intercéder pour eux. Ils lui demandent d'obtenir des rations de nourriture, des habits, des médicaments, du tabac, des dentiers pour les vieux, du lait pour les bébés... Ce qu'il y a d'incroyable avec lui, c'est qu'il écoute toutes leurs histoires, griffonne pour eux mille lettres de recommandation et ne leur refuse jamais son aide. Je me demande où cet homme, à demi dévoré par la tuberculose, trouve une telle énergie... Je me demande surtout *quand* il réussit à travailler sur ses propres manuscrits. Il n'hésite pas à décrocher son téléphone dix fois par jour pour réclamer la libération du fils ou de la fille d'aristocrates qu'il ne connaît même pas — comme il vient de le faire pour vous —, hurlant dans le combiné contre l'inanité d'une telle arrestation, agonisant d'injures les membres du Parti et leur raccrochant au nez, dans un état de fureur dont il mettra plusieurs heures à se remettre... »

Moura ne perdait pas une miette du portrait que Tchoukovski lui dressait.

Comment capter l'attention d'un tel personnage, quand tant d'autres solliciteurs le pressaient déjà ? Comment s'en rapprocher ?

Et comment s'immiscer dans son intimité, afin de satisfaire la haine de l'inquisiteur Zinoviev ?

Elle avait besoin de Gorki pour survivre. Il avait besoin de tout, sauf d'elle : la rescapée d'une société qu'il dénonçait.

Un rapport de forces plutôt déséquilibré.

« ... À l'inverse, il peut éclater de rire et se taper les cuisses de joie quand quelque chose l'amuse. Je l'ai vu faire preuve d'une puérilité étonnante. Entre nous, sa mémoire est la meilleure de ses facultés intellectuelles. Pour le reste, sa logique est une misère. Quant à sa vision politique et à ses théories, elles ne dépassent pas les capacités de généralisation d'un gamin de quatorze ans. »

*

Tchouk l'abandonna au pied de l'immeuble Mossolov. Elle rentra dans la solitude et la désolation de sa chambre, habitée par l'émerveillement. Elle retrouvait ce soir, au centuple, l'exaltation de naguère, lors des premières séances de La Littérature mondiale.

Mais où, dans ce monde grouillant de personnages, ce monde au désordre si bien organisé, ce monde qui la séduisait et la fascinait, où pourrait-elle trouver une petite place ?

Sinon dans le dévouement ?

En se consacrant corps et âme aux êtres qui peuplaient cet univers.

*

Préparer les réunions des comités de lecture à la MLM, taper les ordres du jour du Studio, rédiger les comptes rendus, s'assurer du bien-être des participants, chauffer la salle et réchauffer le thé... Exprimer son intérêt pour chacun des membres du cercle.

Sur tous les plans – matériel, moral, sentimental –, sur tous les fronts, se rendre indispensable.

Dans ce sport, elle était passée maître. Elle avait une longue pratique de la diplomatie, de l'organisation et du secrétariat. Son rôle d'assistante auprès de Lockhart avait encore développé ses dons.

Avec le cercle de Gorki, aucun besoin de forcer ses talents. Aucun besoin non plus de surjouer son enthousiasme. Elle éprouvait envers lui une admiration et une sympathie sans limites. D'instinct, elle voulait lui plaire, se l'attacher, devenir la première… Dans le désastre de sa vie, il était pour elle l'incarnation de l'Espérance. En son for intérieur, elle l'appelait *Ma Joie*, une expression qui évoquait en elle l'image de *Notre-Dame-de-la-Joie-Inattendue*, la Vierge du Kremlin qu'elle avait tant aimée avec Lockhart.

Elle avançait toutefois à pas de loup et ferraillait à fleuret moucheté. Le terrain était miné : elle s'approchait prudemment. Et pour cause ! Les amoureuses de Gorki étaient des femmes puissantes, en pleine possession de leurs moyens, membres éminents du Parti et proches de Lénine. Toutes veillaient au grain et faisaient barrage.

Au fil du temps, elle avait rencontré ses rivales. Du moins, les plus redoutables.

D'abord, l'épouse légitime qu'il avait quittée quinze ans plus tôt, Ekaterina Pechkova. Aujourd'hui responsable de la Croix-Rouge politique à Moscou, elle y travaillait avec le fondateur de la Tchéka, le terrible Dzerjinski, et réussissait, disait-on, à défendre ses victimes, sans perdre sa confiance. Mère du fils de Gorki – le jeune Max qui travaillait à la Loubianka avec Yacob Peters –, elle gardait sur son ex-mari une influence totale. Gorki n'en avait jamais divorcé.

Moura avait aussi rencontré sa deuxième compagne, la passion de sa vie : Maria Andreïeva, une rousse somptueuse, actrice très célèbre, que les bolcheviques venaient de nommer commissaire des Théâtres. Celle-là partageait l'appartement de Gorki, et vivait en même temps avec son propre secrétaire et amant, de dix-sept ans son cadet. Elle-même atteignait le demi-siècle, mais paraissait encore une jeunesse.

Enfin, la concubine actuelle : la douce Varvara Tikhonova, femme d'un des meilleurs amis du maître, qui la lui avait cédée pour aimer ailleurs.

La première haïssait la seconde, qui n'adressait pas la parole à la troisième. Comment les remplacer toutes, sans pour autant se brouiller avec aucune ?

Pour une fois, Moura était plutôt favorisée par les circonstances. Elle avait compris que Pechkova serait heureuse qu'elle évince Andreïeva, qui l'avait jadis supplantée. Qu'Andreïeva serait heureuse qu'elle détrône Tikhonova. Que Tikhonova serait heureuse de l'arrivée d'une nouvelle favorite, qui lui permettrait de se dégager d'un adultère pesant. Moura travaillait donc à nouer une amitié particulière avec chacune d'entre elles et cherchait à leur plaire.

Ici non plus, elle n'avait aucun besoin de se forcer. Les personnalités de ces trois femmes l'attiraient. Elle les jugeait attachantes et les respectait. Quand elle se serait ménagé leur bienveillance, elle pourrait enfin se risquer à envelopper Gorki dans la chaleur de sa dévotion.

Avec son gros cartable qu'il traînait partout, son immense chapeau de feutre sur l'œil, sa moustache roussie par ses innombrables cigarettes, et ses longues mains qui pianotaient sur les tables ou fabriquaient des cocottes en papier quand il s'ennuyait, il la touchait au plus profond.

*

En cet automne 1919, les témoins de l'intrigue suivaient les progrès de Moura et comptaient les points. Une marche lente, mais une avancée certaine.

À la date du 24 septembre, Tchoukovski consignait avec amusement dans son *Journal* : *Aujourd'hui, séance consacrée aux scénarios (...) Aussi étrange que cela puisse paraître, [Gorki] ne s'adresse* jamais directement à [Maria Ignatievna Benckendorff]. Et pourtant, lors de ses conférences, il ne parle que pour elle. Il fait la roue comme un paon. Il se montre aussi spirituel, aussi loquace et brillant, qu'un lycéen au bal.

Riant sous cape, « Tchouk » observait à nouveau, le 14 novembre : *Gorki se montre très prévenant envers Maria Ignatievna. Il lui a offert son toit. Hier [il lui a dit]* : « *Puisque vous devez vous rendre avenue Kronverkski, Maria Ignatievna, attendez donc cinq heures. Je vous emmènerai. J'aurai une voiture.* »

Quinze jours plus tard, le 27 novembre, Tchouk écrivait encore : *Avant-hier, nous avons eu une réunion à La Littérature mondiale. Et Gorki a demandé à Maria Ignatievna* : « *Où trouvez-vous le temps de vous occuper de pareilles futilités ?* » *Il lui posait cette question sur un ton très dur... Mais avec un sourire charmant* : « *Oui, oui, Maria Ignatievna, de telles futilités !* » *Il faisait allusion au fait qu'elle l'avait envoyé voir un médecin et que ce médecin lui avait ordonné de s'aliter immédiatement et de se reposer.*

Noël : Je suis passé chez lui (...) Maria Ignatievna [et toute la tribu de Gorki] y devisaient doucement. (...) [Quelqu'un] a raconté l'histoire d'un mari qui venait de dévorer sa femme. (...) [Un autre] a dit : « *Et la femme suivante, ce sera vous, Maria Ignatievna. J'ai repéré vos quatre meilleurs morceaux depuis un moment...* » *Elle a souri* : « *Ah oui ? a-t-elle demandé en jouant les ingénues. Et quels sont donc mes bons morceaux ?* »

Le marivaudage battait son plein.

*

Sofas, divans, méridiennes encombraient l'appartement de Gorki et servaient de lits d'appoint : l'usage voulait que les hôtes qui s'attardaient après le dîner restent dormir. La raison en était simple : le danger que courait un homme ou une femme, en rentrant chez lui, à pied, de nuit, dans une ville devenue un coupe-gorge.

Seul problème : la foule se pressait déjà sur ses canapés. L'immense espace qu'il occupait perspective Kronverkski n'abritait pas seulement ses invités, mais aussi ceux des autres membres de sa tribu. Il logeait à demeure une dizaine de personnes qui, elles-mêmes, recevaient leurs propres amis. L'ensemble évoquait une abbaye de Thélème, où chacun des habitants aurait été affublé d'un sobriquet : les petits noms étaient l'une des marques de fabrique de la maison… Comme chez Moura.

Elle-même n'échappait pas à la règle. Pour les occupants du « duché », elle était aujourd'hui *Titka*, « Petite Tante », en raison peut-être de son attitude protectrice. Bien qu'elle fût jeune et qu'elle eût la moitié de l'âge de Gorki, elle le maternait.

Il fallait la voir veiller à son bien-être. Malicieuse, légère, toujours gaie, toujours efficace, elle l'entourait de mille soins, dont ni lui ni les autres n'avaient même conscience. Attentions minuscules qui changeaient l'atmosphère : il en subissait le charme et jouissait de sa gentillesse.

La sollicitude de *Titka* envers le Duc – *Douka* – s'exerçait à la fois sur l'homme et sur l'écrivain. Elle connaissait, elle comprenait ses livres comme nul autre. Elle partageait son culte de la littérature et sa croyance en la grandeur de l'Homme. Elle voyait même l'avenir de la Russie à sa façon à lui… Du moins, le croyait-il.

Gorki n'aimait rien tant que l'interroger sur ce qu'elle pensait des auteurs étrangers qu'il se proposait de faire traduire. Discuter avec elle de la liste des écrivains anglais et français qu'elle lui avait soumise. Il la gardait ainsi à bavarder, enfermée dans son bureau : ils partageaient le même goût pour les échanges d'idées, la même énergie dans l'art de la conversation.

Moura, pour sa part, n'ignorait plus rien du mythique appartement. Le plan des lieux était simple : de chaque côté d'un long couloir, s'alignaient des rangées de pièces. Sur la gauche, d'abord, le cabinet de travail de Gorki, contigu à sa chambre. Ensuite celle de Varvara Tikhonova, sa maîtresse en titre. Puis la chambre de l'étudiante en médecine, qu'il avait recueillie : la fille de l'un de ses amis, jadis assassiné par la police du Tsar, qu'il avait baptisée *Molécule.* Au fond, une chambre d'amis.

Du côté droit, en face des quartiers de Gorki, ceux de la flamboyante Andreïeva, son ancienne compagne : la partie la plus luxueuse qui correspondait aux salons sur la rue. Une chambre à coucher et un bureau, qu'elle partageait aujourd'hui avec son amant, Piotr Petrovitch Krioutchkov (surnommé *Pépékriou*). Plus loin, l'atelier du peintre Diederich (qu'on appelait *Didi*) et de sa femme Valentine Khodasevitch *(la Marchande)*, peintre elle aussi. Et plus loin encore, le studio d'un troisième peintre, celui que Moura avait rencontré lors de sa première visite : Ivan Rakitski (dit *le Rossignol* à cause de ses gargouillements d'estomac).

Le soir, chacun surgissait de son antre pour se rassembler sous la grosse lampe à pétrole, dans la salle à manger mitoyenne de l'entrée.

Andreïeva restait la maîtresse de maison. Elle apparaissait à sept heures pour recevoir les amis. Chaliapine, Tchoukovski et les autres débarquaient bruyamment... Moura avec eux. Elle avait désormais *sa méridienne* chez Gorki, comme d'autres ont leur bouteille ou leur rond de serviette.

Elle adorait l'atmosphère des dîners avenue Kronverkski : ces instants de magie, où le rire et les débats intellectuels mettaient en échec les tragédies du quotidien. Récits fantastiques, charades, poèmes... Un mélange de bouffonneries et de fulgurances.

On resterait à table après le dessert, pour d'interminables polémiques autour du samovar. Le thé serait suivi d'une partie de cartes, que Gorki perdait toujours. Mauvais joueur, il partait se coucher furieux.

Son départ ne signifiait pas le couvre-feu. Les jeunes – Titka, Molécule, la Marchande et Max, le fils de Gorki, qui n'avaient pas trente ans – poursuivaient leurs papotages jusque tard dans la nuit.

Au matin, Moura-Titka se gardait bien de s'incruster. Mais, tandis qu'Andreïeva partait s'occuper des théâtres, que Molécule étudiait à l'université, que la Marchande peignait dans son atelier, elle travaillait à l'organisation du ménage, dirigeait les deux vieux domestiques, planifiait les menus, et faisait les comptes.

Avant de filer elle-même à la Littérature mondiale, elle passait une petite heure à ranger la table de travail de Gorki. Elle s'occupait en outre de classer ses papiers, éventuellement de taper son courrier et de traduire en anglais, en français et en allemand ses réponses aux lettres de ses admirateurs étrangers.

En un mot, elle s'employait à faciliter la vie de chacun. Et nul ne pouvait plus se passer d'elle, ni à La Littérature mondiale ni dans le duché de Kronverkski.

Gorki moins que quiconque.

*

Fasciné par sa vitalité qu'il pressentait comparable à la sienne, il la regardait se mouvoir autour de lui... Un félin. Elle en avait la force, la souplesse et la grâce.

Il ne savait rien d'elle. Quelques détails... L'assassinat de son mari, la séparation d'avec son fils et sa fille.

Quand il lui demandait de lui parler de son enfance, d'évoquer sa jeunesse, elle restait évasive. Impossible de lui tirer trois mots sur son passé. Bien qu'il sente l'émotion et les souvenirs affleurer sous ses silences, elle refusait de se laisser aller à la moindre nostalgie.

Elle pouvait faire preuve d'un entrain et d'un pragmatisme sans égal. Elle pouvait aussi fumer en silence et s'enfoncer dans une rêverie immobile.

Elle semblait prendre l'existence comme elle venait, et n'avoir rien à prouver. Dans l'instant, elle donnait tout d'elle-même. Mais nul ne pouvait ignorer qu'elle gardait l'essentiel.

Il la vouvoyait et n'usait jamais du sobriquet dont se servaient les autres. À ses yeux, elle n'était pas Titka. Ni même Moura. Il l'appelait par son prénom, auquel il ajoutait son patronyme en signe de respect : Maria Ignatievna. Elle lui rendait la pareille. À ses yeux à elle, il n'était pas Douka. Ni même Gorki. Mais Alexeï Maximovitch.

À la fois impériale et résignée, elle demeurait pour lui une énigme. Et cette énigme le captivait. De façon obscure, elle personnifiait ce monde englouti, auquel il n'avait jamais eu accès. L'aristocratie.

Elle était l'inaccessible Dame. *La Contessa.*

Elle était encore autre chose : l'incarnation même de la jeunesse.

Elle allait avoir vingt-sept ans ; lui cinquante-deux, en mars prochain. Il sentait dans sa chair le gouffre des années qui les séparaient. Un vieil homme. Usé, malade, qui crachait le sang.

Qu'avait-il à offrir à cette image triomphante de la Vie ? Il avait peur de ses propres sentiments. De cette attirance qui l'entraînait vers elle. Il résistait de toutes ses forces à l'affection qu'elle lui témoignait et lui interdisait les marques de tendresse. Il se gardait lui-même du moindre geste physique ou sentimental. Non seulement il affectait de ne pas songer à en faire sa maîtresse, mais il la tenait à distance. En vérité, il se méfiait de ses émotions et cherchait à se protéger. Il avançait, lui aussi, à tout petits pas.

*

En cette fin d'après-midi de janvier 1920, alors que Gorki bataillait à Moscou avec Lénine, l'actrice Andreïeva, rentrée plus tôt qu'à son ordinaire, convoqua autour de la table tous les occupants de l'appartement. À l'exception de sa rivale Tikhonova. Un conseil de guerre entre soi.

— Je viens d'apprendre, expliqua-t-elle, que l'ancien chef de la Chancellerie impériale, le général Mossolov, va être fusillé…

En termes clairs, Titka, qui loge chez lui, se trouvera ce soir à la rue. Que fait-on ? Lui offrons-nous de venir habiter avec nous définitivement ?

La Marchande commenta :

— Douka le lui a déjà proposé le mois dernier. Elle n'a pas donné suite.

La jeune Molécule opina :

— Titka est discrète. Elle a du tact. Elle ne sollicite jamais rien pour elle-même. Ses interventions se limitent à aider ses semblables, notamment son amie, la fille du comte Artsimovitch pour laquelle elle se fait beaucoup de souci.

Rossignol insista :

— Sa compagnie nous plaît à tous.

— C'est en effet une femme intéressante, trancha Andreïeva. Très intelligente… Elle pourrait occuper la chambre de cette demeurée de Tikhonova, qui n'aspire de toute façon qu'à rentrer chez son mari.

Autour de la table, la conversation devenait générale.

— Pourquoi ne pas insister auprès d'elle ? Malgré ses origines, Titka est des nôtres. Elle a compris que la Révolution était là pour durer.

— Gorki essaye de l'initier à une réflexion plus fondamentale. Il ne doute pas qu'elle partage avec nous l'idéal pour lequel nous continuons de lutter.

— De là à ce qu'elle s'installe définitivement ici, il y a une marge !

— Didi a raison.

— Et ce serait vraiment servir la soupe à Zinoviev que de récolter chez nous une comtesse… Ses sbires répètent suffisamment que nous sommes des traîtres.

— Et que La Littérature mondiale grouille de burjouis !

— M'est avis qu'il n'y a aucune urgence… Qu'on fusille Mossolov ne signifie pas qu'elle soit à la rue.

— Attendons le retour de Douka.

— Si vous lui posez la question à lui, ironisa Andreïeva, les jeux sont faits !

*

Le 9 février 1920, Tchoukovski clôturait en ces termes l'épisode « flirt et badinage » dont il avait été le témoin tout l'hiver : *Maria Ignatievna Benckendorff s'est définitivement installée chez Gorki. C'est la grande amitié. Elle fait semblant de le frapper sur les mains et, lui, il crie : « Aïe, comme elle frappe fort ! » Bref, elle a maintenant sa chambre dans l'appartement de l'avenue Kronverkski. Elle y a emménagé avec tous ses ancêtres. (Les portraits des Benckendorff, et d'autres encore dont j'ai oublié les noms.)*

*

Tchouk et Rossignol l'avaient aidée à déménager. En cette soirée glaciale de février, l'un lui passait les clous, l'autre maintenait l'échelle contre la cloison mitoyenne des quartiers de Gorki.

En équilibre sur le dernier barreau, Moura accrochait les tableaux au-dessus de son lit : son père le sénateur Zakrevski, en frac noir ; sa mère la comtesse Boreisha, en tournure de soie rose ; son mari Djon, en uniforme blanc d'officier du Tsar. Tous s'alignaient, hiératiques dans leurs cadres dorés. Les photos d'Alla et d'Anna, en tiares et robes de Cour, se dressaient sur la table de nuit.

*

Suprême ironie de l'Histoire et de la Révolution : les effigies des grands aristocrates russes trônaient désormais chez « le Chantre du prolétariat ».

Chapitre 26

LE DUC ET LA COMTESSE
Février – Octobre 1920

Dans l'ancienne chambre de Tikhonova, Moura ne trouvait pas le sommeil. Si elle avait pu espérer que l'hospitalité de Gorki la protégerait, elle s'était fourvoyée.

Zinoviev l'attendait la semaine prochaine pour son rendez-vous rue Gorokhovaïa. Le cinquième depuis sa libération. À chaque fois, elle jonglait avec la vérité, l'assommant d'anecdotes, brodant interminablement sur les détails, et ne lui livrant, selon sa méthode, que les rumeurs et les propos de notoriété publique. Nul n'ignorait les imprécations de Gorki contre les atrocités perpétrées par les bolcheviques. Elle les lui répétait avec conscience et volubilité.

Un rideau de fumée.

Pour être un homme fruste, Zinoviev n'en était pas moins malin, et même très intelligent. Il avait compris dans la seconde qu'elle se moquait de lui, qu'elle le trompait, qu'elle lui mentait.

Ses yeux gris se faisaient alors plus durs, ses menaces plus cinglantes. Sa violence oratoire n'était qu'un prélude à ses coups.

Moura n'avait jamais su haïr : elle haïssait Zinoviev. Il incarnait à ses yeux ce que le Parti comptait de plus brutal, de plus avide, de plus envieux. Non pas « un fanatique et un pur », comme elle aurait *peut-être* pu qualifier le bourreau Yacob Peters. Mais un tyran, doublé d'*un salaud* comme le décrivait Gorki.

L'idée de rencontrer à nouveau cet individu et de lui rapporter les critiques, les plaintes, les plaisanteries, tout ce qui fusait à son sujet autour de la table de Kronverkski, la remplissait d'une horreur physique. L'évocation de ce corps massif qu'envahissait la graisse la glaçait, de cette grosse tête aux cheveux hirsutes, de ce visage blême avec son regard d'acier...

Comment se sortir d'un tel guêpier ?

Zinoviev était aujourd'hui le troisième personnage du régime, derrière Trotski. Adepte de la Terreur rouge, il répétait que, sur l'ensemble des cent millions de Russes que gouvernait Lénine, le Parti devait en gagner quatre-vingt dix à la cause de la Révolution. *Quant aux autres, les dix millions restants, nous n'avons rien à en dire : ils doivent être anéantis.* À ses yeux, Gorki et sa clique appartenaient à ces dix millions de personnes qu'il travaillait à rayer de la carte.

Les procédés de Zinoviev allaient de l'exaction sanguinaire aux plus infimes mesquineries. Il n'hésitait pas à intercepter les vêtements, les rations, les sauf-conduits, et à détourner à d'autres fins tous les passe-droits que Gorki obtenait de haute lutte pour ses amis. L'intervention de l'écrivain en faveur de tel ou tel pouvait même se révéler très dangereuse. Elle attirait l'attention de Zinoviev sur son protégé, qui devenait alors la cible de toutes ses persécutions : un homme à abattre. « La Benckendorff », qui appartenait à la fois à cette aristocratie qu'il détestait et à l'intelligentsia qu'il méprisait, lui semblait l'arme rêvée pour cette chasse au burjoui. Un outil précieux. Et, à terme, une proie privilégiée.

Dans la guerre qui opposait Zinoviev à Gorki, Lénine jouait les arbitres. En vérité, il laissait à Zinoviev les coudées franches. De Suisse, ils étaient revenus ensemble dans le wagon plombé que les Allemands avaient affrété, en pleine guerre mondiale, pour leur renvoi dans la Russie des Tsars. Si leur amitié avait connu quelques nuages au moment de la prise de pouvoir, elle semblait aujourd'hui solide. Lénine envisageait même d'adopter l'un des fils de Zinoviev, quand lui-même ne pouvait avoir d'enfant avec sa compagne. Il gardait certes une forme de respect envers le génie de Gorki. Mais il estimait bien davantage l'œuvre de Zinoviev, le révolutionnaire. Il avait besoin du second. Pas du premier. Et cela, « Ilitch » ne l'oubliait jamais. Gorki ne cessait de ruer dans les brancards et de le critiquer : il aspirait à s'en débarrasser. Il tentait encore de le faire avec tact, en affectant de s'inquiéter pour sa santé. Il lui recommandait de changer d'air et d'aller se faire soigner dans un bon sanatorium.

Les conseils médicaux de Lénine exaspéraient Gorki. Il y voyait, à raison, la volonté de le mettre à l'écart.

Moura s'agita dans son lit. Elle entendait derrière la cloison le souffle d'Alexeï Maximovitch – ainsi continuait-elle à l'appeler –, un souffle irrégulier que coupaient des quintes de toux. Lisait-il ? Écrivait-il ? Il souffrait d'insomnies, lui aussi. Il ne pouvait toutefois imaginer qu'il abritait sous son toit, juste à côté de lui, la *seksote* – l'informatrice – qui devait le perdre.

Comment livrer un tel homme ?

Il était sa joie. Il était son espérance. L'être le plus digne de vénération qu'elle eût jamais rencontré. Elle n'était pas amoureuse de lui comme elle le restait de Lockhart, mais elle l'aimait. Avec tendresse, avec gratitude, avec respect. Comment accepter son hospitalité, en trahissant sa confiance ?

Comment résister à Zinoviev, sans terminer avec une balle dans la nuque ?

*
* *

Parmi les mystères de Moura, il est une péripétie de sa vie qu'elle refuserait toujours d'expliquer : sa fuite de chez Gorki, moins d'un mois après le miracle de son emménagement avenue Kronverkski. C'était en mars 1920.

Quel événement, quels scrupules, la forcèrent à s'embarquer dans une telle tentative ? Une disparition brutale. Une évasion mal préparée.

Certes, rien ne la retenait à Petrograd. Sa mère était morte. Sa sœur aînée, Alla, vivait à Paris. Son autre sœur se trouvait aujourd'hui à Yalta et cherchait à s'embarquer pour Constantinople : Anna tentait d'émigrer en France, avec toute sa famille. Lockhart habitait l'Angleterre. Et ses propres enfants avaient disparu quelque part dans les pays baltes.

De tous ses maux, le pire était peut-être celui-là : l'incertitude sur le sort de Kira, de Paul et de Tania.

En février 1920, une semaine avant son installation dans la chambre de Tikhonova, l'Estonie avait obtenu son indépendance : la reconnaissance de son gouvernement était officielle, ratifiée par l'ensemble de la communauté internationale, et même par la Russie. Le pays frappait aujourd'hui sa propre monnaie et délivrait ses propres passeports.

Moura ne disposait toutefois d'aucun moyen légal pour rejoindre la famille de Djon à Yendel. En 1918, au moment de sa liaison avec Lockhart, elle avait négligé l'occasion de se déclarer de nationalité estonienne, et laissé passer les délais qui lui auraient permis de rentrer chez son époux. Son arrestation pour faux papiers en septembre 1919 excluait maintenant la possibilité d'une demande de visa auprès des Soviets. Enfin, lors de l'une des nombreuses perquisitions rue Shpalernaïa, les tchékistes lui avaient volé son acte de mariage.

Retourner en Estonie lui était donc impossible. Elle y pensait cependant, elle y pensait jour et nuit. Et l'angoisse pour la sécurité des petits l'empêchait, elle, de jouir du refuge que lui offrait Gorki.

Et puis, il y avait autre chose : l'abandon de Lockhart, auquel elle ne parvenait pas à croire. Leur amour avait été parfait. Elle ne pouvait s'être trompée à ce point ! Ce qu'elle avait ressenti et vécu avec lui n'était pas un rêve, comme l'avait prétendu la princesse Saltikov.

Et le silence de Lockhart ne relevait pas d'une lâcheté. En admettant même que ses sentiments ne pèsent rien, qu'ils aient été un leurre, elle devait en avoir la preuve. Elle devait affronter l'illusion. En tout cas, la comprendre.

Si elle restait ici, elle n'obtiendrait jamais aucun éclaircissement.

Depuis l'Estonie, elle aurait la liberté de poursuivre sa route vers l'Angleterre. Et de savoir...

Mais de là à quitter Gorki, à partir de Russie, à les abandonner tous, pour se fondre dans la nature et s'exiler sans aucun espoir de retour ? Cette conduite si radicale ne lui ressemblait guère.

Et cependant, elle s'y était risquée. Elle avait joué le tout pour le tout.

*

Son amie Myriam Artsimovitch – que Pechkova, l'épouse de Gorki, avait réussi à tirer des griffes de la Tchéka – connaissait le nom d'un guide. Parmi les survivants de la Terreur rouge, on ne parlait que de cela à Petrograd : les réseaux finnois qui organisaient le passage de la frontière, contre espèces sonnantes et trébuchantes.

Moura, accompagnée de Myriam, alla le trouver.

Après une fouille digne de la police, les hommes du passeur les introduisirent dans une petite pièce où d'autres, comme elles, lui présentaient la même requête. Il acceptait de les prendre en charge, oui. Mais sans leur laisser le temps de réfléchir.

— Si vous voulez partir, c'est maintenant. Tout de suite... En ce mois de mars, où l'on peut encore traverser à pied le golfe gelé. Rendez-vous demain soir à cinq heures, à la gare de Finlande. Vous serez vêtues de haillons, un châle de paysanne sur la tête et des bottes de feutre aux pieds. Apprêtez-vous à marcher une vingtaine de kilomètres. Vous vous munirez de crampons et porterez à l'épaule deux vieux sacs de jute, l'un devant l'autre derrière, qui vous donneront l'air de ce que vous prétendrez être. Vous voyagerez séparément et n'ouvrirez pas la bouche – on reconnaîtrait votre accent burjoui dans la seconde. Après une heure de train environ, vous descendrez à la première station. Vous ne regarderez ni à droite ni à gauche, mais prendrez devant vous la route qui monte dans le bois. Vous continuerez sur le sentier entre les arbres. La nuit sera alors tombée et la neige très profonde. Mais quand vous aurez traversé la forêt, vous atteindrez une anse du golfe. Vous la traverserez en ligne droite. Sur l'autre rive, vous trouverez un traîneau et des guides.

Les deux jeunes femmes sortirent de cette rencontre, très agitées.

— Impossible pour moi de partir demain ! se désolait Myriam. Mon père est encore en prison. Je ne peux pas laisser mes parents derrière.

— Nous allons devoir attendre l'hiver prochain. Si j'ai bien compris, c'était la dernière limite... Encore une année.

— Toi, vas-y !

*

En ce 4 mars 1920, Moura ne trouva au bout de son chemin ni traîneau, ni guides, mais des gardes-frontières bolcheviques, qui la cueillirent avec quatre autres fuyards et la ramenèrent à Petrograd.

Le pire était arrivé.

*

En haillons, les poignets et les chevilles entravés, Moura empruntait la rue Shpalernaïa qu'elle avait habitée durant près de dix ans. Combien de convois avait-elle vu passer de sa fenêtre, combien de fugitifs, trébuchant ainsi jusqu'à la prison ? En dépassant le n° 8, elle ne put s'empêcher de lever la tête vers l'étage noble. Au balcon qui surplombait le porche, le chef du comité de l'immeuble, son ancien portier, balayait la neige. Leurs regards se croisèrent. Elle sentit ses yeux dans son dos, jusqu'à la grande porte de fer du n° 25.

*

Moura n'accepterait jamais d'évoquer l'atrocité de sa troisième arrestation.

Bien des années plus tard, elle finirait toutefois par livrer quelques détails… auxquels nul ne croirait. Elle raconterait que son concierge l'avait reconnue parmi les prisonniers et qu'il avait couru prévenir Gorki, dans l'espoir d'une récompense. Elle avouerait aussi que, de tous ses séjours dans les geôles de la Tchéka, celui-là avait été le plus terrible.

Au secret durant plus d'un mois. Avec, pour seule compagnie dans son cachot, un rat auquel elle prétendrait avoir appris à chanter.

Dans un entretien qu'elle donnerait à une journaliste de *Vogue* cinquante ans après les faits, elle ajouterait qu'elle s'était alors sentie si seule qu'elle attendait son rat comme on espère un amoureux. Elle conclurait avec ces mots : « S'il y a une chose que vous pourrez peut-être trouver extraordinaire à mon propos, ce fut ma façon d'accepter la prison. J'y ai appris ce qu'était vraiment la nature humaine et j'y ai appris le sens de la vie. »

En clair, elle tentait de se préparer à la mort. Elle pensait à Lockhart. Elle songeait à ses enfants. Cette fois-ci, elle n'éviterait pas l'exécution. Elle le savait.

C'était compter sans ses amis de l'avenue Kronverkski.

*

À la date du 3 avril 1920, Andreïeva, commissaire à l'Organisation des théâtres et grande comédienne devant l'Éternel, écrivait une longue supplique au nouveau chef de la police secrète de Petrograd, Bakaïev, plus connu encore que ses prédécesseurs pour son goût des liquidations sommaires.

Elle lui jurait de se tirer elle-même une balle dans la tête, si, lui, son très cher Ivan Petrovitch, ne libérait pas *son amie Maria Ignatievna*. Prudente, elle se gardait de l'appeler Benckendorff, un nom trop illustre et trop noble.

Maria Ignatievna Zakrevskaïa se rendait en Estonie reprendre ses enfants, qui vivent dans de très mauvaises conditions chez un oncle. Mais, pour elle comme pour nous, le temps des folies romantiques est révolu ! Elle jure de ne plus recommencer une telle bêtise. Et je puis vous assurer, très cher, qu'en apprenant mon serment de me faire sauter la cervelle, elle ne bougera plus le petit doigt sans vous en avoir informé.

Gorki et Pechkova, de leur côté, harcelaient les dignitaires du Parti à Moscou.

Moura-Titka leur fut rendue au début du mois de mai 1920.

*

Jamais la montée des trois étages qui conduisaient à l'appartement ne lui avait paru plus dure.

En poussant la porte vitrée qui donnait sur l'escalier, elle avait aperçu son reflet.

Maigre, elle l'était déjà en février. Aujourd'hui, elle n'avait plus que la peau sur les os. L'ovale de son visage s'était creusé jusqu'à devenir triangulaire. Un spectre. Elle se sentait si faible qu'elle dut s'arrêter à chaque palier, s'adosser au mur, et reprendre souffle.

En vérité, elle retardait le moment de la confrontation. Elle avait honte. Elle avait peur. Comment les hôtes du « duché de l'avenue Kronverkski » allaient-ils l'accueillir ? Sa conduite ne pouvait manquer de les avoir choqués, et peinés. N'avait-elle pas préparé sa fuite en secret, disparaissant derrière leur dos sans en avertir personne ?

Elle ne s'attendait toutefois pas à la stupeur que provoqua son entrée. Était-ce son délabrement qui les bouleversa à ce point ? Même Andreïeva resta sans voix.

Gorki ne laissa à aucun des témoins de la scène le loisir de lui poser des questions : il la poussa tout de suite dans son cabinet de travail.

— Mais enfin, Maria Ignatievna, demanda-t-il en refermant la porte derrière eux, mais enfin, qu'est-ce qui vous a pris ? Commettre une telle bêtise !

Selon son habitude dans les moments d'émotion, il s'était mis à faire les cent pas. Il zigzaguait entre les empilements de livres et de manuscrits.

— …Une telle folie : partir tout droit sur la glace du golfe de Finlande ! Franchir les lignes des gardes-frontières, en pleine nuit !

Le bureau avait repris ses allures de capharnaüm. Les rayonnages de l'immense bibliothèque semblaient prêts à s'effondrer, et une marée de papiers recouvrait à nouveau la table qu'elle rangeait naguère avec tant de soin.

— …Un acte aussi insensé !

Elle se tenait debout, immobile au centre de la pièce. Il cessa un instant de gesticuler pour la dévisager.

— …Vous ne vous trouviez pas bien ici ? demanda-t-il avec une sorte d'angoisse. Vous ne vous sentiez pas heureuse parmi nous ?

Elle soutint son regard et répondit chaleureusement :

— Si, Alexeï Maximovitch, au contraire. Très heureuse. Et vous n'imaginez pas combien je vous suis reconnaissante ! Mais j'avais besoin de revoir mes enfants.

— Je comprends, les enfants, je comprends, marmonna-t-il. Mais pourquoi ne m'en avez-vous pas parlé ? Vous gardez vos secrets pour vous ! Vous ne me dites jamais rien ! Tout de même, tout de même : nous aurions peut-être réussi à organiser...

— Je ne pouvais pas vous en parler.

— Pourquoi ?

Elle hésita, baissa la tête, la releva, et le regarda droit dans les yeux.

— Zinoviev m'avait placée auprès de vous pour vous espionner.

— Qu'est-ce que vous dites ?

Elle reprit sa respiration :

— Grigori Zinoviev et Yacob Peters m'ont plantée auprès de vous, pour que je leur rapporte tout ce que vous faites... Elle parlait vite, la voix altérée. Lors de mon arrestation en septembre, Peters ne m'avait laissé la vie sauve qu'à ce prix. Et Zinoviev ne m'a libérée ce matin qu'à cette condition : continuer.

— Et vous osez revenir chez moi ? Le choc était si violent qu'il n'avait pu s'empêcher de hurler... M'avouer, à moi, une telle monstruosité !

— Je ne pouvais pas ne pas vous l'avouer, murmura-t-elle.

Il demeura un instant silencieux, tentant de prendre la mesure de la trahison. Il n'y parvenait pas.

— Immonde ! s'indigna-t-il... Me mentir ! Me tromper ! Me faire ce mal, vous... Ses lunettes s'embuaient. Il les ôta pour en essuyer les larmes... Vous, que j'estimais entre tous !

Les larmes lui montèrent aux yeux, à elle aussi. Elles ruisselaient lentement sur son visage. Sans un bruit, sans un sanglot. Il ne l'avait jamais vue pleurer.

— Pardonnez-moi de vous avoir blessé, Alexeï Maximovitch.

— Je n'ai rien à vous pardonner : vous êtes au-delà de l'infamie.

Il ne se remettait pas de sa confession.

— Je vous en prie, Alexeï Maximovitch, ne pensez pas cela !

Il ne l'avait jamais, non plus, entendue supplier.

— Que puis-je penser d'autre ? Vous avez eu cette audace : entrer dans cette pièce, me regarder en face et tout me dire.

— Pardon ! implora-t-elle. Pardon, mais je ne pouvais pas faire autrement ! Je vous devais la vérité... Je vous aime, Alexeï Maximovitch. C'est la raison pour laquelle je suis partie la première fois. C'est la raison pour laquelle je dois vous quitter et disparaître maintenant.

Elle esquissa un mouvement vers la porte.

— Non !

Il l'avait retenue par le poignet et tirée vers lui.

— ...Vous ne m'avez pas compris ! balbutia-t-il dans ses cheveux... Je me suis mal exprimé. Il l'étreignait... Je vous remercie de ce que vous venez de faire. Je vous admire d'avoir eu ce courage. Rien ne vous y obligeait. Vous auriez pu vous réinstaller dans votre chambre, reprendre votre place à mes côtés. Après la prison et les épreuves que vous venez de traverser, vous en auriez eu le droit. Vous êtes seule, vous n'avez nulle part où aller. Si vous quittez ce toit, si vous partez d'ici, sans amis, sans emploi, sans carte de ravitaillement... Dans votre état d'épuisement, c'est la mort assurée, vous le savez. Et vous avez trouvé en vous la force de me parler, vous avez eu ce cran... Au risque d'être chassée. Au risque de tout perdre... Vous avez osé !

Ils restèrent ainsi serrés l'un contre l'autre, pleurant sur les malheurs de la Russie. Et sur les trahisons, les compromis, les actes innommables auxquels la Révolution les contraignait tous.

*

Ce soir-là, Andreïeva, Pépékriou, Didi, Molécule, la Marchande et le Rossignol dînèrent sans eux.

Autour de la table, nul ne se permettait aucun commentaire sur ce qui se passait dans les pièces mitoyennes. Mais tous le comprenaient : en cette nuit du mois de mai 1920, le Duc et la Comtesse scellaient leur accord et nouaient de nouveaux liens.

« Les jeux sont faits », comme l'avait dit Andreïeva deux mois plus tôt : Titka devenait la muse, l'amante, la maîtresse en titre.

Max entérina la liaison paternelle d'une phrase laconique. Il écrivit dès le lendemain à sa mère Pechkova : *Nous avons enfin un intendant. Terminée l'incurie !*

*
* *

Intendante. Secrétaire. Muse.

Avec son habituel besoin de rêver, Gorki affectait même de croire que, *muse*, Maria Ignatievna l'était par essence : un trait de famille.

Le dieu Pouchkine, dont le masque trônait dans la salle à manger, n'avait-il pas dédié, en 1828, plusieurs de ses vers à la comtesse Zakrevskaïa, qu'il appelait dans ses poésies *La Vénus d'airain* ?

Un siècle plus tard, sa petite fille continuait de susciter le songe chez les êtres doués de poésie. Elle était dotée de la même force et de la même beauté, de tous les traits inaltérables qui avaient tant séduit le Prince des poètes. Mais en ces temps modernes, elle incarnait, elle, *La Vénus de fer.*

Moura souriait et laissait dire. Elle connaissait le poids des légendes et la valeur des symboles : elle se gardait de souligner qu'elle appartenait à une autre branche de la famille et n'avait rien en commun avec Agrafena Fiodorovna Zakrevskaïa, la Vénus de Pouchkine.

Pour sa part, en ce mois d'octobre 1920, le plus grand des contemporains, le génial Alexandre Blok, venait lui offrir son dernier recueil. Sur l'un des vieux bureaux de la MLM, il le lui dédicaçait en ces termes :

Le duc et la comtesse

À Maria Ignatievna Zakrevskaïa

Vous ne m'êtes pas destinée.
Alors pourquoi vous ai-je vue en rêve ?
Il est des rêves de toute une nuit.
Le paladin voit sa dame,
Le blessé voit l'ennemi,
L'exilé son foyer natal, (...)
Mais mon rêve était autre,
Inexplicable, unique,
Et s'il me visite à nouveau,
Le cœur me faillira.

Je ne sais pourquoi
Je ne vous cache ce rêve secret,
Ni pourquoi je n'abandonne à l'oubli
Ces mots et ces lignes,
À vous comme à moi, inutiles.

*

Une nouvelle vie avait commencé, qui propulsait Moura parmi les grandes inspiratrices de la littérature.

Chapitre 27

L'INTERMEZZO « H.G. WELLS »
Septembre 1920 – Mai 1921

— « Dimanche, Gorki a mangé quatre harengs… La vodka du dîner de lundi provenait des réserves personnelles de Fiodor Ivanovitch Chaliapine. » Vous vous foutez de ma gueule, camarade Benckendorff ? Des salades ! Toujours des salades : une pincée de vérité, une louche d'invention, un détail absurde, une révélation plausible, le tour est joué. Et vous venez tranquillement me débiter ici les sornettes dont vous avez le secret. Mensonges, mensonges, mensonges ! Voulez-vous que je vous dise ? Gorki n'a pas mangé *quatre* harengs, mais deux. Et ce n'était pas *dimanche* ! Les autres sont honnêtes, eux, quand ils m'informent. Je ne parle peut-être pas l'anglais, mais je sais lire le russe entre les lignes : « Berner ce cochon de Zinoviev » : le jeu vous fait sans doute marrer tous les deux. Vous avez imaginé avec lui les histoires que vous me servez ? Vous avez préparé ces fables ensemble ?

Zinoviev se doutait qu'elle s'était confessée à Gorki.

Certes, avec ses origines burjuis et ses trois arrestations, elle ne pouvait se permettre de lui faire faux-bond rue Gorokhovaïa. Elle ne pouvait pas non plus manquer de lui remettre son compte rendu mensuel. Mais avant leur rendez-vous, elle discutait sûrement de ses rapports avec son bienfaiteur.

De cela, Zinoviev n'était pas certain : la chose semblait tout de même probable. Ah, ils devaient bien rigoler en concoctant leurs conneries, songeait-il. Cette salope ne perdait rien pour attendre ! Il n'était pas homme à lâcher sa proie. En s'attachant à Gorki, elle lui fournissait, à lui, une arme de choix. À travers elle, il frapperait l'autre au cœur.

En septembre 1920, la colère de Zinoviev s'abattit sur le 23 avenue Kronverkski, troisième étage, appartement n° 5 : il ordonna une perquisition.

La Tchéka chez Gorki ? Impensable ! Le geste de Zinoviev stupéfia le monde des lettres, à Petrograd comme à Moscou. Son message était clair : nul, pas même l'écrivain du régime, pas même l'ami de Lénine, n'était à l'abri de son bras.

Ses policiers avaient mission de fouiller, avec un zèle particulier, la pièce contiguë aux quartiers du maître. Les armoires, les commodes... Tout devait y être vidé. Le linge, les robes et les sous-vêtements : examinés. Les livres et les papiers : épluchés. Ici aussi, le message de Zinoviev était clair. La Benckendorff était dans l'œil du cyclone. Il avait choisi le jour et l'heure où nul ne se trouverait à la maison. Sauf elle.

En entendant cogner à la porte, cette rafale de coups si reconnaissables, si familiers, Moura sentit son visage, son corps entier, se couvrir de sueurs froides. D'abord, elle n'y crut pas. Elle hésita. Mais l'ordre qu'on hurlait du palier ne laissait aucun doute.

Mausers au poing, les tchékistes investirent l'appartement en un instant. Ayant étudié le plan des lieux, ils se ruèrent droit sur sa chambre.

Elle tenta de les suivre calmement, à petits pas dans le couloir.

Debout, appuyée au chambranle, elle resta là, silencieuse, à l'orée de la pièce, assistant au carnage. Elle les regarda longtemps jeter, déchirer et piétiner le peu qui lui restait. La terreur d'une quatrième arrestation la glaçait. Elle tentait de maîtriser ses mains, allumant cigarette sur cigarette, et fumant. Peine perdue. Elle tremblait de tous ses membres.

L'étau ne se desserra que lorsqu'ils sortirent de chez elle, ouvrirent le buffet de la salle à manger, firent un tour chez Molécule, passèrent une seconde chez la Marchande, jetèrent un coup d'œil à la chambre d'Andreïeva et s'en allèrent. Elle comprit alors que la perquisition était de pure forme et ne visait qu'elle. Un avertissement.

Andreïeva et Gorki restaient encore trop puissants pour que Zinoviev ose les attaquer directement et s'en prendre à leurs objets personnels. Ses hommes n'avaient d'ailleurs rien emporté. Même chez elle. Les portraits de ses parents gisaient, crevés, sur le sol. Mais les tableaux ne lui avaient pas été confisqués.

Un début.

Gorki le comprit comme tel.

Fou de rage qu'on ait osé le menacer à travers Maria Ignatievna, il descendit immédiatement à Moscou faire part de son indignation à Lénine. Il en obtint des excuses. Le Parti reconnut que, cette fois, Zinoviev avait dépassé les bornes.

Gorki téléphona alors de la capitale, rappelant qu'il remontait le lendemain afin de recevoir un hôte de choix à Petrograd.

Panique à l'intendance de l'avenue Kronverkski ! Branle-bas de combat parmi les éléments féminins du troisième étage. Dans la vague d'angoisses qu'avait suscitée la perquisition de Zinoviev, on avait oublié l'essentiel : l'invitation, lancée le mois précédent, à un illustre étranger.

Alors que l'appartement était déjà plein, tous les lits, tous les sofas occupés, et les rations de nourriture de plus en plus difficiles à négocier, Gorki avait convié chez lui un monstre sacré, son alter ego, le plus puissant des intellectuels britanniques : H.G. Wells, l'auteur de *L'Île du Docteur Moreau,* de *L'Homme invisible* et de *La Guerre des mondes*.

En Russie comme ailleurs, Wells passait pour un dieu. Tous ici avaient lu ses livres. Et tous le connaissaient de réputation. Un grand écrivain. Un grand libertin.

Avant la guerre, ses frasques avaient fait la une des cancans littéraires. Bien qu'il ne payât pas de mine, il aimait les femmes et collectionnait les conquêtes. On lui attribuait une kyrielle de maîtresses, dont les scènes de jalousie défiaient en violence et en nombre toutes les statistiques dans les palaces de la Riviera.

Il refusait, comme Gorki, de divorcer d'avec son épouse, qu'il avait abandonnée, mais à laquelle il demeurait très attaché. Il vivait aujourd'hui avec un autre écrivain, Rebecca West, qu'il n'épousait pas et dont il avait un enfant.

Il arrivait avec « Gip », son fils légitime âgé de dix-neuf ans ; celui de Gorki, Max, en avait vingt-trois. Wells avait obligé Gip à étudier la langue de Tolstoï, allant jusqu'à convaincre un collège anglais d'ouvrir une classe de russe pour l'occasion. La première du genre.

Comment recevoir dignement un tel hôte, dans des conditions aussi difficiles ? Une star à demeure. Pendant plus d'une semaine !

On était convenu que Moura lui laisserait sa chambre et qu'elle émigrerait sur la méridienne, chez Molécule. Que le jeune Gip occuperait la pièce du fond. Qu'on s'emploierait à organiser des rencontres à la Maison de la littérature mondiale, à la Maison des écrivains, à la Maison des arts : toutes les manifestations susceptibles d'intéresser le visiteur.

En vérité, Gorki n'avait invité Wells à séjourner chez lui que par patriotisme. Il craignait que l'inconfort de l'hôtel International – le seul hôtel ouvert, sans électricité, sans literie, sans service et sans nourriture – ne lui donne une très mauvaise impression de son pays.

Si lui-même se permettait de critiquer les bolcheviques, il tenait à ce que le communisme apparaisse à l'Ouest comme une réussite et une avancée inévitable de l'Histoire.

Sensiblement du même âge – cinquante-deux ans pour Gorki, cinquante-trois pour Wells –, ils partageaient le même idéal et croyaient en la Révolution. Pour sa part, Gorki avait écrit à Wells la plus enthousiaste des lettres pour le féliciter de la publication de *Mr Britling commence à voir clair*, l'ouvrage favori de Yacob Peters.

En vérité, Gorki et Wells se connaissaient de longue date. Ils s'étaient rencontrés une première fois aux États-Unis en 1906, lors d'une tournée de conférences. Puis à Londres en 1907. Puis à Moscou, juste avant la guerre. À cette époque, Wells effectuait son premier voyage en Russie : il était cornaqué par le jeune consul d'Angleterre – un certain Robert Bruce Lockhart – qui lui avait servi de traducteur auprès de Gorki. Wells avait négocié son deuxième séjour avec le *Sunday Express,* qui couvrait ses frais : un reportage chez les Soviets et une interview de Lénine. Il avait quitté Londres le 15 septembre.

*

Au fil des sept courts chapitres de son ouvrage sur la Russie en 1920, Wells raconterait ses impressions de voyage. Il n'y évoquerait que par allusions sa rencontre avec Moura.

Dans l'autobiographie qu'il publierait plus tard, pas un mot sur elle.

Mais en 1986, quarante ans après sa disparition, son fils Gip éditerait *H.G. Wells in Love,* les confessions amoureuses de Wells. L'écrivain y ressuscitait la première scène de son séjour à Petrograd. Une vision qui continuerait de le hanter jusqu'à sa mort.

C'était le matin même de son arrivée avenue Kronverkski. Il se trouvait assis en face de Gorki, dans le cabinet de travail. Son regard observait avec curiosité la pièce où écrivait son collègue... Une belle pagaille. Seule exception dans ce désordre : le bureau. Impeccable. Pas de stylo à encre sur le buvard. Mais des dizaines de porte-plumes et des centaines de crayons de toutes les couleurs, bien taillés, qui se dressaient dans plusieurs gobelets. Un bloc de papier vierge, dont les feuilles s'alignaient au cordeau, attendait la main du maître.

La conversation se traînait, limitée à des exclamations et des gestes d'amitié, chacun ignorant la langue de l'autre. On frappa à la porte. L'assistante de Gorki entra.

Wells écrirait : *Sous un vieil imperméable kaki de l'armée britannique, elle portait une robe noire élimée... En guise de chapeau : une espèce de tortillon sombre. Je suppose que c'était un bas... Et cependant, cette femme était la classe, le panache incarnés. Magnifique. Les mains profondément enfoncées dans les poches de son imperméable, elle donnait l'impression de défier le monde. Non seulement de l'affronter, mais de le diriger. Elle avait alors vingt-sept ans.*

*

Petit, rondelet, le cheveu rare, que divisait une raie sur le côté, et la moustache presque aussi broussailleuse que celle de Gorki, Wells s'était levé.

Moura marchait vers lui.

— Nous nous sommes déjà rencontrés, dit-elle en anglais, retrouvant ses réflexes de femme du monde et lui tendant la main.

— Je dois avouer, à ma grande honte, que je ne m'en souviens pas.

Elle sourit :

— Moi, je me souviens de vous. C'était lors d'une réception ici, à Saint-Pétersbourg, en 1914.

Vrai ? Faux ? Si Wells avait côtoyé une telle splendeur, il ne l'aurait pas oubliée.

Elle insista de sa voix particulière, un peu rauque, avec cet accent russe dont le charme le faisait toujours rêver :

— Il y avait beaucoup de monde, vous étiez très entouré. À l'époque, l'un de mes cousins Benckendorff vous avait conduit à une séance de la Douma, qui se tenait au palais de Tauride...

Elle sourit à nouveau. Vous voyez, monsieur Wells : je me souviens de vous.

Il s'était bien rendu à la Douma avec un comte Benckendorff.

Confus, il murmura de sa voix de fausset, très particulière elle aussi, avec ses inflexions haut perchées :

— Maintenant, je me le rappelle… Vous portiez une toilette gris perle !

Une affirmation au hasard… Qui plaisait en général.

Gorki les interrompit, lui adressant, à elle, quelques mots. Elle traduisit :

— Alexeï Maximovitch me demande de vous accompagner dans vos visites, et de vous servir de guide.

— Remerciez-le de ma part, s'il vous plaît. Dites-lui combien j'en suis ravi.

Elle était maintenant mon interprète officielle. Et elle se présentait à mes yeux comme une femme qu'aucune tragédie n'était parvenue à briser. Courageuse. Digne… Adorable.

Wells n'avait pas assez l'expérience du régime pour mesurer l'ironie du geste de Gorki, en lui donnant Moura comme mentor. Une madame Benckendorff, guide officiel d'un homme de son importance dans la Russie bolchevique ? Un pied de nez à Zinoviev ! Une petite vengeance. Le commissaire de Petrograd allait en faire une maladie. Il avait prévu d'encadrer Wells avec des hommes sûrs. Des espions à sa solde. Des *apparatchiks* du Parti. On ne devait montrer à Wells que ce qu'il devait voir. On avait organisé des défilés, des fanfares et des discours. Une suite de cérémonies et de mises en scène visant à lui mettre des œillères… L'empêcher à tout prix de parler avec des burjouis et de mesurer la misère de la ville.

La présence de Moura à ses côtés – l'incarnation de l'ennemi de classe, que Zinoviev rêvait d'anéantir –, allait le rendre fou. Il exigerait sa mise à l'écart. Son renvoi. Son arrestation.

Mais Lénine, qui venait de subir les foudres de Gorki à Moscou, ne le soutiendrait pas : cela, Gorki le savait. Ses plaintes à propos de la perquisition de Zinoviev – précisément dans la chambre que Wells devait occuper chez lui – étaient trop fraîches. Ilitch ne prendrait pas le risque d'encourir à nouveau sa colère.

Zinoviev n'avait plus qu'à se taire et à s'incliner.

*

H.G. Wells reconnaîtrait qu'à la différence de ses cicérones de Moscou, sa guide officielle dans la cité de Pierre le Grand émettait peu de jugements politiques et ne faisait aucune propagande.

Elle semblait juste désolée quand, devant les rues et les palais éventrés, il se permettait de comparer la beauté d'antan avec la lèpre d'aujourd'hui.

— Est-ce cela, lui demandait-elle, est-ce cela, monsieur Wells, que vous direz à vos lecteurs : que la Russie se trouve dans une débâcle dont elle ne se remettra jamais ?

— Ce que je rapporterai aux Anglais, chère madame, sera ceci... D'abord, que la ruine de la Russie n'est pas due aux bolcheviques, mais à la corruption du régime tsariste, impérialiste et capitaliste : un régime si pourri qu'il s'est effondré dès la première poussée de la guerre. Ensuite, je dirai que Lénine reste le seul rempart contre l'anarchie. Enfin, qu'un gouvernement communiste me paraît l'unique système qui puisse éviter à votre pays de sombrer dans le chaos... Serez-vous satisfaite avec cela ?

Elle souriait :

— Merci.

Wells avouerait avoir senti que, s'il devait évoquer dans ses articles l'ampleur de la misère dont il était partout le témoin, sa guide en subirait les conséquences.

Parmi ses anecdotes de voyage, il raconterait aussi qu'il ne s'était pas senti filé par la police, preuve de la liberté de penser et de la liberté d'agir en Russie. Et que le jour où il devait s'adresser officiellement aux Soviets, madame Benckendorff l'avait tiré d'affaire avec intelligence.

Quand il s'était inquiété de savoir si elle traduirait à mesure son discours, elle lui avait répondu que non.

— Demain, vous aurez un interprète accrédité.

— Aïe ! Le type qu'on avait donné au philosophe anglais qui m'a précédé ici, s'est permis de déformer ses propos. Il les a rendus beaucoup plus flatteurs pour la Russie que ce que mon compatriote disait à la tribune... *L'Izvestia* a publié sa version. Et la presse internationale l'a reprise. Résultat : on a imprimé exactement le contraire de ce que l'orateur pensait !

— Écrivez votre conférence, monsieur Wells. Je la traduirai dans la nuit. Vous donnerez à l'interprète *votre* texte pour qu'il le lise à haute voix. Ainsi nul ne pourra manipuler vos paroles.

C'est ce que je fis... À la consternation générale ! Ce fut la première et la seule fois où le public russe entendit ce que j'avais à dire.

*

Elle l'emmena partout. De la statue de Falconet, dans le jardin de l'Amirauté, au siège de la Tchéka. Là, elle resta dehors. Mais il put visiter le palais de la rue Gorokhovaïa, désormais compartimenté en bureaux, avec ses cloisons jaunes et le bruit des machines à écrire qui prenaient en note les dépositions des « traîtres ». Elle le conduisit dans les magasins du gouvernement – les dernières boutiques ouvertes – où il put acheter des assiettes en souvenir. Il lui offrit un bouquet de chrysanthèmes, s'émerveillant avec elle que des fleuristes puissent encore exister. Ensemble, ils allèrent à l'opéra, où ils entendirent, dans *Le Barbier de Séville,* l'ami Chaliapine que Wells jugea le plus grand des acteurs, le plus grand des chanteurs de tous les temps. Ensemble, ils allèrent au théâtre, où ils virent *Othello*. Avec madame Andreïeva dans le rôle de Desdémone.

Réceptions, conférences, visites d'écoles, de cantines, de saunas et d'églises : en compagnie de Wells, les courses dans Petrograd s'apparentaient à une promenade de santé, à mi-chemin entre tourisme, politique, histoire et culture. Il s'intéres-sait à tout. Elle partageait sa curiosité... Une bouffée d'insou-ciance. Une suite de plaisirs.

La faim, la peur n'existaient plus : toutes les tragédies ces-saient. La vie redevenait légère. Même la cour dont il la gratifiait était légère. Les compliments sur sa beauté, les fleurs par brassées, les baisemains, tous les hommages de Wells la ramenaient aux galanteries d'antan. Elle pouvait en rire et les balayer d'une plai-santerie.

Elle adorait son humour, tellement *british*. Elle adorait ses litotes et son ironie. Wells appartenait à l'univers de Lockhart. Il était le pont entre Petrograd et Londres. Entre le passé et l'avenir. Il incarnait l'Angleterre. Il incarnait la Littérature. Il incarnait surtout la Liberté. Sa présence à Petrograd la grisait et lui faisait perdre la tête.

Quant à lui, les courbes de son corps sous sa mince robe noire l'obsédaient. Il ne doutait pas que l'attirance fût réciproque. Elle avait beau affecter de ne pas comprendre ses avances, elle y répondait.

Un doute cependant le taraudait : était-elle la maîtresse de Gorki ? Il les épiait ensemble et ne réussissait à détecter, entre eux, aucun signe de cette sorte d'intimité.

L'idée de quitter cette femme sans lui avoir fait l'amour le tourmentait. Il ne pensait qu'au moyen de la posséder. Les chances semblaient minces. Son interview prévue avec Lénine le rappelait à Moscou, où elle ne pouvait le suivre. Conséquence de sa dernière arrestation, Moura était assignée à résidence à Petrograd.

Il quitta la ville la mort dans l'âme.

Sa rencontre avec Lénine se révéla courte et décevante : le maître du Kremlin ne lui parla que de l'électrification de l'Union soviétique. Un cours didactique sur le réseau de câbles dont il comptait doter le pays.

Wells se hâta de remonter à Petrograd pour les quelques jours qui lui restaient.

Le dîner d'adieu, très arrosé, que Gorki donna avenue Kronverkski en son honneur, demeurerait une apothéose. Les deux titans burent abondamment à la santé l'un de l'autre et firent de nombreux discours, que Moura se chargea de traduire.

Quand Gorki, Andreïeva et les autres allèrent se coucher, Wells s'attarda pour bavarder avec elle dans l'un des canapés de la salle à manger. La lampe à pétrole se mourait doucement au-dessus d'eux. Le dernier soir... Ils évoquaient à mi-voix le plaisir de leurs quinze jours ensemble. Ils évoquaient aussi l'avenir de la Russie et de ses rapports avec l'Occident.

Wells tirait sur son cigare, dont la lueur rouge éclairait par instant le visage de Moura.

Elle tenait bien la vodka. Elle semblait très maîtresse d'elle-même. Lui, en revanche, se sentait éméché. Bah, il partait le lendemain... Il n'avait rien à perdre en abordant la question qui le tarabustait.

Il commença toutefois prudemment :

— Madame Andreïeva m'a reçu somptueusement.

— Elle est l'hôtesse de cette maison.

— Gorki vit donc encore avec elle ?

— Comme avec nous tous.

Soudain il se lança :

— Est-il votre amant, Moura ?

Elle ouvrit grand les yeux. Elle ne sembla pas choquée, seulement surprise :

— Je vous trouve bien indiscret, monsieur Wells !

— Pardonnez ma brutalité. Mais je ne voudrais pas me montrer grossier envers lui, ni ridicule envers vous... J'ai besoin de savoir si Gorki vous aime.

Elle sourit :

— À votre avis ?

— Je ne sais pas… C'est pourquoi je vous pose la question.

— Jugez-en par vous-même : je dors sur la méridienne, dans la chambre de Molécule.

— Et Molécule n'est pas là, cette nuit.

— Non, elle est restée chez son fiancé.

— Vous serez donc seule dans sa chambre ?

— Oui… Je crois que le temps est venu d'aller dormir. Bonsoir, monsieur Wells.

Là-dessus, elle se leva et disparut au fond du couloir, le laissant frustré et songeur. Il n'avait pas osé la prendre dans ses bras, alors que l'un des nombreux habitants pouvait surgir à tout instant. Il finit par aller se coucher, lui aussi.

Je pense que depuis le début, j'ai su d'instinct qu'il y avait beaucoup de choses chez Moura que j'avais intérêt à ignorer. Je ne voulais pas entendre son histoire, ni connaître ses souvenirs, ses sentiments, toutes les complications de son passé.

Plus tard dans la nuit, quand il se fut assuré que son fils et toute la maison dormaient, il sortit prudemment de sa chambre et s'aventura dans le noir.

S'il devait rencontrer quelqu'un, il tenait un prétexte : il cherchait les toilettes et s'était perdu dans le dédale de cet immense caravansérail.

Il tâtonna jusqu'au fond de l'appartement, hésita entre la porte de droite et celle de gauche. Il opta pour la gauche et entra sans frapper. Moura, dans le lit de Molécule, se réveilla tout de suite.

Elle répondit à mes transports. Je ne doutai pas qu'elle m'aimait et je crus à tous les mots qu'elle me dit cette nuit-là.

Aucune autre femme n'a jamais eu sur moi un tel effet.

*

412

Mon Dieu ! Comment avait-elle pu se conduire d'une façon aussi abominable ? En sortant de la chambre au matin, Moura se posait gaiement la question. Elle ne gardait de ces moments aucun regret... Une impression de fête, au contraire.

L'expérience ne ressemblait en rien à la fusion qu'elle avait connue avec Lockhart. Ce n'était pas un vacillement de tout l'être. L'expérience ne ressemblait pas non plus à l'amour avec Alexeï Maximovitch.

Gorki lui interdisait les effusions, lui disant qu'elle exagérait le besoin qu'elle avait de lui, et le sentiment de joie qu'elle éprouvait à son contact. Lui-même restait sur la réserve. De façon sourde, leur intimité continuait de le troubler et de l'inquiéter. Il lui répétait qu'il n'avait pas le droit de jouir de sa jeunesse, qu'il était un vieil homme, beaucoup trop vieux pour elle. Leurs nuits ensemble étaient pleines de tendresse, mais rares et sans passion.

Wells, au même âge, ne s'embarrassait pas de cette sorte de scrupule. Sa fantaisie au lit, son enthousiasme et sa vigueur en faisaient un merveilleux amant.

Son apparition en pyjama, au pied de son lit, quand la pendule sonnait trois heures, ne l'avait pas surprise. Elle n'avait pas songé une seconde à repousser ses assauts... Ni même à les raisonner. Elle les avait accueillis comme une évidence. L'aboutissement naturel de leur complicité.

Ces quinze jours à ses côtés n'avaient été que cela : un renouement avec le plaisir. D'étonnantes retrouvailles avec elle-même, avec son corps, avec sa vie. La preuve que la liberté par bouffées, le bonheur par instants étaient encore possibles.

Il y avait bien eu cette terrible visite à l'ambassade d'Angleterre, quand Gorki avait voulu montrer à Wells les prises de guerre des bolcheviques, dont lui-même dressait l'inventaire. Les meubles arrachés aux palais de Petrograd, les milliers de Vénus et de Diane, les lustres, les tapisseries, les tapis, les tableaux. Toutes ces merveilles entassées dans un même endroit avaient enchanté Wells. Pour elle : un spectacle insoutenable. Cromie, Garstino, tous les amis d'autrefois demeuraient encore si présents ! Les lieux étaient peuplés de fantômes.

Et puis ce moment tragique, lors d'un banquet à la Maison des arts, quand l'écrivain et journaliste Amfiteatrov, ouvrant sa chemise pour montrer à Wells sa maigreur et la pauvreté de son linge, lui avait dit qu'on lui mentait. Que tout ce qu'il mangeait à cette table, ce pain, ces boulettes de viande et ces petits gâteaux, tout ce qu'il voyait à cette réunion n'était qu'un leurre. Une gigantesque tromperie !

La sortie d'Amfiteatrov sur la misère du quotidien et les horreurs de la réalité en Russie avait déchaîné la colère de Gorki. Il ne lui pardonnerait jamais d'avoir gâché cet instant, auquel lui-même avait cru : la joyeuse rencontre, autour d'assiettes bien garnies, d'artistes et de savants issus du prolétariat.

Mais Amfiteatrov disait vrai. Le séjour de Wells n'était que cela : une illusion.

Sa nuit avec lui ? Une illusion, comme le reste. Une parenthèse sans importance, qui se refermait ce matin.

Maintenant, une chose comptait, une seule : qu'il tienne sa parole.

En quittant l'avenue Kronverkski, il lui avait promis de s'enquérir du sort de ses enfants. Il rentrait à Londres, via Reval. D'Estonie, il avait juré de lui écrire, avec tous les renseignements qu'il aurait pu glaner. Il avait aussi promis de s'enquérir de Lockhart en Angleterre. Et de ses sœurs en France.

Côté bagatelle, l'aventure semblait néanmoins terminée.

*

L'intermezzo Wells demeura toutefois inscrit dans la mémoire de la maison. Chacun en garda la nostalgie. Chacun découvrit en soi une forme d'urgence.

414

Les échanges avec l'écrivain anglais sur la liberté d'expression en Europe, la menace que constituait la perquisition de Zinoviev, l'aggravation de l'état de santé de Gorki, très altéré par les tensions du mois d'octobre, avaient à tous donné le sens d'un danger.

La vie de bohème avenue Kronverkski ne tenait plus qu'à un fil. La fin était proche. Douka devait-il écouter les exhortations de Lénine qui le pressait d'aller se soigner à l'étranger ?

Ilitch ne cessait plus de revenir à la charge : *Vous crachez le sang*, écrivait-il. *Et vous ne partez pas. Savez-vous que ce n'est ni honnête ni rationnel de votre part ? En Europe, dans un bon sanatorium, non seulement vous vous soigneriez, mais vous abattriez trois fois plus de travail. Eh oui. Alors que vous ne faites ni l'un ni l'autre, chez nous. Seulement vous agiter. Et vous agiter pour rien. Partez, guérissez. Ne vous entêtez pas, je vous en prie.*

Nul n'était assez naïf pour ne pas comprendre qu'il souhaitait le départ de Gorki et le favoriserait.

Le moment était-il venu ?

*

Sous la présidence d'Andreïeva, nouveau conseil de guerre autour de la table. Cette fois, en présence de Gorki.

— Ilitch a raison, plaidait-elle. C'est la solution la plus raisonnable. D'Allemagne, tu seras dix fois plus efficace pour aider la Russie. Tu es le seul qui puisses créer un comité d'aide aux victimes de la famine et trouver des fonds à l'étranger. Les récoltes ont été désastreuses et des milliers de gens vont mourir de faim cet hiver. Tu es le seul à pouvoir alerter l'Europe et l'Amérique sur leur sort !

— Je n'aime pas m'en aller quand les choses vont mal... Et je n'ai aucune envie d'aller en Allemagne !

— Tu n'as pas le choix : tu dois te soigner.

— Mais vous ? Vous tous...

— Nous aussi ! s'exclama Rossignol. Vous ne pensez tout de même pas, Douka, que nous allons vous laisser partir tout seul là-bas !

— Si j'acceptais de quitter la Russie, ce serait à nouveau l'exil.

— Pas nécessairement. objecta Andreïeva. Tu pourrais négocier un poste officiel. On m'a proposé, à moi, la Représentation commerciale soviétique à Berlin.

Moura se taisait. Son assignation à résidence lui interdisait, à elle, de quitter jamais Petrograd.

Gorki réfléchit un instant avant de reprendre :

— Nous nous sommes bien compris, n'est-ce-pas ? Si je m'en vais, vous me rejoignez tous ?

— Évidemment !

— Et Maria Ignatievna ?

Sur ce point, Andreïeva garda le silence. Gorki poursuivit :

— Si nous partons sans emmener Maria Ignatievna, Zinoviev la fusille dans la seconde.

Andreïeva opina.

— Aucun doute là-dessus... Elle doit donc partir d'abord. C'est même la première chose que tu vas devoir négocier avec Lénine. *Son* départ immédiat. Tu pourras toujours alléguer que tu envoies ta secrétaire devant, à charge pour elle de préparer ton séjour. Non seulement ta propre installation dans un sanatorium, mais aussi l'aide au peuple russe, qui te tient tant à cœur. Elle parle cinq langues, ce qui la recommande pour cette tâche internationale.

Moura se retenait d'intervenir. Son cœur battait. Elle craignait d'exprimer trop clairement son excitation, sa peur qu'un tel voyage ne puisse se réaliser. Car même, même si ce projet devait prendre forme, combien de temps serait nécessaire à sa mise en place ? Des mois, peut-être des années !

Comment Gorki pourrait-il abandonner la Maison de la littérature mondiale, la Maison des arts, la Maison des sciences, toutes ses entreprises, tous ses programmes ? Renoncer à la publication des mille cinq cents traductions qu'il avait en chantier ?

Elle tentait de garder la tête froide. Ne pas prendre ses désirs pour des réalités. Ne pas se dire qu'elle pourrait retrouver ses enfants… Rejoindre Lockhart.

Trop tard. Son esprit s'emballait. Elle ne rêvait plus que de départ.

*

En date du 19 novembre 1920, Tchoukovski notait dans son *Journal* :

Sur la perspective Nevski, j'ai rencontré Amfiteatrov : « Vous savez que Gorki part pour l'étranger ? » m'a-t-il demandé. « …Lui, Andreïeva et [les autres. Ils vont] monter un café-concert : Andreïeva chantera et Gorki sera le videur. » (…) Voilà à quelles exagérations la haine d'Amfiteatrov le conduit envers Gorki.

*

Six mois plus tard, le Parti acquiesçait à la première des conditions qu'avait mises l'écrivain à son propre départ. Il en posait beaucoup d'autres. Mais, de toutes ses exigences, celle-là semblait la plus irréaliste.

Au printemps 1921, Moura recevait de Moscou un laissez-passer signé des commissaires aux Affaires étrangères « …autorisant Maria Ignatievna Zakrevskaïa à franchir la frontière estonienne ».

Un miracle !

Le hasard voulut qu'au même moment se produise un autre miracle : une seconde lettre à son nom. Celle-là était signée d'H.G. Wells. Il lui disait sa nostalgie de leurs moments ensemble et l'informait que ses enfants étaient vivants. À sa connaissance, ils habitaient toujours le relais de pêche au bord du lac, dont elle lui avait parlé.

Wells joignait à son envoi sa dernière publication, *La Russie dans l'ombre*, le petit livre qui témoignait de ce qu'il avait vu avec elle en octobre 1920. À la lecture de la dédicace, elle sourit : « À Marie Benckendorff, à l'occasion de son retour au monde capitaliste. » Malgré l'isolement du pays, les nouvelles circulaient vite en Europe !

La loi des séries imposa qu'une troisième enveloppe à son nom parvînt avenue Kronverkski avant son départ.

En triant le courrier étranger de Gorki, Moura pâlit et chancela… Cette enveloppe aussi venait d'Angleterre. De minuscules pattes de mouche à l'encre bleue : elle avait reconnu l'écriture.

C'était le 18 mai 1921, la veille du jour où elle pensait quitter la Russie à jamais.

La première lettre de Lockhart en deux ans.

Chapitre 28

LA TRAVERSÉE DES APPARENCES, DE L'AUTRE CÔTÉ DU MIROIR
Mai 1921

Assise, le front contre la vitre dans le train qui traversait lentement les bois de bouleaux, Moura songeait qu'elle avait déjà commencé ce voyage vers l'Ouest, qu'elle l'avait même entamé debout, en wagon à bestiaux... Pour finir dans un cachot de la Tchéka. C'était l'année dernière.

Autour d'elle, les champs portaient la trace des massacres. Le feu restait inscrit dans la terre. Arbres aux longs troncs blancs, aujourd'hui tordus et calcinés. Futaies crevassées par les obus. Coupoles, bulbes décapités. Églises et cimetières profanés. Corbeaux partout, dans les trous et sur les monticules. Les canons des Alliés avaient fait des ravages. Ceux des Russes aussi. Quatre ans de guerre civile. Quatre ans de combats et d'atrocités ininterrompus entre l'Armée blanche et l'Armée rouge. Combien de millions de morts ? La famine de cet hiver avait terminé le travail, tuant plusieurs autres millions de personnes.

Pas trace de vie. Même les paysans avaient disparu.

Ces campagnes bombardées, ces plaines couleur de pierre et couleur de cendre, convenaient à son âme. Elles lui demeuraient si familières, si intimement liées. La lumière grise du ciel sur la glèbe et sur les lacs n'était que le reflet de son esprit écartelé.

Il lui était si difficile de quitter la Russie… Plus douloureux encore de quitter l'avenue Kronverkski.

L'idée d'abandonner Alexeï Maximovitch et les siens – elle les englobait dans la même affection – l'affligeait au plus profond. Cette tristesse, cette difficulté de s'en aller n'étaient pas nouvelles. Mais la lettre de Lockhart avait transformé la séparation en déchirement.

Après avoir bouclé les deux fermoirs de son petit bagage, puis déposé sa valise devant la porte de l'entrée, elle avait longtemps erré d'une pièce à l'autre, sans se résoudre à sortir. Qu'allait-il advenir quand elle se serait dépouillée de la protection du « duché » ? Le havre de cet appartement… Elle avait finalement échoué dans le fauteuil en cuir du cabinet de travail, à la place qu'elle avait occupée en face du maître durant plus d'un an.

Avec Gorki, il n'y aurait pas d'adieu. Certes, l'éloignement n'était pas définitif, elle le savait : il la rejoindrait à l'étranger, plus tard. Mais parviendrait-il à s'arracher de Petrograd ? Il en avait si peu le désir ! À cette heure, il se trouvait encore à Moscou. Aurait-elle dû l'attendre ? Ne sortir du pays qu'en sa compagnie ?

Non.

Appendre des leçons du passé : elle avait déjà négligé une fois les délais qui lui auraient permis de rejoindre ses enfants en Estonie.

Il fallait s'en tenir aux plans.

Si elle devait s'amputer de la Russie, c'était maintenant. Tout de suite. Quand Zinoviev se trouvait lui aussi à Moscou. Son absence rendait le moment propice. À la seconde où il regagnerait ses bureaux, il bloquerait tous les passages à l'Ouest.

Mais qui sait si, au bout du compte, Alexeï Maximovitch se résoudrait, lui, à l'exil ? Il était tellement russe ! Le reverrait-elle un jour ?

La possibilité d'une rupture avec Gorki lui était insupportable.

Elle l'imaginait débarquant dans l'appartement demain, en son absence. Il embrasserait l'horloge de la salle à manger, comme il le faisait à chaque retour de voyage. Puis il irait prendre un bain. Il y tremperait longtemps, réfléchissant aux mille problèmes qui l'assaillaient, avant de sortir avec impatience de sa baignoire. Elle ne serait pas là pour exiger qu'il se sèche. Il se rendrait à demi-nu dans son bureau, au risque d'attraper froid. Il s'approcherait de sa table et fourragerait dans le courrier, qu'elle avait classé pour lui en petits tas. Parmi les enveloppes, il trouverait la lettre qu'elle-même lui laissait. Elle y avouait sa crainte qu'il l'oublie. Elle n'avait pas précisé : « que vous m'oubliez comme Lockhart. » Juste « …que vous m'oubliez, comme vous seul savez oublier. »

Elle continuait de lui parler dans sa tête, répétant mentalement ce qu'elle lui avait écrit, ajoutant d'autres mots qu'elle aurait voulu lui dire. « Laissez-moi être douce et câline avec vous, Alexeï, au moins maintenant. Si seulement vous saviez à quel point j'ai besoin de vous ! Je pars et j'ai très peur… Je sais qu'en m'éloignant d'ici, je vais perdre ce qui reste de sens à ma vie. Et je voudrais vous dire ma gratitude. Je sais que vous n'aimez pas quand je vous remercie. Alors, laissez-moi remercier Dieu de vous avoir rencontré. Oui, pour vous avoir connu, je rends grâce au Seigneur, auquel je crois. Et pas vous. Oui, oui, je sais, pas vous ! Ma Joie. Vous êtes ma vraie grande joie… Vous me vexez si souvent en disant que mon amour pour vous est inventé. Je me demande pourquoi vous essayez toujours de me prouver que ma place n'est pas à vos côtés. Et pourquoi vous essayez aussi de me prouver que ma place n'est nulle part ailleurs. Vous vous montrez si convaincant dans les deux cas que vous finissez par me faire douter de qui je suis. Mais en analysant les expériences de ces dernières années, je mesure que ma fréquentation de la Tchéka a été une très bonne école. Irremplaçable pour l'apprentissage du monde et de la vie. Aujourd'hui je n'ai qu'une certitude : vous êtes ce qui m'est arrivé de meilleur. Et il ne m'arrivera plus rien d'aussi beau, jamais. J'ignore comment vous ressentirez mon absence : je ne vous ai pas vu depuis un mois. Mais je ne peux m'empêcher de croire qu'il y aura des moments où je vous serai proche, où vous aurez envie, autant que moi, de me tenir la main et de la serrer fort. Besoin de cet échange de regards, de cette tendresse mystérieuse qui nous unit de façon plus solide que n'importe quel autre sentiment. »

Elle n'osait pas s'avancer plus avant, même en pensée. À la vérité, ce n'était pas la tristesse de quitter Gorki qui la dévorait. Pas seulement. Mais la désespérance devant une autre réalité.

Son évasion miraculeuse de l'enfer bolchevique ne signifiait plus la course éperdue vers la liberté, mais l'enfermement dans la solitude, l'amertume et la jalousie.

Dans la jalousie, surtout, qui lui mordait le cœur jusqu'à la nausée.

À Lockhart aussi, elle parlait dans sa tête. Elle résistait toutefois à l'envie de lui écrire.

Exit Lockhart, s'obligeait-elle à penser. *Terminé !* se répétait-elle avec autant de souffrance que d'obstination.

Le passé était mort. Elle devait se concentrer sur le présent.

En apercevant son reflet sur la fenêtre, elle songeait qu'elle faisait piètre figure... Totalement démodée. Non que la mode eût la moindre importance chez les Benckendorff. Mais les convenances, oui. Et la tenue. Et tous les signes d'appartenance à leur classe.

Elle n'avait ni gants ni chapeau : elle était *en cheveux* comme les domestiques d'autrefois. Quant à son vieil imperméable militaire et à son bracelet-montre d'homme, elle doutait fort qu'ils trouvent grâce aux yeux de ses belles-sœurs. D'un geste machinal, elle porta la main à sa nuque, tentant de remonter les mèches qui frisottaient dans son cou. On manquait même d'épingles à Petrograd ! Au contraire des autres femmes, elle n'avait pas coupé sa chevelure et la portait en chignon bas.

Diable ! « Le retour au monde capitaliste », comme disait Wells, générait en elle des pensées frivoles dont elle avait perdu l'habitude depuis des lustres.

Pour ce qui touchait à *l'argent*, justement. Hormis ce qu'elle portait sur elle, sa robe noire et sa lingerie trouée, elle ne possédait rien. Dans la valise, au-dessus de sa tête, elle n'avait que des livres, ceux auxquels elle tenait, les œuvres de Gorki, de Wells et de Blok, qui lui étaient dédicacées. Pour le reste – les tableaux de ses ancêtres –, la dernière perquisition de la Tchéka en avait eu raison.

Comment allait-elle assurer l'éducation de ses enfants ?

Pour la énième fois, elle calculait leur âge : Kira, douze ans ; Paul, huit ; Tania, six. Elle ne les connaissait pas assez pour pouvoir imaginer leurs visages et n'avait pas suffisamment l'expérience des jeunes pour visualiser leurs tailles. Comment accueilleraient-ils leur mère après une si longue absence ? Que penserait Micky de sa désertion ? Et sa belle-famille ? De quelle manière les frères de Djon la recevraient-ils ?

La campagne dévastée la ramenait inlassablement en arrière. Que de fois les avait-elle traversées, ces plaines de Russie entre Saint-Pétersbourg et Reval ! En wagon-lit avec Meriel, la fille de l'ambassadeur d'Angleterre, une coupe de champagne à la main derrière les portes closes de son compartiment… Cela, c'était il y a un siècle ! À l'époque, il fallait six heures pour parcourir ces trois cents kilomètres. Aujourd'hui, les locomotives chauffées au bois se traînaient dans un bruit de ferraille, comme si les boulons des roues allaient sauter et les rails se disjoindre. Deux jours d'un périple ponctué d'arrêts. Aucune halte dans les gares. Mais une suite de freinages brusques au milieu de nulle part. Sans raison… Une bande de pillards à l'horizon ? Une rébellion dans les ruines du prochain village ? À moins que le train, telle une vieille bête essoufflée, eût besoin de pauses pour continuer sa route.

Interminable.

Elle tentait de se représenter ce qui l'attendait au bout du chemin. En vain.

Le wagon était presque vide. Le robinet d'eau chaude pour le thé fuyait, sans que personne vienne en remplir sa timbale. Le souvenir de ses voyages entre Moscou et Petrograd, au retour des étreintes de Lockhart, lui revint un instant à l'esprit. Ses nuits dans le train, quand elle sentait encore ses caresses sur sa peau.

Elle le chassa de sa mémoire. Pour faire bonne mesure, elle paraphrasa mentalement Rastignac à l'aube de sa nouvelle vie : « Et maintenant Reval, à nous deux ! »

Mais le clin d'œil de cette citation ne la fit pas sourire. Même l'ironie ne lui apportait aucun réconfort.

La lettre de Lockhart… Ce qu'elle avait lu hier continuait de la glacer. L'absence d'imagination, l'absence d'empathie, l'absence d'élan y étaient spectaculaires. Allons, allons : ne plus y penser. Elle connaissait désormais la réponse à toutes ses questions. Inutile de courir au bout de l'Europe pour interroger qui que ce soit.

La voix – plus encore que les mots –, le ton, cette vision si pragmatique, si terre à terre de leur situation, lui avaient ôté ses repères et ses convictions. Elle ne savait même plus ce qu'elle éprouvait. Sinon l'impression d'être complètement perdue. Toutes ces années, elle avait vécu dans l'attente. Elle s'était certes découragée. Par instants, oui, elle avait connu le doute. À d'autres moments, elle avait aussi trouvé mille raisons d'espérer… L'espoir. Même au cœur de l'horreur. Même dans le froid, la faim, même devant la bêtise, la cruauté, la peur qui minaient son pays, même aux pires heures, même en prison. Elle n'avait jamais cessé de croire que cette suite d'épreuves était un sas. Que l'amour de Lockhart continuait d'exister quelque part. Loin. Mais réel. L'intuition que cet amour durerait, l'avait obligée, elle, à tenir. Elle n'avait cru qu'à cela : la force de son instinct, de leur instinct à tous les deux. Ce qu'ils avaient ressenti et partagé en 1918 ne pouvait disparaître. C'était cette évidence qui lui avait permis de lutter. Et maintenant, elle se sentait comme une malade qui, au terme d'une longue bataille avec le cancer, découvre à l'heure de sa mort qu'il n'y aura pas de vie *après*... Pas de Résurrection. Pas de montée au Ciel. Pas de retrouvailles avec les êtres chers au Paradis. L'agonie des dernières années n'avait pas été un passage. Mais une fin.

Je ne sais pas, my Baby, si je t'enverrai jamais cette lettre.

Et si je le fais, ce sera encore une erreur. Car dans ces cas-là, on n'écrit pas. C'est ce que disent les romans à l'eau de rose. On serre les dents et l'on se tait.

Au terme de deux ans de silence, j'ai reçu de tes nouvelles la veille de mon départ... Quelle chance, n'est-ce-pas ? À vingt-quatre heures près. Naïve jusqu'au bout, je t'aurais sans doute bombardé de télégrammes. Cela aurait été bizarre, non ? Et gênant.

Inutile de te demander pourquoi tu as cessé de m'aimer, n'est-ce pas ? Comment ? Quand ? Cela ne sert à rien.

Bien sûr, toute cette lettre idiote ne sert à rien. Simplement, ce que tu m'écris m'est si douloureux que je ne peux m'empêcher de crier vers toi...

Tu as eu un fils, dis-tu ?

Un superbe petit garçon ?

Sais-tu qu'en traçant ces mots, j'ai l'impression que je ne parviendrai pas à vivre avec cette pensée ? J'ai honte de mes larmes. Je croyais que je ne savais plus pleurer. Mais j'ai porté Little Peter en moi, tu sais.

J'ai lutté contre mon désir de t'écrire. Maintenant, c'est fait.

Voilà. Au revoir. Sois heureux, si tu y réussis. Mais je ne pense pas que tu puisses l'être jamais tout à fait.

Mes sentiments pour toi n'ont pas varié avec le temps. Et mon amour ne changera pas. Non que cela ait la moindre importance.

Mais si nous devions à nouveau nous rencontrer dans ce monde plutôt sinistre, comment devrais-je te saluer ?

*

Elle fut tirée de sa tristesse par le lent ralentissement du train. Jamburg : le poste frontière russe. Elle aperçut par la fenêtre quatre tchékistes, en bottes et vestes de cuir, qui sortaient d'un baraquement et s'approchaient.

Si elle avait pu un moment se croire indifférente à son sort, elle mesura soudain – et très précisément – combien elle tenait à sa liberté et à son passage à l'Ouest.

Comme naguère lors de la perquisition avenue Kronverkski, elle sentit son visage se couvrir de sueur et ne put réprimer un mouvement de recul. La chef de train, une grosse femme vêtue de gris comme les gardiennes de la Loubianka, lui ordonna de ne pas bouger :

— Et ne regardez pas dehors !

Chez cette fonctionnaire aussi, la tension à l'approche des policiers était palpable. Ils enfilèrent le couloir.

— Passeport.

Moura ouvrit son sac et sortit son laissez-passer. Elle le tendit avec détachement, prenant bien garde à ne pas croiser les yeux du tchékiste. Le temps était passé où elle aurait pu décrire cet homme. Elle le connaissait trop : il n'avait pour elle d'autre visage que celui de sa propre peur. Et cela, sa peur, il la sentirait dans la seconde.

Lui-même ne jeta qu'un coup d'œil sur le papier. Mais il le plia, le mit dans sa poche et l'emporta.

En voyant disparaître la seule trace de son identité, elle ne put s'empêcher de se retourner. Elle avait retrouvé le sens de la réalité : elle savait qu'il sortait pour aller téléphoner dans le poste de garde.

La chef de train intervint dans la seconde :

— Je vous ai dit de regarder devant vous !

Elle avait beau tenter d'obéir, elle notait tout... Les dizaines de convois en rade, toutes les petites boîtes rouges des wagons sur des voies de garage : les trains qui s'étaient arrêtés là. Pas plus que les autres, le sien ne repartait.

L'attente durait. Elle avait maintenant si peur qu'elle n'osait même plus respirer.

Quand elle aperçut le policier qui resurgissait de la baraque, le visage fermé, le fouet à la main, elle ne douta pas de l'imminence de son arrestation. Zinoviev l'avait rattrapée.

L'homme enfila le couloir, s'arrêta à son niveau :

— Descendez… Vous et les autres !

Comme lors de sa fuite manquée, ils étaient cinq à tenter de franchir la frontière. Il les fit tous lever.

Elle esquissa le geste de prendre sa valise. Il l'arrêta :

— Non ! Laissez ça là. Et sortez.

Elle rejoignit sur le quai les rares passagers des autres wagons. La petite troupe traversa les voies pour atteindre, entre deux barrières, un chemin que balisait une suite de guérites et de sentinelles en uniformes de l'Armée rouge.

Le train, désormais vide, s'ébranla derrière eux, sans prendre de vitesse.

Ils marchèrent quelques mètres et parvinrent, en même temps que la locomotive, à un second poste frontière.

Là, nouvel arrêt et nouvelle vérification des passeports. On les fit remonter dans leur wagon et se rasseoir à leur place. Puis on fouilla leurs bagages, vidant leur contenu sur les sièges. Les livres de Moura ne suscitèrent aucun commentaire. On lui rendit ses papiers.

Mais on arrêta deux de ses compagnons. Un coup de filet au hasard. Un quota pour le travail obligatoire dans les camps.

Elle ne les regarda pas sortir. Comme elle, les autres voyageurs conservèrent les yeux baissés quand les malheureux passèrent à côté d'eux. Chacun savait qu'il aurait pu se trouver à leur place.

Le convoi repartit, plus lent que jamais. Nul ne prononçait un mot mais tous se posaient la même question : vers quel destin les conduisait-on, eux ? Vers la liberté ou l'abattoir ? Le wagon

427

parcourut encore une trentaine de kilomètres, roulant à travers ce qui semblait être un *no man's land,* entre des barbelés.

En arrivant au troisième poste frontière, nouvelles barrières. Nouvel arrêt. Nouveau régiment de soldats. Cette fois, des policiers estoniens qui parlaient russe. Plus stylés, toutefois, plus aimables.

Ils montèrent dans le train et restèrent groupés sur la plateforme. Le convoi continua sa route jusqu'au dernier poste frontière : Narva.

Là, comme du côté bolchevique, un gradé – un lieutenant – vérifia les papiers. Il emporta ceux de Moura et disparut.

Elle remarqua plusieurs charrettes sur le quai. On y empilait déjà les bagages des autres wagons. Il semblait que ce train, le train russe, n'irait pas plus loin et qu'on conduirait les passagers en voiture à cheval jusqu'à un autre convoi... Estonien, celui-là. Les porteurs s'activaient.

Elle apercevait, dans le bureau de la gare, la silhouette de l'officier qui, lui aussi, téléphonait... Les papiers qu'elle lui avait remis étaient en règle : cette fois, rien à craindre de ses vérifications. Elle rentrait en Estonie de façon légale, avec le permis temporaire qui lui avait été délivré à Petrograd par la Commission pour l'émigration estonienne. Elle était même porteuse d'un second document, délivré par l'Organisation de l'émigration n° 44 du nouveau gouvernement de Reval. Elle pouvait cesser de redouter la terreur et l'arbitraire.

Elle mesura soudain, à l'ampleur de son soulagement, combien elle avait eu peur. Une peur panique que le bras de Zinoviev ne l'atteigne jusqu'ici.

Elle se leva et marcha jusqu'à la plateforme. Autre signe de changement : la chef de train, dont la route se terminait ici, n'intervint pas. Le contraste entre les deux mondes se manifestait dans les moindres détails.

Du côté russe, la gare avait été une vieille datcha de bois, sommairement badigeonnée de rouge. Sous l'enduit, on apercevait encore les traces noires et blanches de l'aigle des Tsars. Du côté estonien : le poste était un solide bâtiment de couleur jaune et blanc, orné de colonnes en stuc. Le symbole imposant d'une frontière. Même les guérites et les barrières étaient peintes en jaune et blanc.

À longs traits, elle respirait l'air du soir, cherchant du regard l'immense masse grise de la forteresse de Narva : la vigie qui, depuis la nuit des temps, montait la garde et symbolisait la porte de l'Europe.

L'euphorie commençait à la gagner. L'Ouest...

Elle apercevait dans le lointain les clochers effilés des églises médiévales, avec leurs flèches qui semblaient crever le ciel.

Le douanier revint, flanqué de six hommes.

— Tout le monde descend ici et remonte dans les carrioles.

Elle sauta sur le quai.

— Sauf vous !

Il s'adressait à elle en estonien. Elle comprenait la langue mais ne la savait pas. Elle passa outre, affectant de ne pas avoir saisi et de suivre le flot. Il l'attrapa par le bras et la maintint fermement à l'écart.

— ...J'ai dit : pas vous !

Cette fois, il lui parlait russe.

— Pourquoi *pas moi* ?

— Vous restez à Narva.

— Mais je ne m'arrête pas à Narva ! Je vais jusqu'à Reval.

— On ne dit plus Reval. On dit Tallinn.

— Bien. Je me rends à *Tallinn*.

— Pour l'heure, vous ne vous rendez nulle part.

Retrouvant ses réflexes d'aristocrate, elle le prit de haut :

— Je vous prierais de me parler sur un autre ton, lieutenant ! Je suis madame von Benckendorff, citoyenne estonienne, veuve d'un citoyen estonien. Et je continue ma route pour rejoindre ma famille.

— Vous n'êtes pas une citoyenne estonienne, mais une espionne bolchevique !

Elle en demeura sans voix.

Moura n'avait pas mesuré cela : que le monde avait changé partout. Et qu'aux yeux de l'Europe, quiconque réussissait à franchir les frontières de la Russie de Lénine ne pouvait être qu'un agent au service des Soviets. Une *espionne bolchevique*, comme venait de l'asséner cet officier.

Elle n'avait pas mesuré non plus que l'Estonie était désormais une démocratie. Que la noblesse, qui possédait quatre vingt-six pour cent des terres avant la guerre, ne pesait plus rien aujourd'hui. Et que le communisme des Rouges déplaisait à la République autant que le despotisme des Blancs.

Elle tenta une seconde fois d'en appeler aux codes d'antan, quand la naissance et le nom étaient le sésame qui ouvrait toutes les portes.

— Vous faite erreur, lieutenant. Vous ne savez pas la lignée à laquelle j'appartiens. Mon blason se trouve sur les murs de la cathédrale de Tallinn, avec les armes des Shilling, des Budberg et de tous les barons baltes... Je suis madame Benckendorff, du manoir de Yendel.

— Vous êtes Maria Ignatievna Zakrevskaïa, de la Tchéka de Petrograd.

Cette fois, elle s'affola :

— Téléphonez à monsieur Alexandre Benckendorff. Il vous dira que je suis la veuve de son frère aîné. Appelez-le...

Elle usait des mêmes mots, ceux qu'elle avait répétés aux gardes de la rue Gorokhovaïa, quand elle insistait pour qu'ils téléphonent à Moscou : « Appelez Yacob Peters ».

— ...Appelez Alexandre Benckendorff !

— Il est au courant : c'est la famille Benckendorff qui nous a prévenus.

— Vous voyez bien que les Benckendorff me connaissent et qu'ils attendent mon arrivée.

— En effet, ils vous connaissent. Quant à vous attendre, je crains qu'ils ne tiennent pas à vous voir. Je crois même qu'aucun d'entre eux ne souhaite vous rencontrer, jamais... En tout cas, pas avant que vous n'ayez répondu à certaines de nos questions.

— Des questions ? À quel propos ?

— Vos activités révolutionnaires durant ces trois dernières années.

Elle soupira, comme fatiguée par toutes ces bêtises :

— J'arrive de l'enfer, lieutenant : je n'y ai eu d'autres activités que de tenter d'y survivre et d'en sortir... Pour retrouver mes enfants qui ont besoin de moi.

— Vos enfants n'ont aucun besoin d'une mère tchékiste, complice du bourreau Peters et maîtresse de l'agitateur Gorki.

— Comment osez-vous ? De quel droit ?

— Du droit de toutes les polices d'arrêter les espions qui s'infiltrent sur leur sol... Vous allez devoir me suivre, madame. Ne m'obligez pas à vous passer les menottes pour votre interrogatoire. Avancez sans faire d'histoire jusqu'à ce fourgon. Et montez.

La porte du véhicule cellulaire retomba lourdement derrière elle. Elle entendit chacun des trois verrous tourner cinq fois dans son dos.

*

De l'autre côté du miroir.

Livre IV

LA QUATRIÈME VIE
DE
LA SIGNORA BARONESSA

Bienvenue dans le monde capitaliste

Mai 1921 – Août 1934

Chapitre 29

LES ENFANTS AU BORD DU LAC
Mai 1921

Dans le relais de pêche au bord du lac, derrière les portes closes et les baies vitrées de la véranda, les seigneurs d'antan, les anciens maîtres de Yendel, tenaient conseil et chuchotaient :

— On ne peut laisser cette femme croupir plus de deux jours dans la forteresse de Narva...

— On ne peut pas non plus la laisser habiter Kallijärv !

— Ni même entrer dans cette maison.

— Elle ne doit pas s'approcher des enfants... Il ne faut surtout pas qu'ils la voient.

— Tout de même, elle reste leur mère.

— Si peu.

— La police n'a qu'à la renvoyer chez ses amis les bolcheviques.

— Hier, à Tallinn, la comtesse Manteufel racontait au maréchal de la noblesse, le comte Ignatiev, qu'elle a vendu tout le monde, là-bas !

Micky qui, derrière les carreaux, apercevait les Benckendorff discutant et s'agitant autour de la table, ne prêtait aucune attention à leurs conciliabules. Elle n'en retenait qu'une formidable nouvelle : au terme de trois jours d'incarcération à la frontière, Marydear arrivait ! Dans quel état ? Peu importait. Mary descendrait aujourd'hui du tortillard de Narva.

Le reste, ses activités parmi les communistes et les hésitations sur l'accueil que lui réservait la famille, ne pesait rien... Au diable les Benckendorff ! Micky ne voulait plus les entendre.

Les enfants, en revanche, tapis sous les fenêtres, tentaient de les écouter.

Impossible de s'occuper des petits aujourd'hui ! Entre l'ivresse et l'inquiétude, Micky devenait irritable, elle perdait toute patience :

— Allez jouer ailleurs ! Micky agitait les mains comme pour chasser les moineaux, leur lançant au hasard des phrases sans suite... Pschitt, tout le monde dehors... Filez dans le jardin... Descendez dans le bois. Allez cueillir des champignons... Votre maman adorait cela, les champignons ! Et les fleurs... Faites-lui donc un beau bouquet de lilas... Pschitt, pschitt, filez !

Micky, pour sa part, s'engouffrait dans la maison, remontait le corridor, tournait dans la cuisine et bondissait jusqu'à l'autre véranda, celle de l'arrière, chaque fois qu'elle croyait entendre les grelots d'une carriole : Marydear arrivait ?

Le train entre Narva et Tallinn s'arrêtait une fois par semaine sur le quai de la minuscule gare de Yendel. Micky y avait envoyé le fils du fermier, avec la voiture à cheval. Le garçon se trouvait là-bas depuis le matin et ne revenait pas.

Trois ans... Et Marydear arrivait !

*

Durant ces trois années, aucune nouvelle précise n'avait filtré jusqu'au lac. Sinon celles des famines, des exactions, des tortures et des massacres. Pas une personne de la noblesse balte qui n'ait perdu en Russie ses parents et ses biens. Les trois frères de Djon avaient, comme lui, épousé des aristocrates russes dont les proches avaient appartenu à la cour des Tsars. La plupart avaient été exécutés.

Bolcheviques : du salon à la cuisine, le mot suscitait partout les mêmes visions de cauchemar.

Micky tentait de préserver ses ouailles de la peur et de la haine, en restant muette sur les horreurs de la Révolution. Pas une phrase, jamais, pour commenter le récit des viols et des meurtres qui circulait ici. Un silence obstiné. Les atrocités perpétrées par les Rouges hantaient toutefois son imagination. Entendre le nom de sa chère Mary qu'elle considérait comme une héroïne et comme une victime, mêlé à ces abominations, achevait de l'épouvanter.

Se taire.

Mais plus elle se taisait, plus les enfants ressentaient ce qu'avait de mystérieux et de terrifiant le monde de leur mère.

Depuis la mort de Djon, la vie en Estonie n'avait été facile pour personne. La démocratie bourgeoise, qui cherchait à se débarrasser de la noblesse féodale, avait nationalisé et redistribué les terres, ne laissant aux anciens propriétaires que cinq pour cent de leurs possessions de 1914. Le domaine de Yendel n'avait pas fait exception à la règle : il n'appartenait plus aux Benckendorff. La distillerie, la briqueterie, les communs, les bois, les champs ? Patrimoine de la République. La grande maison de briques rouges, copiée sur les manoirs élisabéthains de la Renaissance, était aujourd'hui une institution gouvernementale d'enseignement agricole.

On avait toutefois laissé à la famille la jouissance du pavillon au bord du lac, et du potager attenant.

Désormais, les Benckendorff étaient pauvres. Ils ne daignaient pas s'en apercevoir. Encore moins s'en plaindre. Ils vivaient chichement, sans s'abaisser à rien demander. La Révolution les avait dépouillés de ce qui leur revenait de droit : ils n'allaient pas descendre à son niveau et lui reprendre ce qu'elle leur avait arraché, en exigeant des *dédommagements*. Assez de vulgarité. L'orgueil commandait de se contenter de l'essentiel. L'argent n'avait de valeur que si on savait le dépenser : pour cela il fallait du *savoir-vivre*. Une valeur qui n'était plus de saison.

Chez eux, comme dans tous les manoirs alentour, les splendeurs qui avaient servi d'écrin à leur jeunesse n'existaient plus. Les objets d'art avaient été pillés ou brûlés, lors des jacqueries de 1917. Puis, lors des exactions allemandes et russes de la Guerre mondiale. De la Guerre civile. De la Guerre d'indépendance. Ne subsistaient que quelques sinistres tableaux d'ancêtres qui s'alignaient maintenant dans le corridor lambrissé de la datcha. Et puis les livres, les reliques de la bibliothèque tant aimée de Djon, que lui-même avait transportés derrière les vitrines de la salle à manger, quand il avait installé les enfants chez sa mère.

La bravoure de Djon au moment de la lutte pour la liberté – ses hauts faits contre les Rouges de Latvie, entre janvier et mars 1919 – conféraient encore aux orphelins Benckendorff une forme de respect : les autorités ne songeaient pas à leur ôter leur asile.

Nul ne songeait non plus à leur rendre leur château.

Le pavillon de Kallijärv ne payait pas de mine. Rien de luxueux. Pas d'électricité. Pas d'eau courante. Une petite maison de bois, avec quatre ailes qui s'avançaient sur la pelouse comme les branches d'une étoile. Le charme du site résidait dans la beauté du paysage, dans ce lac que la masse noire des forêts encerclait : une nappe grise, un disque bleu dont la couleur variait au gré des nuages.

C'était là, sous cette lumière changeante, que Micky avait tenté de protéger les enfants de Marydear. C'était là, au cœur de ce petit monde qui vivait en autarcie, loin de toute ville et de toute école, qu'une cousine de Djon, une vieille fille lettrée qu'obsédait le souvenir de ses privilèges, était venue les instruire. Et mettre de l'ordre.

Un cerbère aux yeux de Micky : sans amour, sans grâce, sans fantaisie. L'ultime rejeton des chevaliers Teutoniques, avec lesquels la gouvernante irlandaise ne se sentait aucune affinité.

L'intruse s'appelait la baronne von Rennenkampf. Les enfants l'appelaient tante *Cossé*, diminutif de son prénom *Constanza*. Elle avait le sens de l'honneur, le goût du travail bien fait et la passion de la discipline.

Salut militaire chaque matin pour Paul, main au képi et talons claqués. Profondes révérences pour Kira et Tania. Punitions générales pour tous, au moindre manquement.

Micky la détestait et ne s'en cachait pas.

Kira, Paul et Tania la haïssaient : eux non plus ne s'en cachaient pas.

Avec son chignon gris, sa moustache et sa voix de stentor, la formidable tante Cossé se moquait de leurs sentiments à tous. Peu lui importait les états d'âme des uns et des autres Elle se trouvait au-dessus des émotions. Elle n'aimait que le Devoir et ne respectait que la Vertu. En conséquence, elle, elle ne *détestait ni ne haïssait personne*. À deux exceptions près : Vladimir Ilitch Lénine et Maria Ignatievna Zakrevskaïa, que ses cousins s'obstinaient à appeler « Marie von Benckendorff », comme l'avait très aristocratiquement baptisée le malheureux Djon.

La réapparition de *cette femme* – tante Cossé ne daignait même pas la nommer – portait un coup mortel aux principes de la morale.

Certes, cette femme restait la veuve d'un Benckendorff, la génitrice des petits… Mais de ses obligations, cette femme se souvenait un peu tard ! Pourquoi n'avait-elle pas suivi ses enfants à Yendel, au printemps 1918, quand son mari l'en priait ? Et trois mois plus tard, en juillet 1918, pourquoi les avait-elle rejoints… pour les abandonner de nouveau et retourner seule à Petrograd ?

Tante Cossé connaissait bien les dates et se les rappelait. Elle connaissait aussi les réponses. Cette femme était rentrée en

Russie au mois d'août, afin de soigner, disait-elle, sa vieille mère malade ? Allons donc ! Un prétexte. Si elle avait vraiment voulu soigner feu madame Zakrevskaïa, pourquoi ne l'avait-elle pas emmenée avec elle ici lors de son voyage de juillet ? Ou plus tard ? Pourquoi ne l'avait-elle pas reconduite à Yendel, quand les ressortissants estoniens pouvaient encore quitter la Russie et regagner leur patrie ?

Ces questions, les membres du conseil de famille se les posaient ce matin. Tante Cossé soulignait pour eux que Kira, Paul et Tania se portaient très bien sans cette femme et qu'ils n'avaient aucun besoin de la rencontrer.

Leur tuteur, Alexandre von Benckendorff, que les enfants appelaient oncle Sacha, venait d'arriver de Tallinn. C'était un ancien officier de cavalerie, de nature colérique et sentimentale, en dépit de la raideur de son maintien et du piquant de sa moustache cirée. Il présidait la réunion.

Les barons baltes – comme les habitants de l'appartement de l'avenue Kronverkski – vivaient en bande et débattaient entre eux des grandes questions qui intéressaient leur cercle. L'oncle Sacha écoutait les avis, mais prenait seul les décisions. Et gare à celui ou à celle qui oserait s'opposer à son verdict, une fois son parti arrêté au nom de la communauté.

Contre toute attente, Sacha – le benjamin des frères Benckendorff, devenu le chef de la branche estonienne après l'assassinat de Djon – semblait le moins inquiet du clan. En tout cas, le moins hostile au débarquement de *cette femme*.

Il expliquait à son épouse outrée, à sa cousine ulcérée, aux autres tantes catastrophées, à toutes les grandes dames de la famille, que lui-même n'avait pu se résoudre à abandonner la veuve de son aîné dans un cachot.

Oui, c'était bien lui, Sacha, qui l'avait fait sortir de prison au terme de deux jours, confirmant son identité auprès de la police et se portant garant de son assignation à résidence dans la maison du lac. Rien à craindre. Elle y serait surveillée. Et son séjour à Kallijärv ne se prolongerait pas au-delà de l'été, les autorités estoniennes ne lui ayant concédé qu'un droit de visite de quelques semaines. Elle serait ensuite expulsée et rendue aux siens : *à ses amis les bolcheviques*, comme le soulignait Cossé.

Il confirmait donc que Marie se présenterait sur le quai aujourd'hui, à midi ou à minuit selon le caprice des horaires. Avec son accord.

— Elle reste une Benckendorff, cousine Cossé... Je ne pouvais la condamner sans l'avoir entendue.

— Sauf ton respect, mon bon Sacha, ton romantisme me consterne : tu veux, dis-tu, entendre cette femme ? Quelle ingénuité de ta part ! Mais qu'aura-t-elle à te présenter pour sa défense ? Rien !

Tout ! répondait Micky en son for intérieur.

Durant ces trois années, il n'y avait pas eu de jour où Micky n'avait prié pour le retour de sa petite fille. Elle, qui ne croyait guère en la miséricorde divine, avait joint religieusement les mains sur sa poitrine et demandé avec ferveur *la vie* pour son enfant.

Le Ciel l'avait entendue : Marydear revenait !

Et maintenant, Micky devait lui arranger une chambre, un lit avec des draps frais, oui, les draps de son trousseau : ceux en lin, brodés à son chiffre. Micky devait aussi lui repasser sa chemise de nuit et les quelques effets personnels qu'elle avait pu sauver, lors du déménagement dans la datcha. Micky devait lui préparer un repas. Quelque chose de solide, qui lui tiendrait au corps. Elle-même n'avait jamais été ni bonne cuisinière ni bonne maîtresse de maison. Mais elle savait ce qui conviendrait à Mary après son arrestation à la frontière et toutes ses années de malheur. Il lui faudrait du pain frais, du beurre par motte, du lait par bidon.

Elle s'affairait. La nourriture à Kallijärv restait rare. Peu importait : Micky connaissait les cachettes de Tante Cossé, ses réserves secrètes.

Si l'émotion avait privé la gouvernante de son flegme, que dire de l'impatience de Tania ? Une toupie… Sa mère arrivait ! À six ans, Tania n'en gardait aucun souvenir. *Ma Mère*, répétait-elle à haute voix… *Ma Mère, Ma Mère.* Elle se la représentait en robe de fée, un hennin sur la tête, une baguette à la main. Comme sur les illustrations de ses livres de contes.

Elle en attendait *tout*, elle aussi.

Ses nattes brunes à l'horizontale, la gamine tourbillonnait sur la pelouse, virevoltait sous la véranda et psalmodiait :

— Ma mère arrive, ma mère arrive, ma mère arrive… Et ma mère va virer tante Cossé : allez ouste, dehors, la grosse vache !

Bien qu'elle fût la plus jeune, Tania passait pour la moins facile. Disons, la moins docile. Résultat : elle était la favorite de Micky, laquelle prenait bien garde de cacher cette préférence. Mais comment s'en défendre ? Tania avait le charme de Marydear, son énergie et sa joie de vivre.

Paul, lui, ressemblait à son père. Et Micky avait beaucoup aimé Djon.

Comme lui, Paul était pudique. Silencieux, secret, proche de la nature… Très grand, pour ses huit ans. Et d'une beauté merveilleuse.

Kira… la comtesse Kira von Engelhardt. Presque une jeune fille. Kira n'avait rien de commun avec les Benckendorff, et ne vivait chez eux que parce que Marydear en avait, jadis, décidé ainsi.

Micky devait reconnaître que, de ce côté, rien à reprocher à la tante Cossé. Cette dernière ne faisait aucune différence entre la petite Engelhardt et les autres neveux qu'elle s'employait à dresser.

Dresser Kira ? Absurde ! On ne pouvait rencontrer de nature plus reconnaissante. Plus généreuse. Et probablement plus malheureuse. Ah, Kira au seuil de l'adolescence : peut-être la plus émouvante des trois, songeait Micky.

442

Kira, loin du regard des autres. Kira, le visage tourné vers la gare, qui attendait seule là-bas devant le portail, guettant les bruits du dehors, imaginant l'apparition d'*Auntie-Mummy* – Tantemaman – au détour de la route avec sa lourde valise… Kira qui répétait, sans même le savoir, la conduite de Moura quand, au plus fort de sa passion pour Lockhart, elle-même se tenait devant la grille, rêvant de le voir surgir dans le tournant.

*

Tous durent aller se coucher avant que, sur le chemin poudreux de Yendel, ne se soit incarné leur espoir ou leur crainte : leur attente à tous. Moura. L'infamie pour les uns, la joie pour les autres.

La gouvernante resta seule à veiller.

Micky vit le fanal de loin entre les sapins : la carriole passait sous le pont de bois qui enjambait le sentier. Elle roulait maintenant sur l'herbe où Djon avait été assassiné. On entendait distinctement le bruit de ses grelots qui se rapprochaient à chaque seconde : elle longeait le lac.

Micky s'était précipitée au bas du perron. Elle esquissa le geste de se saisir des guides et d'arrêter le cheval. Une forme se mit debout dans la voiture. Elle en descendit lentement. Micky la reçut contre elle.

Sans se parler, sans même tenter de se voir, les deux femmes s'étreignirent. Impossible de prononcer une parole. Impossible même de se regarder. Les yeux clos, elles se serraient l'une contre l'autre. L'émotion leur tenaillait la gorge et leur coupait le souffle. Elles restèrent longtemps embrassées.

La sensation de leurs corps, de leurs vies à nouveau imbriquées, les submergeait.

Micky, chargée de la valise de Moura, la guidait maintenant dans le couloir où s'ouvraient toutes les chambres. L'obscurité était totale. Le silence, aussi.

Grandes et minces, leurs silhouettes se confondaient. Elles avançaient prudemment :

— Ils sont là, chuchota Micky.

— Ici ? Derrière cette porte ? Tous les trois ?

La voix de Moura semblait à bout de souffle. Plus rauque que jamais sous l'effet de l'émoi. Elle haletait presque.

— Ici ? répéta-t-elle.

— Oui. Ils dorment.

— Je peux les voir ?

La gouvernante poussa avec précaution le battant de la « nursery », s'effaçant pour la laisser passer.

Moura s'approcha, hésitante. La petite pièce où s'alignaient les lits était complètement noire. Elle tâtonna jusqu'aux enfants et ne bougea plus.

Elle écoutait le bruit léger de leurs respirations, les contemplant tour à tour. Elle ne pouvait distinguer leurs visages. Le garçon, à plat dos, avait replié son bras sur ses yeux. Les filles, à plat ventre, gardaient la tête enfouie dans leur oreiller, le profil perdu sous leurs chevelures brunes.

Moura restait là, immobile, sans les voir.

Elle demeura si longtemps penchée sur les trois formes, que Micky crut qu'elle pleurait... Comme elle-même pleurait en silence la nuit à la pensée d'Eileen, sa fille qu'elle avait laissée en Irlande, sa fille qu'elle n'avait jamais revue.

Sentant qu'elle devait consoler son autre fille, lui dire quelque chose de rassurant sur toutes ces années où les petits avaient grandi sans elle, Micky murmura :

— Ce sont de très bons enfants.

— Malgré leur espionne de mère !

L'aigreur d'une telle phrase ressemblait si peu à Marydear que Micky ne put retenir un geste de compassion. Elle s'avança, lui prit la main et la serra.

Moura se raidit et la lui ôta.

Cela non plus ne lui ressemblait pas.

Micky referma la porte derrière elles, saisit la valise, continua jusqu'à la pièce du fond. Une lampe à pétrole brûlait sur la table de nuit, éclairant la courtepointe d'une lueur dorée. Les draps étaient ouverts, la chemise étalée.

Les deux femmes se tenaient face à face.

Pour la première fois depuis leurs retrouvailles cette nuit, elles s'observaient, cherchant à mesurer leur état respectif. Moralement ? Physiquement ?

Les yeux fiévreux de Moura interrogeaient le visage de sa gouvernante. En dépit des drames et des privations, pas un cheveu blanc dans le chignon de Micky. Elle le portait toujours haut, en rond sur la tête, comme en 1900. Le dos droit, selon son habitude… À cinquante-sept ans, elle en paraissait dix de moins.

Micky lui rendait son regard.

Pas un cheveu blanc non plus dans le chignon de Marydear. Il était terne et mal arrimé, oui. Mais sa peau n'avait pas vieilli. Vingt-huit ans : une jeunesse. Elle se reprendrait vite. Pas une flétrissure, pas même une ride, malgré la pâleur malsaine du teint, les joues creuses et les traits tirés.

Le soulagement était réciproque. Elles se reconnaissaient l'une l'autre, sinon indestructibles, du moins *increvables*.

Elles avaient survécu : le monde n'allait donc pas si mal.

Pour le reste ?

Sorti de la contemplation, l'échange demeurait difficile. Micky constatait que Marydear gardait quelque chose de hagard dans la démarche, de saccadé dans les gestes. Une agitation désordonnée. Elle, d'ordinaire si ancrée dans la réalité, semblait absente. Ailleurs, en plein cauchemar. Elle tentait toutefois d'en sortir. De dire quelque chose de sensé.

— Que seraient devenus les petits sans toi, Micky ? Tu les as sauvés.

— Je n'ai sauvé personne. Tu t'es débrouillée pour sortir de là-bas, c'est la seule chose qui importe… Et tu es revenue.

L'œil fixe, Moura restait debout. Elle ne parvenait pas à bouger. Pas même à s'asseoir.

— Si tu pouvais seulement imaginer…

— Tu es épuisée, mon petit. Couche-toi.

— Je crois qu'ils m'ont eue à Narva…

— Couche-toi, maintenant.

— Oui, c'est cela… Avec leurs soupçons et leurs questions immondes, ils ont réussi à m'avoir.

— Tu me raconteras demain.

— Après de tels interrogatoires, on ne sait plus penser, on ne sait plus sentir, on ne sait plus dormir… Je ne sais même plus te remercier.

— Mais si, mais si, tu sais très bien… Il suffirait que tu acceptes de t'allonger.

— Je ne peux pas rester dans le noir.

La voix de Marydear avait toujours semblé un peu cassée… Micky constatait qu'elle avait maintenant quelque chose de brisé. Et même d'éclaté.

Se pouvait-il qu'à Narva, « ils l'aient eue », comme elle le murmurait de façon incohérente ? Aucun doute, elle gardait la peur chevillée à l'âme.

— Laisse la lampe allumée, mon petit… L'aube n'est plus loin.

— La prison si près du but… C'était juste… La cellule dans la forteresse… Le cachot à Narva. C'était juste…

— *A bridge too far* ?

— Oui : trop loin, trop dur… La goutte d'eau… Après tout le reste… ils n'auraient pas dû.

— Non, les Benckendorff n'auraient pas dû. Mais cela n'a pas été long. Et c'est fini… Tu es désormais chez toi. Avec *tes* enfants. *Chez toi*, Mary, d'où nul ne peut te déloger sans ton consentement. Ne l'oublie pas : Kallijärv est *ta* maison. Pas la leur. La tienne. L'héritage de ton mari.

Micky avait ouvert la valise et pliait les dessous dans le tiroir. Elle alignait les livres sur la commode, par auteur, en ordre alphabétique, bien rangés : elle organisait une installation pour durer.

Un sourire passa enfin dans les yeux de Moura : son expression de très jeune fille, du temps où elle câlinait sa vieille gouvernante pour en obtenir des dentelles et des rubans.

— Arrête, Micky, arrête… Arrête de t'agiter !

Micky revint vers le lit. Et cette fois Moura s'abandonna.

Elle la laissa déboutonner son vieux chemisier, elle la laissa l'aider à ôter sa jupe, lui passer sa chemise de nuit, la coucher, la border.

Avant de sombrer d'un bloc, en murmurant comme dans son enfance :

— Je n'ai rien fait, Micky. Rien de mal.

*
* *

Plus de soixante ans plus tard, dans le livre qu'elle écrirait pour témoigner de ses années en Estonie, sa fille Tania raconterait mieux que quiconque ses propres impressions du retour de Moura en mai 1921 :

Je m'étais demandé cent fois à quoi elle ressemblait, mais je ne garde aucun souvenir du moment exact de son arrivée. Probablement la nuit, quand nous dormions.

Mais le matin, Micky nous emmena tous les trois embrasser notre mère dans sa chambre… C'était, en ce qui me concerne, la première fois que je la voyais.

Quand j'y pense maintenant, je m'étonne de l'absence totale d'émotion qui présida à ce moment. Je revois très clairement la pièce. Et une femme assise dans son lit. Je me rappelle m'être dit que cette femme semblait moins frêle que ce que j'avais imaginé. Qu'elle avait l'air plutôt en bonne santé. Et que son physique ne correspondait pas à toutes les histoires de privations et de famine que j'avais entendu raconter à son propos.

J'étais parfaitement consciente qu'elle me restait étrangère. Et que je n'éprouvais rien pour elle de ce que j'aurais dû ressentir.

Je suppose, avec le recul, que la gêne était réciproque et que son propre embarras empêchait la moindre intimité entre nous. Du moins, en ces instants-là.

Micky, qui s'affairait autour d'elle, finit par nous pousser dehors, nous expliquant que notre mère devait se reposer car elle était très, très fatiguée.

Ainsi se passa ma première vraie rencontre avec ma mère, une rencontre qui reste remarquable par sa banalité.

(...) Elle devait être épuisée, en effet, car elle passa toute cette première semaine plus ou moins au lit.

Tania raconterait aussi que – contre toute attente – les membres de la noblesse estonnienne viendraient lui faire leur cour, jusque dans sa ruelle. Les messieurs, du moins.

Incroyable ! Moura demandait à voir tel ou tel vieil ami : il se présentait. Et Micky introduisait les visiteurs, en les annonçant à tour de rôle. Le défilé durerait jusqu'au déjeuner. Tania dirait encore que, fidèle à sa réputation, sa mère attendait de chacun qu'il vienne lui porter ses hommages.

Elle maintenait autour d'elle une aura de mystère qui attirait les gens comme des mouches. Je crois qu'ils cherchaient à obtenir d'elle des réponses. Ils voulaient savoir ce qu'elle avait fait à Petrograd, ses activités là-bas durant ces trois dernières années.

Le cadre où Moura accepterait, peut-être, de conférer à l'un de ses hôtes le privilège d'une confidence sur ses aventures en terre soviétique, était à la mesure de son personnage. Elle avait transformé la pièce au bout du corridor – spartiate et dénudée lors de son arrivée – en une sorte de reposoir. Volets clos. Flammes vacillantes. Livres aux reliures dorées, tentures, icônes, cierges et brûle-parfum.

Aucune mise en scène spectaculaire : juste une ambiance à laquelle les barons baltes n'étaient plus habitués.

La dernière fille du sénateur Zakrevski, ancien serviteur de la cour impériale, incarnait l'envoûtement de la Russie éternelle. Les valeurs de l'aristocratie du Tsar et de la noblesse estonienne.

La tradition, d'abord. La foi orthodoxe, ensuite. Le charme, enfin. Le message était clair : l'antibolchevisme dans toute sa splendeur.

Si ses admirateurs se pressaient à son chevet, leurs femmes en revanche, les épouses, les sœurs, les filles refusaient, elles, d'adresser la parole à « la Benckendorff ». Elles la traitaient en paria telle une courtisane.

Moura ne s'y trompait pas : aventurière, hétaïre, espionne. Les hommes la fréquentaient, comme ils auraient recherché jadis la compagnie d'une grande horizontale.

Grâce à Dieu, aucun d'entre eux ne semblait avoir entendu parler de sa passion pour Robert Bruce Lockhart... Pas même Micky. Selon toute apparence, sa vie en concubinage à Moscou avec le consul d'Angleterre était passée à la trappe de l'Histoire.

Nul, songeait-elle, nul ne devait apprendre cette liaison, jamais ! Les rumeurs sur sa relation avec le communiste Gorki étaient assez dangereuses et lui causaient suffisamment d'ennuis, pour éviter d'ajouter à ce scandale une autre indignité.

*

Au centre de l'attention. En quelques heures.

Elle avait repris sa place... La seule qu'elle se reconnaissait parmi les Benckendorff : la première.

Rien d'artificiel dans ce rôle : d'instinct et de droit, elle restait la maîtresse des lieux. La mère des enfants. La veuve du propriétaire. Ici, dans la maison du lac, comme jadis au château de Yendel, elle dictait ses lois.

Tante Cossé, éjectée et reléguée en bout de table, pouvait bien tenter de garder son siège. Peine perdue. *Cette femme* trônait à proximité du samovar, servait le thé et distribuait les tasses. *Cette femme* occupait le terrain et *cette femme* présidait.

Le plus curieux restait que Cossé, le cerbère d'antan, boudait dans son coin, sans oser protester.

Micky triomphait. Terminés les saluts militaires pour Paul et les révérences de Cour pour les filles. Marydear avait repris les rênes de la maison et veillait naturellement sur l'éducation de ses enfants.

Elle vérifiait les comptes, planifiait les menus, contrôlait les connaissances de son fils, corrigeait les devoirs de ses filles. Elle envisageait même de se rendre à Tallinn – en dépit de son assignation à résidence –, pour obtenir du gouvernement que les droits de Paul et de Tania sur Kallijärv soient officiellement confirmés par un acte de propriété.

Bref, elle réfléchissait à l'organisation de sa vie et à l'avenir de ses petits.

L'avenir *avec eux* ? Du bluff. Il n'y aurait pas d'avenir. Tous ici le savaient : cette prise de pouvoir n'était qu'un jeu. Dans quelques semaines, la police estonienne reconduirait Moura à la frontière.

Elle-même ne l'oubliait pas, fût-ce une seule seconde. Le temps qu'elle passait ici, allongée dans son lit ou siégeant au centre de la table, se résumait à une parenthèse. L'ultime répit, la dernière cigarette, avant la mise à mort.

À la fin de l'été, elle se retrouverait entre les griffes de Zinoviev.

Comment l'éviter ? La question la hantait.

*

En vérité, elle se sentait mal.
Mal partout.

Sa souveraineté n'était qu'un vernis, qui masquait l'atonie de ses sens et le vide de son âme. En retrouvant ses enfants, elle avait pourtant cru que son cœur allait éclater, qu'elle ne supporterait pas l'excès de sa joie.

Puis l'élan était retombé.

Et maintenant ils étaient là, ils couraient autour d'elle, ils faisaient du bruit. Elle avait beau se savoir proche d'eux, elle ne parvenait pas à les rejoindre.

« Suis-je vraiment mauvaise ? se demandait-elle. Oui, oui, je suis mauvaise. Une mère dénaturée. »

Le seul domaine où elle ne se contraignait pas, était son implication dans leurs études. La nécessité de prodiguer à Kira, Paul et Tania, un enseignement qui leur permettrait de survivre dans le monde moderne, l'obsédait.

Elle devait les sortir rapidement de Kallijärv et les inscrire dans de bons collèges. À Berlin ou à Londres. Traduction : trouver un emploi, gagner de l'argent. Parvenir, grâce à son travail, à faire vivre cinq personnes : les trois petits, Micky, elle-même.

Mais, dans sa situation, comment éviter d'être séparée d'eux ?

Ces questions l'empêchaient de dormir. L'impasse. Elle ne voyait pas d'issue.

Une seule certitude : son « repos » au bord du lac était un suicide. Elle perdait des heures précieuses. Elle devait bouger, agir. Se rendre à Tallinn, consulter un avocat, trouver le moyen d'obtenir la nationalité estonienne.

Elle n'en avait plus l'énergie.

*

En dépit de ses incertitudes, demeurait toutefois une évidence : elle savait encore donner le change. Sentir d'instinct ce qu'on attendait d'elle... Et si Gorki, si Andreïeva, si tous les habitants du « duché » l'avaient vue régner sur Kallijärv, ils n'auraient jamais reconnu, en cette diva magnifique, leur *Titka* de l'avenue Kronverkski.

Entre la chère *Petite Tante*, au tact si touchant, à l'efficacité si discrète, et l'imposante *Marie von Benckendorff* existait une distance – mille vies, mille mondes – qu'elle était seule capable de parcourir, seule à comprendre et seule à maîtriser.

La réincarnation de Moura en grande dame, une aristocrate que l'habitude de commander, le don d'être obéie et le goût d'être servie n'avaient jamais abandonnée... cette métamorphose-là les aurait peut-être un peu surpris.

Ils auraient cependant eu tort de douter de l'authenticité de l'un ou de l'autre des deux personnages : *Titka* ou *Diva*, elle restait la muse, l'inspiratrice, l'instigatrice, l'accompagnatrice. La *prima donna* de leur vie à tous.

Mais une prima donna sur le fil du rasoir.

Chapitre 30

SUR LE FIL DU RASOIR
Juin – Octobre 1921

En cet après-midi de juin, Moura, le front contre la vitre du tortillard, parcourait les derniers kilomètres qui la séparaient de la ville. Elle avait espéré qu'en quittant le monde clos de la maison du lac, elle respirerait mieux ; qu'en secouant son inaction, elle se débarrasserait du malaise qui ne la quittait pas, de cette impression d'absence, de ce décalage qui minait son amour pour ses enfants. En vain.

Au fil du voyage, la sensation de vide perdurait. Elle ne parvenait plus à faire le grand écart entre le passé et le présent ; entre les cauchemars de sa vie en Russie et l'apparente normalité qui l'environnait ici.

Elle regardait la campagne toute plate que ponctuaient des lacs où se reflétait le ciel.

Toujours les mêmes lacs, toujours le même ciel.

Toujours les mêmes fûts blancs des bois de bouleaux, très serrés, qui lui évoquaient des falaises fermant l'horizon.

Peu d'animaux. Une vache ici et là. Quelques rares moutons. En fait, rien. Juste des cigognes dressées sur les châteaux d'eau. Et les ultimes migrations d'oies dont le vol cachait par instants le soleil.

Aucune vie dans les champs. Aucune vie non plus dans le wagon, à l'exception de la lointaine silhouette du policier en civil qui la surveillait. Il l'avait suivie de Narva jusqu'à Kallijärv. Il la filerait jusque dans la capitale. La présence de cet homme, qui se voulait invisible, finissait par lui devenir si familière qu'elle ne s'en souciait plus.

Elle tentait de lutter contre son apathie. Mais, sans l'amour de Lockhart et les rêves d'un avenir partagé, l'univers lui semblait mort. Immobile, en dépit des secousses du train… Et glacé, sans la présence de Gorki. Sans son bruit, sa fureur et ses convictions. Allons, allons, se concentrer sur le paysage.

Elle avait beau essayer de s'intéresser au monde alentour… Impossible de fixer son attention nulle part.

Pourtant, la nature était belle et lui restait familière.

Elle n'eut pas une hésitation en sortant de la gare et monta dans l'un des fiacres qui attendaient les voyageurs. Le policier s'engouffra dans le suivant. Elle savait qu'ils devraient longer la mer et contourner le bourg pour y pénétrer en voiture.

Tallinn, à laquelle Moura n'avait pas songé une seule fois durant ces trois dernières années, ressurgissait intacte de sa mémoire. Elle reconnaissait jusqu'à sa lumière, si blanche en ces premiers soirs d'été au bord de la Baltique.

…Vide, comme toujours, le chemin qui bordait l'enceinte.

Les grosses tours médiévales avec leurs toits rouges scandaient les murailles. Les portes en ogive s'ouvraient dans les remparts. Les clochers des églises s'élançaient vers le ciel et leurs flèches immenses crevaient les nuages.

Elle pouvait se représenter, dans leurs moindres détails, les maisons de la ville basse, étroites, moyenâgeuses, qui appartenaient encore aux marchands. Et les palais néoclassiques de la ville haute qu'occupaient les barons estoniens. Et puis, l'énorme église russe qui couronnait le tout, avec ses pâtisseries blanches et ses bulbes dorés.

Quand elle eut franchi la poterne pour remonter la rue Piik, Moura ressentit tout de même un choc. Elle avait gardé le souvenir d'un lieu endormi. Elle retrouvait une fourmilière.

Une foule bruyante et bigarrée se pressait sur les trottoirs. Femmes en jupes courtes et chapeaux-cloches ; messieurs en costume clair et chaussures vernies. Partout, des rires et des éclats de voix. Bien qu'il ne fût pas sept heures, les bars et les cabarets, qui se succédaient jusqu'à la grand place, semblaient déjà bondés. Des airs de jazz montaient des anciennes caves. On aurait pu se croire au cœur des quartiers les plus déchaînés d'une grande capitale... N'étaient les deux fiacres noirs, datant du XIXe siècle, qui défiaient les folies de l'après-guerre et brinquebalaient sur les pavés de la pente.

Au sommet de la colline, sous le château de Troompea, l'atmosphère changeait. Là, plus de cafés, plus de boîtes de nuit. Mais derrière les murs pastel des hôtels particuliers, derrière les façades jaune paille, les frontons armoriés, les portiques et les colonnades, s'échappaient encore des rumeurs de fête et des airs de tango.

En face de l'église orthodoxe, toutes les fenêtres du Cercle de la Noblesse, l'ancien club de Djon, étaient éclairées. Des groupes d'hommes en smoking fumaient au balcon et sirotaient des cocktails. Le besoin de vivre à tout prix semblait avoir atteint jusqu'à l'aristocratie la plus conservatrice d'Europe. Et l'une des plus ruinées.

Après dix siècles d'oppression, la liberté rattrapait l'Estonie.

Moura se fit déposer dans l'une des seules venelles de Troompea, à l'arrière d'un palais que les propriétaires avaient transformé en pension pour dames. Elle avait réussi à y réserver une chambre où, loin des oreilles de tante Cossé et de la méfiance de ses belles-sœurs, elle espérait convaincre les trois frères de Djon de son innocence et de l'injustice dont elle était victime.

*

— Tu dois bien comprendre et bien mesurer cela, mon cher Sacha : je ne *pouvais* pas quitter Petrograd... Impossible pour quiconque ! Je l'ai tenté une fois, en traversant à pied le golfe de Finlande. Et j'ai été reprise. Tu sais ce que cela m'a coûté ?

Le chef du clan Benckendorff occupait le seul fauteuil qui meublait la pièce. Le décor Second Empire semblait figé dans le temps : vieux tapis, vieux velours et vieux lustre à pampilles. Moura affectait de le recevoir ici comme dans l'un des salons d'autrefois.

Gêné par ce tête-à-tête qui lui vaudrait nombre de reproches si on venait à l'apprendre, Sacha se tenait sur ses gardes. Ses deux frères, eux, ne s'étaient pas présentés.

— Je n'ai rien à comprendre, dit-il d'une voix grave. Rien à mesurer. Je n'ai répondu à votre invitation que pour vous donner un conseil... Il affectait de la vouvoyer... Occupez-vous de vos enfants. Puis retournez en Russie, comme la police l'exige... Sans faire de vagues. Rentrez chez vous *avant* votre expulsion.

— Mais je suis chez moi ! Et je m'y occupe de mes enfants comme tu le suggères si aimablement. À ce propos, je viens de voir un avocat pour faire enregistrer l'héritage de leur père.

— Ne faites pas cela... Ne demandez rien à la République... N'attirez pas l'attention sur vous !

Elle répondit en affectant la sérénité :

— Au contraire, mon ami. Je crois le temps venu d'obtenir justice. Pour mes enfants. Pour moi. Pour toi. Pour nous tous, les Benckendorff.

— Justice ? Tu veux obtenir justice ? Dans son agitation, Sacha la tutoyait de nouveau. Alors, les Budberg avaient raison : je ne vois pas d'autre solution que ce procès !

— Un procès ?

— Une cour d'honneur... Le clan Budberg, les comtes Manteufel, les comtes Schilling, toutes les vieilles familles veulent te soumettre à l'*Ehrengericht*. Le tribunal des barons baltes.

Elle ne put retenir un geste d'exaspération.

Se départissant de sa grâce habituelle, elle demanda, acerbe :

— Et pour quelle raison, je te prie ?

— Ne m'oblige pas à répéter ici les activités dont on t'accuse. Elles sont si scandaleuses que la responsabilité nous incombe à tous de t'en absoudre, ou de te désavouer.

— Tu veux dire « me condamner ». Elle se força à sourire... Et à quelles peines me destinez-vous ?

Il hésita :

— À l'infamie... si tu es jugée coupable. Tu seras radiée de nos rangs, tu n'appartiendras plus à notre noblesse... À aucune noblesse au monde. Mais si tu es jugée innocente, tu sortiras de l'Ehrengericht blanchie. Nul n'osera plus t'insulter. Tu seras réhabilitée et rétablie dans l'estime de tous.

— *Une cour d'honneur* au XXᵉ siècle ? Absurde, ridicule !

— Franchement, ma chère, non, je ne trouve pas l'Honneur ridicule. L'Honneur reste la seule valeur de quelque poids sur cette terre. Et dans ta situation, tu as tout à gagner à te soumettre à Son Tribunal.

— Si j'accepte, peux-tu me garantir que tu m'aideras à obtenir la nationalité estonienne ? Elle me revient de droit par mon mariage avec Djon !

— Si l'Ehrengericht te lave de toutes les accusations : évidemment.

— Donne-moi ta parole que je serai libre d'emmener mes enfants où bon me semble.

— Libre ? Mais, Marie, qui d'entre nous est libre aujourd'hui ? Ce que je peux te garantir, c'est que tu seras de nouveau des nôtres, et que tu appartiendras à jamais à notre famille.

Elle garda le silence. Rien de gai dans une telle promesse. Rien même de rassurant.

Que valait l'avis de Sacha ? Devait-elle se soumettre à cette pratique archaïque, à ce simulacre de justice ?

Elle connaissait assez le conservatisme des barons, leur haine du changement – a fortiori de la révolution – pour savoir ce qu'ils penseraient de sa relation avec un Gorki. Elle n'avait pas une chance. Et l'idée d'être jugée par ces hommes qui brandissaient leur honneur comme un étendard, quand eux-mêmes se révélaient inaptes à survivre et qu'ils avaient perdu jusqu'à leur raison d'exister… Ces hommes, incapables de surmonter la perte des terres dont ils s'étaient contentés d'hériter durant des siècles, incapables aujourd'hui de se conduire avec dignité et de subsister du produit de leur travail… Cette idée l'exaspérait.

Sacha, en dépit de sa bonté, appartenait complètement à cette caste qui ne pouvait se tenir debout sans s'appuyer sur ses privilèges. Il avait beau parler des lois morales qui régissaient ses pairs, il n'en respectait que les apparences. Pour le reste, il collectionnait les maîtresses et se conduisait envers ses enfants comme ses parents avant lui : le regard tourné vers le passé.

Il était plein de haine pour les communistes et rêvait d'en découdre avec les bolcheviques.

Aucun échange n'était possible sur ce chapitre.

Elle s'interrogeait.

En admettant même que l'*Ehrengericht* se conclue à son avantage, obtiendrait-elle la nationalité estonienne ? Un passeport… C'était la seule chose qui importait.

Le permis de séjour qu'on lui avait octroyé à Narva expirait dans quelques semaines. Et les délais, qu'elle pourrait éventuellement obtenir par l'intermédiaire de son homme de loi, ne régleraient pas la question. Au mieux, elle parviendrait à gagner un peu de temps… Mais ensuite ?

Elle n'avait aucune nouvelle de Gorki. Les journaux estoniens écrivaient qu'il était attendu d'un jour à l'autre en Finlande. Devait-elle les croire ?

Si la police la renvoyait chez Zinoviev à l'heure où Gorki quittait enfin Petrograd, elle était perdue.

*
* *

Sur le fil du rasoir

Mon ami très cher, très proche,

Mon très aimé,

Hourrah, hourrah, lettres, lettres, lettres : vos lettres m'arrivent enfin ! Ah, Alexeï Maximovitch, que vous êtes drôle et comme j'ai envie de rire avec vous. Avant tout, je voudrais vous dire combien vous me manquez. Je suis partie de chez vous les yeux fermés, car vous m'aviez convaincue que mon départ faciliterait le vôtre. Les yeux fermés, je reste ici et je vous attends. Mais vous n'arrivez pas.

En vérité, je ne me sens pas bien, Alexeï Maximovitch. Je prétends maîtriser ma vie. Cependant, je n'y parviens pas.

Je me suis adaptée, bien sûr... Vous savez à quel point je m'accommode de tout. Mais ma tête reste vide, vide, vide.

Pardonnez ces propos. Je ne vous ai pas habitué à ratiociner ainsi, à tourner en rond, à me laisser aller et à ne plus savoir me reprendre. Vous ne me reconnaîtriez pas : je ne fais strictement rien de la journée. Pourtant, j'aurais de quoi m'occuper avec mes trois petits.

Ne vous fâchez pas, ne froncez pas les sourcils. Je crois que ce ne sont pas de mes enfants dont j'aurais besoin à cette heure, mais d'un ami. Besoin de vous. Et ne vous moquez pas ! Dans tout amour, même le plus dévoué, se trouve une part d'égoïsme, et le mien consiste précisément en cela. L'envie de tout partager avec vous, l'envie un peu sadique de tout vous raconter. Et puis aussi, l'envie de vous dire des mots gentils, d'être tendre avec vous. Exactement ce que vous m'interdisez.

Quoi qu'il en soit, continuez à m'écrire, d'accord ? Je m'inquiète tant pour votre santé !

Bon, je vais tenter de répondre à vos questions...

Dans l'une de vos lettres, vous me demandez si je vis gaiement et si je fais la fête.

Gaiement, non.

Si je fais la fête ? Oui.

Enfin, si boire, boire et boire, veut dire faire la fête. Rassurez-vous, je ne vais pas jusqu'à me saouler. Mais j'ai besoin d'un peu d'ivresse, afin de continuer.

Vous comprendrez cela, Alexeï Maximovitch, quand vous aurez vous-même passé un peu de temps de ce côté-ci de la frontière.

Mon « retour au monde capitaliste », comme l'a écrit Wells dans la dédicace de son livre, se résume donc à la fréquentation de plus en plus assidue des bars de Tallinn. Je bois du champagne, écoute les derniers ragtimes et me dis qu'il y aurait un homme à Saint-Pétersbourg dont la présence ici aurait pu transformer tout cela en une aventure un peu plus excitante.

Sans vous, je sens monter en moi les humeurs oubliées, les anciennes envies. Celle, par exemple, de faire des folies... De me montrer futile, futile, futile jusqu'à l'imbécillité... Rajouter à ma coupe de champagne, je ne sais pas, moi, quelque chose d'encore plus précieux, d'encore plus rare : des pêches mûres ou des fraises. Mais mon besoin d'excès passe vite et me laisse dans la bouche un goût désagréable.

À la fin de votre troisième lettre, vous m'interrogez sur ma vie ici. Disons qu'elle est un peu compliquée. J'ai beau ne pas reculer devant les difficultés et ne pas détester les obstacles, je supporte mal l'étroitesse d'esprit, pour ne pas dire la bêtise.

À l'absurdité de ma situation, on pourrait toutefois trouver des détails amusants. Je suis constamment suivie par un policier qui surveille mes fréquentations. On me soupçonne, bien entendu, d'être une espionne. On m'accuse de rapports avec la Tchéka et de complicité avec le pouvoir bolchevique. Les gens me regardent comme si j'allais sortir de ma poche deux ou trois bombes et les balancer dans leurs seaux à champagne.

Ma personne suscite partout l'intérêt. Je ne vais pas m'en plaindre : je pourrais me montrer dans les foires et en profiter pour gagner un peu d'argent. Je vais devoir me dépêcher, car les barons commencent à ne plus me craindre : j'assiste à des soirées mondaines au Cercle de la Noblesse sans les faire tous sauter.

Comme avant.

Pour les Russes de ma « classe sociale » – si l'on veut utiliser ce cliché –, le passage à l'Ouest peut signifier deux choses. Soit le retour à notre ancien mode de vie. Soit une rupture complète avec lui. Je ne parviens pas encore à choisir.

Quelque chose en moi, quelque chose qui s'apparente à une habitude, à un souvenir d'enfance, pourrait même me faire sentir à ma place. Brièvement. En réalité, ici ne m'appartient plus.

Assez sur mon malaise.

Je vais tenter de me débarrasser de ce que vous appelleriez ma « dépression ». Je vais remplacer mes dessous troués qui vous chagrinaient tant – vous vous le rappelez ? – par des fanfreluches de dentelle. Et je vais accepter de soumettre ma vie aux lois immuables de la société.

Bref, je sens que je vais commettre encore beaucoup de sottises et qu'ensuite, je trouverai une solution. J'entends par là : un travail. Je songe à chercher un emploi à Berlin.

Mais pour cela, il me faudrait appartenir à une nation et posséder un passeport.

Pour cela, il me faudrait être libre.

*
* *

— « Libre, libre, libre. » Vous prononcez ce mot comme un diamant qui vous écorcherait les lèvres... La solution, vous la tenez : épousez-moi !

Moura ne se donna même pas la peine de feindre la surprise.

Elle leva sa coupe devant ses yeux et dévisagea son prétendant au travers des bulles. Elle arborait son mystérieux sourire de sphinx.

Autour d'eux, les bourgeois qui venaient d'accéder au pouvoir, se pressaient au Danyjazz, un ancien théâtre qui avait servi de quartier général à Cromie et à la Marine britannique.

Au contraire des autres couples, Moura et son cavalier n'avaient pas choisi une table dans les loges ou devant l'orchestre. Mais deux tabourets au bar. Le tumulte les obligeait à se tenir épaule contre épaule pour s'entendre.

Terminés le vieil imperméable et la montre d'homme. Elle portait ce soir une toilette taille basse, que constellaient des larmes de jais. Un bandeau orné d'une aigrette lui barrait le front. Et, comble du chic ou du cliché, elle tenait entre ses mains gantées un fume-cigarette.

En vérité, elle avait vendu les quelques bijoux que Micky avait réussi à sauver de son coffret à Yendel, pour renouveler sa garde-robe. Et si elle refusait de couper ses cheveux et n'exhibait pas de perles en sautoir comme le voulait la mode, elle incarnait désormais la femme dans le vent. Quant à son compagnon, en smoking et nœud papillon, il était en tous points semblable aux autres messieurs qui fréquentaient les cabarets de Tallinn. Seul trait distinctif : devant eux, sur le comptoir, s'alignaient une suite de carafons de vodka largement entamés. Ainsi qu'un magnum qui trônait dans le seau à glace.

Moura s'était bien gardée de décrire l'ampleur de ses excès à Gorki. Son séjour à Tallinn tournait à la bacchanale. Elle avait certes toujours tenu l'alcool, mais ne se contentait plus du champagne. Elle y ajoutait d'autres liqueurs et avalait cul sec les mille sortes de cocktails qui faisaient fureur en ces années 1920.

Silence aussi sur les hommes qui l'accompagnaient dans sa tournée des boîtes. Elle pouvait bien protéger sa réputation en évitant de les ramener à la pension, elle prêtait flanc aux ragots.

Quel âge pouvait avoir le baron Nicolaï Rotger von Budberg-Boeningshausen ? se demandait-elle, l'examinant par le prisme de sa coupe de cristal. Bien plus jeune que ses galants habituels. Plus jeune qu'elle, en tout cas !... Quel âge ? Vingt-cinq ans, malgré sa calvitie ? Totalement chauve et d'un physique quelconque : plutôt petit et tout en nerfs. Il ne manquait cependant pas d'esprit… Moins ennuyeux malgré tout, et moins conventionnel que la plupart des anciens officiers de son milieu, qui ne parvenaient pas à trouver leur place dans la nouvelle république.

Elle le connaissait de longue date. Plusieurs mariages liaient les Benckendorff à la famille Budberg.

Nicolaï, dit *Laï*, était né dans le domaine familial de Vanamõisa, sixième et dernier enfant d'Otto Bernhard von Budberg-Boeningshausen, maréchal de la noblesse balte. Une lignée bien plus ancienne et plus puissante que la branche des Benckendorff d'Estonie. Sur les murs de la cathédrale de Tallinn, son blason, avec ses heaumes, ses couronnes, ses plumes et ses drapeaux, occupait trois fois la place des armoiries de Djon.

Laï avait combattu comme lieutenant dans la cavalerie du Tsar, avant d'être déporté par les bolcheviques au camp de Krasnoïarska en 1918.

Rendu à sa patrie après la signature de l'armistice, il s'était à nouveau engagé, cette fois dans la cavalerie du Régiment balte qui luttait contre l'Armée rouge et pour l'indépendance de son pays. En janvier 1919, il était tombé près du manoir de Kautjala. Gravement blessé à l'épaule, il avait été recueilli quelques jours par Djon, avant de reprendre du service et de faire campagne jusqu'à la victoire de 1920.

Bien qu'il fût brave, il passait pour infréquentable. On le disait homme à femmes, perdu de dettes, alcoolique, joueur et querelleur. Il collectionnait les scandales, affichant envers la société pro-allemande à laquelle il appartenait, le plus total des mépris. Il multipliait les duels, s'employant, disait-il, à débarrasser l'aristocratie de ses rejetons les plus réactionnaires.

Moura l'avait jadis reçu à Yendel. L'indiscipline du jeune Laï, son impertinence, sa grossièreté – son désespoir peut-être ? –, l'avaient alors fait sourire. Sans l'intéresser.

Aujourd'hui, juchée à ses côtés dans la pénombre du Danyjazz, elle l'écoutait.

Il répéta :

— Épousez-moi ! Qu'avez-vous à perdre ?

— Vous me proposez un marché, Laï. Je l'entends. Mais les termes ?

— Très simples. L'argent.

— Vous vous moquez, je suppose ?

— Telle que je vous vois sur le tabouret de ce bar, vous êtes assise sur un tas d'or.

Elle affecta de se soulever pour inspecter le velours du pouf.

— Bonne nouvelle !

— Votre magot s'appelle Maxime Gorki et pèse très lourd.

Elle changea de ton pour articuler, glaciale :

— Votre vulgarité n'a d'égale que votre bêtise, baron von Budberg.

— Votre intelligence n'a d'égale que votre hypocrisie, madame von Benckendorff. Parlons clair : j'ai besoin de vous pour payer mes dettes et lever le camp.

— Vos dettes ? Elle désigna du menton le magnum de champagne... D'après ce que je me suis laissé dire, elles ont déjà coûté à votre père le peu de biens que le gouvernement lui avait laissé.

— Justement, je compte sur vous pour le reste.

— Vous savez parfaitement que je n'ai pas le sou.

— Mais vous avez autre chose. Vous connaissez la terre entière... Tous les puissants en Allemagne, et probablement tous les puissants en Europe.

— Vous datez ! La guerre a décimé mes amis.

— Votre intimité avec Gorki vous ouvrira de nouvelles portes.

— C'est vous qui le dites.

— Je dis surtout qu'en m'épousant, vous obtiendrez une nationalité et un passeport. Devenez ma femme et je vous conduis à Berlin.

Moura reposa sa coupe et le regarda dans les yeux.

— Seriez-vous amoureux de moi, Laï ? ironisa-t-elle, sarcastique.

— J'ai le regret de vous l'avouer : pas une seconde ! Et pourtant, Dieu sait si j'aime les femmes du demi-monde. Mais vous n'êtes ni tout à fait assez légère, ni tout à fait assez sotte pour me plaire. Nous pouvons, en revanche, nous montrer bons camarades. Marions-nous.

— Je n'ai pas bien saisi en quoi je pouvais vous être utile.

— Que vous importe ? Je vous donne mon nom, mon titre et la possibilité de voyager.

— Mon intérêt à moi, baron, je l'avais compris… Mais le vôtre ?

— Réfléchissez et vous trouverez.

*
* *

Elle ne voulait pas penser à ce Nicolaï Budberg. C'était une chose de flirter avec lui, et de boire en disant des horreurs… Une autre d'accorder le moindre poids à ces propos d'ivrogne.

Les dernières nouvelles annonçaient l'arrivée de Gorki à Helsinki pour le 23 août. Elle devait absolument parvenir à le voir en Finlande.

Le voyage par mer depuis l'Estonie ne prenait que quelques heures. Mais comment sortir du pays sans papiers ? Le seul personnage qui pouvait lui fournir un laissez-passer n'était autre que le représentant commercial de la Russie bolchevique à Tallinn, un certain Georgi Solomon. Elle l'avait connu avenue Kronverkski et ne doutait pas qu'il l'aiderait à rejoindre Gorki. L'écrivain restait une carte majeure pour la propagande de Lénine. Le Parti ne manquerait pas de lui faciliter la vie, en permettant à « sa secrétaire » de le rejoindre.

Problème : le soutien de Solomon apporterait aux Benckendorff la preuve de la collusion de Moura avec les communistes. Et de l'eau au moulin pour l'Ehrengericht qu'ils préparaient.

Pas le choix !

Elle alla trouver Solomon.

Munie de son sauf-conduit, elle s'embarqua sur le ferry pour Helsinki.

Durant deux jours, Moura courut la ville. Elle écuma tous les hôtels. En vain. Gorki ne se trouvait pas en Finlande. S'il avait bien voyagé jusqu'à la frontière, il y avait fait marche arrière. Au contraire des rumeurs, il était revenu se soigner à Petrograd et ne parlait plus d'en partir.

Avait-il finalement changé d'avis ? Reculé devant « l'étranger » ? Renoncé à s'amputer de la Russie ?

Moura fut soudain prise de panique.

En sortant d'Estonie sans parvenir à rejoindre Gorki, elle courait un risque fou. Qui sait si les autorités ne profiteraient pas de son escapade pour se débarrasser d'elle, en interdisant son retour chez ses enfants ?

Elle se hâta de reprendre le ferry pour Tallinn.

Cette fois, la chance la favorisa. Le laissez-passer de Solomon lui permit de rentrer sans encombre.

*

Une semaine plus tard, Max – le fils de Gorki que le ministère bolchevique des Affaires étrangères avait nommé « courrier diplomatique » en Allemagne – écrivait à son père : *Titka est allée t'accueillir à Helsinki. Elle t'a cherché partout. Ses affaires de famille vont mal. Nous l'avons invitée à Berlin. Elle a dit qu'elle viendrait.*

*

L'échec de l'équipée de Moura allait toutefois se révéler, pour elle, lourd de conséquences. Non seulement son raid en Finlande avait conforté les services de renseignement internationaux dans ce qu'ils soupçonnaient : l'espionne Benckendorff était protégée par les plus hautes instances communistes qui facilitaient ses déplacements. Mais, sur un plan personnel, les journaux qu'elle avait pu éplucher lors de son voyage raté, lui avaient appris une série de nouvelles qui la terrassaient.

Son ami à la Maison de la littérature mondiale, son admirateur, le merveilleux poète Blok était mort à l'âge de quarante ans, poussé au désespoir par les persécutions des bolcheviques.

Un autre grand poète du nom de Goumiliov, qu'elle avait bien connu et beaucoup aimé, avait été arrêté en juillet par la Tchéka de Petrograd. Gorki s'était rendu en personne à Moscou, chez Lénine, pour demander sa grâce. Il l'avait obtenue. Mais alors qu'il rapportait l'amnistie, Zinoviev s'était hâté de faire exécuter Goumiliov.

Depuis, Gorki crachait le sang.

Et la liste des catastrophes ne s'arrêtait pas là.

C'est la famine en Russie, lui écrivait Alexeï Maximovitch dans une lettre datée du 13 juillet, qui l'attendait à son retour et confirmait les informations qu'elle rapportait de Finlande. (...) *Je m'adresse à vous, Maria Ignatievna, pour vous demander de participer à la collecte de fonds en Europe et de m'aider à les transférer le plus rapidement possible ici. (...) Agissez! Inutile de vous apprendre à travailler. Vous savez le faire mieux que personne.*

Je compte me rendre dès que possible à l'étranger pour y parler de ceux qui meurent de faim. Ils sont presque vingt-cinq millions. Près de six millions d'entre eux ont déjà abandonné leurs villages. (...) Le choléra et la dysenterie sont partout. On fait des bouillons de vieux cuirs et de sabots d'animaux. (...) On tue toutes les bêtes car il n'y a pas de quoi les nourrir. Les enfants, les enfants meurent par milliers.

L'angoisse atteignait chez Gorki de tels sommets qu'on craignait désormais pour sa vie. Son état empirait de jour en jour. Les médecins refusaient de le laisser voyager.

Il avait beau dire qu'il arriverait *dès que possible*... Dieu sait quand il pourrait partir!

Autre désastre qui venait s'ajouter aux horreurs de l'Histoire, une petite bombe dont Gorki s'était bien gardé de lui parler : son retour de flamme pour la maîtresse qui avait précédé Moura dans ses affections. La réinstallation avenue Kronverkski de son ancienne amoureuse, l'épouse de l'un de ses meilleurs amis : Varvara Tikhonova, qu'elle-même avait jadis détrônée.

*

La jalousie.

Moura en avait découvert les tourments, en apprenant la naissance à Londres du petit garçon de Lockhart. Mais rien dans ses rapports avec Gorki ne l'avait préparée à un tel supplice.

Elle n'était pas assez naïve pour ne pas savoir qu'il avait besoin d'une compagne. De là à imaginer qu'elle ait pu être remplacée aussi vite... Certes, certes, Tikhonova avait les qualités requises : la douceur, la jeunesse, et même la beauté.

Manquait toutefois l'essentiel. Tout ce qui, aux yeux de Moura, caractérisait sa relation avec Gorki : les goûts littéraires, l'échange intellectuel, la complicité sentimentale. Ces *affinités* qu'elle avait pensé, pour lui, pour elle, nécessaires. Les mille liens qu'elle croyait avoir noués de façon indissoluble.

Dévorée par la peur, elle mesurait très exactement ce que signifiait, pour son propre avenir, l'apparition d'une rivale. Quelle place pourrait-elle occuper auprès de l'écrivain, si une autre femme l'accompagnait en Allemagne ?

Non seulement il avait invité Tikhonova à le suivre à Berlin, mais il l'avait conviée avec ses enfants. Tikhonova avait un fils et une fille.

Comme elle.

Le danger était d'autant plus menaçant que Gorki travaillait à obtenir pour Tikhonova un laissez-passer, en la présentant elle aussi comme « sa secrétaire ».

En vérité, l'abandon de Gorki menaçait jusqu'à sa survie.

Selon son habitude, Moura n'en laissa rien paraître. Pas de questions, pas de reproches, pas même une allusion. Silence total sur les souffrances que lui causait un tel reniement.

Vous voulez, Alexeï Maximovitch, qu'à votre place, je réfléchisse à ce voyage à l'étranger qui vous terrorise ? Mais je ne fais que cela ! Et croyez-moi, je n'y pense pas seulement par égoïsme.

Voilà donc ce que je vous conseille : vous devez partir. Oui, certes, « l'étranger » est un très mauvais endroit. Mais très mauvais pour des gens avec une tempête dans le cœur, comme moi.

Vous, vous n'avez rien à craindre. Nul ne peut vous couper de la Russie.

Vous me parlez avec tant d'amour de tous les nôtres qui meurent de faim. Vous me demandez avec tant de force d'alerter Wells et toutes mes connaissances en Europe, de me rendre à Berlin et à Londres pour collecter des fonds contre la famine qui fait rage chez nous. J'irai, bien sûr. Je ferai ce que vous me demandez.

Mais venez, car sans vous je suis impuissante ! Venez...

Elle se hâta de poster cet appel. Parviendrait-il à son destinataire ? Leur correspondance mettait de si longues semaines à parcourir les quelques centaines de verstes qui séparaient les deux pays, qu'elle ne pouvait douter que leurs lettres fussent ouvertes et lues par la police. Et que, des deux côtés de la frontière, les services de renseignement en gardaient certaines par devers eux.

*

Gagner du temps. Rentrer dans le rang. Accepter l'offre de l'infréquentable baron Budberg : qu'avait-elle à perdre ? Elle pourrait toujours s'en dédire quand elle aurait vu Gorki et qu'elle connaîtrait ses plans. Pour l'heure, sans son appui, elle devait survivre.

Elle ne s'attarda plus à Tallinn et regagna la maison au bord du lac.

La quatrième vie de la Signora baronessa

*
* *

— Ne fais pas ce visage, Micky : le baron Budberg n'est pas aussi monstrueux que tu le penses.

La gouvernante ne daigna pas répondre. Elle avait sa tête des mauvais jours. Le regard sombre. La bouche pincée. Elle affectait la concentration et rangeait son linge par piles, avec méthode. Mais elle ne pouvait maîtriser la violence de ses gestes qui ébranlaient les planches de l'armoire.

La nouvelle des accordailles de Marydear avec le baron Budberg la scandalisait. Elle ne s'en remettait pas. Elle refusait même de discuter la possibilité d'un tel mariage.

Debout derrière elle, Moura tentait de se justifier.

— …Tu le trouves à ce point antipathique ?

Micky ne put se contenir davantage :

— Quand on a été l'épouse d'un homme comme monsieur von Benckendorff, on ne se commet pas avec cette sorte d'individu.

Moura se renfrogna.

— Tu le juges – vous le jugez tous – sur ses apparences… Laï n'est pas ce qu'il paraît.

Micky haussa les épaules. Moura insista :

— C'est un garçon plein de pudeur. Et même, veux-tu que je te dise ? Un garçon plein d'honneur !

— Mieux vaut être sourde que d'entendre de telles sornettes !

— Il essaye de me faciliter la vie et de régulariser ma situation. Il le fait tranquillement, à sa façon.

— Les enfants méritaient une autre sorte de père que ce joueur alcoolique !

— Mais qui te dit qu'il va leur servir de père ? Il ne s'agit pas de cela !

— Ah ? Et de quoi s'agit-il ?

— D'un brave jeune homme qui m'aime et qui a besoin de moi.

— Et pour quelle raison aurait-il besoin de toi ?

— Pour le sauver de ses démons.

— Lourde tâche !

— Micky, écoute-moi : le cynisme du baron Budberg n'est qu'une pose. Il est aussi seul, aussi triste, aussi perdu que moi.

Cette phrase, qui exprimait pour la première fois le véritable état d'esprit de Marydear, calma un instant la colère de la gouvernante.

Elle-même n'avait jamais cessé de ressentir le malaise de Mary à Kallijärv. Elle savait qu'elle luttait pour ne pas sombrer. Qu'elle prenait sur elle, qu'elle donnait le change. Mais que son panache reposait sur le vide. Et qu'elle tenait par les nerfs.

Micky, toutefois, ne rendit pas les armes.

— *Triste*, le baron Budberg ? *Seul ? Perdu ?* Ce n'est pas ce qu'on raconte dans les tripots.

— Tu sais bien que ce qu'on raconte n'est jamais la vérité. Laï peut bien prétendre qu'il m'épouse par intérêt, il cherche à me protéger.

— Et toi ?

— Nous sommes à deux de jeu. Lui veut me défendre contre les autres. Moi, contre lui-même. Et dans le désert qui m'entoure, il est la seule affection qui me reste.

Micky explosa :

— Et tes enfants ? Tu y penses quelquefois à tes enfants ?

— Ils ne peuvent que profiter d'un mariage qui va me permettre de vous emmener tous à Berlin.

— Paul et Tania le détestent !

— Ils ne le connaissent pas... Et puis je n'ai pas le choix, Micky. Ce n'est qu'en me fiançant avec un Estonien que j'ai réussi à prolonger mon permis de séjour. Cet homme m'offre un rempart...

— Tu parles d'un rempart ! Il va te ruiner. Tout jouer et tout boire.

— Quelle importance ? Je ne possède rien.

— Lui non plus. Et je me demande bien ce qu'il espère.

— Un peu de tendresse, probablement.

— Si j'étais toi, je ne miserais pas là-dessus.

— Et sur quoi dois-je miser ? Tu possèdes en stock d'autres propositions d'avenir ?

— Préparer ta défense pour l'Ehrengericht. Et sortir tête haute de ce tribunal.

— Si tu n'as rien trouvé de mieux, le sujet est clos.

Moura ne put s'empêcher de claquer la porte en sortant.

Sur le palier, elle eut besoin de reprendre souffle.

Elle était sincère en disant que le baron Budberg se conduisait envers elle de façon chevaleresque. Les humiliations se multipliaient. Il avait relevé le gant par trois fois, provoquant en duel les officiers de son club qui s'étaient permis d'insulter l'honneur de Marie von Benckendorff. Les épouses n'étaient plus les seules aujourd'hui à se répandre en propos injurieux sur sa moralité. Même les hommes, ses anciens admirateurs, la qualifiaient publiquement d'espionne.

Par chance, la réputation de Laï le précédait. Un tueur. Et son nouveau statut de « promis » lui donnait le rôle de l'offensé. Donc, le choix des armes. Il ne payait pas de mine, mais il avait la main et l'œil sûrs… Meilleur encore au pistolet qu'à l'épée.

Jusqu'à présent, les duels de Laï s'étaient terminés avec les excuses des offenseurs. Le sang n'avait pas coulé.

Pour sa part, elle ne lui demandait rien. Et surtout pas de la défendre ! Elle tentait au contraire de le tenir à distance et n'acceptait son soutien qu'avec révolte et répugnance. Mais plus elle lui échappait, plus Budberg – selon les lois de la séduction qu'elle-même ne maîtrisait que trop bien – affectait de la secourir.

En vérité l'implication du baron dans ses affaires achevait de la compromettre. Et de les lier.

Il pouvait bien se présenter comme son champion, il ne lui plaisait sur aucun plan. Et Micky ne faisait rien d'autre, en la sermonnant, que d'exprimer les doutes qui la submergeaient.

Sa gouvernante n'était d'ailleurs pas la seule à s'insurger contre l'éventualité d'un tel mariage : les deux familles s'y montraient également hostiles. Les parents de Laï ne voulaient à aucun prix d'une union avec une tchékiste ; les Benckendorff avec un ivrogne perdu de dettes. Sans parler de Paul et Tania qui menaçaient de s'enfuir et de disparaître dans les bois si leur mère se remariait.

Ils avaient beau jeu, tous, avec leurs objections ! Seule l'offre de Budberg apportait une solution à son statut d'apatride, lui donnait une identité, et l'extirpait des fils de cette toile d'araignée où elle se débattait. À moins que...

À moins que, grâce à son influence, à sa célébrité en Europe, Gorki ne parvienne à lui obtenir un passeport et à l'emmener avec lui. En Allemagne. Ou ailleurs, en France, en Italie.

Lui seul gardait le pouvoir de la sauver de cette union terrifiante !

Elle devait le voir, elle devait lui parler. Elle espérait de toute son âme son arrivée à l'Ouest.

*

En cet automne 1921, nouveaux gros titres. On annonçait le départ de l'écrivain : Gorki quittait la Russie.

Les journaux donnaient même les détails. Ils écrivaient que, de Petrograd, il voyagerait en voiture jusqu'à la frontière. Ils disaient encore qu'il était très malade, mais que sa fidèle secrétaire Varvara Tikhonova veillait sur lui.

Cette fois, les informations étaient exactes.

Accompagné de Tikhonova, Gorki arriva en Finlande à la mi-octobre.

Moura se précipita chez l'attaché commercial soviétique. Et, de chez Solomon, directement au port de Tallinn.

Le 18 octobre 1921, munie d'un second laissez-passer, elle s'embarqua sur le ferry qui levait l'ancre pour Helsinki.

Chapitre 31

GORKI CONTRE BUDBERG
Octobre – Novembre 1921

— L'avez-vous trouvé en Finlande ? L'avez-vous vu, cette fois ?

Elle garda le silence. Laï Budberg insista :

— ...Lui avez-vous parlé de nos projets ?

Il était venu la chercher à son retour et l'attendait au bout de la passerelle, à la sortie du bateau.

Derrière elle, la Baltique grise, déchaînée, semblait plus dangereuse et plus sinistre que jamais. Même à quai, le vent en cette fin d'octobre soufflait avec tant de force qu'il l'empêchait de respirer. Elle frissonna. Glacée jusqu'aux os. Après une telle traversée, apercevoir un visage connu – fût-ce la face glabre, le crâne chauve du jeune baron – lui causait une étrange impression de sécurité. Tallinn pouvait presque paraître un havre.

Budberg, au moins, était venu l'accueillir. En dépit du froid, il portait son chapeau et ses gants à la main. Il s'était poliment découvert pour la saluer.

Sa présence constituait aujourd'hui la seule promesse d'avenir.

Elle éprouva soudain une forme de colère envers les deux hommes qu'elle avait aimés – et qu'elle aimait encore. Elle en voulait à Lockhart de l'avoir contrainte, par son abandon même, à se commettre avec cette sorte de viveur et de petit aventurier.

Elle en voulait à Gorki de l'obliger, par son reniement, à s'unir avec le produit du milieu qu'il récusait, l'incarnation de cette aristocratie oisive et noceuse qu'elle-même avait voulu fuir… Après un génie tel que lui, finir avec un personnage tel que Budberg !

Mais ce personnage-là était au fond le seul à faire preuve d'une forme de dévouement et de courage.

Un courage certes intéressé.

Mais, *intéressés*, ne l'étaient-ils pas tous, elle la première ?

En apercevant cette silhouette sombre qui l'attendait, elle ressentit pour la première fois un grand élan de reconnaissance et de sympathie.

Peut-être pourrait-elle vraiment aider ce garçon à vaincre ses démons – l'alcool, le jeu ? Peut-être pourraient-ils s'épauler l'un l'autre et sortir de leur désespoir ?

Elle baissa la tête, enfonçant le menton dans son col. Budberg la prit par le coude et l'entraîna à l'abri sous le toit des hangars.

Il répéta :

— Avez-vous dit à Gorki que vous comptiez vous marier avec moi ?

Elle hocha du chef, en signe d'acquiescement.

— …Et alors ?

Elle haussa les épaules.

— Alors, rien.

*

En vérité, la rencontre avec Alexeï Maximovitch s'était réduite à cela : rien. Ou le minimum.

Un échange tellement triste ! Tellement décevant !

Les amis finlandais de Gorki avaient réservé pour lui un étage dans une pension de famille de Munksnas, un quartier à la périphérie d'Helsinki. Cet isolement visait à lui éviter la fatigue des interviews. En vain. Une foule d'admirateurs se pressait à la porte de l'illustre écrivain.

Quant à la suite qui composait sa cour, elle restait imposante. Outre Tikhonova et ses enfants – sa fille Ninotchka, âgée de onze ans, ressemblait tant à Gorki qu'on pouvait même se demander si elle n'était pas de lui –, il voyageait avec un autre couple, accompagné de trois autres petites filles.

Le reste de sa troupe l'attendait à Berlin. L'actrice Andreïva, sa seconde épouse, y occupait déjà un poste à la représentation commerciale soviétique, assistée de Pépékriou, son secrétaire et amant. Max, son fils qui venait de se marier, y vivait avec sa jeune femme depuis l'été. Le peintre Rossignol y cherchait un appartement pour les autres membres du duché, Molécule, la Marchande, toute la bande.

Mais en ce mois d'octobre 1921, la faiblesse de Gorki semblait telle qu'il allait devoir se reposer quelques jours, avant de poursuivre sa route vers un sanatorium allemand. Plus maigre que jamais, la bouche pincée sous la moustache, le regard rougi par la fatigue et les insomnies, il n'avait pu recevoir sa chère Maria Ignatievna qu'allongé sur son lit, le dos soutenu par des coussins pour ne pas s'étouffer en toussant.

Et son esprit était ailleurs.

Tikhonova, en bonne maîtresse de maison, veillait sur le samovar : elle servait le thé avec amabilité, avec gentillesse même. Elle ne quittait toutefois pas la chambre… Impossible pour Moura d'orienter la conversation sur des thèmes personnels. Et Gorki restait lointain. Inatteignable. Absorbé par le seul sujet qui lui tenait à cœur : sauver les millions de personnes qu'il avait laissées derrière lui en Russie.

— J'ai transmis l'appel du Comité antifamine au ministre du Commerce américain, Herbert Hoover. Et aussi aux élites de Chicago, de New York, de Londres, de Berlin, de Madrid, de Paris et de Prague. Mais cela ne suffit pas ! J'ai sollicité l'aide du groupe « Clarté », j'ai écrit à Anatole France, j'ai écrit à Romain

Rolland. Et vous, Maria Ignatievna, avez-vous eu une réponse de Wells ? Compte-t-il faire quelque chose ?

— Monsieur Wells ne m'a pas encore répondu, mon ami chéri. Ne vous faites aucun souci : il agira. Elle lui sourit. J'ai alerté toutes mes connaissances en Angleterre. Vous rappelez-vous Sir George Buchanan, l'ambassadeur britannique à Saint-Pétersbourg ? Et aussi sa fille Meriel, qui était l'une de mes grandes amies ? Elle a publié plusieurs livres sur la Russie et connaît bien le monde des lettres à Londres. Elle s'emploiera à faire paraître votre manifeste dans le *Times*. Je l'ai chargée, par ailleurs, de prévenir votre admirateur monsieur Lockhart, l'ancien consul d'Angleterre que vous aviez rencontré à Moscou avant la guerre.

— Bien, très bien. Vous êtes toujours aussi gentille. Aussi remarquable.

Gorki posa sur elle son regard fiévreux. Cette femme était l'incarnation de l'intelligence. Elle s'intéressait à tout ! Un vrai miracle ! Une merveille de diligence et de générosité ! Elle ne demandait jamais rien pour elle-même. Mais elle se montrait toujours prête à apporter son aide et à secourir ceux qui avaient besoin d'elle.

Elle lui parut mince, très élégante dans ses souliers à talons et son manteau de fourrure. Il aimait la voir ainsi.

Cependant, de façon obscure, elle avait recommencé à l'intimider. Il retrouvait, à son égard, sa réserve d'autrefois. Cette espèce de méfiance qui datait du temps de leurs premiers échanges. Une forme de peur devant son énergie, de culpabilité devant sa jeunesse.

Certes, elle semblait plus posée, plus mûre qu'au temps de leurs rencontres à la Maison de la littérature mondiale. Elle n'en devenait que plus impressionnante.

À l'époque, il avait souhaité la conquérir. Aujourd'hui, dans sa grande fatigue, il ne trouvait plus en lui ni la force ni le désir de lui plaire.

En vérité, passé le choc de leur première émotion, ces retrouvailles devenaient plus difficiles pour l'un et l'autre, à chaque seconde. Durant les cinq mois de leur séparation, la vie les avait moralement projetés aux antipodes.

— Vous devez prendre du repos, mon ami chéri. Vous devez vous montrer raisonnable. Vous n'imaginez pas combien votre santé m'est précieuse. Combien elle l'est pour la terre entière ! Si vous deviez disparaître, vous entraîneriez avec vous tous les malheureux qui ont besoin de vous en ce monde.

La conversation piétinait. Elle attendait qu'il l'interroge sur le nouveau gouvernement, la politique en Estonie. Sur sa vie matérielle à Tallinn... Qu'il manifeste un peu d'intérêt pour son avenir... Mais l'âme de Gorki demeurait absorbée par les tragédies dont il avait été le témoin durant les derniers mois en Russie.

Elle tentait de l'atteindre en lui donnant des nouvelles de ses enfants, de Kira, de Paul et de Tania : lui-même l'avait si souvent questionnée sur leurs personnalités, avenue Kronverkski. Mais d'autres enfants aujourd'hui l'entouraient. Et si l'éducation des uns et des autres suscitait encore son intérêt, il avait en tête des soucis plus angoissants.

Elle essaya d'aborder le sujet de son éventuel mariage :

— Figurez-vous qu'un baron estonien voulait venir ici vous demander ma main... La lui auriez-vous accordée ?

Elle avait choisi le ton du badinage dont ils avaient si souvent usé pour se faire des confidences. Mais Gorki n'était plus en état de la suivre sur ce terrain. Elle plaisanta :

— ...Qu'auriez-vous répondu ?

Il fronça les sourcils et grommela :

— Si un baron est assez riche et assez aventureux pour vous épouser, dites-lui de faire un don de cent mille roubles au Comité antifamine !

Elle le quitta, le cœur malade de tristesse. Revenue dans son propre hôtel à l'autre bout de la ville, elle s'effondra en pleurs sur le lit de sa chambre.

Cher Alexeï Maximovitch, lui écrivit-elle durant la nuit.

Je me suis tellement habituée à me confier à vous par écrit durant notre séparation que je continue ce soir. Notre rencontre m'a émue au point de me faire perdre tous mes moyens. Je me suis trouvée stupide devant vous, incapable de vous parler. Vous n'imaginez pas combien vous voir, mon chéri, a été magique pour moi. Et dur aussi. Durant notre année ensemble avenue Kronverkski, j'avais pris le pli de me sentir proche de vous. Proche absolument en tout. Alors forcément, ce qui n'est pas aussi complet me frustre. Vous trouvez que j'exagère ? Que je suis âpre dans mon amour pour vous ?

Ne vous inquiétez pas. Vous voir a été pour moi une joie magnifique. Je regardais votre cher visage et me disais que je ne me séparerais jamais de vous, quoi qu'il arrive. Car il y a quelque chose d'inestimable dans nos relations.

Quatre jours de suite, elle revint le voir à Munksnas. Elle l'enveloppa dans son amour, restant constamment à son écoute et l'entourant de mille soins.

À force d'attentions, elle parvint à retrouver un peu de son influence d'antan, oui. Elle lui redevint indispensable, oui. Irremplaçable même, disait-il… Tant sur le plan pratique qu'intellectuel.

Il lui proposa de continuer à traduire sa correspondance. Il alla jusqu'à lui demander de s'occuper de la publication de ses livres à l'étranger. Pourquoi pas ? Elle pourrait négocier ses contrats avec les éditeurs. Lui servir d'agent littéraire, puisqu'elle parlait toutes les langues.

Il lui fit promettre de répondre immédiatement à son appel, quand il serait installé à Berlin.

Mais il ne lui fournit aucune clé pour réaliser le moindre de ses projets. Aucune aide, aucune offre, aucune solution pour le rejoindre. Ni même aucun moyen de le suivre en Allemagne.

Elle avait beau lui tendre des perches, il ne les saisissait pas.

Le laissez-passer de Solomon arrivait à expiration. Impossible d'attendre davantage. Impossible de rester en Finlande jusqu'au départ de Gorki, prévu le 29 octobre. Elle devait rentrer à Tallinn.

*

Le baron Budberg l'avait cueillie sur le quai à la sortie du bateau.

*

— Vous ne m'avez toujours pas répondu… De notre mariage, que dit votre illustre protecteur ?

— Je vous l'ai dit, Laï : *rien.*

— Mais qu'en pense-t-il ?

— Que voulez-vous qu'il en pense ? Il compte sur ma venue quand il m'appellera.

— Quand il *nous* appellera. Il doit bien imaginer que vous voyagerez avec votre époux.

— Je doute qu'il ait pris cette éventualité au sérieux. Je doute aussi qu'il s'entende avec vous.

— Détrompez-vous. Je peux me montrer très souple. Aussi souple que vous, quand il s'agit de ma survie… Et, comme vous, je sais remarquablement retomber sur mes pattes.

— Parlons clair… Je ne peux pas vous payer de retour, vous le savez bien. Je ne le peux sur aucun plan… Ni par les sentiments ni par l'argent. Qu'attendez-vous de moi ?

— Vous me rappelez ce refrain qu'on entendait chez les chanteuses tsiganes avant-guerre : *Mon cœur est sec et ma bourse est vide…* Raison de plus, ma chère, pour me les livrer l'un et l'autre.

— Cessez votre ironie stupide : en échange de votre nom, de votre titre, de votre bras, qu'exigez-vous ?

— Que Gorki vous débarrasse d'un mari encombrant et qu'il finance sa traversée jusqu'en Amérique du Sud.

— Assez de jeux, Laï !

— Mais je ne joue pas… Réservez-moi une cabine de première classe sur l'un des plus beaux paquebots de la Cunard Line. Si le prix ne compte pas pour Gorki, ou pour celui de vos amis qui paiera, ce devrait être facile : n'avais-je pas rencontré chez vous, à Yendel, un certain Ed Cunard ? À la seconde où vous m'aurez embarqué pour Rio, vous ne me verrez plus !

— C'est tout ? Elle semblait incrédule… Un passage vers le Brésil ? Vous ne voulez rien d'autre ?

— Si j'avais les moyens de me l'offrir, je ne me donnerais pas la peine de vous épouser.

— Mais, si je vous épouse, moi… Vous partirez ?

— Je vous quitte dans la minute.

Elle insista :

— Vous partirez à la seconde exacte où je vous aurai obtenu le billet ?

— Cachez un peu votre impatience, ma chère. Et prévenez votre illustre protecteur du mariage qui vous permettra de quitter l'Estonie avec un passeport, et de travailler pour lui en Allemagne.

*

À peine arrivé à Berlin, Gorki écrivait de son côté à la Marchande qui devait le rejoindre à Noël : *En Finlande, j'ai vu Maria Ignatievna, avec de bons souliers et un bon manteau de fourrure. (…) Elle veut contracter mariage avec un certain baron. Nous avons tous protesté énergiquement : le baron n'a qu'à se trouver une autre fantaisie. Ce béguin-là, c'est le nôtre, n'est-ce pas ?*

*
* *

En ce 13 novembre 1921, presque une décennie jour pour jour après son premier mariage, Maria Zakrevskaïa, veuve Benckendorff, épousait le baron Nicolaï Rotger von Budberg-Boeningshausen dans la cathédrale Alexandre-Nievski, l'énorme église russe de Tallinn.

Comme à Berlin en 1911, le grondement des chants grégoriens emplissait le chœur. Et le public, les témoins, la famille appartenaient à la plus haute noblesse. Toute l'aristocratie avait fini par se rallier à ce mariage socialement acceptable. Par la naissance, l'éducation, l'intérêt, la fortune – et même l'absence de fortune –, les fiancés semblaient bien assortis : que demander de plus pour une noce ? Seuls Micky et les enfants continuaient à s'en plaindre.

La gouvernante, flanquée des trois petits, se tenait résolument au dernier rang, aussi loin que possible des portes ouvertes de l'iconostase, du patriarche recouvert de sa chasuble d'or, et des popes qui balançaient leurs encensoirs.

Micky, le cœur serré, ne pouvait s'empêcher de comparer le gnome en frac noir, qui tenait Marydear par la main devant l'autel, à la haute silhouette de Djon, qu'elle-même avait jugé si digne de sa petite fille, dans la chapelle de l'ambassade de Russie en Allemagne.

Elle revoyait Mary à dix-huit ans, le menton levé, le dos droit, belle, fière sous ses dentelles.

La mariée portait encore un ensemble clair, mais pas de voile ni de robe à traîne. Une modeste mantille écrue, une sobre jupe droite qui lui arrivait au mollet, et une veste cintrée. En tailleur de voyage, déjà... Elle semblait prête au départ, malgré la couronne d'or que le prêtre venait de bénir et de poser sur sa tête.

En la regardant boire le vin dans le calice de la coupe commune, tourner par trois fois autour de l'autel, baiser la croix, vénérer les icônes, se laisser embrasser publiquement par son mari au terme de la marche nuptiale, Micky tentait de déchiffrer son visage… Sérieux, fermé, il n'exprimait qu'une forme de concentration.

Mary avait toujours été pieuse. Priait-elle ?

La gouvernante devait reconnaître qu'elle paraissait recueillie. Plus calme en tout cas que durant l'été.

Aux ultimes protestations contre son mariage, elle n'avait plus répondu en claquant les portes. Seulement avec un haussement d'épaules : « Cet homme n'est certes pas le compagnon dont j'aurais rêvé. Mais c'est la vie ! lançait-elle avec sa placidité habituelle. C'est la vie, Micky, c'est la vie qui me dépasse ! »

Elle semblait revenue au fatalisme de ses jeunes années.

« Fichue pour fichue… » Micky se souvenait aujourd'hui de ses paroles devant le miroir de sa chambre à Berlin, alors qu'elle-même la préparait pour sa première nuit de noces.

C'était dix ans plus tôt : *Fichue pour fichue… c'est fait, c'est fait.*

Les époux trônaient maintenant côte à côte au centre de la longue table, dans la salle des banquets du Cercle de la noblesse qui faisait face à l'église russe. Comme le voulait l'usage, les toasts se succédaient. Laï et Moura y répondaient avec grâce. S'ils semblaient physiquement dissemblables – elle, grande, saine et puissante ; lui, maigre, chauve, et vieilli avant l'âge –, rien dans leur comportement ne révélait la moindre dissonance. Existait même, entre eux, une forme de complicité.

L'oncle Sacha, peu porté sur la curiosité – encore moins sur la psychologie féminine –, se posait la question : Budberg était-il déjà son amant ?

Moura, en accordant une valse à son nouveau mari, arborait un front serein. Sur ses lèvres, flottait le mystérieux sourire de sphinx dont le charme fascinait les hommes. Laï était-il tombé dans le piège ? Jouait-il les époux de complaisance, pour l'enlever aux autres et *l'épouser tout court* ?

Il la tenait serrée :

— La baronne Budberg est née cet après-midi, plaisanta-t-il à son oreille… Comment se porte-t-elle ce soir ?

— Et vous, Laï, comment supportez-vous l'épreuve ?

— Les simagrées de notre noce me donnent un avant-goût de la fête qui nous attend la semaine prochaine.

Il disait vrai : l'Ehrengericht se tiendrait au Cercle de la noblesse, ici, dans le hall réservé aux banquets. Mêmes lieux, mêmes acteurs, mêmes témoins : la cour d'honneur se composerait de ceux qui venaient de tenir les couronnes de mariage au-dessus de leurs têtes. Pour elle : Piotr Petrovich Zubov et Ernest Arnold Friedrich Turman. Pour lui : le baron Jesper Ernestovitch Stackelberg, flanqué d'Alexandre Alexandrovitch Benckendorff, le cher oncle Sacha tuteur des enfants. Sans parler du maître de cérémonie, le maréchal de la noblesse russe : le comte Alexis Nicolaïevitch Ignatiev qui avait servi dans l'Armée blanche du général Yudenich.

Le comte et les barons levaient leur verre à la santé de *la baronne*, cette nuit.

Mais tous, demain, la jugeraient.

Elle accepterait leur simulacre de justice, comme elle se soumettait au rituel de son mariage, en joueur qui parie sur son destin.

À chaque tour de valse, le regard de Moura filait sur sa famille. Les beaux-frères Budberg, les beaux-frères Benckendorff, tous en uniforme ; les belles-sœurs en grandes toilettes : aigrettes de plume sur la tête et rangs de perles. Comme avant. Tout était *comme avant*. Les serveurs, par dizaines, versaient du champagne dans les coupes. Les enfants se poursuivaient entre les tables. Kira et Tania, leurs gros nœuds blancs dans les cheveux, tentaient de danser avec leurs cousins. Paul n'avait jamais semblé plus léger, plus heureux que durant ce repas. Tous avaient oublié leurs griefs.

Aucun doute : elle devait se soumettre à l'Ehrengericht. Un geste absurde. Mais nécessaire.

Elle n'avait rien à perdre.

Si elle parvenait à convaincre ses pairs de son innocence, elle se trouverait symboliquement tirée d'affaire. Sinon ? Le verdict des barons – aussi défavorable pût-il être – ne l'empêcherait pas de sortir du pays. En tant qu'épouse légitime d'un citoyen estonien, elle ne dépendait plus de leur jugement pour exister légalement.

Laï l'avait dit : la baronne Budberg était née cet après-midi.

Munie de son passeport – si neuf qu'il fleurait encore la colle –, elle pourrait prendre le train ce soir, demain, après-demain, retrouver Anna à Nice, Alla à Paris… Gorki à Berlin. Lockhart à Londres.

Elle courait toujours le risque d'une exécution morale, cela oui. Mais plus celui d'un renvoi dans la Russie de Zinoviev. Et cela seul comptait.

Du moins, le croyait-elle.

*
* *

Une semaine après son mariage – soit le 20 novembre 1921 –, l'agent du contre-espionnage français écrivait la note suivante à ses collègues à Paris :

Les Services soviétiques disposent ici à Tallinn d'un agent secret redoutable : la comtesse Benckendorff qui, durant ces dernières semaines, s'est toujours occupée de l'organisation ukrainienne Koussakov.

Cette comtesse Benckendorff est membre de la Tchéka de Petrograd et vient de se marier à Tallinn avec le baron Budberg. Le couple se propose de se rendre prochainement en Pologne.

L'agent réitérerait ses informations – erronées pour certaines, mais toutes inquiétantes – avec un deuxième message codé :

Le Service de renseignement soviétique continue à se montrer très actif et à rechercher des précisions, tant sur les forces militaires estoniennes (...) que sur l'activité des organisations antibolcheviques dans les pays baltes. Les Rouges cherchent à connaître l'activité des missions étrangères à Tallinn, notamment polonaise et japonaise.

La comtesse Benckendorff, déjà signalée comme tchékiste, et qui réside actuellement aux environs de la capitale avec son nouveau mari le baron Budberg, aurait déclaré à des amis (le comte et la comtesse Manteufel) qui lui auraient adressé des reproches sur les bruits qui couraient sur son compte, qu'elle n'avait pas été affiliée à la Tchéka – seulement à des tchékistes – et uniquement pour pouvoir donner des informations aux Allemands dont feu son premier mari, sa propre mère et toute sa famille étaient partisans, contre les Rouges.

*

En cette fin d'année 1921, les barons baltes ne semblaient pas les seuls à s'intéresser aux activités révolutionnaires de la nouvelle baronne Budberg.

*

Dans le grand hall du Cercle de la noblesse, autour de la table en fer à cheval qui avait servi au banquet, siégeaient les neuf juges qui devaient statuer sur l'honneur perdu – ou non – de leur parente Marie Zakrevskaïa-Benckendorff-Budberg. Tous avaient à nouveau revêtu leurs uniformes et tous portaient solennellement les couleurs du régiment dans lequel ils avaient servi Sa Majesté le Tsar, durant la guerre. Même Sacha, le sabre au côté, arborait le costume blanc des officiers de cavalerie, les épaulettes dorées, les brandebourgs rutilants.

Elle se tenait debout devant eux, entre les trois tréteaux qui constituaient une sorte d'arène. Les lumières du gros lustre à pampilles qui pendait au-dessus de sa tête distillaient sur son visage un jour blanc et rude.

Les cheveux tirés, le chignon bien arrimé dans la nuque, elle avait choisi une tenue adaptée aux circonstances. Ni trop élégante ni trop négligée. Un chemisier clair. Une jupe noire. Une veste.

Tendue, elle écoutait les chefs d'accusation qu'énonçait le redoutable comte Ignatiev.

C'était le dernier gouverneur de Kiev, un militaire d'une cinquantaine d'années, dont Laï racontait qu'il venait de monter à Tallinn une société secrète de monarchistes russes. Fils d'une princesse Galitzine, Ignatiev vivait ici en exil. Il habitait chez de lointaines parentes de la sœur de Moura – les princesses Kotchoubey – et passait, auprès de la police républicaine d'Estonie pour un partisan de l'ancienne Allemagne.

Le plus redoutable des procureurs antibolcheviques.

Debout lui aussi, le crâne rasé, la moustache en croc, il tonnait son réquisitoire à haute et intelligible voix, sans s'aider d'aucun papier. Rien ne serait consigné par écrit. La réunion d'aujourd'hui resterait, sinon occulte, du moins confidentielle. N'en subsisterait aucune trace. À l'exception du trait de plume à l'encre bleue qui, peut-être, rayerait la baronne Budberg de *la Corporation des nobles d'Estland* – le Ritterschaft.

Elle-même n'avait pas eu connaissance du dossier… car il n'en existait pas. Pas d'instruction. Pas non plus d'avocat.

Elle essayait d'appréhender point par point ce dont Ignatiev l'accusait, afin de s'en défendre.

Difficile.

La liste des griefs était si longue qu'elle en perdait le fil :

— En Russie, entre mars 1916 et mai 1921 : appartenance au Parti communiste ; activités prorévolutionnaires ; affiliation à la Tchéka ; complicité avec les tortionnaires du régime ; collaboration avec l'idéologie marxiste, à travers l'écrivain Maxime Gorki… En Estonie, entre mai et décembre 1921 : propagande en faveur de la politique expansionniste russe ; espionnage de l'aristocratie tsariste à Tallinn, pour le compte des services de renseignement soviétiques.

Ignatiev acheva avec une question :

— ...Qu'avez-vous à répondre à cela ?

Elle resta un instant pétrifiée :

— Rien... *Tout !*

Elle ferma les yeux et se reprit.

Elle avait choisi d'affronter ce procès librement : elle devait en sortir vainqueur.

Reprendre sa place à l'Ouest. Au sommet de l'échelle sociale, une bonne fois pour toutes.

Se souvenir de ses enfants. En défendant son honneur, elle les protégeait des humiliations à venir. Qu'ils n'aient jamais à rougir de la conduite de leur mère. Qu'ils appartiennent, de droit, au monde de Djon. Dans le futur, aux univers de leur choix.

C'était maintenant, ou jamais. *Nage ou coule.* Elle fonça :

— Je tiens à préciser que, *primo*, je n'ai jamais été inscrite au Parti communiste. Que, *secundo*, je n'ai jamais milité en faveur de la Révolution. Que, *tertio*, je n'ai jamais appartenu à la Tchéka. Je rappelle ici, accessoirement, que j'ai moi-même été emprisonnée par trois fois à Moscou et à Petrograd, dans des conditions extrêmement pénibles : la première à la prison de la Loubianka en septembre 1918 ; la deuxième, à la prison Shpalernaïa en septembre 1919 ; la troisième, à la Gorokhovaïa en mars 1920.

— Et vous en êtes sortie vivante, ce qui permet de se poser des questions quant à vos méthodes !

— Mes méthodes, comte, s'appellent l'amitié, elles s'appellent la compassion, elles s'appellent l'entraide. J'ai dû mon salut à l'intervention de la grande comédienne Andreïva...

— L'un des piliers du Parti, vendue à Lénine comme votre employeur !

— En ce qui concerne ma collaboration avec l'écrivain Alexeï Maximovitch Pechkov, dit *Maxime Gorki*, ma présence et mon travail auprès de lui m'ont permis de sauver plus d'une dizaine de personnes. Et je le revendique. Et j'en suis fière !… Tout d'abord, qu'il me soit permis de souligner que, depuis la Révolution, Maxime Gorki s'oppose aux bolcheviques de toutes les façons possibles… Je n'invente rien. La chose est de notoriété publique. Comme est de notoriété publique qu'il est intervenu auprès de Lénine pour sauver les quatre grands-ducs…

— Assassinés dans la forteresse Pierre-et-Paul, en janvier 1919.

— Il a même protégé, même hébergé à son propre domicile un parent de Sa Majesté l'Empereur, le prince Gabriel Constantinovitch de Russie. Il a favorisé sa fuite. Pour ma part, grâce à son intermédiaire, j'ai pu préserver nos cousins de plusieurs arrestations, notamment le comte Paul Constantinovitch Benckendorff et son épouse la princesse Maria Sergueïevna Dolgorouki. Je suis moi-même intervenue, au péril de ma vie, pour sortir Alexandre et Vassili Dolgorouki des camps où ils étaient incarcérés. Je n'ai pas réussi. Cela aussi, vous devez le savoir ! Leur mère vous dira combien je me suis battue pour l'aider à sauver ses fils. Elle se trouve aujourd'hui à Tallinn, interrogez-la ! Elle vous dira que j'ai nourri et soigné notre vieille parente, la princesse Saltikov, durant toute l'année 1919. Elle vous dira que la princesse me tenait en haute estime. Elle vous dira que la princesse est morte de faim en mon absence, alors que j'étais moi-même incarcérée. Et que seul mon emprisonnement m'a empêchée de l'assister dans ses derniers moments.

— Vous vous servez de votre milieu et de vos relations pour tromper le monde : la princesse Saltikov, comme la princesse Dolgorouki – dont je rappelle ici que *vous n'avez pas sauvé les deux enfants, qui ont été fusillés par les Rouges* –, pense naïvement que, du fait de votre appartenance à l'aristocratie, vous ne pouvez pas être un agent bolchevique. Que, du fait de votre naissance et de votre éducation, vous ne pouvez pas servir les communistes…

Trompe-l'œil d'une traître ! Rideaux de fumée d'une moucharde… En réalité vous espionnez les vôtres ! En réalité, vous les livrez !

Cette accusation, terrible, la fit taire. Ignatiev poussa l'avantage :

— Et quand je parle d'*espionnage*, je pèse mes mots…

La voix vibrante, elle l'interrompit :

— Piètre espionne, en vérité, que les services de renseignement de toutes les nations suivent à la trace ! Vous devez savoir que les Anglais, les Allemands, les Russes et les Estoniens m'accusent depuis près de dix ans de travailler pour les uns et les autres… Qui prendrait le risque aujourd'hui de me faire la moindre confidence ? Je ne parle même pas de me montrer des cartes militaires ou de m'exposer des plans de bataille ! Qui pourrait être assez fou – en me sachant si peu fiable et si exposée aux curiosités de toutes les polices –, pour me confier une information de quelque nature que ce soit ?

— C'est là votre couverture : un bon espion ne se trouve jamais où on l'attend. Vous paraissez si visible, vous semblez si repérable que nul ne songerait à se méfier de vous !

Elle haussa les épaules :

— *Nul ne songerait à se méfier de moi* : vous plaisantez, je suppose ? Regardez-vous ! Depuis mon arrivée, vous ne cessez d'enquêter sur ma personne. Un policier me suit en permanence, et le moindre de mes propos est rapporté – je veux dire déformé – par les agents du monde entier… Il me semble pourtant que mes actes parlent d'eux-mêmes. En Russie ou ailleurs, je vous défie de trouver une personne, une seule, qui contredise ce que j'affirme ici… J'ai tenté de survivre, sans porter tort à quiconque. Pas plus. Pas moins… Était-ce mal de survivre ? Sans doute.

Elle reprit souffle et marqua une pause avant de conclure :

— …Je vous remercie de votre attention.

Sans leur laisser le temps de poursuivre ou de statuer, elle leur abandonna le terrain.

Elle sortit de la salle d'un pas qui se voulait calme et tira posément la porte derrière elle... Si posément que le battant sembla mettre plusieurs secondes avant de se refermer.

En vérité, tremblant de tous ses membres, elle était restée accrochée à la poignée. Sur le palier, elle eut un moment d'absence et perdit l'équilibre.

Le baron Budberg la rattrapa.

Du balcon qui servait d'ordinaire aux musiciens, il avait assisté à la scène. Il en riait encore.

— Chapeau bas, ma chère... Vous avez été magnifique : la plus pure, la plus innocente, la plus courageuse des chèvres de monsieur Seguin.

Elle tenta de sourire, elle aussi. Peine perdue. Son désarroi était trop sensible pour pouvoir le cacher. Elle baissa la tête :

— À ce point vaincue et dévorée ?

— Votre couplet sur la vieille princesse Saltikov *morte de faim* : un chef-d'œuvre... *Morte*, la malheureuse, *morte*, car de votre cachot à la Loubianka, vous n'aviez pu la nourrir... Je ne parle même pas des fils Dolgorouki, fusillés malgré vos mille batailles : elle est vraie, cette histoire-là ?

Elle acquiesça.

— Sacha a questionné leur mère. Il connaît les faits.

— Magnifique, je vous le dis, moi : la petite chèvre n'a fait qu'une bouchée des neuf loups... Écoutez-les... Ils se mangent entre eux. Ils n'ont aucune preuve contre vous, baronne de mon cœur.

*

Non-lieu.

Son honneur, pas plus que sa réputation, n'étaient intacts. Mais elle pouvait à nouveau sortir dans la rue et se présenter aux raouts de l'aristocratie, tête haute. Aucun trait de plume ne viendrait rayer son nom de la *Corporation des nobles d'Estland*.

Si les dames du monde continuaient à ne pas la saluer, elle savait d'expérience qu'elles finiraient par se plier aux règles sociales que leurs maris, leurs frères, leurs fils leur imposeraient.

Blanchie de toutes les accusations.

Elle avait gagné cette manche.

Restait toutefois une autre partie à jouer, plus dangereuse, plus subtile : comment annoncer à Gorki l'affaire de son mariage, sans le perdre à jamais ?

Elle savait que cette union allait susciter sa méfiance, déchaîner sa colère. Il ne supporterait pas l'idée de son engagement auprès d'un autre homme. Il ne comprendrait pas qu'elle ait pu se lier, elle, son égérie, sa muse, à un aristocrate aussi falot, un époux aussi médiocre.

En dépit de sa gentillesse, Gorki ne plaisantait pas sur ses prérogatives de grand écrivain. Il entendait que son travail et sa personne soient respectés. S'il ne se prenait pas pour un génie, il s'estimait très au-dessus du commun des mortels. Un despote à sa manière, un chef, un *Dux* qui comptait bien rester le premier dans le cœur des siens.

Jalousie.

Rivalité de classe.

Désappointement sentimental.

La reconquête serait rude.

Les autres, Andreïva, Max, Molécule, les autres non plus ne la comprendraient pas… Une trahison. Leur Titka s'était *mariée* derrière leur dos ? Leur Titka s'était *vendue* derrière leur dos ?

Et Gorki, avec ses droits d'auteur, allait devoir la racheter, en offrant à son époux le billet qui l'expédierait au bout du monde ?

De quelque façon qu'on tourne la nouvelle, elle était décevante. Une pilule bien amère.

Une pilule difficile à faire avaler à un ancien amant qui vivait désormais avec une autre femme !

Elle finit par lui écrire de Kallijärv, le 16 décembre 1921 :

Mon cher ami.

Avant toute chose, croyez-moi, il s'agit d'un malentendu : je n'ai pas annoncé mon mariage à Rossignol, avant de vous en avertir, vous.

Lors de notre rencontre à Munksnas, je vous en avais parlé.

Vous devez croire à la vérité absolue de ce que je vous dis. Il ne peut y avoir que cela entre nous : la vérité. Je voudrais tout vous expliquer.

Mon cher, cher ami Alexeï, je me suis retrouvée ici dans une telle série de complications ! Même quelqu'un de beaucoup plus fort que moi aurait perdu pied.

Je pense que, pendant l'année et demi où nous avons vécu ensemble, vous avez vu combien l'opinion publique me touche peu. Vous savez que je me moque du qu'en dira-t-on !

Mais, bizarrement, il y a des circonstances plus fortes que nous.

Quand je suis arrivée ici en mai, je me suis tout de suite retrouvée dans un nid d'intrigues, un nœud d'accusations. Je vous en avais un peu parlé à Munksnas. Mais je ne vous avais pas raconté tous les affronts que je subissais. Notamment les insultes dans les lieux publics : j'ai été accusée d'actes affreux, de trahisons, de mille monstruosités que j'aurais commises en Russie.

Il est dur de vivre ainsi.

Je sais que vous avez envie de me dire : il fallait prendre vos enfants sous le bras, et partir.

Alexeï, mes enfants s'appellent Benckendorff. Si je les avais arrachés à leur monde pour échapper, moi, à des humiliations contre lesquelles je n'avais pas envie de me battre, ma conduite envers eux aurait-elle été juste ? Je les aurais coupés d'un clan, presque d'une corporation qui est encore vivante, et à laquelle ils appartiennent par leur sang. Je pense que j'aurais eu tort. En tout cas, je n'ai pas pu décider à leur place. Je n'ai pas su si leur intérêt se trouvait dans une telle fuite.

Pour moi, la fuite, oui, oui. Mais pour eux ?

Et j'ai dû continuer à vivre.

D'une part, garder l'estime de moi-même, ne pas céder aux exigences pressantes de mon entourage. Comme, par exemple, vous critiquer dans la presse estonienne ; exprimer mon horreur du bolchevisme lors de conférences.

Et de l'autre, lutter en silence, lutter en permanence, pour continuer d'exister malgré les insultes. Je ne vais pas entrer dans les détails : ils sont trop déplaisants.

Et là, Budberg est apparu.

Tranquillement et sans faire du bruit, il a essayé de me faciliter la vie et de régulariser ma situation, à sa façon. Je savais que c'était inutile, je lui ai demandé de cesser de se mêler de ma vie et de mes affaires. Je lui ai dit qu'il ne devait pas se compromettre pour moi, que ses interventions semblaient m'obliger à le payer avec quelque chose que je ne possédais pas. Peine perdue.

Après trois duels, qui heureusement se sont conclus sans dommage, il en a eu un quatrième pendant que je vous rendais visite en Finlande. Et, là, il a tué son adversaire.

Je ne sais pas si je dois encore vous expliquer d'autres choses, Alexeï. Je m'en remets à Dieu en lequel je crois... Et pas vous, ma Joie. Vous vous rappelez ? Je vous ai déjà écrit cette phrase.

Quand je suis venue vous voir à Munksnas, j'espérais que vous alliez m'obliger à tout abandonner, à partir avec vous, à vous suivre... Je vous ai trouvé indécis, hésitant, préoccupé. En tout cas, n'ayant pas pris cette décision-là... Et je ne pouvais inquiéter votre cœur déjà fatigué avec mes propres soucis.

Seulement, je vous le répète : ne pensez pas qu'en me tenant à votre chevet, je vous mentais ! Vos relations passées avec d'autres femmes qui, elles, n'étaient pas sincères, vous font soupçonner ce genre de tromperie. Mais mes sentiments pour vous ne changeront jamais.

Écrivez-moi de vos nouvelles, écrivez, Alexeï, je vous en prie. Et ne croyez pas qu'en recevant vos lettres, je vais dramatiser ! Ne croyez pas que je pense que vous m'ayez apporté le malheur. De quoi pourrais-je vous accuser ?

D'être indifférent ? Que je ne vous plaise pas assez ?

Que vous m'ayez dit un jour, allongé sur votre lit dans votre chère chambre de l'avenue Kronverkski : « J'ai voulu vous aimer, j'ai essayé – mais je n'ai pas réussi ? »

Non, cher ami, la rancune, les accusations, les drames – tout cela n'est pas digne de nous.

Mais savoir que je peux courir vers vous avec mes déchirements, avec le bien, avec le mal, avec les doutes, avec mon âme en lambeaux : cela, entre nous va rester intact, n'est-ce pas ?

Ma lettre doit vous paraître très décousue – j'ai beaucoup de difficultés à vous écrire.

J'attends votre appel en Allemagne, mon ami. N'importe où, n'importe quand... Sachez que je viendrai dès que je pourrai sortir d'Estonie.

J'attends.

*
* *

L'attente ? Une figure de style, aujourd'hui. Moura avait à jamais cessé d'*attendre*. La patience, chez elle, n'était plus de saison.

L'isolement moral qu'elle venait de connaître, la méfiance de la vieille Europe à son égard, les accusations, les humiliations, la comédie de l'Ehrengericht, l'absurdité de son mariage lui avaient donné, durant les six derniers mois, l'exacte mesure de sa solitude.

Elle avait compris qu'elle ne pouvait dépendre de quiconque. Elle avait surtout compris qu'elle ne le voulait plus.

Cette prise de conscience n'entraînait en elle aucune rupture dans ses affections, aucune remise en cause de ses sentiments. Elle ne renonçait à rien, elle n'abandonnait personne.

Attachée à ses enfants, attachée à Micky, attachée à Gorki ; attachée à ses sœurs qu'elle rêvait de retrouver ; attachée même à Budberg qu'elle souhaitait protéger. Attachée encore – et surtout – à Lockhart qu'elle espérait rejoindre.

Passionnément fidèle à tous les amours de sa vie.

Passionnément liée.

Mais ni sacrifiée. Ni emprisonnée. Ni même limitée.

*

À l'heure où, dans un sanatorium pour tuberculeux au cœur de la Forêt-Noire, son cher Alexeï Maximovitch recevait d'elle l'assurance qu'à la seconde même où elle pourrait sortir d'Estonie, elle le rejoindrait *n'importe où, n'importe quand,* un train en provenance de Tallinn entrait en gare de Berlin.

La baronne Budberg en descendit. Elle était seule. Elle enfila le quai et prit un taxi, traversant la capitale allemande qu'elle connaissait si bien. La ville lui parut méconnaissable. Elle ne s'y arrêta qu'une heure, le temps de changer de gare.

Mais elle n'alla pas voir Gorki.

Elle monta dans un second train et poursuivit sa route, s'embarquant pour l'une de ses escapades rapides qui défiaient l'espace et le temps. La première de ses échappées à travers l'Europe.

Les raids en *terra incognita* deviendraient bientôt sa marque de fabrique : évasions fulgurantes dont elle seule connaissait la nécessité et le but. Voyages mystérieux dont elle cacherait les destinations à ses proches, leur mentant systématiquement, sans honte et sans remords.

« Je fais ce que je sens. Je dis ce que je veux. Et mon cœur reste pur. »

*

Questionnée bien des années plus tard sur ses rêves en ce mois de janvier 1922, elle avouerait :

« Je devais aller à Londres, je devais *voir* Londres ! Que j'y retrouve ou non ceux que j'y cherchais, importait peu. J'y rencontrerais peut-être des amis d'autrefois, j'y nouerais peut-être de nouveaux liens.

« Mais l'essentiel, l'essentiel, c'était la ville ! Je ne pouvais plus attendre ! »

Elle était alors âgée de vingt-huit ans.

Comme l'avait résumé son mari : *la baronne Budberg était née.* Et la baronne Budberg comptait vivre selon sa loi.

Durant le demi-siècle à venir, elle pratiquerait une liberté si instinctive et si totale qu'elle n'aurait jamais besoin de la justifier ou de la revendiquer auprès d'un homme.

Elle en jouirait en secret, en silence, selon son vieil adage *Never explain, never complain.*

Pas de plainte, mais aussi pas d'explication.

*
* *

Elle n'avait pas rejoint Gorki à l'aller. Elle ne le rejoignit pas non plus au retour.

Evviva la libertà !

Après toutes ces années en résidence surveillée, l'idée d'aller et venir à sa guise l'enivrait. En feuilletant les pages de son passeport, elle éprouvait une griserie qu'elle n'avait plus connue depuis l'exaltation de ses rencontres à la Maison de la littérature mondiale.

Son passeport : sa proie, son trophée.

Non pas le laissez-passer pour apatrides que les Suédois inventaient à cette heure : le *passeport Nansen,* qui susciterait les questions des douaniers et la méfiance de toutes les polices. Un stigmate pour les émigrés russes, déchus de leur nationalité par l'exil.

Non. Un vrai passeport. Elle humait à longs traits le parfum de sa reliure, l'odeur de sa colle qui lui faisait tourner la tête. Elle parcourait les noms de son époux, avec ses titres. Elle savourait sa délivrance.

Elle ne nourrissait aucune illusion sur sa dignité, ne faisait preuve d'aucun snobisme quant à son rang : elle ne croyait pas aux égards qui lui étaient dus. Pas une seconde. De la poudre aux yeux. Du bluff.

Elle se savait toutefois assez bien née pour ne pas se prendre pour une usurpatrice.

…Un leurre quand même. Une imposture d'autant plus complète que Laï venait d'être radié des rangs de la Corporation des nobles d'Estland.

Du fait de ses dettes, de ses duels, et d'autres affaires douteuses dont elle n'avait pas idée, les membres de la cour d'honneur l'avaient invité à se soumettre à l'Ehrengericht, lui aussi. Trouvant cette comédie ridicule, il ne s'était pas présenté. Résultat : le 7 février 1922, soit trois mois après son mariage, Nicolaï Rotger Budberg était jugé indigne d'appartenir à l'aristocratie, exclu du *Ritterschaft*.

Un comble à l'ironie du destin : l'homme, auquel Moura devait sa position, n'y avait plus droit !

Mais quelle importance ? Qui s'intéressait aux diktats des barons baltes, en dehors de Tallinn ? Ailleurs, dans les autres capitales européennes, le prestige de l'alliance avec les Budberg-Boeningshausen lui ouvrirait les portes de son choix, et favoriserait son autonomie.

Pour le reste, la prochaine étape ? Moura n'en avait aucune idée. Laisser les enfants à Kallijärv ? Dans un premier temps, songeait-elle, oui. Hors de question de les faire vivre sous le même toit que Laï : sur ce point, elle s'accordait avec Micky.

Impossible aussi de les conduire chez Alexeï Maximovitch qui se débattait avec mille problèmes, notamment avec sa santé qu'il recherchait dans les sanatoriums et les hôtels allemands. À ce stade, elle ignorait où les emmener !

Elle avait vécu dans une telle tension depuis son passage à l'Ouest, qu'elle ne pouvait se projeter dans l'avenir. Une seule certitude : ses papiers estoniens lui donnaient les moyens de naviguer à vue.

Et l'ancienne bohème de l'avenue Kronverkski ne l'appellerait bientôt plus *Titka* mais *Tchoubonka* : « La fille aux semelles de vent. »

Chapitre 32

LA FILLE AUX SEMELLES DE VENT
« VOTRE TCHOUBONKA QUI VOUS ADORE »
Décembre 1922 – Décembre 1924

Trois jours en France. Quinze en Allemagne. Dix en Estonie. Retour en Allemagne. Le reste ? Dieu seul savait où… L'Italie, dont le climat pourrait profiter à la santé de Gorki ?

La nuit, elle continuait de rêver de voyages et de trains, comme lorsqu'elle était jeune fille. Elle voyait le destin morcelé en compartiments étanches ; l'existence fragmentée en mille petits wagons.

Mille vies que fractionnaient la lumière, la vitesse, l'espace, le temps. Regards démultipliés dans les vitres des voitures, sourires éclatés sur les biseaux des fenêtres.

Mille visages. Mille facettes. Mille possibles. Tous les lieux, tous les mondes, tous les rôles.

Et toutes les femmes à la fois.

Mère nourricière à Kallijärv, éducatrice, mentor : l'intelligence des enfants à former, leur cœur à conquérir. Le choix de leurs lectures, le contrôle de leurs devoirs, la direction de leur conscience, l'écoute de leurs âmes… Moura, attentive. Moura, autoritaire. Moura, omnipotente.

À Berlin : agent littéraire, conseiller financier, représentante auprès des maisons d'éditions européennes du plus grand écrivain russe. La responsable de ses traductions, la négociatrice de ses contrats, la gérante de ses droits d'auteur... Moura travailleuse, Moura organisée, Moura habile, Moura mondaine, Moura lancée.

En Forêt-Noire, à Sankt-Blasien, à Saarow, à Heringsdorf, à Marienbad et dans toutes les villégiatures où son *ami chéri* tentait de soigner sa tuberculose : maîtresse de son intérieur, infirmière, gouvernante, secrétaire, et amante.

Sur aucun front, Tikhonova, sa rivale, n'avait fait long feu. Aimable, oui, émouvante même... Incapable cependant de diriger les complications d'une carrière internationale. Incapable de traduire la correspondance, d'y répondre sur une machine à écrire au clavier allemand. Incapable de choisir les hôtels à l'étranger ; de réserver les chambres à l'étranger ; de veiller à l'accueil des amis, à l'installation des visiteurs, au bien-être de chacun des membres de la petite bande à l'étranger... Moura, cosmopolite. Moura, efficace. Moura tendre, attentionnée, rassurante, drôle, gaie, brillante. Moura ou l'échange des idées. Moura ou l'art de la conversation. Moura ou la joie des célébrations russes qu'elle transplantait partout.

À Paris, à Nice : ange gardien de ses sœurs exilées dans une société qui ne leur laissait aucune place... Moura inquiète, Moura protectrice, Moura pleine de compassion envers leur vie saccagée. Soins à Alla qui se droguait à l'opium et divorçait pour la seconde fois ; soutien moral auprès d'Anna, de son mari, de ses enfants qui s'épuisaient à survivre.

Ailleurs ? Épouse d'une épave qui passait ses journées au casino, buvait tout ce qu'elle gagnait et couchait avec tout ce qui bougeait. Chèques sans provision, dettes de jeu, aventures féminines, compromissions politiques... Moura ulcérée, Moura méprisante, Moura n'aspirant qu'à remplir sa part du contrat en expédiant son mari au bout du monde.

Avec quel argent ? L'éternelle question !

...Avec quel argent ?

Jamais un sou devant soi. Une gêne financière chronique.

Elle songeait, non sans une pointe d'agacement, que si elle avait été l'espionne que toutes les polices s'escrimaient à décrire, elle aurait été payée ! Et même bien payée, et même payée trois fois par les services de renseignement des trois nations qu'elle était censée servir !

Or elle vivait des émoluments que lui versait Gorki, et des traductions qu'elle enfilait à la chaîne. L'ensemble lui constituait un revenu confortable. Mais très insuffisant pour financer les huit personnes qui dépendaient de son travail. Budberg, Kira, Tania, Paul, Micky, Alla, Anna... Elle-même.

En vérité, l'absence de moyens présidait à la plupart de ses choix.

Le défaut de fortune expliquait sa décision de laisser ses enfants grandir sous la férule de Micky, en Estonie : le résultat d'interminables comptes et de tristes calculs. Le coût de la vie à Berlin excluait la possibilité d'y inscrire les petits dans de bonnes pensions. Tandis qu'à Rakvere, la ville voisine de Yendel, les écoles passaient pour les meilleures du pays : elles feraient l'affaire jusqu'aux études secondaires.

Le manque d'argent entrait aussi pour beaucoup dans la nécessité de gagner son pain ailleurs, et de ne jamais abattre toutes ses cartes d'un coup sur le tapis vert du destin.

Jamais le même jeu, jamais le même théâtre.

— Vaste programme, quand on se trouve aussi fauchée que vous ! persiflait Laï. *N'abandonner personne. Ne renoncer à rien :* lourde tâche pour une déracinée dans la dèche... Au fond, vous êtes abominablement slave, ma chère !

Affalé sur le lit du studio qu'ils partageaient au numéro 7 de la Zimmerstrasse à Berlin, les deux bras croisés sous la tête, le baron la regardait faire sa valise.

Il connaissait la chanson : Noël, Pâques et le mois d'août correspondaient à ses retours à Kallijärv. Elle placerait dans son sac *Jicky* de Guerlain, le flacon d'eau de Cologne qu'elle destinait à Micky. Les bas de soie qu'elle avait rapportés de Paris pour ses belles-sœurs, les crayons de couleurs pour les enfants, une collection de cartes postales, des timbres, un jupon en dentelle, une combinaison blanche de jeune fille pour Kira… Même un phonographe-mallette, à la pointe de la modernité.

Laï savait bien comment « Moura la Magnifique » leur apparaîtrait là-bas, quand elle descendrait sur le quai désert de la gare de Kallijärv, avec tous ses paquets… Un cadeau, plusieurs cadeaux pour chacun : elle n'oublierait ni la cuisinière ni le garçon de ferme. Tellement soucieuse du plaisir d'autrui.

Il savait aussi le mal qu'ils se donneraient, eux, pour l'accueillir. Lui rendre son affection. Lui témoigner leur amour.

Micky aurait fait nettoyer *sa* chambre, la petite pièce au fond du couloir, qui redeviendrait belle et dorée. Astiquer la lampe à huile et les bougeoirs de cuivre, exhumer du placard les icônes et les livres… Micky aurait fait apporter une bassine, un broc, un bidet pliant, aménager dans un angle un cabinet de toilette où les serviettes exhaleraient une odeur de lavande. Elle aurait aussi fait descendre la table ronde dans le jardin, disposer les chaises de la véranda à l'ombre du grand sapin, l'arbre favori de Marydear pour ses conversations avec ses visiteurs.

Les enfants, excités par la fébrilité générale, par le ravissement de leur gouvernante, la fureur de tante Cossé, de tante Zoria et de toutes les tantes, fous de joie à la perspective de retrouver leur mère, auraient préparé pour elle de beaux dessins, composé pour elle de beaux poèmes et cueilli pour elle de belles fleurs.

Et ils pleureraient à la fin de son séjour, quand elle les quitterait au terme d'une semaine ou d'un mois pour disparaître de nouveau dans le vaste monde.

Elle, elle ne pleurerait pas. Mais le cœur écartelé, le regard triste et la voix grave, elle les bénirait en traçant une croix sur leur front. Puis elle les ferait asseoir en cercle autour d'elle, fermer les yeux, et respecter ensemble la minute de silence qui porte chance au voyageur.

Dans les sanglots renouvelés, elle monterait en charrette. Le fermier, à la lueur de la lune, la reconduirait vers la gare.

Seule sur le quai avec sa valise vide, elle y attraperait le train de nuit vers le Sud.

— Ah, les mises en scène de vos arrivées, ricanait Laï. Ah, le pathétique de vos départs ! De la haute voltige sentimentale… Du grand art dans la manipulation ! En dépit de votre nature fataliste et de vos airs flegmatiques, vous vivez en plein drame. Toujours des émotions ! Toujours du théâtre ! Toujours du roman ! C'était bien de vous que parlait Dostoïevski dans *l'Idiot* : « une femme *extraordinairement russe* ! » Votre ami le consul d'Angleterre avait dû vous le dire, non ?

L'ironie chez Budberg restait une arme redoutable. Ses sarcasmes qui avaient amusé Moura à Tallinn, la fatiguaient à Berlin. Il ricanait sans cesse. Son humour grinçant excluait le moindre échange.

— Que savez-vous, Laï, de ce que le consul d'Angleterre aurait pu me dire ?

— Vous l'avez si peu connu, en effet… Juste assez pour qu'il comprenne dans quel guêpier il s'était fourré en vous rencontrant. Et qu'il se hâte, lui, de faire marche arrière… Avez-vous revu monsieur Lockhart lors de votre voyage à Londres ?

— À ma connaissance, il n'y habite plus.

— Mais il a répondu à vos lettres ?

— Que vous importe ?

— Beaucoup ! L'honneur de monsieur Gorki m'importe *beaucoup* : les cocus ne sont jamais de bonne composition. Je ne voudrais pas que vous l'indisposiez contre ma croisière au Brésil, en faisant son malheur… Avez-vous pu le rassurer au moins, lui donner des nouvelles de monsieur Wells ? Vous espériez son aide dans la collecte des fonds pour les victimes de la famine… L'avez-vous rencontré à Londres, lui ?

— H.G. Wells n'y était pas.

— Lui non plus ? Diable ! Je nage en pleine désillusion. Et Cunard ? Avez-vous revu Ed Cunard ?

— Je l'ai vu.

— Vous a-t-il consenti un rabais pour une traversée vers Rio ? Je vous rappelle que vous deviez m'embarquer sur l'un de ses paquebots. Je vous rappelle aussi que j'attends ce voyage depuis deux ans ! Tandis que vous, vous, depuis deux ans, vous courez le monde, sans moi. Entre nous, ma chère, vous êtes épuisante ! Quel enthousiasme ! Quelle atroce énergie !

— Je fais ce que je peux, Laï. J'ai des enfants. J'ai des sœurs. J'ai des amis… J'ai aussi un mari qui excède mes moyens !

— Ceci, ma chère, est votre problème. Et celui de votre monsieur Gorki.

— Vous êtes saoul ! Allez vous déshabiller et couchez-vous.

— Sans vous ? Certainement pas ! N'êtes-vous pas mon épouse aux semelles de vent ? Ma *Tchoubonka* adorée dont je peux jouir autant qu'il me convient, jusqu'à ce qu'elle m'ait remboursé le nom et le titre qu'elle m'a achetés ?

— Ces assauts de vulgarité ne nous valent rien, Laï, ni à vous ni à moi.

Elle n'était pas naïve au point de ne pas savoir qu'il l'avait sinon aimée, du moins désirée… Voulue, en tout cas. Convoitée au point de prendre prétexte de son intérêt personnel – de leur intérêt commun – pour l'épouser et la posséder.

Il avait revendiqué sur elle tous les droits d'un mari. Elle les lui avait concédés. Et si leurs nuits ensemble s'étaient révélées un échec, elle avait tenté de jouer le jeu de l'union conjugale quelques mois.

Elle le jugeait au fond, au fin fond, « un brave garçon », exactement le personnage qu'elle avait naguère décrit à Micky. Perdu, oui, et tellement faible ! Incapable de vivre debout, sans béquille.

Il avait certainement cru qu'elle pourrait être cela : une béquille sur laquelle s'appuyer. La béquille qui le sortirait de la boisson, du jeu, de la débauche, de tous ses désordres et de tous ses démons.

Elle aussi, de façon vague et confuse, l'avait cru. Comme elle avait cru qu'*aider* Laï, que *sauver* Laï pourraient lui rendre, à elle, une raison d'exister. Il était arrivé dans sa vie au moment où Lockhart et Gorki, les compagnons qu'elle avait aimés jusqu'à l'adoration, l'avaient abandonnée. Elle s'était prêtée à lui, en espérant redevenir *utile* à un homme.

Mais comment aider quelqu'un, comment sauver quiconque, quand on ne l'aime pas ?

Entre l'indulgence et l'insulte, leurs rapports étaient devenus d'une ambiguïté telle, que Laï lui-même ne les supportait plus. Il sentait qu'elle n'éprouvait pour lui que de la pitié. Au mieux, une forme de compassion. Mais ni tendresse ni même une sympathie véritable. Et la pseudo-gentillesse de Moura à son égard, son sang-froid devant ses excès, achevaient de le rendre fou.

Avec la déception, étaient venus la colère et le désir de vengeance. Il tentait de lui rendre son mépris, en l'agressant à son tour. Toujours ivre, il devenait chaque jour plus grossier et ne respectait aucune de leurs conventions.

En fait d'échange de bons procédés et de l'intérêt d'un mariage calculé, la relation tournait au plus passionné des drames conjugaux.

— Voulez-vous que je vous dise, ma chère ?

— Non.

— Je vous le dis quand même… De toutes les putes que j'ai fréquentées, vous êtes la plus malhonnête, la plus tricheuse, la plus menteuse… Bref, la plus professionnelle !

Elle haussa les épaules. Surtout ne pas tomber dans le piège. Éviter la bataille qu'il cherchait à provoquer. Elle détestait les scènes. Elle boucla sa valise et quitta la pièce.

Éreintant !

Comment gérer le désespoir d'un tel ivrogne ? Et comment s'en libérer ?

Elle avait beau tenter d'économiser, ce qu'elle gagnait suffisait à peine à l'entretien de Laï. Mois après mois, impossible de rassembler la somme nécessaire.

Quant à mendier auprès d'Alexeï Maximovitch le coût du billet ? Impossible aussi !

L'installation de son mari avec elle à Berlin, avait trop vexé Gorki pour prendre le risque de l'exaspérer à nouveau.

Plus tard, peut-être.

Le temps jouait toutefois contre elle. Laï devenait chaque jour plus frustré, plus amer et plus gourmand. Il ne se contentait pas d'exiger le prix de la traversée. Il voulait maintenant qu'elle s'engage à lui verser une pension. Il ne partirait pas au Brésil, disait-il, tant qu'elle n'aurait pas signé les papiers chez le notaire. Une rente à vie.

Les chantages de Laï se doublaient aujourd'hui de la menace de son arrestation pour activités politiques illicites et dettes de jeu.

Le baron Budberg en prison ? Une nouvelle tache sur la réputation de Moura, sur le nom, sur le titre, sur la respectabilité qu'elle avait si chèrement achetés, comme il se plaisait à le lui rappeler. Une éclaboussure qu'elle ne pouvait se permettre ! Elle-même restait trop surveillée par la police allemande, pour prendre le risque d'un scandale dans le Berlin de la république de Weimar.

Sortir Laï d'Europe. L'expédier loin.

Trouver une solution. Vite.

Intuitif, il avait compris l'importance de son réseau anglais. Les amitiés de Moura, ses relations mondaines du temps de sa splendeur, étaient aujourd'hui les seules relations assez introduites, assez puissantes, assez fortunées pour faciliter un embarquement sur un navire britannique.

Lors d'un voyage éclair à Londres, elle avait, en effet, dîné avec Ed Cunard dans les somptueux salons du Savoy Hôtel. Un enchantement, une joie réciproque... Retrouver *Darling Ed,* qu'elle avait connu pendant la guerre au palais Saltikov, reçu chez sa mère quai de la Fontanka, chez elle rue Shpalernaïa, chez son mari à Yendel... Que de souvenirs !

Avec tendresse, ils avaient évoqué la mémoire de leurs amis disparus, l'héroïsme de Cromie, la sensibilité, la poésie de Garstino... Que de tristesses !

Elle avait aussi partagé – sur un autre ton, en mode nettement plus léger – quelques bouteilles de champagne avec Victor Cunard, le frère d'Ed, et leur cousine Nancy, l'héritière de la Cunard Line.

Elle avait surtout soupé avec Liuba Hicks dans un cabaret russe de Chelsea : *sa chère Liuba*, la maîtresse de Hickie, épousée en toute hâte au moment du départ pour l'Angleterre... Moscou. Octobre 1918... Mon Dieu ! Pas même quatre ans : un siècle.

Le couple Hicks était aujourd'hui en poste à Vienne, chargé du bureau autrichien de la... *Cunard Line,* justement.

En vérité, les deux femmes avaient peu parlé du prix des cabines sur les paquebots en partance pour Rio. Trop occupées à se raconter l'aventure de leurs vies.

— Et Lockhart ? avait fini par demander Moura prudemment.

— Tu ne vas pas me croire : il est devenu bigot et banquier !

Liuba avait éclaté de rire. Ses yeux bleus pétillaient d'amusement. Elle insista :

— ...Il vient de se convertir au catholicisme et travaille à la Banque anglo-tchécoslovaque de Prague... Mais sur le fond, inchangé. Sa femme et son fils habitent Londres pendant qu'il court la gueuse et se ruine dans les boîtes tsiganes.

*
* *

Ce fut à cette période de ma vie, raconterait Lockhart dans ses souvenirs, - le 29 juillet 1924 pour être précis -, que je reçus un coup de fil à ma banque. Will Hicks au téléphone : mon ancien assistant en Russie, qui dirigeait les bureaux de la Cunard à Vienne. Nous échangeâmes des plaisanteries et des propos anodins. Et je commençais à me demander pourquoi Hicks gaspillait son argent sur un appel longue distance pour ne rien me dire, quand il lança : « J'ai quelqu'un à côté de moi qui voudrait te parler. » Il passa l'appareil à la personne en question. C'était Moura. Lente et musicale, sa voix semblait surgir d'un autre monde... Très maîtrisée. Elle me dit qu'elle s'était échappée de Russie. Qu'elle se trouvait de passage en Autriche. Qu'elle habitait chez les Hicks. (...) Le combiné tremblait dans ma main, tandis que je lui posais une série de questions idiotes. « Comment vas-tu, ma chère ? », « Te portes-tu bien ? » En bafouillant, je finis par lui demander de me repasser Hickie : « As-tu la place de me loger ? Puis-je débarquer chez vous ce week-end ? »

Quand nous eûmes arrangé les détails de mon voyage, je sortis de la banque et rentrai chez moi dans un état de stupeur. (...)

La nuit suivante, je partis pour Vienne sans bien savoir ce que j'attendais de cette escapade. J'arrivai à six heures et demie du matin et me rendis directement à la cathédrale Saint-Étienne pour y suivre la messe et prier. (...) J'étais censé rencontrer Hickie à onze heures à son bureau. J'ignorais si Moura s'y trouverait. Nous devions partir directement à la maison de campagne des Hicks. Il faisait un soleil de plomb. Je déboulai sur l'avenue Graben et marchai jusqu'à l'immense librairie, au rez-de-chaussée de la Cunard Company. Moura se tenait là, au pied de l'escalier, seule. Elle semblait plus mûre et plus grave. Quelques cheveux gris striaient les mèches qui ondulaient sur son front (...) Mais elle n'avait pas changé. C'était moi qui avais changé. Et pas nécessairement pour le meilleur.

À cet instant, je l'admirais plus que n'importe quelle autre femme. J'admirais son esprit, j'admirais son génie, j'admirais sa maîtrise d'elle-même. Nous montâmes les marches qui conduisaient au bureau où Hickie et son épouse nous attendaient. « Et bien, ça y est, dit Moura. C'est fait. Nous voilà de nouveau tous les quatre. »

Ensemble. Comme autrefois, en effet. (...) Dans le tram qui nous conduisait vers Hinterbühl, à une vingtaine de kilomètres au sud de Vienne, nous parlions tous en même temps et ne cessions d'éclater de rire. C'était néanmoins des fous rires plutôt nerveux.

Je voyais que Hickie, très anglais, se sentait mal à l'aise. En quittant Vienne, il m'avait glissé à l'oreille quelque chose comme une mise en garde. « Fais attention ! » Je savais ce qu'il voulait dire. « Méfie-toi. »

Liuba dirigeait la conversation. Elle parlait à toute allure, sautait d'un sujet à l'autre, évoquait les épisodes de la Révolution et tous les moments que nous avions partagés à Moscou en 1918, nos pique-niques, nos parties de ballon prisonnier. (...) Moura était la seule qui semblait à peu près calme (...) Pour ma part, je savais – nous savions tous – que je lui devais une explication. Et je redoutais ce moment.

Après le déjeuner, Liuba et Hickie nous laissèrent seuls. Nous sortîmes nous promener dans les collines qui surplombaient leur villa.

*

Elle sentait son cœur battre si fort qu'elle craignait que Lockhart ne le voie palpiter sous son chemisier. Ce n'était pas le sentier qui grimpait raide vers le col, ni le soleil à son zénith qui tapait sur la pente… En vérité, elle vibrait de tous ses nerfs, elle tremblait de toute son âme.

Elle devinait qu'il n'avait aucune idée de ce que signifiait pour elle cette « promenade » avec lui. Le simple fait de pouvoir marcher ensemble. Il était même à mille lieues d'imaginer la tension dans laquelle elle se trouvait depuis le matin, depuis la veille, depuis la seconde où elle avait su qu'elle allait peut-être le revoir.

Elle avait ôté son chapeau et le portait plaqué à gauche, contre sa poitrine, pour cacher son trouble.

Lui se concentrait sur son ascension. La chaleur le faisait trans-
pirer. Il détestait qu'elle le découvre ainsi, soufflant dans la
montée... La chemise trempée, le front moite et les cheveux
collés. Il savait qu'il avait un peu grossi et qu'il n'était plus le
grand sportif d'autrefois.

Rien de grave, cependant. Il restait séduisant. Il plaisait encore
aux femmes, aux chiens, aux chats et à tout ce qui bougeait. Il
vivait même une aventure importante, une grande histoire à
Londres avec l'épouse d'un lord anglais. Il s'était converti au
catholicisme par amour pour elle. Une lady papiste qui ne divor-
cerait pas.

En dépit de ses épreuves, Moura semblait tout de même plus
en forme que lui.

— Marche devant, si tu veux.

Elle le dépassa. Elle portait une jupe mi-longue en toile
blanche. Il apercevait ses jambes, et surtout ses chevilles, dont il
avait toujours adoré la finesse.

Mais il ne la désirait pas.

Non que le temps fût trop chaud pour ce genre d'ardeur. En
vérité, le sentiment de sa culpabilité lui coupait ses élans. La
perspective d'une scène, des griefs et du jugement qui ne manquerait pas de tomber, l'emplissait d'appréhension. Et puis, il y
avait autre chose : les soupçons de Hicks sur la responsabilité de
Moura dans leur arrestation par la Tchéka.

Hickie se montrait certes moins catégorique que le général
Knox qui clamait haut et fort à Londres que « la Benckendorff »
avait été « plantée » auprès d'eux par les bolcheviques, depuis le
premier jour. Et que c'était elle qui avait informé Yacob Peters
en septembre 1918 des manœuvres des agents britanniques pour
faire tomber le régime. Si Hickie laissait à Moura le bénéfice du
doute, s'il pensait qu'elle s'était laissé prendre à son propre piège
et séduire par Lockhart, il n'excluait pas la possibilité qu'elle fût
en effet une espionne.

« Fais attention... Méfie-toi. » La mise en garde ne datait pas d'hier.

Pour sa part, Lockhart ne croyait pas une seconde à la trahison de Moura. Leurs amours n'avaient pas été commanditées par les services de renseignement de Lénine, au contraire de ce que racontaient quelques diplomates du Foreign Office. Non seulement elle l'avait aimé, mais très probablement sauvé du peloton d'exécution. Il ne doutait pas qu'il lui devait la vie... Il gardait envers elle la plus totale des gratitudes. Et leur aventure restait le plus beau souvenir, le moment le plus excitant de sa vie.

Cette passion en pleine guerre, pour une Russe que certains décrivaient comme une Mata Hari, lui avait toutefois coûté trop cher lors de son retour en Angleterre, beaucoup trop cher pour imaginer renouer de tels liens avec légèreté.

Et puis, songeait-il, et puis il restait un homme marié ! Père de famille. Amant d'une grande dame dont il était épris. Catholique, de surcroît.

Hors de question de commettre la moindre infidélité envers son épouse... ou envers sa maîtresse.

Hors de question de se laisser reprendre !

En la regardant grimper devant lui, en détaillant les ondulations de son dos, de ses reins, il revoyait son corps nu, ce corps qu'elle lui avait donné si librement. Il avait toujours été frappé par sa grâce : Moura ne marchait pas, Moura flottait... Même sur un sentier de montagne. Six ans après le choc de la rencontre, cette femme se révélait à la mesure de son éblouissement de jeunesse. Aucun regret de l'avoir aimée, elle. Aimée à ce point !

Aucune intention, non plus, de l'aimer à nouveau.

Alentour, la nature n'était que soleil et beauté. Les feuilles dorées des vignobles luisaient en bas, sur les côteaux. Et les bosquets de bouleaux qui bordaient la forêt au-dessus d'eux, scintillaient avec des frémissements d'argent.

Arrivée au sommet de la colline, elle l'attendait. Il vint s'appuyer sur le gros rocher où elle s'était assise. Elle avait croisé les jambes et posé le menton entre ses paumes ouvertes. Elle gardait les yeux fixés devant elle dans une attitude de contemplation. Elle se taisait. Lockhart, gêné, finit par attaquer :

— Comment était-ce Petrograd, après mon départ ?

— Pas très drôle, Babyboy.

S'il crut qu'elle allait se lancer dans la description de ses malheurs, il se trompait. Elle répondit brièvement, sans rentrer dans les détails, se contentant d'insister sur l'aspect littéraire de son existence. Elle le connaissait grand lecteur, curieux des choses de l'esprit. Elle lui raconta ce qui l'intéresserait : sa rencontre avec Gorki, son travail de secrétaire, ses traductions pour la Maison de la littérature mondiale.

Il poussa un sifflement d'admiration :

— Ta fortitude est sans égale, Babygirl !

— Tu exagères, Babyboy, comme d'habitude !

Ils retrouvaient d'instinct leur ton, leur rythme. Lockhart l'observait avec son enthousiasme d'antan :

— Je sais de quoi je parle... Et je me répète : ta sagesse et ton intelligence sont sans égales.

— Ma chance est sans égale.

— Pas seulement... La Révolution a anéanti des milliers d'hommes et de femmes. La Révolution a éradiqué une classe sociale entière. La Révolution a brisé la vie de tous tes proches. Les uns en sont morts, les autres ne s'en remettront jamais. Et toi, toi, tu en sors vainqueur.

— Vainqueur ? Oh, non !

— *Moura* ou le génie de la *Russie éternelle* qui s'adapte et qui survit !

— Tu te trompes. Je n'ai pas survécu... Pas totalement. Beaucoup de choses sont mortes en moi. Mais toi ? Toi ? Toi, Babyboy ? Raconte.

— Moi ? Je suis nul... Le retour en Angleterre a été difficile. Et je n'ai rien accompli depuis... Ni à Londres, ni à Vienne, ni à Prague. Je bois trop, je fume trop, je fais des dettes qui m'ont conduit plusieurs fois à la faillite. Et je cause le malheur de toutes les femmes que j'aime.

— *Toutes* les femmes ? Il y en a tant ?

Il éluda le sujet. Mais il lui narra avec esprit l'histoire de ses excès – le goût de l'alcool, le goût du luxe, le goût du jeu. Il exagérait ses fautes et mettait une telle éloquence pour s'accuser de ses folies qu'elle ne pouvait que rire et s'exclamer :

— Tu as vraiment fait cette bêtise ? Mon Dieu... Vraiment ? Mon Dieu !

En la regardant immobile sur son rocher, il espérait presque qu'elle le critiquerait, qu'elle le désapprouverait avec des froncements de sourcils. Qu'elle le conjurerait de se ressaisir, qu'elle le supplierait de faire preuve d'un peu de courage, qu'elle l'implorerait de recommencer avec elle une nouvelle existence.

Mais ni les reproches ni les propositions n'arrivaient.

Penchée en avant, le menton toujours dans la main, elle souriait vaguement, en fixant le fond de la vallée que la chaleur noyait dans la brume. Il savait bien qu'elle ne pouvait pas voir les vignes sur les côteaux, le torrent au-dessous d'eux. Écoutait-elle l'eau qui grondait dans le ravin ?

Son silence achevait de le troubler et de l'émouvoir. Il retrouvait la femme mystérieuse, la femme indulgente qu'il avait adorée.

Elle finit par amorcer une forme de sermon :

— Tu auras trente-sept ans le 2 septembre, murmura-t-elle. L'anniversaire des batailles de Sedan et d'Omdurman. Tu vois, je me souviens de la date. Le 2 septembre. Je suppose qu'à trente-sept ans, on n'est pas le même homme qu'à trente. Et ce qui est passé est passé. Mais ne gâchons pas la plus belle chose qui nous soit arrivée. Probablement le miracle, le grand miracle, dans nos vies à tous les deux... Ce serait une erreur d'y toucher, n'est-ce pas ?

Le sang battait violemment dans les tempes de Lockhart. Un élan qu'il croyait mort le portait à nouveau vers elle. Irrésistible.

Il se revoyait à Moscou. Il entendait à son oreille la voix de son geôlier Yacob Peters qui le pressait de rester en Russie avec Moura, de savoir l'aimer, d'oser l'épouser.

Il amorça le geste de la prendre dans ses bras, de la serrer contre lui, il allait parler, lui jurer...

Elle avait sauté sur ses jambes.

— N'y touchons pas.

Elle lui fit face, le regardant cette fois droit dans les yeux. Elle lui avait saisi les deux mains avec passion :

— ...Ne touchons à rien.

Elle découpait les mots. Par le ton, elle tentait de rendre ses paroles irrévocables :

— ...Ce serait une erreur de tout gâcher. Une telle perfection.

Sans rien ajouter, elle coupa court et s'engagea sur le sentier. Ils redescendirent vers la maison.

Tous deux devaient rentrer le lendemain. L'un en Tchécoslovaquie, l'autre en Allemagne. Mais la nostalgie de leur amour, la magie de leur passion les submergeaient. Ils étaient saisis de vertige. Le passé resurgissait des abysses. Comment se séparer maintenant ?

À la dernière minute, Moura changea ses plans. Elle ne repartirait pas de la gare de Vienne. Elle prendrait le même train que Lockhart jusqu'à Prague. Et de là, elle aviserait.

*

Assis côte à côte parmi les autres voyageurs, ils bavardaient. Ils se parlèrent toute la nuit, communiquant en russe pour que nul ne les comprenne.

— Tu te souviens de Karakhan ? Ses allures de dandy ? Sa barbe bien taillée qui fleurait l'eau de Cologne à cent mètres ?

— Et tu te souviens de Peters avec sa montre en acier, à la dernière mode américaine ?

Ils riaient en évoquant les délires de leurs expériences avec les bolcheviques : les explosions de fureur de Trotski, les mots d'esprit de Radek.

— Tu te souviens, au Kremlin, quand tu avais glissé derrière le dos de Peters ton message dans mon livre ?

À six heures du matin je dus lui faire mes adieux sur le quai de la gare de Masaryk, conclurait Lockhart. J'étais censé me trouver à la banque à neuf. Elle-même se rendait à Berlin, et de là, à Tallinn.

En me quittant, en m'embrassant, elle m'a dit ceci :

« Tu es fort. Mais pas assez fort... Tu es intelligent. Mais pas assez intelligent... Tu es faible. Mais pas assez faible. »

Je crois qu'elle était un peu amère.

*

Elle regarda longtemps disparaître dans la foule cette silhouette dont elle avait tant rêvé... Élégante malgré la chaleur qui froissait le pantalon. Élancée malgré les excès, malgré l'alcool, malgré la fatigue d'une nuit blanche.

Six ans, elle avait attendu ce moment. Qu'il lui explique... Elle avait remué ciel et terre pour provoquer cette rencontre.

En apparence, tout s'était merveilleusement déroulé. Ni l'un ni l'autre n'aurait pu rêver de retrouvailles plus harmonieuses. Ils avaient ri ensemble, ils avaient bu ensemble. Ils avaient échangé des idées, partagé des impressions, évoqué des souvenirs. Pas un reproche. Pas même une pique qui aurait assombri la magie de leur renouement.

Leur complicité demeurait entière. L'élan qui les poussait l'un vers l'autre, intact lui aussi. Et leur entente ne se limitait pas à un accord dans le passé.

L'humour de Lockhart quand il se frappait la poitrine en s'accusant de ses manquements l'amusait encore. Sa sincérité la touchait. Même ses faiblesses, même ses échecs l'émouvaient. Et leurs discussions sur l'avenir de la Russie continuaient de la passionner.

Mille goûts, mille intérêts communs les liaient. Comme les liait l'instinct physique de se prendre et de s'appartenir. L'effort pour résister à leur désir, pour ne pas s'étreindre, s'embrasser sur le rocher... Elle avait bien senti qu'il avait voulu la serrer plusieurs fois dans ses bras.

Elle-même avait tant combattu pour refouler sa passion, tant lutté pour résister à cette vague de tendresse et d'amour qui la submergeait, tant bataillé pour n'en rien laisser paraître afin qu'il demeure libre de ses paroles, libre de ses actes.

Au terme de ces deux jours de bataille, elle se sentait vidée.

Sans force.

Et plongée, cette fois, au plus profond du désespoir.

Elle avait tenté de préserver l'essentiel. Mais sa défaite était totale.

Ils auraient dû se parler comme si le monde avait cédé sous leur pas : Lockhart n'avait rien dit. Lockhart n'avait rien senti. Lockhart n'avait rien compris.

Un gouffre les séparait, qu'elle savait aujourd'hui infranchissable.

Sous l'effet du moment, à la faveur du soleil, de la beauté du paysage, il aurait pu nouer avec elle une liaison semblable à ses autres passades. Elle le connaissait assez pour le savoir émotionnel, impulsif. Le romantisme des souvenirs, le regret de sa grande aventure en Russie... Une brusque flambée de passion.

Il l'aurait aimée, quoi, une heure ? C'eût été charmant, vide... Et vain.

En remuant les braises, elle n'avait trouvé que des cendres. La banalité de ce retour de flamme aurait, à terme, consumé jusqu'à la splendeur de la mémoire. Elle n'avait voulu rien dire d'autre, en assénant son « N'y touchons pas ! ».

Car, en lui, le feu était mort.

Et maintenant, elle devait renoncer. Reprendre les fils et poursuivre son chemin.

*
* *

Trois mois après cette rencontre, un matin d'hiver 1924 à Sorrente en Italie, les amis de l'avenue Kronverkski commentaient les dernières nouvelles :

— Il semble qu'elle ait enfin réussi à expédier son foutu baron au Brésil, racontait Rossignol.

— Et s'il revient ? demanda Molécule.

— C'est loin, le Brésil !

— Qui sait ? insista Pépékriou. Elle l'avait déjà mis sur un bateau l'année dernière. Mais il s'était réveillé un matin dans sa cabine, avec la sensation qu'elle l'avait berné. Qu'elle lui avait promis une rente, sans intention de tenir parole... Il avait débarqué à Anvers, à Cherbourg, je ne sais où, pour rentrer dare-dare à Berlin. Il exigeait d'elle d'autres garanties, et l'avait torturée de toutes les façons possibles. Son départ avait encore traîné six mois !

— Et elle ?

— Elle, elle n'a jamais parlé de ses problèmes à personne. Pour ma part, j'ai toujours ignoré ses difficultés avec son mari.

— Mais les cachait-elle à Gorki ? demanda la Marchande... Vraiment ?

— Va savoir... Elle lui disait toujours : « Ne vous inquiétez pas, Alexeï. Je me débrouille. Je m'arrangerai pour trouver l'argent nécessaire. »

— Tu parles ! Au bout du compte, c'est tout de même lui qui a financé le voyage. Il a même fini par tout payer : et le billet et la pension de la petite frappe.

Moura les entendait du balcon. Elle respirait à longs traits l'air de la mer dans le golfe de Naples. De sa fenêtre, la vue était merveilleuse. Elle apercevait d'un côté, sur le promontoire, l'alignement des grands cyprès noirs qui conduisaient aux croix blanches d'un cimetière. De l'autre, dans la brume, la masse rocheuse de Capri, l'île bénie des dieux où Gorki avait vécu six ans d'exil, au temps des persécutions tsaristes.

L'endroit était merveilleux, oui.

Mais la villa *Il Sorito,* qu'elle venait de louer au duc de Serracapriola afin d'y loger la petite colonie russe d'Alexeï, n'était pas faite pour l'hiver. Une maison d'été au contraire. Construite pour garder le frais, en temps de canicule.

Que vaudrait l'humidité de ses grandes pièces aux poumons de Gorki ? La bâtisse semblait encore bien froide et bien vide. Moura s'inquiétait. Avait-elle commis une erreur en abandonnant la villa Massa, où la bande s'était installée au printemps dernier ? Non, cette maison-là était encore pire. Plus inconfortable. Plus onéreuse... N'empêche ! Ici, le vent passait sous les fenêtres et l'eau des salles de bains restait tiède. Elle songeait à la chaudière qu'il faudrait réparer... À la cheminée qu'il faudrait ramoner... Aux rideaux dont elle allait devoir s'occuper.

Une chose à la fois.

L'important était qu'au terme de ses six mois en Italie, Alexeï se porte mieux. Bien mieux même que dans tous les sinistres sanatoriums qu'il avait fréquentés en Allemagne durant deux ans.

Aucun doute sur ce point : le climat lui convenait.

De sa chambre au premier étage, elle contemplait les derniers bougainvillées qui s'accrochaient aux charmilles. En ce mois de décembre, on pouvait encore se tenir dans le jardin. Merveilleux, lui aussi. Il y faisait plus chaud qu'à l'intérieur.

Elle continuait d'entendre Rossignol, Pépékriou, la Marchande et Molécule qui buvaient leur café du matin, attablés sous la tonnelle. Ils seraient bientôt rejoints par d'autres visiteurs.

Si la famille Pechkov – Gorki, Max et sa femme –, ainsi que le peintre Rossignol, le poète Khodasevitch et sa compagne Nina Berberova vivaient ici à demeure, les intimes de passage habitaient en face, à l'hôtel Minerva. La Marchande, son mari Didi, et Molécule passeraient Noël à la villa.

Pépékriou – en pleine rupture avec la grande comédienne Andreïeva qui, elle, n'apparaissait plus à Sorrente – et Rossignol – en pleine crise d'inspiration picturale – leur distillaient les ultimes potins. Tous quatre bavardaient à mi-voix.

— Elle va pouvoir divorcer, s'installer enfin avec nous. Emménager pour de bon… Gorki passe sa vie à l'attendre. Il souffre tant de ses absences.

— C'est le monde à l'envers !

— Max m'a montré un mot qui traînait sur le bureau de son père. « D'accord, d'accord, plaisantait-elle, je n'épouserai plus de barons. Vous dites qu'ils sont tous des alcooliques… Et alors ? Vous-même, qui êtes marquis et duc, vous buvez bien du chianti ! » …Résultat : Gorki rit, Gorki craque. Et Gorki casque.

— De toutes ses amoureuses, elle est, je crois, la compagne dont il est le plus épris. Il la considère comme sa femme.

— Leurs rapports ont changé. Il a besoin d'elle pour tout ! Discuter de ses idées, lire ses chapitres, l'aider dans ses articles… La mort de Lénine en janvier a été pour lui un gros coup. Elle l'a encouragé à écrire son éloge. Un véritable chant d'amour où il dit son respect, son admiration. À l'entendre, Ilitch est le plus grand penseur politique de tous les temps. Et le régime qu'il a mis sur pied, le seul possible pour la Russie.

— Ilitch l'avait pourtant poussé dehors et forcé à s'exiler.

— Avec sa disparition, Gorki a oublié tous leurs différends. La Russie lui manque. Et le camarade Staline, qui travaille à se débarrasser de Zinoviev, ne cesse plus de l'inviter à rentrer au pays.

— Qu'en dit-elle ?

— Sur ce point, elle se garde de l'influencer.

— Elle a raison.

— Elle possède un très bon jugement. Elle est d'excellent conseil.

— En tout cas, c'est ce que pense Gorki.

— *C'est ce qu'elle lui donne à croire :* nuance ! En vérité, elle le trompe… Elle a revu Lockhart.

— Comment ? Que dis-tu ? Le consul ?

— Je n'y crois pas, s'exclama Molécule, c'est faux !

— C'est vrai ! Elle est allée le retrouver en juillet. Juste après notre installation dans la première maison. Elle s'était occupée du déménagement entre Marienbad et Sorrente, elle avait trouvé la villa, elle l'avait louée, elle l'avait meublée. Elle pouvait, comme chaque été, nous quitter pour s'envoler vers d'autres cieux. Partir passer le mois d'août à Kallijärv avec ses enfants. Soi-disant… En réalité : *schuss* sur son ancien amant.

— Incroyable. Elle a voulu le retrouver, elle l'a fait. Chapeau… Cette femme ne lâche jamais prise !

Moura referma la fenêtre. Elle en avait assez entendu… Même à l'extrémité du cap de Sorrente, les nouvelles voyageaient vite ! Et la vie en vase clos ne valait rien à personne. Poètes, romanciers, peintres, tous les représentants de l'art et de la littérature russe qui défilaient ici, finissaient par se conduire comme des petits-bourgeois en villégiature. Rivalités, cancans, potins.

Que pouvait savoir son vieil ami Rossignol – le premier qui l'avait accueillie avenue Kronverkski – de ses sentiments envers Lockhart ? Sinon le peu qu'elle-même lui avait confié.

En vérité, la conversation qu'elle venait de surprendre la contrariait au plus profond. Non parce que ces papotages lui renvoyaient une image déformée de sa gratitude et de sa compassion pour Budberg, de son immense tendresse pour Gorki et de son amour pour Lockhart. Mais parce qu'elle-même ne parvenait pas à bien mesurer l'importance de ce qui s'était joué pour elle à Prague et à Vienne.

Lockhart, depuis, ne cessait de lui écrire. Ils étaient convenus de se revoir. Elle rêvait de ces nouvelles rencontres.

En dépit de ce qu'elle connaissait de sa lâcheté, de ce qu'elle pensait de sa médiocrité, il était – il resterait – la passion de sa vie.

Elle acceptait l'évidence.

Elle regrettait maintenant, elle s'en voulait même avec fureur, de n'avoir pas saisi l'occasion de se jeter dans ses bras, quand ils s'étaient retrouvés sur les marches de la Cunard Company. Ou sur le rocher, au-dessus de la maison des Hicks. Elle aurait dû l'embrasser, elle aurait dû l'aimer.

Leurs étreintes auraient été fugitives, et alors ? Quelle importance ? Oui, quelle importance qu'il fût épris d'une autre ? Celle-là disparaîtrait comme la princesse malaise, et toutes les femmes à venir.

Elle saurait transformer leur relation, inventer entre eux un nouveau type de complicité et de plaisir. Demeurer la première dans ses affections. La seule, au bout du compte.

L'ancre.

Pour le reste, le départ du pauvre Budberg, auquel les causeurs avaient fait allusion tout à l'heure sous la tonnelle, la délivrait d'une présence dont elle ne mesurait qu'en cet instant, combien elle lui avait pesé durant les trois dernières années.

Les propos des amis de l'avenue Kronverkski, les commentaires de Rossignol lui révélaient surtout une autre réalité, beaucoup plus dérangeante, que la tension de ses rapports avec Budberg lui avait cachée… Une réalité qu'elle n'avait pas voulu voir, qu'elle ne maîtrisait pas, qui la dépassait, qui lui déplaisait : la difficulté de ses relations avec Alexeï Maximovitch.

Plus de paix, plus d'harmonie entre eux.

Il souffrait de ses absences et les lui reprochait, l'accusant d'un manque d'attention envers lui, d'une négligence à son égard, d'un abandon fondamental, tant d'un point de vue professionnel qu'affectif. Il s'en disait blessé triplement. Offensé en tant que personne. Vexé en tant que mâle. Humilié en tant qu'écrivain.

Elle s'en défendait, lui démontrant combien elle ne cessait de travailler pour lui à Berlin, à Paris et partout, s'occupant de ses contrats auprès de ses éditeurs, négociant ses droits, les collectant.

Sur ce point, elle disait vrai et palliait ses manques en redoublant d'énergie, d'efficacité et de dévouement.

En vérité, elle tentait depuis des mois d'étouffer en elle cet esprit d'indépendance qui la poussait hors d'Italie, hors de la villa Massa, hors de la villa *Il Sorito*, cet esprit qu'elle appelait *ses mauvais instincts*... Mais il ne faisait que croître et embellir.

La honte de torturer l'être qu'elle admirait, qu'elle respectait plus que tout au monde, le regret, la peur, l'horreur du désamour la submergeaient.

« Alexeï, mon chéri, ma Joie, lui expliquait-elle dans sa tête, j'ai lutté longtemps avec moi-même, essayant de me convaincre que ce n'était pas grave... Le voilà, me disais-je en regardant votre cher visage, le voilà l'homme que j'aime et dont j'ai passionnément besoin... L'homme qui a, lui aussi, besoin de moi, qui m'aime, qui m'est infiniment proche, pour lequel j'éprouve autant de tendresse qu'auparavant... Mais plus d'extase. Vous ne vous imaginez pas à quel point je me suis haïe et continue de me haïr pour cela. »

Les retrouvailles avec Lockhart auraient-elles emporté jusqu'au pouvoir de rédemption de Gorki ?

Chez Moura, la confusion des sentiments était désormais totale.

Chapitre 33

LA CRISE
Juillet 1925 – Juillet 1927

En cette soirée de juillet 1925, Micky traversait prudemment la route qui serpentait devant elle, sur le cap de Sorrente. Elle-même sortait de la pension Minerva où elle avait baigné, habillé et coiffé les petits, après leur après-midi à la mer.

Invités par Gorki à venir passer l'été avec lui en Italie, Micky et les trois enfants dormaient à la pension. Mais tous prenaient leurs repas en face, à la villa *Il Sorito*, et passaient leur temps sur les terrasses et dans le grand jardin des ducs de Serracapriola, planté de figuiers et de roses. Ou bien sur les rochers de la plage, en bas. On y descendait par une merveilleuse orangeraie qui semblait tomber en à-pic dans les vagues. Et Micky détestait remonter cette pente en pleine canicule, avec les serviettes et les ballons. La halte à la Minerva pour le bain des enfants lui semblait la bienvenue avant les jeux du soir.

Kira, âgée de seize ans, les attendait déjà devant la grille de la villa, entre les deux poteaux ocre de l'entrée. Mais Paul (douze ans) et Tania (dix) allaient, eux, devoir attendre et calmer leur ardeur à revoir leur nouveau camarade Alexeï Maximovitch. Hors de question de les laisser courir de l'autre côté de la route ! Micky les tenait fermement par la main… Pas de trottoir, ici.

Aucune visibilité. Un camion, une voiture, un *side-car* semblable à celui que le jeune Max conduisait à tombeau ouvert, menaçant de verser avec ses passagers dans les lacets de la côte amalfitaine, pouvaient à tout moment surgir des deux tournants qui encadraient la maison.

Micky se sentait encore épuisée par le voyage. Elle avait bien cru qu'elle ne survivrait pas à cette interminable équipée à travers l'Europe, avec ses mille changements de trains entre Kallijärv et Sorrente.

En vérité, elle n'était plus de la première jeunesse. Elle avait fêté son soixante et unième anniversaire, et commençait à souffrir de petits maux qu'elle taisait. Au reste, en débarquant sur le quai de la *Stazione Termini*, à Rome où Marydear était montée les accueillir, Paul et les filles n'étaient guère plus frais.

De quelle énergie Marydear devait-elle faire preuve pour entreprendre chaque année de semblables périples, plusieurs fois dans les deux sens ? Micky aujourd'hui se posait la question. Elle mesurait l'ampleur de l'expédition. Et la perspective de repartir en août ne l'enchantait pas.

Quoi qu'il en soit, ils avaient fini par arriver... Installés depuis près d'un mois. Et jamais Micky n'avait vu Kira, Paul et Tania aussi heureux.

Impatients de rejoindre leur mère. Plus impatients encore de retrouver Alexeï Maximovitch... Gorki avait le goût, le sens des enfants ! Et ceux-ci le lui rendaient bien. Tania avait développé pour lui une véritable passion. Le vieil homme et la petite fille ne se quittaient plus.

Bizarrement, la vie qu'ils menaient à Sorrente évoquait à Micky le rythme des mois de villégiatures à Berezovaya Rudka bien avant la guerre, du temps du sénateur Zakrevski.

Même cette grande villa du XVIIIe siècle napolitain, même *Il Sorito* avec sa façade baroque, ses fenêtres tarabiscotées, ses petits balcons de fer forgé, ses oculus, ses terrasses et ses stucs, lui rappelait la demeure des Zakrevski en Ukraine.

Jusqu'aux domestiques qui ne s'adressaient à Marydear qu'en l'appelant « madame la Baronne », une interjection qu'on entendait claironnée vingt fois par jour, avec autant de cérémonie que de naturel.

Buongiorno, Signora baronessa. Subito, Signora baronessa. Scusi, Signora baronessa.

Micky sentait bien que l'appartenance de Mary à la Corporation des nobles d'Estland ne faisait guère rêver Gorki. Mais elle voyait aussi que la résurrection du vieux mythe familial des Zakrevski l'enchantait. Il riait beaucoup avec les trois enfants, quand Mary mettait une mèche de ses cheveux noirs sous son nez, pour imiter la moustache du tsar Pierre le Grand. Sa ressemblance avec lui était alors si frappante qu'ils ne pouvaient douter qu'elle fût sa descendante. Maria Ignatievna, une arrière-arrière-arrière petite-fille du plus audacieux des empereurs de Russie ? Cette idée amusait infiniment Gorki.

Moura se gardait de l'en détourner et cultivait la légende.

Quant aux vraies duchesses italiennes, leurs voisines – les deux filles du propriétaire, qui habitaient encore une partie de la villa en attendant de se marier –, elles demeuraient les maîtresses révérées du cap de Sorrente. Les paysans de Massa Lubrense, le village mitoyen, saluaient leur passage en se découvrant largement, en s'inclinant très bas, en marmonnant d'incompréhensibles paroles de dévotion. Aux yeux de toute la région, les deux demoiselles âgées d'une trentaine d'années étaient à jamais *le Signorine Duchesse di Serracapriola.*

L'hôte de la maison lui-même, *l'illustrissimo Professore Massimo Gorki,* passait pour un dieu. Ses lecteurs napolitains lui témoignaient un tel enthousiasme que ses rares sorties provoquaient des attroupements, et même des émeutes.

Micky, lors de leurs visites des églises de Sorrente et des musées de Naples, avait pu juger de son invraisemblable popularité. Tous se ruaient sur sa voiture, cherchant à lui baiser la main.

De Capri, où Gorki avait vécu sept ans en exil à l'époque du Tsar, et qu'il avait quitté depuis plus d'une décennie, les pêcheurs faisaient le voyage en barque pour se rappeler à son bon souvenir et lui demander sa bénédiction.

En ces années 1920, la gloire de Gorki égalait celle dont seuls deux écrivains avaient joui avant lui. Deux écrivains engagés, eux aussi. Victor Hugo et Léon Tolstoï. Comme eux, Gorki était le guide, le maître, *Il Maestro in assoluto,* que le peuple vénérait.

Mais plus encore que les marques de respect, les titres de noblesse et le charme des lieux, l'étrange écho entre le présent de Marydear et son passé seigneurial – cette similitude qui frappait tant Micky entre *Il Sorito* et *Berezovaya* – résidait dans l'atmosphère. Le mélange des générations et le mélange des genres, les pique-niques, les parties de campagne, les parties de tennis… Les charades, les bouts rimés, le bridge, la profusion des repas et la liberté des échanges intellectuels.

En Estonie, la raideur psychologique des Benckendorff, qu'accroissait aujourd'hui le drame de leur gêne financière ; la rigidité des conventions sociales, la rudesse du climat, toutes les difficultés de la vie dans un pays martyrisé par les invasions, l'avaient déshabituée de cette sorte d'ambiance.

Certes, ici non plus le luxe n'existait pas… Pas vraiment. Le confort restait relatif. Mais la beauté était partout.

Et la table, riche en fruits merveilleux qu'on ne connaissait plus à Kallijärv, demeurait ouverte à une foule de gens qui arrivaient de très loin. La plupart étaient nés à Moscou et à Saint-Pétersbourg. Les uns se voulaient bolcheviques. Les autres avaient émigré.

Les visiteurs – artistes, musiciens, poètes ou simples pique-assiettes – pouvaient débarquer le temps d'un déjeuner. Ils pouvaient aussi rester la nuit, s'installer une semaine, un mois, une saison chez Gorki, comme les estivants d'autrefois chez le père de Mary. Et comme chez le père de Mary, chacun vaquait à ses affaires, travaillait à son œuvre ou à ses plaisirs, avant de se retrouver le soir, et de discuter de ses idées et de ses rêves. Interminablement.

À sa grande surprise, Micky retrouvait ici, en Italie, chez le partisan de la Révolution, chez l'ami de Lénine et le grand défenseur de la pensée marxiste, toutes les impressions de ses premiers étés parmi les membres de l'aristocratie russe.

C'était du moins ce que percevait la vieille Irlandaise du cercle que gouvernait sa Marydear.

*

La journée avait été torride et les cigales ne consentaient pas encore à se taire. Micky, Rossignol et la jolie Timocha, l'épouse de Max enceinte de sept mois, se tenaient en rang d'oignon sur le banc dans la cour. Moura s'était assise sur la plus haute marche du perron. Tous regardaient Gorki jouer à chat perché avec les enfants et crier plus fort qu'eux, en se juchant sur les pierres qui bordaient les plates-bandes. Son petit chien Kouzka – le fox-terrier que Moura lui avait offert – aboyait gaiement en le poursuivant d'un perchoir à l'autre.

Alexeï Maximovitch n'était pas le seul à courir et à grimper n'importe où, jusque dans les pots de cactus. Une dizaine d'autres adultes, Max, la Marchande, et les amis de passage – une cantatrice russe qui se produisait cet été à la Fenice, le décorateur en chef de la Scala de Milan –, tentaient, eux aussi, d'échapper à Tania qui les pourchassait autour du palmier, dans des hurlements de joie. Elle se montrerait impitoyable : quiconque se laisserait attraper devrait parcourir à cloche-pied la distance qui le séparait du portail.

Et Gorki se faisait toujours prendre. Il sautillait jusqu'aux deux piliers et criait dans le tournant de la route le gage que Tania lui avait imposé : des mots allemands qu'il écorchait exprès en accentuant son accent russe, pour le plus grand plaisir de la petite fille… Un rituel avant le dîner à *Il Sorito*. Un rituel qui se poursuivrait après, avec d'autres jeux, jusqu'à l'heure où Moura et Micky décideraient que le moment était venu pour les petits d'aller se coucher.

En dépit de la fantaisie du maître et du goût de la fête qui caractérisait la maison, la vie à *Il Sorito* était réglée par les impératifs de la création.

Plus disciplinée qu'il n'y paraissait. Alexeï Maximovitch se levait et se couchait tôt. Avec ou sans l'assistance de Moura, il écrivait jusqu'en fin d'après-midi dans leurs quartiers du premier étage. Elle-même traduisait ses articles, tapait son courrier ou vaquait à ses occupations en maîtresse des lieux, veillant aux impératifs de l'intendance. Les comptes, la paye des domestiques, les commandes de vivres au village. Le couple ne ferait son apparition qu'à la fraîche, vers six heures.

Alors, tous les volets s'ouvriraient : Moura savait protéger son intérieur de la canicule. En vérité, elle était, avec Gorki, la seule à ne pas profiter du *farniente* général, et à travailler.

En les voyant apparaître ensemble sous le chambranle de la porte d'entrée, Micky ne s'interrogeait pas sur les liens qui les unissaient.

L'idée que sa Marydear pût être autre chose que la collaboratrice de l'illustre écrivain ne l'effleurait pas. Le mariage avec le baron Budberg l'avait trop contrariée pour imaginer que Marydear puisse vivre avec un autre homme, en concubinage. Comme Kira, Paul et Tania, trop jeunes pour se poser cette sorte de question, elle se gardait de s'aventurer mentalement dans ce genre de domaine. Impossible pour elle de même concevoir que la veuve de Djon, l'épouse de Budberg et la mère des enfants, fût aussi la maîtresse de Maxime Gorki.

Non que le charisme d'Alexeï Maximovitch n'eût pas touché Micky... Totalement sous le charme, au contraire !

Elle se reconnaissait impressionnée par l'importance des sacs de courrier que le postier déposait chaque jour sur le pas de la porte, toutes ces lettres qui arrivaient du monde entier à l'intention du maître. Elle se reconnaissait même fascinée par cette gloire qui enveloppait Marydear et les enfants, qui l'incluait elle-même dans sa lumière.

Fascinée, oui, par le succès de l'écrivain dont elle n'avait rien lu. Et séduite par l'humanité du personnage. Elle aimait la bien-veillance de Gorki. Son regard si bleu, si bon quand il se posait sur le visage de Tania. Avec ses tresses noires que terminaient de gros nœuds blancs, avec ses yeux noisette si pétillants de vie, elle ressemblait tant à sa mère !

Micky aimait surtout le rire de Gorki, un rire inextinguible de petit garçon qui explosait de gaieté devant ce qui l'amusait. Sa façon de s'émerveiller, de se taper les cuisses de joie, ou de pleurer d'admiration quand une musique ou un spectacle le touchait. Sa fièvre devant la masse noire du Vésuve qui l'attirait chaque nuit sur sa terrasse, sa passion pour les petites lumières du « sentier des Anglais », les mille lanternes qui jalonnaient la pente du volcan.

Elle aimait l'émotion dans sa voix qui devenait un peu sourde quand il déclamait des vers, haletante et furieuse quand il défendait ses idées.

Mais elle le voyait comme un homme de son âge, qui ne pouvait lire sans chausser ses lunettes, qui souffrait d'arthrose aux articulations, qui se voûtait aux épaules… Un vieillard dont la poitrine, trop maigre, se creusait sous ses paletots gris.

Dès que la longue silhouette d'Alexeï Maximovitch se profilait sur le perron, ses hôtes se précipitaient à sa rencontre. Les uns abandonnaient leur partie de tennis, les autres leurs déambulations dans le jardin, les troisièmes leurs carnets de croquis. Chacun avait besoin de son avis – un besoin intellectuel, sentimental ou pratique –, et chacun tentait de le captiver avec le récit de sa journée. Même ici, il restait leur *Douka* : leur Duc. L'âme de la colonie d'*Il Sorito*. Pour leur part, Tania, Paul et Kira ne s'embarrassaient pas de fioritures : ils sautaient littéralement sur son dos. D'instinct, il les comprenait. Lui-même se sentait compris par eux.

Au plaisir que lui causait leur jeunesse se mêlait chez Gorki un autre sentiment. Celui d'un immense soulagement : les enfants de Maria Ignatievna n'étaient pas un mythe. Ils existaient dans la réalité.

Non qu'il ait cru qu'elle les avait inventés pour justifier ses silences et lui échapper. Mais en la trouvant si secrète avenue Kronverkski, il lui avait tant de fois demandé : « À quoi songez-vous ? »

Et elle, elle lui avait tant de fois répondu : « À rien. »

Lui même avait tant de fois insisté : « Mais encore ? »

« Je pense à mes enfants. »

La mélancolie de cette phrase avait coloré leur relation d'une tristesse trop légitime, pour que la présence de Paul et de Tania ne le délivre pas d'un poids. Les sentir si vivants, les découvrir si pleins de sève, de joie, de beauté, les trouver si attachants, si objectivement *bien élevés*, lui avaient même ôté une forme de mauvaise conscience.

Il ne pouvait s'empêcher de penser que Maria ne devrait plus être coupée de sa famille. Le destin avait été dur pour elle… Une séparation contre nature.

Et voilà. Ses enfants étaient là. Ils jouaient autour d'elle à *Il Sorito*.

La voir ainsi, assise au sommet des marches, en mère qui veillait sur leur éducation, qui protégeait leur santé, qui défendait leur bien-être, la voir ainsi trônant au centre de leur cercle, le touchait aux larmes. Dans ce rôle qu'il ne lui connaissait pas, il la trouvait plus juste, plus superbe et plus émouvante que jamais. Son épanouissement l'effrayait presque. Il n'osait la regarder de face.

Une femme de trente-deux ans, pleine de sève, pleine de vie, elle aussi.

Il n'aimait rien tant que lorsque le soleil du crépuscule pailletait d'or ses yeux noisette, comme en cet instant. Et qu'elle riait en accueillant près d'elle Kira qui venait d'être éliminée de la course. Il adorait quand elle passait familièrement son bras autour du cou de la jeune fille et qu'elle la tenait serrée contre elle, intime et protectrice. Leurs robes d'été en coton blanc ne formaient alors qu'une seule tache de lumière sur le fond ocre du mur.

En vérité, lui-même trouvait autant d'excitation à échapper aux assauts du petit chien et aux poursuites de Tania qu'à se donner en spectacle devant elle : que Maria Ignatievna le découvre en homme qui pouvait encore courir, crier, rire et jouer. Infatigable.

Il aurait tant aimé lui plaire… Lui plaisait-il encore ? Il en doutait. Elle se montrait aujourd'hui tellement lointaine. Quelquefois même impatiente, agacée par ses travers. Cette agressivité sourde, qu'il ne lui connaissait pas, la lui rendait étrangère et hostile.

Elle continuait certes à l'entourer, comme elle seule savait le faire. Mais elle ne le traitait pas *comme avant…* En compagnon de route. En amant et en époux. Elle le traitait en malade d'un quart de siècle plus âgé qu'elle.

Il lui en voulait de cette condescendance nouvelle. Et de bien d'autres manquements encore. Pourquoi tous ces départs ? Qu'elle cesse de vivre par tranches et de courir sans arrêt d'un univers à l'autre ! Qu'elle cesse de se sentir écartelée entre ses nombreuses fidélités et ses différents *devoirs* ! Écartelée entre ce qu'elle lui devait à lui. Ce qu'elle devait à ses enfants. Ce qu'elle devait à ses sœurs. Ce qu'elle se devait à elle-même… Et ce qu'elle devait à Dieu seul savait qui d'autre encore ! À leur voisin, peut-être ?

La jalousie le torturait.

…À cet avocat antifasciste de Sorrente ? À ce jeune et beau Carlo Ruffino – plus jeune en tout cas, et plus beau que lui – qui prétendait défendre les opposants napolitains contre la tyrannie de Mussolini ? Finirait-elle par partir avec ce garçon ? Non. Sans doute pas. Une femme comme elle ne quittait pas un homme comme lui pour un avocaillon italien, fût-il antifasciste. Elle n'abandonnerait pas un « Gorki » pour un « Carlo Ruffino », dont elle-même affectait de minimiser l'existence en ne l'appelant que « R. ». Quoique… L'épouse de Blok, le plus subtil des poètes, l'avait bien abandonné pour un clown de cirque !

Quand Maria disparaissait si longtemps en ville – soi-disant pour consulter son avocat R. sur la procédure de son divorce *in absentia* d'avec Budberg –, le trompait-elle ? Elle en avait probablement le désir. Par moment, il la détestait.

Au contraire de ce qu'elle pensait d'elle-même, Maria Ignatievna n'était pas une femme de devoir, songeait-il, ni même une femme de tête. Mais seulement une femme d'instinct. De l'espèce que décrivait si bien Schopenhauer, quand il évoquait la supériorité de l'instinct sur la raison… De l'espèce des mouches, des grenouilles, des cochons d'Inde, de toutes les petites bêtes de la nature dont le comportement purement sexuel le choquait.

Quant à lui, oui, oui, il était livresque ! *Verbeux*, comme elle le qualifiait maintenant qu'elle le critiquait.

Cérébral, lui ? Mais certainement ! Et c'est ce qui les opposait. Une différence irréductible, quoi qu'elle prétende.

Il lui gardait certes sa confiance. Mais quand il la surprenait écrivant des lettres qu'elle dissimulait rapidement dans un tiroir ou sous un livre, elle le blessait. Pourquoi ces cachotteries ? Que diable, il ne lui demandait de renoncer à rien ! Alors, pourquoi ces mystères ? Pourquoi ces silences ?

Et pourquoi les enfants ne resteraient-ils pas vivre ici, avec elle ? Pourquoi ne grandiraient-ils pas auprès d'eux en Italie ?

Il lui avait posé une fois la question.

Évasive, elle tardait à y répondre.

Oui, ce serait bien de ne plus devoir faire le grand écart entre Kallijärv, Berlin et Sorrente, avait-elle reconnu... Pourquoi pas ? En effet, ce serait bien.

La conversation sur la recherche éventuelle de la possibilité d'une école à Naples s'était arrêtée là. Avant de se conclure brutalement, comme s'interrompaient la plupart des récréations du soir et des poursuites dans le jardin : par une abominable crise d'asthme ou par une quinte de toux qui pliait en deux Alexeï Maximovitch sur son mouchoir teinté de sang.

En fait d'amant en pleine maturité, un grand tuberculeux auquel son médecin interdisait ces courses vespérales.

Moura, du haut des marches, le suivait des yeux. Elle adorait le regarder jouer ainsi avec Tania. Mais elle ne pouvait se détendre. Elle savait ce qui le menaçait.

Elle savait aussi qu'elle ne devait pas intervenir. Se taire. Arborer son sourire de sphinx et attendre.

Il détestait qu'on s'apitoie sur son sort. Il détestait surtout que des réalités gênantes – comme sa mauvaise santé ou la nouvelle des barbaries perpétrées par les tchékistes – viennent anéantir ses espoirs et ses rêves. Il réussissait comme personne à ne pas prendre en considération les vérités qui lui déplaisaient, et possédait au plus haut degré la faculté de nier les faits.

Hors de question d'évoquer avec lui l'état du seul poumon qui lui restait. Dès qu'il sentait s'ébaucher une telle conversation, il se fermait. La colère tachetait son cou de plaques rouges... Et son mal empirait. Il sortait de la pièce en gesticulant.

Pour le reste, il qualifiait les faiblesses de sa santé et les cruautés des hommes de Zinoviev avec les mêmes mots : « Oh les cochons ! », grommelait-il en regardant les gouttelettes de sang dans son mouchoir ou en lisant certains témoignages arrivés de Russie... « Oh les voyous, oh les crapules ! » Ainsi exprimait-il à la fois sa révolte et son étonnement.

Mais elle pensait que, sur le fond, il faisait la sourde oreille et refusait de voir ce qui le gênait. Il lui laissait à elle le soin de résoudre les problèmes.

Elle ne devait toutefois s'attaquer aux *réalités gênantes, aux réalités déplaisantes,* qu'en paraissant ne pas y toucher. Sans en avoir l'air. *Mine de rien.* Comme elle mettait fin aux jeux de colin-maillard et de chat perché… En sautant gaiement sur ses jambes pour donner l'ordre à la cuisinière de sonner la cloche du dîner. Et de servir le repas sur la terrasse du premier étage qui surplombait la mer. La terrasse du Maestro, à la vue si merveilleuse.

*
* *

Des jours étouffants s'étaient succédés. Les enfants ne laissaient aucun répit à l'été. Aucun repos à la pauvre Micky.

Mais la chaleur avait eu raison des adultes. Même Max avait cessé ses équipées en side-car, pour rester somnoler auprès de sa femme. À huit mois de grossesse, Timocha attendait impatiemment sa délivrance.

Appuyée sur la balustrade de la terrasse, Moura, le visage tourné vers le large, fumait en se laissant éblouir par le soleil pourpre du soir. Elle aimait cette lumière aveuglante qui vibrait sur le jardin et sur la baie de Naples, cette lumière qui flottait partout, même ici, même au crépuscule.

Le chèvrefeuille qui s'accrochait au mur derrière elle, exhalait son parfum sucré que l'air de la nuit emporterait bientôt vers la plage… *Valse mélancolique et langoureux vertige*, elle se récitait en français les vers de Baudelaire et songeait qu'après les discussions du dîner, après les baisers aux enfants, les saluts aux amis, la bonne nuit à Alexeï, ce silence, cette paix lui étaient dus.

Dieu sait pourtant si elle détestait la solitude ! Mais elle ne supportait plus les flatteries des multiples visiteurs, les courbettes des courtisans et des pique-assiettes qui défilaient ici.

La mer devant elle enflait et désenflait à perte de vue. Elle-même respirait lentement, alignant son souffle sur le rythme des vagues. Tout semblait parfait.

Tout *était* parfait, oui. Et pourtant…

D'où lui venait cette étrange inquiétude qui coulait dans ses veines ?

Elle ne se comprenait pas. Elle avait conscience de la magie de cet été. Elle en jouissait. Elle savait qu'elle en garderait, elle aussi, un souvenir ébloui. Comme Tania. Comme Micky.

Et cependant…

Elle attendrait que le soleil fût descendu à l'horizon pour réfléchir à ce qui, chez elle, n'allait pas.

À la vérité, chez elle, rien n'allait.

Moura se retourna un instant vers la maison. L'obscurité gagnait la façade.

À l'exception d'une fenêtre dont les persiennes laissaient filtrer une lueur, toute la maisonnée dormait déjà. Sauf lui, sauf Alexeï qui, comme elle, souffrait d'insomnie.

Moura soupira… Son impuissance à apaiser la jalousie d'Alexeï la désolait.

Elle l'entendit remuer dans sa chambre. Il se levait de son lit. Il rouvrait ses volets. Ressentait-il, lui aussi, cette anxiété qu'elle ne maîtrisait plus ?

Elle devait lui épargner ce qui pouvait lui être épargné. Son existence d'exilé soulevait déjà en lui trop de doutes, pour y ajouter d'autres tracas. Et il avait raison d'écarter ce qui le gênait. Il portait assez de poids sur ses épaules.

Inutile de lui expliquer les difficultés qu'elle-même rencontrait à gérer ses affaires. Inutile de lui répéter que la mort de Lénine l'an passé avait signifié la fin des versements du Parti sur son compte à la Deutsche Bank de Berlin. Traduction : le début de très graves difficultés financières.

À sa façon de pianoter sur la table quand elle avait tenté d'aborder le sujet, elle avait compris que cette information-là appartenait à la catégorie des *faits déplaisants*.

Impossible aussi de lui dire que l'arrivée des sacs de courrier qui faisait croire à la pérennité d'un succès mondial n'était qu'un leurre, un reste de gloire qui masquait la réalité. Depuis la guerre, les tirages de ses livres en Europe avaient drastiquement diminué. Et Paul, armé d'une lampe de poche, pouvait bien lire *La Mère* jusqu'à l'aube, Tania dévorer *Enfance* dans son lit, et Kira *Les Bas-Fonds* en cachette de Micky : à l'étranger, on ne connaîtrait bientôt de Gorki que ces trois titres.

À Berlin, elle luttait pied à pied pour défendre son travail et multipliait les échanges avec les éditeurs internationaux. La perspective du déclin d'Alexeï l'ulcérait : il n'avait jamais été plus grand qu'aujourd'hui ! Elle considérait le roman qu'il écrivait depuis mars, *La Vie de Klim Samguine,* qu'elle-même tapait chaque matin, comme son chef-d'œuvre.

N'empêche, les ventes baissaient partout... Sauf en Russie où sa popularité atteignait des sommets.

Mais ce que Gorki gagnait là-bas y restait désormais bloqué. Et si la baisse des tirages continuait ici, Alexeï Maximovitch serait ruiné. Comment subviendrait-il alors aux besoins de son fils, de sa bru, de ses petits-enfants à venir ? Et à ceux de cette immense colonie qui vivait à ses crochets en Italie ? Comment pourrait-il continuer à louer *Il Sorito* et à vivre à Sorrente ?

Il n'avait certes aucune raison de prendre en considération les menaces dont elle cherchait à l'avertir. Staline multipliait à son égard les protestations d'amour. Au contraire de Lénine qui l'avait poussé dehors, il l'invitait à rentrer au pays en lui offrant des conditions de vie mirobolantes.

En pratique, Staline faisait en sorte qu'il ne puisse plus toucher ses droits d'auteur russes, ailleurs qu'en Russie... lorsque ceux-ci se réduisaient à une peau de chagrin en Europe. En pratique, Staline l'étranglait. Une façon comme une autre de lui prouver son amitié : l'obliger à rentrer au pays.

Moura frissonna. À force de fermer les yeux sur *les réalités gênantes*, Alexeï finirait par devenir totalement aveugle !

Rentrer ? Étrangement, Gorki en rêvait. Il avait quitté la Russie depuis quatre ans. La Russie lui manquait. Avec la distance et le temps, son passage à l'Ouest commençait même à lui apparaître comme une trahison.

Le chagrin que lui avait causé la mort de Lénine lui avait fait oublier jusqu'aux barbaries dont il avait été le témoin, ces violences qu'il avait si furieusement dénoncées.

Aujourd'hui, il détestait recevoir des lettres lui apportant la preuve de la cruauté des bolcheviques. Elles lui ôtaient son espoir en l'avenir, un espoir qui permettait l'envol vers une société plus juste. Il ne voulait plus entendre parler d'horreurs et d'excès.

Il commençait même à penser qu'il s'était trompé, que la violence dont usaient les Rouges était une arme nécessaire.

Comment faire table rase du passé, admettait-il, transformer une société en profondeur, sans arracher les racines du mal burjoui ? La vermine devait être exterminée.

Certes, qu'on ait laissé un voyou, une crapule telle que Zinoviev se hisser à la tête du Parti pouvait paraître une erreur. Mais l'erreur était humaine. Un accident de parcours, qui n'affectait en rien l'excellence de la pensée de Marx et la pureté du système de Lénine. Son successeur s'employait d'ailleurs à corriger le tir avec une efficacité remarquable, en travaillant à écarter Zinoviev et Trotski du pouvoir. Staline savait ce qui était bon pour le peuple russe.

Pechkova, la mère de Max qui séjournait souvent à *Il Sorito*, le pressait d'accepter son invitation. Alexeï, disait-elle, perdait son temps en Italie. Il y gâchait son génie.

À l'entendre, Gorki appartenait par la chair et le sang, par le cœur et par l'âme, à cette race d'hommes nouveaux qui travaillaient à la création de l'Union soviétique. Gorki devait retrouver sa place parmi les écrivains russes. Retrouver son peuple. Retrouver son public.

Accepter l'invitation du camarade Staline.

Max soutenait sa mère : lui aussi désirait jouer un rôle dans son propre pays. Pépékriou, Molécule, la Marchande ne pensaient plus autrement. Rentrer.

Moura alluma une cigarette. On avait encore le temps… *Wait and see.* L'échéance n'était pas si proche.

Elle aussi voulait pouvoir faire, un peu, de temps en temps, la sourde oreille.

En vérité la perspective du retour d'Alexeï en Russie la terrifiait.

Elle écrasa nerveusement sa cigarette, en alluma une autre.

Son départ signifierait pour eux la séparation. Pis : la rupture. Devait-elle s'y préparer ?

À terme, il y serait contraint. S'il ne réussissait plus à vivre de sa plume ici, à faire vivre la vingtaine de proches qui dépendaient de lui, quel autre choix lui resterait-il ?

Elle sentait en elle monter la colère, une vieille colère rentrée qui n'exploserait pas. Elle lui en voulait de ses inconséquences et de son narcissisme… Sa façon d'insister avec tant de gentillesse pour qu'elle sorte ses enfants d'Estonie et qu'elle les installe à Naples… Quand lui-même ignorait s'il se trouverait en Europe l'année prochaine ! L'hypocrisie d'Alexeï l'exaspérait.

Et d'autres problèmes se profilaient à l'horizon.

L'avocat de Sorrente, Carlo Ruffino… Une tentation imbécile à laquelle elle essayait de résister.

En vain.

Elle aimait cette imbécillité. Et elle comprenait la liaison de la femme de Blok avec son *clown de cirque*, comme l'appelait Gorki. Un peu de légèreté, que diable ! Elle-même n'en pouvait plus des drames, des doutes, de tout ce poids.

Elle alluma une troisième cigarette. À en juger par le nombre de mégots dans le cendrier, elle fumait trop… Elle buvait trop, aussi. Mais elle tenait l'alcool et Gorki ne s'apercevait pas de ses excès.

Elle entendait maintenant son pas qui s'avançait derrière elle sur la terrasse. L'ombre interminable d'Alexeï envahissait les dalles, les balustres. Son ombre la recouvrait, elle, tout entière.

Il portait sa vieille robe de chambre pourpre, sa robe de mandarin chinois qu'elle avait tant aimée avenue Kronverkski.

Il avait juste oublié de remettre son dentier. Elle l'entendit à sa voix.

— À quoi songiez-vous, Maria ?

Elle ne se retourna pas.

— À rien.

— Mais encore ?

— Au voyage de la semaine prochaine… À la rentrée des classes à Tallinn.

— Bref *Je pense à mes enfants !* s'exclama-t-il avec une amertume qui ne lui ressemblait pas… *Je pense à mes enfants*, comme d'habitude quand vous me mentez !

— Je ne vous mens pas.

— Vous ne faites rien d'autre !

Elle garda le silence. Il insista :

— …Ma présence vous ennuie ? Je vous agace ?

— Mais pas du tout !

— Nier l'évidence : c'est votre philosophie, n'est-ce-pas ? Il vibrait d'indignation : Vous ne vous donnez même plus la peine de me regarder, quand je vous parle !

Elle leva les yeux… Fou de rage ! L'image même de la frustration et du courroux.

Sous ses cheveux gris en brosse, qui semblaient hérissés sur sa tête comme un casque d'argent, son front se striait de rides anxieuses. Les sillons, qui encadraient sa moustache, lui donnaient une expression pleine de menace.

Elle redoutait l'explosion.

Alexeï pouvait bien refuser de faire face à certains problèmes, elle savait que, quand quelque chose ou quelqu'un le contrariait, sa colère montait vite et devenait incontrôlable.

Il allait se rendre malade. Ils allaient se rendre malades tous les deux.

Éviter l'affrontement.

— Je vous comprends, mon chéri, et je vous demande pardon.

— Non, vous ne me comprenez pas. Et pour cause : vous vous en foutez… Vous vous foutez de moi comme homme, et vous vous foutez de moi comme écrivain !

— Je sais très bien que, parfois, je ne suis pas assez attentive envers vous, mais…

— Même maintenant vous me parlez comme à un crétin… Nul ne peut traiter un écrivain russe avec le mépris dont vous faites preuve à mon égard !

Elle ne put retenir un geste de révolte, elle voulut répondre. Il ne lui en laissa pas le temps :

— …Il est douloureux de vous voir, vous, une personne plus éduquée que moi, vous, Maria Igniatievna, vous oublier de la sorte. Cette absence de respect humain vous rabaisse. Dégradante pour vous. Et dégradante pour moi… Vous me traitez avec la condescendance d'un officier rabrouant son laquais. Et vous donnez aux gens qui nous observent l'occasion de dire des vulgarités sur l'incompatibilité d'humeur entre une baronne et un parvenu comme moi, un parvenu qui a la grosse tête et se prend tellement au sérieux qu'elle doit le remettre à sa place !

Cette fois, elle éclata :

— J'ignore qui sont ces *observateurs* auxquels vous faites allusion, qui sont ces imbéciles qui parlent d'un écart d'éducation entre la baronne et le parvenu ! Je ne peux même supposer que de telles paroles aient été prononcées, nous concernant tous les deux. Il me semble n'avoir jamais donné à quiconque l'idée qu'entre nous existait une barrière sociale… Mon Dieu, Alexeï, mon Dieu, que tout cela est bête !

À son tour, elle vibrait d'indignation. Il se radoucit.

Sa colère à elle l'avait, lui, calmé d'un coup. Il garda le silence un instant, avant de murmurer :

— Vous ne me dites jamais rien. Vous ne me parlez jamais de vos soucis. Je sens, je sais, à quel point l'existence pour vous reste dure. Mais en vérité, je ne sais pas *pourquoi* elle est dure ! Max connaît mieux votre vie privée que moi. Et cela ne fait que me conforter dans l'idée que je vous suis totalement étranger.

— Vous, un étranger ? Oh Alexeï, si vous saviez !

Elle soupira, pensant à ce qu'elle ne lui confiait pas. À ce qui l'agitait d'une inquiétude si profonde qu'elle ne pouvait même la formuler... Son impuissance à soulager le désespoir de ses sœurs, à leur rendre la vie supportable.

Son impuissance devant le délabrement moral et l'état de santé d'Anna, qui s'épuisait à nourrir ses quatre enfants à Nice... Elle courait la ville pour donner des leçons de piano, de chant, d'anglais, d'allemand. Son mari, Vassili Kotchoubey, ancien maréchal de la noblesse ukrainienne, raccordait les trains à la gare et transportait des sacs de charbon toute la nuit : il s'usait à la tâche, lui aussi. L'exil et la pauvreté les tuaient tous les deux. Une lente agonie.

De cette réalité-là, de cette émigration-là, Alexeï – dans son havre de Sorrente –, n'avait même plus idée !

Et que lui dire de la déchéance d'Alla qui sombrait dans la drogue à Paris ?

— ...Je vous cache mes soucis, Alexeï, pour ne pas encombrer votre vie avec les papillons noirs qui peuplent la mienne. Des bagatelles qu'il faut écarter, afin de ne pas vous déranger. Des bêtises qu'il faut chasser. Sans intérêt pour vous. C'est pourquoi je ne vous en parle pas... Elle lui caressa la main : maintenant, mon chéri, rentrons, voulez-vous ? Contrairement à ce que vous pensez, je vous aime trop pour vous laisser attraper une pleurésie ce soir.

Il sourit à son tour et lui prit le bras :

— Oh, de cela, votre peur de ma pleurésie, je ne doute pas… Mais vous avez raison : rentrons.

Il ne put s'empêcher d'ajouter :

— …J'avais oublié que le temps nous était compté. J'avais oublié que vous partiez raccompagner vos enfants la semaine prochaine, et que je ne sais pas quand vous reviendrez.

* * *

Sorrente, le 2 août 1925. Lettre de Gorki à Moura.

Je vous ai beaucoup écrit ces derniers temps, Maria, mais je ne vous ai pas donné mes lettres, craignant que vous les compreniez mal. Ou pas du tout. Je le crains encore. (…) Notre dernière conversation – pour laquelle vous me remerciez de Nice, dans le télégramme que vous m'envoyez de chez votre sœur (gratitude qui est, en l'occurrence, ridicule et totalement déplacée de votre part !) – n'a pas amélioré mon humeur.

Pourquoi ?

Parce que, quand je vous ai demandé la veille de votre départ : « Êtes-vous bien ici ? …Êtes-vous contente à Il Sorito ? …Êtes-vous heureuse avec moi ? », vous m'avez répondu naïvement, sans même mesurer l'importance de mes trois questions : « Probablement. »

Dans ce simple mot, j'ai ressenti votre fatigue. Rien d'autre. Pas d'amour. Pas de compassion… Juste cela : de la fatigue.

(…) Encore une fois, comprenez-moi ! Je ne vous demande rien, je ne force pas vos sentiments. Je vous parle seulement de moi, de ma peur de vous perdre car vous m'êtes la personne la plus proche, la plus chère. De toutes les épreuves que j'ai pu traverser dans mon existence, vous perdre serait certainement la plus insurmontable.

Mais, franchement, je dois reconnaître que vous ne me laissez pas beaucoup d'espoir quant à la possibilité d'un changement. (…) Je ne

544

sais pas si cette lettre vous trouvera à Nice. Peut-être vaudrait-il mieux qu'elle n'arrive pas.

Alexeï

Nice, le 5 août 1925. De Moura à Gorki.

Mon cher Alexeï Maximovitch,
Je viens de recevoir votre lettre, et je pleure.

(...) Je n'ai pas voulu m'expliquer à Sorrente, car j'espérais vous revenir guérie. Rentrer à Il Sorito après m'être calmée et reprise.

Et je voulais vous forcer à vous calmer, vous.

Mais je vois bien que je dois vous répondre. Alexeï Maximovitch, mon attitude à votre égard n'a pas changé, ce n'est pas vrai !

(...) Je pense que vous avez mal interprété ma réponse quand je vous ai dit que j'étais « probablement » heureuse avec vous : mon « probablement » ne dénote à aucun moment de l'indifférence de ma part.

Je pense aussi que vous avez pressenti la vérité quand vous avez entendu dans ma voix la même lassitude que celle qui vous accable quelquefois. Une fatigue de la vie qui me pèse par moment et m'écrase telle une chape de plomb. Alexeï Maximovitch, Dieu sait si je ne suis pas une hystérique, vous le savez. J'ai quand même, par moments, envie de mourir.

Voilà.

Toutefois, je vous le répète, mon amour pour vous, ma « fusion » avec vous, mon besoin de vous – rien de tout cela n'a changé. La jeunesse du sentiment, l'état amoureux qui rend la vie si légère, sont partis, c'est vrai. En suis-je coupable, mon ami ? Je crois que non.

(...) Quand vous recevrez cette lettre, écrivez-moi au moins quelques mots à Berlin. S'il vous plaît. J'ai tellement mal. Et croyez-moi, je vous aime très fort.

Maria

Sorrente, le 8 août 1925. De Gorki à Moura.

Je me doutais que vous ne ressentiriez pas la peur qui m'a poussé à vous écrire. Une peur très simple, très humaine : en fait, je suis écrasé par le soupçon que vous, ma chère, la personne tellement lasse, la personne si fatiguée et très encline à des actions rapides – inattendues, même pour elle-même ! –, veuille me quitter. Est-ce clair ? Voilà. Avec ma lettre, je vous fermais la porte pour cesser de souffrir.

(...) Je ne peux plus écrire car je crains d'écrire encore mal. Je vous aime, voilà. Quand vous êtes avec moi, je ne sais pas ou je n'ose pas vous le dire.

Alexeï

Lettre de Moura à Gorki, remise en main propre à l'hôtel Continental de Naples où ils tentent de s'expliquer, le 23 octobre 1925.

Je désire tout vous avouer, même si je sais que mes mots influenceront ce que vous pensez de moi.

En guise d'introduction, je veux vous assurer qu'à aucun moment, même une seule seconde, je n'ai oublié cette « obligation supérieure » que m'impose votre amour. Ce ne sont pas juste des paroles. Vous le savez, je n'aime pas les grands mots. Et je pense que j'ai gâché beaucoup de choses dans nos dernières conversations : j'aurais dû me décider à parler tout de suite. Je n'ai pas pu, vous comprendrez plus tard pourquoi.

Écoutez-moi mon cher ami, la situation est la suivante : j'espère que vous n'avez pas de doutes, vous ne pouvez pas en avoir, sur cet amour très fort, absolu, que j'ai éprouvé pour vous à l'époque. En Russie. Et ce sentiment puissant a duré partout, à Saarov, à Fribourg. Partout. Mais ensuite j'ai senti – petit à petit je pense, car je ne me rappelle pas à quel moment exactement –, que je n'étais plus amoureuse de vous. Que je vous aimais toujours, oui, mais que je n'étais plus amoureuse.

(...) Cela m'a fait très peur, très peur – je m'en souviens –, si peur que je ne peux même pas l'exprimer.

(...) Comprenez bien, ce n'était pas l'envie d'une relation sexuelle avec quelqu'un d'autre – non, je le sais très bien, ce n'était pas cela –, mais le besoin de voir ma vie à nouveau éclairée par cet amour magnifique pour lequel la vie vaut d'être vécue, l'amour qui donne tout et ne demande rien en retour. Je l'ai connu avec Lockhart, je l'ai connu avec vous. Et « cela » est parti maintenant.

La vie est donc finie ?

(...) Comprenez-moi. Ce n'est pas l'instinct, c'est juste mon incompatibilité organique avec une existence sans magie. Vous le savez, je n'ai pas tendance à « m'excuser », mais cela, je le sais de moi : je n'ai besoin que d'une chose – cette joie. Et sans elle à quoi servirais-je en ce monde, y compris à vous ?

Enfin, je trouve humiliant d'accepter l'extase de votre amour et de ne pas vibrer sous vos caresses. D'être incapable de chanter à l'unisson avec vous.

Mon cher ami, Dieu sait que, si je vous ai fait souffrir, je l'ai payé pleinement par ma propre douleur. Je luttais avec moi-même et je lutte toujours.

Il me semblait que je pouvais dépasser cet état – parce que je sais trop ce que je perds en vous. Voilà pourquoi je ne voulais pas parler... Il me semblait que formuler ces pensées leur donnerait un sens plus important. Mais je vois que j'ai eu tort de me taire, que j'aurais dû parler bien plus tôt. Je ne sais plus quoi faire. (...) Car, en dépit des difficultés que je viens de vous avouer, mon amour pour vous devient plus stable et grandit chaque jour. Vous pensez que ce que je viens d'écrire sonne faux ? Que je dis ces mots pour vous « consoler » ? Non, non, vous voyez bien que je suis en train de me déshabiller devant vous, qu'il n'y a aucune place ici pour le mensonge !

Croyez-moi, mon cher ami, je ne vous ai jamais menti en rien, et je ne sais pas ruser avec vous. Vous avez fait allusion à mon désir de nouer « une autre relation ». Vos soupçons me font très mal, car je me suis toujours interdit tout attachement et j'ai écarté les autres relations par souci de vous protéger de la moindre vulgarité. Ma situation ambiguë avec Budberg me pesait beaucoup et j'y ai rapidement mis fin. Non, vous ne pouvez pas me la reprocher.

Et maintenant j'ai peur. (...) Et je crains le fait de m'être révélée à vous dans toute ma faiblesse : une femme très ordinaire, indigne de l'amour que vous lui avez offert. Et, cette indignité, je ne me la pardonnerai jamais.

Maria

Naples, le 30 décembre 1925. De Gorki à Moura.

Mon amie,

(...) La lettre que vous m'avez remise à l'hôtel Continental, est pleine de vérités assassines pour moi. Mais vous dites enfin, enfin, enfin la Vérité !

(...) Vous savez que j'appréhendais depuis longtemps ce qui nous arrive et (...) que je n'ai pas cessé de vous répéter que j'étais trop vieux pour vous. Je le disais en espérant entendre un « oui ! » honnête fuser de votre bouche. Vous n'avez pas osé et n'osez toujours pas le dire. Ainsi nous avez-vous mis – vous et moi – dans une situation absolument insupportable.

Votre attirance pour R., un homme plus jeune – et donc plus digne de votre amour – est tout à fait naturelle. Et cela ne vaut pas la peine de dissimuler, comme vous le faites, la voix de l'instinct sous les feuilles de vigne de vos bonnes paroles. À quoi cela sert-il ? Vous n'avez quand même pas l'intention de vous « vaincre » ? Vous n'y réussiriez pas ! Et puis au nom de quoi le feriez-vous ?

Vous ne pouvez pas vivre « sans magie », dites-vous, je comprends cela aussi. Mais c'est ici qu'apparaît notre irréductible différence. La magie vers laquelle vous pousse la loi cruelle du sexe m'est contraire à tous les points de vue. Pour ma part, je la vis comme une monstruosité de la nature et je ressens la liaison de la femme de Blok avec son clown comme une insulte personnelle. Vous voyez combien nos visions divergent ! (...)

Dans votre dernière lettre, la seule qui soit honnête, vous me demandez : comment faire ? Je le dis à nouveau : nous devons rompre. Peut-être temporairement, c'est à vous de voir. Mais de mon point de vue, la séparation est indispensable. (...) Vous n'aurez plus besoin de vous dédoubler, de vous couper en rondelles, vous n'aurez plus besoin, « par souci de mon bien-être », d'avoir recours à ces petits mensonges que vous multipliez à mon égard, de vous violer vous-même et de vous dénaturer.

(...) Pour le reste, mon travail a besoin des conditions les plus élémentaires de la paix intérieure. Et à côté de vous, compte tenu de nos relations, la paix de l'âme est impossible. Car vous savez, je vous aime, etc. Je suis donc jaloux, etc, etc. Peut-être n'aurais-je pas dû vous le rappeler ? (...)

Pratiquement, je vous conseillerais ceci : amassez le plus d'argent possible, prenez-en la moitié et allez à Paris, à Nice, à Londres, partez faire la fête où vous voudrez – cela ne me regarde pas.

C'est tout ce que je puis vous donner comme avis. (...)

A.

Paris, le 29 avril 1926. De Moura à Gorki.

Si je comprends bien, de tout l'hiver, je n'ai pas réussi à vous rassurer ? Vous dites que je n'ai pas essayé ? Eh bien, vous devriez reconnaître qu'à ce sujet, vous n'êtes pas tout à fait juste... Je pense toutefois que vous admettrez cela : j'ai consacré ma vie à préserver votre paix intérieure, dont vous m'écrivez qu'elle ne m'intéresse pas.

Je vous ai dit que j'avais décidé de ne plus revoir R. Et j'ai tenu parole.

De toutes mes forces, je tente de me conduire de façon à retrouver le calme, moi aussi. Et je ne cherche pas nécessairement à faire ce qui m'est instinctif, contrairement à ce que vous dites. Je ne prétends même plus arracher à la vie ce qui me plairait, à moi, d'en obtenir... Juste ce qui m'est nécessaire pour respirer.

Et grâce au Ciel, cette voie qui mène à la paix commence à marcher pour moi !

*

La paix pour Moura ? Un vœu pieux !

Ce qu'elle ne disait pas à Gorki dans cet échange de lettres, c'est que les Services de renseignement français, forts des messages qu'ils avaient reçus quatre ans plus tôt de leur correspondant à Tallinn, la surveillaient à Paris.

Que les Services de renseignement britanniques la surveillaient, eux aussi. Et qu'après sa brève incursion à Londres sous son nouveau nom de Budberg en décembre 1921, elle ne parvenait plus à retourner en Angleterre. Son visa d'entrée lui était constamment refusé, sans explication.

Seule certitude : elle se sentait filée partout.

Ce qu'elle ne racontait pas non plus à Gorki, ce qu'elle ne lui révèlerait que longtemps plus tard, c'est qu'en le quittant pour s'arrêter à Nice auprès d'Anna en août 1925, elle avait subi l'humiliation d'une fouille musclée par la police fasciste. Les douaniers ne s'étaient évidemment pas contentés de ses bagages. Ils avaient aussi ouvert les valises des petits et le sac de Micky.

La chance avait voulu qu'ils ne trouvent que les dix-neuf paquets de cigarettes que Moura passait en fraude. L'amende lui avait coûté une fortune. Mais rien comparé à la terreur d'une nouvelle arrestation !

Relâchée par manque de preuve – un miracle : les fascistes s'embarrassaient rarement de cette sorte de détail –, elle avait poursuivi sa route, en taisant l'incident. Seuls les enfants y feraient une brève allusion dans leur lettre de château à Gorki, lui racontant l'aventure et le remerciant pour leurs bonnes vacances.

Mais l'affaire n'en était pas restée là.

Un mois plus tard, le 17 septembre 1925, une brigade des Chemises noires opérait une descente en règle sur *Il Sorito*.

Les policiers avaient perquisitionné la villa, apportant un soin tout particulier à visiter la chambre de la baronessa Budberg... Et à vider de leur contenu son secrétaire, ses armoires, ses tiroirs. Ils avaient tout emporté.

Même scène qu'avenue Kronverkski, avec les tchékistes de Zinoviev.

Ulcéré, Gorki s'était plaint de cet outrage auprès de l'ambassadeur de Staline à Rome.

L'ambassadeur avait élevé de telles protestations auprès du gouvernement italien, que le Duce, craignant un incident diplomatique avec la Russie soviétique, avait décroché son téléphone pour présenter ses excuses à *l'illustrissimo maestro Gorki*, son hôte.

Il s'agissait d'une erreur, bien sûr. Tous les papiers confisqués chez lui allaient lui être restitués. Et sa collaboratrice, la Signora baronessa Budberg, ne serait plus inquiétée.

Gorki ne s'estimait pas satisfait.

Cette perquisition, qui menaçait directement sa sûreté et celle de Maria Ignatievna, l'avait conforté dans son désir de quitter l'Italie et de rentrer chez lui.

Le danger d'une telle « visite » lui avait surtout enlevé toute velléité de rompre avec elle. Cette femme avait besoin de son aide et de sa protection.

D'autant que trois mois plus tard, en décembre 1925, Moura allait être à nouveau fouillée par les hommes de Mussolini. Et cette fois, emmenée.

Sa cinquième arrestation en sept ans.

Elle voyageait alors seule en direction de l'Estonie – en route vers ses rituelles vacances de Noël à Kallijärv – et comptait passer par l'Autriche. Les douaniers s'étaient offert le luxe de la retenir pour un interrogatoire. Ils l'avaient fait descendre du train. Ils l'avaient conduite dans la gare. Ils l'y avaient enfermée.

Leurs questions s'appuyaient sur le rapport des informateurs de la police fasciste à Sorrente : un ancien cuisinier d'*Il Sorito*, que Moura avait renvoyé pour vol, et le chauffeur de taxi que Gorki utilisait pour ses déplacements en ville.

Ces deux taupes avaient fourni aux services de renseignement la liste de tous les visiteurs de la villa, avec leurs noms, leurs occupations et leurs opinions politiques. L'administration avait complété le document en rajoutant leurs dates de naissance et leur généalogie.

Le paragraphe la concernant était le plus long.

Direction Générale de la Sécurité Publique.
Affaire concernant Gorki, Massimo, écrivain russe
et communiste notoire, (...) né à Novgorod le 26-5-1868.

BARONESSA BUDBERG ZAKREVSKI, MARIA. Fille de Ignazio Zakrevski et de Maria Boreisha. Née à Poltava le 3-3-1892 (sic). De nationalité estonienne. Soupçonnée d'espionnage et surveillée par la Défense nationale.

Effectue de nombreux voyages à l'étranger, plus particulièrement à Paris, (...) à Berlin et en Estonie, où vivraient ses enfants. Mais on ignore le but réel de ses fréquents déplacements.

Cette fois encore, on n'avait rien trouvé. Rien. Aucun indice compromettant. Et cette fois encore, le miracle avait eu lieu : Moura avait été relâchée. Mais elle ne couperait pas une troisième fois aux geôles fascistes. Elle le savait. Et Gorki aussi.

Fou de rage, outré de la surveillance dont elle était l'objet, il se plaignit de nouveau à l'ambassadeur de Russie à Rome. Les traitements qu'on réservait à sa collaboratrice étaient inacceptables !

Si l'ambassadeur relaya ses cris auprès du Duce, l'histoire ne le dit pas. Seule certitude : Mussolini ne décrocha pas son téléphone une seconde fois pour s'excuser de sa conduite envers la baronessa Budberg.

Et Gorki ne décolérait plus.

Il mesurait soudain que sans lui, sans son appui, Maria Ignatievna disparaissait dans la tourmente. Que, sans lui, elle n'existait littéralement pas. Que, sans lui, sa sécurité personnelle était menacée comme sa survie sociale et financière.

Agent littéraire et représentant international de Maxime Gorki.

Seuls, ces huit mots garantissaient sa sauvegarde.

Ils étaient son gagne-pain, ils justifiaient ses voyages, ils lui ouvraient les portes de l'intelligentsia dans toute l'Europe. Ils lui offraient l'occasion, par exemple, d'être reçue chez André Germain à Paris – l'éditeur et le mécène de Gorki – avec Montherlant, Soupault, Drieu La Rochelle et Romain Rolland.

Agent littéraire et représentant international de Maxime Gorki.

Ces huit mots lui permettaient de le servir, lui ; de promouvoir sa vision du monde auprès d'auteurs célèbres ou d'écrivains plus jeunes ; et de faire connaître son travail à l'étranger.

Alors que lui-même s'était cru *quantité négligeable* à ses yeux, il découvrait qu'il lui était aussi essentiel – nécessaire, au sens le plus fondamental –, qu'elle l'était, elle, à son travail d'écriture, à sa puissance de création, et à l'immortalité de ses livres.

Et qu'au bout du compte, si l'intérêt bien compris entrait pour quelque chose dans la communion de leurs âmes, l'affection qui les unissait s'enracinait à de telles profondeurs qu'ils ne pouvaient subsister l'un sans l'autre.

*

En cet été 1926, les jeux étaient faits.

Tous deux reconnaissaient que leur amour avait changé de nature, mais savaient que le lien ne se romprait plus.

Indispensable pour leur équilibre émotionnel. Indispensable pour leur sérénité mentale.

Incassable, quoi qu'il arrive.

La méfiance des polices italienne, française, estonienne, anglaise et russe avait opéré ce miracle : leur permettre de surmonter la crise qui les avait déchirés, et presque détruits durant trois ans.

*

À Maria Ignatievna, Maxime Gorki dédierait les trois volumes de son roman *La Vie de Klim Samguine,* sa dernière œuvre.

Livre V

LA CINQUIÈME VIE
DE
MOURA BUDBERG

Maître de mon destin et capitaine de mon âme

Avril 1929 – Septembre 1934

I am the master of my fate
I am the captain of my soul

William Ernest Henley

Chapitre 34

ENTRE DEUX EAUX
1929 – 1931

— HG !

Dans la cohue, la voix, une voix de femme à l'accent slave, un peu rauque, avait prononcé *Ai-gee*. Wells sursauta.

En cette soirée d'avril 1929, dans les coulisses de la salle de conférence du Reichstag où il venait de donner son discours *Du bon sens de la paix mondiale*, tout Berlin se bousculait pour le remercier. Albert Einstein, l'hôte qui l'avait introduit sur scène, appartenait au groupe des pacifistes qui se pressaient à ses côtés.

Au terme des félicitations du public, ses compatriotes en Allemagne – l'ambassadeur britannique et son armée d'attachés et de secrétaires –, fêteraient son succès en donnant un grand dîner en son honneur à l'hôtel Adlon. En vérité, avec ses idées sur la paix universelle et la création d'un monde nouveau sans nationalismes et sans frontières, Wells se trouvait au faîte de sa gloire dans la société la plus progressiste d'Europe : le Berlin intellectuel de la fin des années 1920. C'était moins de quatre ans avant la prise de pouvoir d'Hitler.

— Aigee !

La déformation chantante – charmante – d'*H.G.*, les initiales dont usaient ses amis : plus court pour tout le monde qu'Herbert George... *Aigee*. Ce mot, cette voix, lui faisaient l'effet d'un aphrodisiaque.

C'était à Petrograd... Dans le lit de la dame... Lors de leur seule nuit d'amour. Un murmure à son oreille : *Aigee...* D'une sensualité inoubliable.

L'éblouissement avait failli lui coûter cher à son retour en Angleterre, quand il avait eu la bêtise d'avouer le choc de cette brève rencontre – et son infidélité d'un soir – à l'écrivain Rebecca West dont il partageait l'existence à l'époque.

Aujourd'hui, il vivait avec une autre femme. À celle-là, il ne confiait rien.

Il savait que Moura se trouvait à Berlin. Elle lui avait déposé un petit mot à l'Eden, le palace où il était descendu, pour lui dire qu'elle assisterait à sa conférence. Il avait cherché à la repérer dans la salle. En vain. L'amphithéâtre était trop sombre : impossible d'identifier quiconque.

Du regard, il fouillait de nouveau la foule.

Et maintenant, il l'apercevait, elle, grande, puissante, qui s'avançait vers lui. Le même visage, avec son nez un peu camus, cassé dans l'enfance. Ses pommettes saillantes de Tartare. Les mêmes yeux noisette constellés d'éclats dorés, qui s'étiraient en amande quand elle souriait. La même expression, à la fois lumineuse et sereine ; et ce menton levé qui donnait l'impression qu'elle conquérait le monde. Seules variantes : sa chevelure, jadis raide et sombre, était aujourd'hui crantée et striée de mèches grises. Et son tailleur, bien que modeste, pouvait paraître à la mode.

Aujourd'hui une femme faite, une femme de trente-six ans.

— Moura !... Vous ?... Vous ! Ah, je vous embrasse, *my dear !*

Leur étreinte dura un peu plus longtemps que de rigueur.

Il retrouvait cette façon simple et directe qu'elle avait eue, autrefois, de se laisser aller dans ses bras. Et aussi cette manière qui n'appartenait qu'à elle de répondre à son élan avec chaleur, en le serrant contre elle, fort.

— ...Aucun doute, aucun doute : c'est bien vous, mon adorable guide de Petrograd ! Laissez-moi vous regarder... Toujours magnifique. Il m'aura fallu neuf ans, ma chère, neuf ans, pour vous revoir. Et je n'ai pas cessé de compter les années.

— Moi aussi, Aigee, j'ai compté les années.

— La dernière fois où nous avons assisté à un meeting ensemble, c'était au congrès du Soviet du Nord à Leningrad, vous vous en souvenez ?

— Oui... En sortant, nous chantions tous *l'Internationale* !

— Venez... Et ne me dites pas que vous n'êtes pas libre ce soir, je ne vous lâche plus. Accompagnez-moi avec Einstein à la séance de photos. Ensuite nous irons célébrer nos retrouvailles à l'Adlon. Une voiture attend pour nous y conduire. Vous soupez à notre table... Avec moi.

— Vous croyez ? Je ne suis pas habillée pour une réception.

— Vous êtes parfaite ! Manquent, je vous l'accorde, votre imperméable de l'armée britannique, votre petite robe noire et votre grosse montre d'homme. Mais quant au reste... *My splendid Moura !*

Il l'avait prise par le coude et l'entraînait, sans cesser de bavarder, sans même se soucier, dans son excitation, de la présence de ses hôtes, le directeur du Reichstag et le ministre de l'Éducation allemande, qui pouvaient entendre leurs propos. Il avait toujours cette même voix de fausset, aux intonations très haut perchées qui portaient loin :

— Et comment va notre ami Gorki ?

— Pas mal.

— Il se plaît toujours à Sorrente ?

— Toujours.

— J'ai entendu dire qu'il songeait à rentrer en Russie...

— Il y a passé l'été.

— Et ?

— Et il en est revenu emballé... Il compte y retourner l'année prochaine, quelques mois.

Indifférents tous deux à ce qui les entourait, ils poursuivaient leur conversation où ils l'avaient laissée, et se parlaient comme s'ils s'étaient quittés la veille.

Tant de choses à se dire. Wells la pilotait entre les journalistes et les photographes, sans quitter son bras. Sa voix dominait le tumulte :

— Le connaissant, il veut tout voir là-bas.

— Oui. Après sept ans absence, il a trouvé que le pays avait fait des progrès inouïs !

— Staline est peut-être un grand bonhomme.

— C'est ce qu'il dit... Selon lui, Staline est le meilleur des guides possibles : il a développé l'instruction, construit des écoles. Et maintenant, le peuple lit jusque dans le Caucase. À chaque gare, le train de Gorki était pris d'assaut par ses lecteurs. Des foules énormes qui le suppliaient de rentrer. Cet accueil l'a beaucoup touché.

— Et vous ?

— Moi, je traduis ses livres et m'occupe de son œuvre en Europe. J'habite ici. Mon agence s'appelle *Epokha Verlag*. C'est aussi une petite maison d'édition. Je vous en avais parlé dans mes lettres.

— J'ai adoré vos lettres, *my dear*. Tellement gaies... Tellement intelligentes et fines... Comment avez-vous trouvé ma conférence sur la Paix ? Elle vous a plu ?

— Visionnaire, Aigee !

— On m'entendait bien ?

— Parfaitement !

— Même au fond ?

— Partout. Regardez les gens : votre auditoire est fasciné.

*

Le premier conseiller à l'ambassade d'Angleterre à Berlin – Harold Nicolson, époux de Vita Sackville-West et très grand ami de Robert Bruce Lockhart – écrirait à sa femme le lendemain :

J'ai été hier à la conférence de Wells au Reichstag. Impossible d'entendre un traître mot ! Vraiment pas un seul... C'était complètement inaudible ! Et plutôt désastreux.

Il noterait encore dans son journal d'avril :

J'ai dîné avec H.G. Wells et Moura Budberg. Vers la fin de la soirée, Wells a bien voulu consentir à cesser de flirter avec la dame. Et même à nous parler intelligemment.

Bien qu'il se trompe sur tout, c'est un petit homme très divertissant. Il croit très sincèrement à la création d'un monde nouveau. [En parlant de la Russie], il nous a dit n'avoir pas eu une haute idée de Lénine de son vivant, mais reconnaît s'être probablement trompé. Ce qui est drôle, c'est qu'il était gêné à l'idée de nous quitter pour aller faire pipi. Nous l'avons taquiné, elle et moi, sur le sujet : il a reconnu de bonne grâce que c'était l'un de ses préjugés bourgeois.

Inutile pour Harold Nicolson de formuler une autre évidence. Inutile d'écrire que Wells, qui avait la réputation d'aimer les femmes – un grand séducteur, en dépit de ses soixante-trois printemps, de sa petite taille et de sa voix suraiguë –, n'avait plus quitté la chambre après ce dîner – celle de Moura ou la sienne –, et qu'il y resterait enfermé durant les cinq autres jours de son séjour berlinois. Des retrouvailles plus que sentimentales avec son « adorable guide de Petrograd ».

Une liaison qui devait toutefois rester secrète.

*

Même sens de l'humour au lit. Même goût du jeu dans la volupté. Même fantaisie. Même sensualité. Même liberté.

Ils s'amusaient beaucoup couchés. Ils s'amusaient autant debout.

Mêmes curiosités intellectuelles. Mêmes opinions politiques.

Wells pouvait bien être plus âgé que Gorki de deux ans, il gardait un corps et un esprit étonnamment jeunes. Le plaisir qu'elle avait entrevu avec lui à Petrograd tenait toutes ses promesses à Berlin.

En cette aube du 20 avril 1929, leur seconde aventure tirait toutefois à sa fin. Assis côte à côte dans le grand lit de l'Eden, le dos appuyé à l'amoncellement des coussins, ils fumaient de concert. Lui, tirait sur sa pipe. Elle, le cendrier sur le ventre, allumait la dernière cigarette de son dernier paquet. Tous deux songeaient à la voiture qui devait venir chercher l'écrivain en fin de matinée, pour le conduire à la gare. Dieu seul savait quand Wells reviendrait à Berlin.

Il se sentait vaguement coupable. Obligé, sinon de se justifier, du moins de s'expliquer.

Il attaqua prudemment, cherchant à la faire parler, elle.

— Vous avez eu beaucoup de liaisons, Moura ?

— Très peu.

Il rit.

— Que signifie : *très peu* ?

— Moins que vous.

— Je ne suis pas le consommateur que vous imaginez... Je serais même incapable de coucher avec une femme qui ne me plairait pas.

— Moi aussi. L'idée de me laisser aller dans les bras d'un homme que je n'aimerais pas... Impossible ! Je ne me suis jamais donnée à quelqu'un dont je n'étais pas très amoureuse.

— Vous l'avez été souvent ?

— Non.

— Combien de fois ?

— Je ne sais pas. Je n'ai pas compté.

— *Qui* furent vos amants ?

— Le père de mes enfants. Lockhart. Budberg. Un Italien à Sorrente. Vous.

— Et maintenant ?

— Personne.

— Gorki ?

— Jamais.

— J'aurais cru...

— Et vous vous seriez trompé… Tout le monde le sait. En Russie, la chose est de notoriété publique : Gorki est impuissant depuis des années.

— Il conservait pourtant un moulage de votre main, je l'ai vu sur son bureau avenue Kronverkski. Ce n'est pas une preuve de grande, d'immense intimité, cela ? Il écrit avec votre main sous les yeux !

— Nous sommes en effet très proches.

Wells hésitait encore avant de se lancer.

— Ce que vous me donnez, Moura, me rend tellement heureux !

— Moi aussi, Aigee…

— Il faut toutefois que vous sachiez que je ne suis pas libre de vous offrir un amour qui soit digne de vous. Nous nous sommes rencontrés trop tard dans la vie, articula-t-il avec regret, trop tard pour que je trouve en moi le courage de tout détruire et de tout recommencer.

Elle ne cilla pas. Le souvenir de leur rencontre en Russie était resté fiché dans son cœur comme celui d'un moment de magie. Et ce qui venait de se passer durant les cinq derniers jours la confortait dans ce sentiment d'harmonie.

Elle voulait l'amour de Wells de toute son âme.

Elle aimait sa peau à l'odeur de miel. Elle aimait son poids, ce corps un peu replet et si plein d'énergie. Elle aimait sa puissance. Elle aimait sa joie.

Et maintenant il la repoussait, lui expliquant qu'ils n'étaient pas faits l'un pour l'autre. Comme Gorki autrefois, comme Lokhart aujourd'hui.

Elle lui caressa la joue :

— Que voudriez-vous me donner, sinon ce que nous venons de vivre ?

— Je me trouve emberlificoté dans des complications dont vous n'avez pas idée !

— Et alors ? Nous sommes deux adultes qui arrivons l'un vers l'autre avec un passé. Vous et moi avons une vie, plusieurs vies même, en dehors de ce qui nous lie. Partageons dans l'instant ce que nous pouvons partager.

Il insista, craignant qu'elle ne l'ait pas bien compris :

— *Bad timing, my dear, bad timing…*

Il lui avait déjà confié que son épouse était décédée d'un cancer dix-huit mois plus tôt, et qu'il ne se remettait pas de sa perte. Il l'appelait Jane. Bien qu'il ait vécu pendant vingt ans avec d'autres compagnes, il lui avait gardé toute sa tendresse et n'avait jamais voulu divorcer. Elle était la mère de deux de ses fils.

Sa mort l'avait laissé dans le désarroi. Et la confusion de ses sentiments ne se limitait pas au deuil de sa femme. Il entretenait en France une maîtresse, la même depuis près de cinq ans, une amoureuse jalouse et passionnée qui multipliait les scènes. Celle-là se nommait Odette. Et celle-là comptait se faire épouser. Veuf, il songeait à la satisfaire et à sauter le pas.

— …Je n'ai pas l'intention de rompre avec elle, Moura. J'aime la maison que nous avons bâtie ensemble, à Grasse. J'y travaille, j'y écris magnifiquement. Et j'aime mon gros chat angora qui vit là-bas. La maison s'appelle *Lou Pidou* et le chat…

— Nul ne vous demande de vous en séparer, *darling*.

— Je ne veux pas vous perdre. Mais je ne peux pas non plus vous accaparer ! Vous devez construire votre vie sans moi.

— Nous sommes bien d'accord… Elle tira une bouffée de sa cigarette qu'elle souffla au plafond avec lenteur. *Hic et nunc.* Ici et maintenant. Pas plus pas moins… Je prends !

— Vous avez droit à autre chose…

— Nous nous retrouverons quand nous le pourrons, quand nous le voudrons, à l'heure et dans les lieux que nous choisirons.

— Vous viendrez me voir à Londres ?

— Ah cela, Londres, ce sera peut-être un peu difficile… Mais il nous restera Vienne, Paris, Prague, Berlin !

— Pourquoi l'Angleterre serait-elle difficile ?

— Votre gouvernement ne veut pas de moi. À chaque fois que j'ai fait une demande de visa, on me l'a refusée. Et pourtant, deux officiers de l'armée britannique se sont portés garants. Le bureau des passeports n'a même pas pris la peine de les contacter. Cela dure depuis sept ans.

— Je m'occuperai de votre visa à mon retour. Un permis de séjour pour la vieille, vieille, vieille amie de l'illustre H.G. Wells. La seule chose facile à obtenir, au contraire ! Un visa au nom de la très respectable *baroness Budberg*.

— Pas si vieille quand même !

— Et pas si respectable… Il la prit dans ses bras, l'embrassa et la lâcha. Pour le reste, je pense que vous devriez vous remarier avec un homme digne de vous. Un lord qui siégerait à la Chambre. Vous méritez un époux qui vous protège, qui vous serve et vous adule.

— Quelle horreur !

— Ce serait agréable pourtant, non ?

— Non. J'ai déjà eu deux maris : le mariage ne m'a pas réussi… Pas plus qu'à eux, d'ailleurs… Je ne suis pas faite pour cela.

— Et pourquoi donc êtes-vous faites ?

Elle haussa les épaules sans répondre.

Il poursuivit :

— Je vais vous dire ce que, moi, je souhaiterais pour vous : une vie plus facile.

— Vous savez bien que cela ne m'intéresse pas.

— Raison de plus pour l'obtenir !

Wells, comme Gorki, était né dans un milieu modeste. Il avait connu sinon la faim, du moins la grande pauvreté. Ses travers et ses qualités – son narcissisme, son obsession de plaire, son besoin de briller, ses croisades pour la paix et son combat pour un monde plus juste – participaient tous de cela : une revanche sur la cruauté de cette société qui avait failli le tuer, en lui ôtant les armes pour grandir et se développer. Il mettait jusqu'à sa petite taille sur le compte des carences dont, enfant, il avait souffert.

En quarante ans de carrière, son ascension sociale était une conquête. Et sa fortune, une victoire. Il y tenait.

Bien qu'il ne fût ni snob ni véritablement mondain, et qu'il affichât un socialisme militant jusque dans les salons les plus conservateurs, il ne se plaisait aujourd'hui qu'en compagnie des riches et des puissants. Ses pairs.

Les grandes hôtesses de Londres, Lady Cunard et Lady Colefax, étaient ses amies intimes. Il habitait chez Charlie Chaplin quand il voyageait en Amérique.

Ses succès de librairie – *La Machine à explorer le temps, L'Île du Docteur Moreau, L'Homme invisible, La Guerre des mondes* – lui assuraient une renommée internationale, tant dans les milieux littéraires que scientifiques.

Maître incontesté du « roman futuriste », il réfléchissait à une nouvelle organisation de l'humanité, jouait un rôle en politique, écrivait ce qu'il voulait dans les journaux. Sa curiosité restait illimitée : il élevait la voix sur tous les sujets.

Pilier du PEN club, dont il briguait la présidence mondiale, il exigeait pour les écrivains la liberté de pensée et la liberté de parole, sans lesquelles nul ne pouvait créer. Il défendait avec ardeur la circulation des idées entre les nations.

Pour lui-même, il revendiquait le droit de naviguer dans plusieurs univers à la fois, de fréquenter qui bon lui semblait, de dire ce qu'il pensait, et de changer d'avis s'il le souhaitait.

Nul mieux que lui ne pouvait apprécier la grâce avec laquelle Moura réussissait à passer d'un milieu à l'autre, d'une classe à l'autre sans cesser d'en imposer à tous.

Bien que cette femme habitât un minable studio sur la Koburgerstrasse (beaucoup trop inconfortable aux yeux de Wells, pour y passer avec elle plus d'une nuit), bien qu'elle ne possédât rien, pas même une bague, un bijou, pas même une robe du soir pour dîner au « Pavillon », le restaurant de l'Eden où l'on ne se présentait qu'en smoking, les maîtres d'hôtel se mettaient en quatre pour lui faire plaisir. Une star. Le chasseur, le concierge, les femmes de chambre : tous la révéraient.

Il admirait son aisance. Elle était à sa place partout. Elle ne passait pas de lieu en lieu : elle *voguait* de cercle en cercle... Exactement comme lorsqu'elle se déplaçait dans la chambre : elle ne semblait pas marcher mais flotter.

L'inverse d'Odette à *Lou Pidou*, songeait-il, Odette si lourde, qui maltraitait ses domestiques et dépensait des fortunes chez les couturiers parisiens.

Je ressentais pour Moura une grande sollicitude, écrirait Wells dans son autobiographie amoureuse. Ainsi qu'une immense tendresse. Elle était manifestement très pauvre et cela me peinait. Dès que je fus rentré en Angleterre, je lui attribuai une petite pension (deux cents livres sterling par an), un gage d'amour que je cachai sous les plaisanteries d'une pseudo-camaraderie.

Je pensais qu'il était fort probable que je la perde de vue à nouveau. Et qu'elle était de ces cigales imprévoyantes qui pouvaient se trouver un jour fort dépourvues. À terme : très gravement dans le besoin. Sans en rien lui dire, je rajoutai un petit quelque chose pour elle dans mon testament.

Et ensuite, nous continuâmes à correspondre, ainsi que nous l'avions fait par le passé.

Je me débrouillais pour me trouver à Londres quand elle venait en Angleterre. Et là, nous redevenions amants.

Mais je lui dis tout de suite, et carrément, que je continuerais à entretenir Odette à Lou Pidou. Que je n'exigeais aucun engagement de sa part. Qu'elle-même ne devait pas tomber enceinte. Que je ne voulais surtout pas d'enfant.

(...) Je lui dis aussi que je voyais nos rencontres comme des accidents merveilleux. Pas plus. Pas moins. Que je me considérais comme libre. Et que je la considérais, elle, comme aussi libre que moi.

567

« *Très bien, my dear, me répondit-elle. D'accord. Et s'il m'arrive de vous rester fidèle... Cela ne regarde que moi !* »

Ils se revirent à Berlin en juillet. Et encore deux mois plus tard, quand Moura vint fêter l'anniversaire d'Aigee, chez lui, au nord de Londres, dans sa merveilleuse maison d'Easton Glebe, sur les terres de la comtesse de Warwick : un ancien presbytère en briques rouges, recouvert de lierre.

Qui dira la magie d'une célébration secrète, en tête à tête, devant un feu de cheminée ? C'était le 21 septembre 1929.

Comme promis, il avait appuyé sa demande de visa, donné un petit coup de pouce au destin. Un homme d'influence. Aujourd'hui, elle n'avait plus de problème pour passer la Manche.

Et, comme promis, elle revint à Easton Glebe l'année suivante, à la date de son anniversaire. C'était le 21 septembre 1930. Pour leur plus grand plaisir à tous les deux : amours libres et baisers volés.

Et encore dans son appartement londonien, le 21 septembre 1931.

Ils se retrouvèrent aussi à Salzbourg et à Dubrovnik.

Mais là, Wells savait ce qu'elle-même ignorait encore : Moura Budberg était la femme de sa vie. Il la voulait à lui. Qu'elle lui appartienne tout entière. Corps et âme.

Erreur.

Bad timing, my dear.

À Londres, elle avait fait d'autres rencontres.

*
* *

Journal de Robert Bruce Lockhart

Londres, samedi 4 octobre 1930

Déjeuner avec Moura au Savoy. Elle part aujourd'hui pour Gênes rejoindre Gorki, et ensuite pour Berlin. (...)

Nous avons parlé de Gorki : il est maintenant pauvre, il a distribué tout ce qu'il avait, il gagne environ trois cents livres sterling par an et ne peut plus recevoir de devises de Russie, où ses livres se vendent chaque année à deux millions sept cent mille exemplaires !

Londres, mardi 6 janvier 1931

Lettre de Moura. (...) Gaie et gentille. C'est vraiment une femme de grande intelligence et de grand cœur.

Londres, vendredi 6 mars 1931

Ai retrouvé cet après-midi Moura au Wellington. Suis resté là-bas avec elle jusqu'à huit heures et demie, à boire du xérès.

Puis nous sommes allés dîner dans un restaurant hongrois où nous sommes restés jusqu'à deux heures du matin. Après avoir tant bu, je me sentais très mal. Elle, comme toujours, tient l'alcool.

Toute la soirée, nous avons parlé de la Russie. Moura pense que nous les Européens, nous nous trompons complètement sur les Russes. Comme Wells, elle juge que le système financier capitaliste est fini, et que la Russie réussira son plan quinquennal. Peut-être pas en cinq ans comme prévu par Staline. Elle croit toutefois que le pays fera des progrès rapides et qu'il deviendra une puissance industrialisée comme les États-Unis.

Elle a vu Gorki, il y a quelques semaines à Sorrente. Il est maintenant ultra-bolchevique. Il est revenu dans la classe sociale où il est né, fait entièrement confiance à Staline, et défend la Terreur qui le faisait tant frémir autrefois.

*
* *

Coup de maître de Moura : en cette année 1931, Wells, Gorki, Lockhart… Elle était parvenue à ses fins.

Conjuguer les trois amours de sa vie.

Les garder, ensemble.

Ne renoncer à aucun des trois, jamais.

Le premier ne savait rien du second. Le second ne savait rien du premier. Seul Lockhart était dans la confidence. Mais tous auraient pu prendre à leur compte la phrase de Robert Louis Stevenson à propos des surprises que lui réservait son épouse : « La plus directe (…) des femmes pourrait bien, à votre grand étonnement, s'étirer par tronçons successifs, s'étendre tel un télescope en une kyrielle de personnalités… dont la dernière en date semblera ne rien devoir à la première. »

Ce que ses trois amants ne pouvaient toutefois concevoir, c'est que Moura respectait, elle, les termes du traité qu'à un moment ou à un autre, chacun d'entre eux lui avait imposés. *Ici et maintenant. Pas plus pas moins.*

*

Lors des escapades d'Aigee hors de sa villa de *Lou Pidou*, elle dînait avec lui, elle riait avec lui, elle couchait avec lui, elle dormait avec lui. Elle était son amante adorée, qui le rejoignait partout.

Avant que lui-même reprenne son envol vers Grasse, sans trop s'interroger sur sa prochaine escale à elle.

Elle ne se plaignait pas, s'expliquait peu. Toujours gaie, toujours fantaisiste et facile lors de leurs retrouvailles, elle se satisfaisait des moments qu'ils partageaient.

Moura n'est pas une femme lascive, une bête de sexe comme Odette, écrivait Wells. Elle ne vous saute pas dessus et ne prend pas l'initiative des ébats. Mais elle adore qu'on lui fasse l'amour et y réagit avec enthousiasme.

Elle fronçait toutefois les sourcils quand il prétendait lui faire des cadeaux – du moins des cadeaux trop chers –, et refusait les sommes d'argent qu'il lui offrait. Ou alors, elle les dépensait d'un coup, les claquant pour lui dans un déjeuner somptueux ou dans un vin millésimé.

En vérité, elle tenait à son indépendance.

Hors de question qu'il l'entretienne « comme Odette ».

Il ne la comprenait pas. C'était pourtant simple : il était riche. Pas elle. Qu'elle en profite ! Qu'elle accepte ses virements à la Deutsche Bank de Berlin. Au moins pour le renouvellement de sa garde-robe… Ou l'éducation de ses enfants.

Elle lui répondait en souriant qu'il lui était très utile et très secourable sur d'autres plans. Elle ne précisait pas lesquels.

Elle aimait descendre en sa compagnie dans les bons hôtels, oui. Habiter les beaux quartiers, voyager en première classe. Elle aimait le rythme de son existence avec lui. Leurs nuits d'amour et leurs longues conversations du matin. La volupté des sens et l'échange des idées. La rencontre avec les nombreuses intelligences qu'il fréquentait.

Écouter Einstein disserter à leur table ; assister aux premières des pièces de George Bernard Shaw ; rire, dans un tête-à-tête à quatre, des sarcasmes de Somerset Maugham. Apprendre des grands esprits de son temps.

Depuis toujours, elle visait l'excellence. Obtenir le *meilleur* de la vie – le meilleur dans tous les domaines – relevait chez elle de l'instinct. Gorki ? Le meilleur écrivain de Russie, vivant. Wells ? Le plus fameux d'Angleterre… Ses amis, ses amants, chacun à leur façon, se trouvaient au sommet de leur art. Chacun incarnait le génie et le pouvoir. Chacun jouait un rôle sur la scène internationale.

Graviter dans leur orbite, c'était appartenir à leur monde et participer à leur gloire. Une évidence.

Mais elle se moquait du luxe. Elle ne recherchait même pas le confort, ni aucune de ces commodités de la vie matérielle, sans lesquelles Aigee ne pouvait plus exister aujourd'hui. Ses largesses – cette générosité financière qu'elle ne pouvait lui rendre – déséquilibraient leur relation et gâchaient à ses yeux tout le risque, toute la poésie de l'aventure.

Leurs rencontres clandestines leur semblaient, à l'un et à l'autre, d'un romantisme échevelé, une suite de bonheurs ludiques qu'ils attendaient avec autant d'impatience que de joie. En vérité, ils s'entendaient comme larrons en foire.

Et si Wells se réservait le droit de vivre avec une autre concubine, il ne doutait pas qu'elle-même n'aimât que lui. Certes, il lui avait laissé toute liberté de le tromper. Mais il la sentait sienne… Fidèle, oui ? Non ? N'avait-elle pas dit que le choix ne regardait qu'elle ?

Eh bien, finalement, c'était non.

*

Hasard ou nécessité, le quatrième homme de sa vie habitait Londres, lui aussi. Et cet homme-là appartenait à son passé : il s'appelait *Benckendorff*. Il était même le seul *comte Benckendorff* de la famille, fils du dernier ambassadeur du Tsar à Londres, marié à une célèbre harpiste russe, et cousin éloigné de Djon.

De treize ans plus âgé que Moura, Constantin Alexandrovitch Benckendorff était un aristocrate libéral. Il avait successivement servi la marine de Nicolas II et l'Armée rouge de Lénine, hésitant longtemps entre les deux camps.

Comme elle.

Il continuait de croire en la Révolution. Même aujourd'hui, en dépit de tout ce qu'il savait sur l'Union soviétique, il ne parvenait pas à renoncer à ses rêves d'égalité, de fraternité et de justice.

Comme elle.

Les Russes blancs s'en méfiaient. Ils le soupçonnaient d'être un espion à la solde des bolcheviques, traître à son milieu.

572

Comme elle.

Plus important encore : Constantin Benckendorff avait été le représentant de la Russie, lors des négociations pour l'indépendance de l'Estonie. Il avait même été l'un des artisans du traité qui libérait le pays. Il avait vécu à Tallinn. Il connaissait Yendel et Kallijärv. Il avait même fréquenté les Budberg.

Mais il ne l'avait pas rencontrée là-bas. Ce Benckendorff-là avait déjà quitté les pays baltes, lors du passage de Moura à l'Ouest.

Pour sa part, il avait émigré avec son épouse en 1924, s'installant à Londres où sa mère vivait encore. « Cousine Moura » avait débarqué chez eux lors de son second voyage en Angleterre, arguant de leur parentèle pour camper quelques jours sur leur canapé... Avant sa visite à une connaissance dans l'Essex : *un ami* qui habitait Easton Glebe.

Un soir où sa femme donnait un concert en province – elle serait la première harpiste qui se produirait au festival de Glyndbourne –, Benckendorff avait invité sa parente à dîner dans le meilleur restaurant russe de Londres. Leur aventure avait commencé sur le sofa, au retour de ce moment très gai, très arrosé.

Clandestine elle aussi, la liaison durerait près de vingt ans.

« Gorki et Wells, je les ai aimés, avouerait Moura lors de l'une de ses rares confidences... Pour Constantin, j'éprouvais une passion physique. »

*

« En fait de baronne Budberg, commenterait l'épouse trompée : la baronne *Bedbug – punaise de lit* ! »

Odette, la compagne officielle de Wells, ne manquerait pas de reprendre la formule. Elle avait fouillé dans sa correspondance et découvert l'existence de sa rivale.

« J'ai beaucoup parlé de toi à nos amis, lui dirait-elle, et je leur ai raconté des choses atroces. Sur toi et sur ta Moura. (...)

Tu sais que je lui ai trouvé un nouveau nom ? Il court déjà à Londres... Un nom si drôle. Toute l'Angleterre va se moquer de toi. Je ne l'appelle pas Budberg, mais *Bedbug*... La baronne Bedbug. Amusant, non ? »

Chapitre 35

LA BARONNE BEDBUG :
ENGAGEMENTS, FIDÉLITÉS, ET COMPROMIS
1930 – 1932

Enfermée dans la cabine téléphonique d'une gargote des Buttes-Chaumont, Moura hésitait à décrocher. À côté d'elle, la porte des toilettes ne cessait de battre et les clients la dévisageaient au passage. Elle était ici la seule femme.

Avec ses murs pelés, l'endroit n'évoquait en rien les cafés *modern style* des années folles, l'ambiance de La Coupole ou du Bœuf sur le Toit. Mais le Paris sordide des barrières, le Paris ouvrier de Zola.

Elle posa un instant le front contre l'appareil et ferma les yeux. La scène dont elle sortait, une crise d'hystérie chez Alla – semblable à tant d'autres crises –, l'avait bouleversée.

D'ordinaire, elle prenait bien garde à ce que nul ne la surprenne dans ces moments de découragement, quand la fatigue la submergeait. Cette fatigue que Gorki lui avait reprochée à Sorrente ; que Wells ne lui avait pas vue et ne lui verrait jamais.

Cette fois, elle savait qu'elle ne s'en sortirait pas seule. Trop de problèmes sur trop de fronts.

Elle devait appeler Anna.

Elle hésitait encore à le faire… Elle aurait tant voulu lui épargner cette nouvelle épreuve.

Pauvre Anna ! À Nice, rue Rossini, elle avait déjà perdu une petite fille. Et si elle avait cru que la vie lui serait plus facile en montant à Paris, elle s'était fourvoyée.

Au contraire des autres aristocrates arrivés avant lui, son mari n'avait pu trouver un emploi de chauffeur de taxi. Il avait dû reprendre son labeur de cheminot. Un travail de nuit, harassant, qui l'aigrissait. Il raccordait encore les trains et transportait encore des sacs de charbon. Mais cette fois, à la gare du Nord. Vassili avait perdu toute sa joie de vivre.

Anna, quant à elle, sillonnait la capitale, s'épuisant à donner des petits cours. Toujours aussi pragmatique et organisée. Mais tendue, le regard fixe, les lèvres pincées, elle avait depuis longtemps cessé de sourire.

Aujourd'hui, le couple ne voyait d'avenir que dans leur retour à *la vie d'avant*, à Berezovaya ou sur les terres des Kotchoubey en Ukraine. La haine d'Anna et de Vassili pour les bolcheviques, leur soif de reconquête et de vengeance leur tenaient lieu d'espoir. Comme la plupart des Russes blancs, ils ne vivaient que dans le passé. Et comme beaucoup d'émigrés, que l'exil torturait d'une douleur insoutenable, ils sombraient.

La compassion de Moura pour ses sœurs était totale. Elle ne portait sur elles aucun jugement. Et son impuissance à les aider la tourmentait d'une angoisse qui virait à l'obsession.

Elle ne manquait pas de venir les voir plusieurs fois par an. Chacun de ses voyages en France lui valait les critiques d'Alexeï Maximovitch, qui l'accusait de préférer sillonner cette Europe en décomposition plutôt que de découvrir les grands chantiers de la Russie éternelle en sa compagnie. Invité par Staline, Gorki avait passé ses derniers étés en Union soviétique. Ce qu'il avait vu là-bas l'avait conforté dans un fanatisme antioccidental, très éloigné de sa tolérance d'antan. De toutes les capitales, Paris lui semblait la plus décadente. Il en voulait à Maria Ignatievna de l'abandonner pour aller y faire la fête.

La visite, cependant, virait en général au cauchemar.

Elle avait toujours cru qu'elle parviendrait à sauver Anna et Alla. Elle ne baissait pas les bras et continuait de lutter. Mais elle perdait du terrain chaque année. Même la santé d'Anna commençait à chanceler. Elle l'avait conduite chez un spécialiste qui avait diagnostiqué un début de tuberculose. Elle réglait leurs frais médicaux, oui, elle les soutenait toutes deux financièrement... Pas assez cependant pour leur offrir une vie décente.

Les difficultés liées à la diminution des tirages de Gorki en Europe ne facilitaient pas ses affaires. Et la crise de 1929 aggravait encore la situation. Sans parler de la montée du nazisme à Berlin qui rendait odieuse l'atmosphère de la ville : elle allait devoir s'installer ailleurs.

Où ?

Elle rêvait de Londres. Gorki, lui, rêvait de Moscou.

Reviendrait-elle y vivre avec lui, avec les amis *d'Il Sorito*, comme il l'en priait ?

Elle répondait qu'elle ne *pouvait* pas les suivre, qu'elle restait une burjoui, qu'elle serait fusillée dans la seconde. À cela, Alexeï rétorquait que Staline était son ami. Et qu'il se faisait fort de négocier avec lui la sécurité de Maria Ignatievna. Qu'il en ferait même une condition *sine qua non* de son retour. Il proposait de l'épouser si le mariage devait la rassurer. Jamais Staline n'oserait toucher à la femme de Gorki !

Moura soupira.

Encore une fois, Alexeï Maximovitch se voilait la face et refusait de prendre en compte les réalités qui le dérangeaient.

Mais le problème demeurait entier : s'il rentrait chez Staline, qu'allait-elle devenir, sans lui, en Allemagne ? L'agence Epokha Verlag, avec laquelle elle travaillait, perdait sa raison d'être.

On verrait bien. Une chose à la fois.

Elle finit par décrocher le combiné, et demanda le numéro de sa sœur.

— Anna, ma chérie, tu m'entends ?

Le téléphone grésillait. Et celui des Kotchoubey, dans l'entrée de leur modeste deux pièces au 17 de l'avenue Émile-Deschanel, ne valait guère mieux.

Moura répéta en détachant les mots :

— …Écoute-moi : Alla doit être internée d'urgence.

Il y eut un blanc au bout du fil :

— Elle est d'accord ?

— Non… J'ai appelé une ambulance. On vient la chercher.

— Tu veux mettre Alla à l'asile… Chez les fous ?

— Dans une clinique. En cure de désintoxication.

— Je crois, Moura, que tu ne te rends pas très bien compte de la situation : nous n'avons pas les moyens de soigner Alla dans une *clinique* !

— Ne te fais aucun souci là-dessus. Je la prends complètement à ma charge. Je me débrouillerai. Mais elle ne peut rester seule ici. Je l'ai trouvée dans un état épouvantable. Elle ne mange plus. Elle ne se lave plus. Et de moi, elle ne veut rien entendre. Elle dit que je suis trop jeune pour m'occuper de ses affaires. Trop… pour lui faire la leçon. Mais de toi, peut-être… Elle t'écoutera.

— Moi ? grinça Anna. Elle ne me rend visite que pour me taper ! Elle nous a rendus fous à Nice.

— Je sais.

— Non, tu ne sais pas : tu n'es jamais là ! Et puis de toute façon tu t'en fiches : tu collabores avec les vainqueurs ! C'est tellement facile de jouer les révolutionnaires, quand on se dore la pilule dans un palais italien… Tu t'es vendue à cette crapule de Gorki qui veut sa place au soleil, lui aussi : *Pousse-toi de là que je m'y mette,* comme tous les bolcheviques ! Une ordure.

Ne pas rentrer dans cette polémique. L'éternelle accusation.

— L'état d'Alla n'a rien à voir avec mon travail… Simplement j'ai besoin de ton aide : nous ne serons pas trop de deux pour la convaincre de suivre les infirmiers. Il faudra signer une décharge, présenter des papiers. Tu es sa jumelle et tu vis à Paris.

578

— Je ne veux plus la voir !

— Elle n'est pas responsable de ce qu'elle dit, Anna, pas responsable de ce qu'elle fait… Elle est malade.

— Par sa faute ! Elle s'est rendue malade avec ses cochonneries… Toutes ces drogues qu'elle va acheter Dieu sait où… Dans quels bouges ! Tellement dégradant !

— Nous devons la sortir de là. Sinon, elle va mourir !

— Bon débarras.

— Ne dis pas cela, Anna.

Il y eut un nouveau silence au téléphone.

Anna reprit plus posément :

— Elle habite toujours son gourbi dans le XIXe arrondissement ?

— Oui. Le même. 1 rue Edgar-Poe. Septième étage. Porte n° 8.

— Bien.

— Mais, Anna… Prépare-toi au pire.

— Je ne me fais aucune illusion là-dessus.

— Merci, ma chérie… À tout de suite. Je t'attends devant l'immeuble.

Moura raccrocha en soupirant.

Dans la chambre d'Alla tout à l'heure, quand elle lui avait parlé d'une cure de désintoxication, sa sœur n'avait pas répondu qu'elle était « trop jeune pour s'occuper de ses affaires » : elle lui avait sauté à la gorge. Elle avait cherché à l'étrangler. Des insultes, des cris, des coups. Moura connaissait la chanson : ce n'était pas la première fois qu'Alla tentait de l'assommer. Elle était plus grande qu'elle… Par chance, moins forte.

Pauvre Alla. Elle se trouvait au bord du gouffre depuis des années. Moralement, socialement perdue.

La dureté de Mummy à son égard, cette absence chronique d'amour, l'avait fragilisée jusqu'à l'empêcher de se tenir debout, seule. La révolution bolchevique avait fait le reste, lui ôtant à la fois sa fortune et ses repères.

Divorcée une première fois en 1911 du comte Engelhardt, le mari de paille que Mummy lui avait acheté pour légitimer sa fille Kira. Divorcée une seconde fois en 1923 du journaliste français, René Moulin, qu'elle avait rencontré jadis à Saint-Pétersbourg et retrouvé en France à l'aube de la guerre.

Sa naissance et sa beauté lui avaient toutefois permis – dans les premiers temps, à Nice – d'appartenir au cercle de la princesse Violette Murat.

Richissime propriétaire d'un palais sur la Riviera, grande prêtresse sur les autels de Sodome et Gomorrhe, immense prosélyte sur le terrain de la drogue, la princesse Murat l'avait initiée au saphisme et à l'opium.

La relation entre les deux femmes, orageuse dès l'origine, s'était terminée par un scandale. Une accusation de vol : Alla aurait subtilisé à Violette un collier de perles pour acheter sa dose de morphine. Vrai, faux larcin ? Peu importait. La princesse Murat n'avait pas hésité à se débarrasser d'elle en l'accusant publiquement : elle l'avait traînée devant les tribunaux.

Cette humiliation avait brisé chez Alla ce qui lui restait de résistance.

Encore belle, avec sa silhouette de liane et sa masse de cheveux roux. Mais sans projets. Et sans autre ancrage que sa nostalgie pour ses succès de jeunesse sous les lustres des palais de Saint-Pétersbourg. Alla vivait, elle aussi, dans le passé.

Et son troisième mariage à Paris avec un émigré du nom de Trubnikov – morphinomane comme elle – l'avait exposée à de nouveaux chocs.

Leur repas de noces, auquel Moura avait assisté en mars 1925, lui avait donné la mesure de leurs excès à venir. La fête n'avait été qu'une suite de drames et de réconciliations bruyantes.

La passion d'Alla pour Trubnikov s'était terminée comme elle avait commencé : dans la tragédie. Il s'était suicidé d'une overdose dans sa chambre d'hôtel à Naples. En présence de sa femme. Le couple devait descendre le lendemain à Sorrente chez

Gorki : leurs premières vacances à la pension Minerva. C'était en octobre 1927. Moura avait tout assumé, se chargeant des démarches auprès de la police italienne, s'occupant de ramener la dépouille de son beau-frère à Paris.

Ce qu'avait été ce retour en France avec Alla, Moura ne l'avait raconté à personne.

Et depuis, sa sœur se laissait couler.

Durant les trois dernières années, Moura avait réussi à limiter les dégâts et à ralentir sa chute. Elle l'avait placée dans un hôpital à Orléans. Puis en cure de sommeil à Berlin et à Rome.

Peine perdue. Alla s'échappait de partout.

Comment la préserver des démons qui l'empêchaient de vivre ? Comment la défendre de la peur, de la paresse, de l'envie ? Moura se posait la question pour la millième fois… Comment la sortir de la drogue ?

Et comment préserver Kira des égarements de sa mère ?

Depuis toujours, Moura interceptait les épîtres qu'Alla expédiait à Kallijärv.

S'étant permis de les lire, elle les avait jugées délirantes. Très dangereuses pour l'équilibre de Kira. La petite ne devait pas savoir que sa mère cherchait à renouer avec elle. Alla l'avait abandonnée à sa naissance et ne s'était pas souciée d'elle jusqu'à l'âge de douze ans. Son retour dans sa vie ne pouvait que déstabiliser l'enfant.

Micky, oncle Sacha, les tantes, toute la famille au bord du lac avait reçu la consigne : faire immédiatement disparaître les enveloppes qui arrivaient de Paris. Mieux valait que Kira poursuive son chemin… Qu'elle ignore tout du destin tragique de celle qui lui avait donné la vie. Qu'elle oublie jusqu'à son existence. Et qu'elle appartienne complètement au clan Benckendorff. Qu'elle soit sa fille à elle, à part entière, comme Paul et Tania.

C'était même ce que Moura, aujourd'hui, racontait à Wells quand il revenait à la charge avec des questions sur ses amants. Elle lui disait qu'Arthur von Engelhardt – dont Kira portait le nom – avait été son premier mari... Qu'elle en avait divorcé avant d'épouser Djon.

En ajoutant Engelhardt à la liste des hommes avec lesquels elle avait couché, Moura faisait de Kira l'aînée de ses enfants.

My child, comme elle l'appelait.

Une façon de l'intégrer et de la protéger. Une façon aussi d'achever d'embrouiller l'esprit de la jeune fille.

Kira ne cessait de s'interroger sur ses origines. Elle ne connaissait pas son père et n'avait vu sa mère qu'une seule fois, quand Alla était venue passer quelques jours à Kallijärv à la Noël 1926.

Lors de cette visite, Alla ne lui avait témoigné aucune affection particulière. Et Kira, alors âgée de dix-sept ans, l'avait traitée en étrangère. Le courant entre elles n'était pas passé.

Se pouvait-il qu'elle fût vraiment la fille de Moura ? Kira se plaisait à le croire.

Elle avait aujourd'hui vingt-et-un ans et cherchait un travail. Moura l'avait fait venir à Berlin. Les deux femmes habitaient le minuscule studio de la Kabergerstrasse. Et leurs rapports, dans ce lieu exigu, commençaient à se tendre. Rien de grave. La cohabitation leur pesait à l'une et à l'autre, comme à n'importe quel couple mère-fille, partageant la même chambre et dormant dans le même lit.

Mais Tania, restée seule à Kallijärv, venait de faire une découverte : un paquet de lettres de sa tante Alla. Elle en avait averti Kira. Cette dernière ne se remettait pas de cette nouvelle. L'idée qu'elle avait laissé les appels de sa mère sans réponse, qu'elle s'était contentée de l'amour – et des mensonges – de son *auntie-mummy*, la tourmentait. Elle s'accusait de lâcheté.

Son sentiment de culpabilité envers Alla la poursuivrait toute sa vie.

D'un geste sec, Moura enfonça son chapeau-cloche, traversa le café et sortit. En ce mois de novembre, la pluie glaciale qui tombait sur Paris la saisit. Elle enfila la rue jusqu'à l'immeuble où l'ambulance l'attendait déjà. Anna la rattrapa au moment où elle franchissait le porche. Elles demandèrent à monter seules.

Répondant plus tard aux questions de la police qui filait Moura, les infirmiers raconteraient qu'ils avaient vu réapparaître deux femmes de haute taille, qui en soutenaient une troisième, plus grande encore, plus maigre. Celle-là ne portait pas de chapeau. Elle était rousse et se débattait en hurlant.

On avait dû lui passer la camisole de force... Et repousser les deux autres qui refusaient de la laisser partir seule dans le fourgon. Les repousser loin, pour les empêcher de grimper avec elle. Fermer vite les portes et démarrer en hâte.

Quand le véhicule avait tourné l'angle, ils avaient vu que les deux femmes n'avaient pas bougé. Elles restaient plantées là, sous la pluie, serrées l'une contre l'autre au milieu de la rue.

Elles pleuraient.

*

Régularité des retours à Kallijärv. Des retours à Sorrente. Des retours à Paris. Des retours à Londres... Indéfectible fidélité de Moura aux êtres qu'elle aimait.

Dévouement à ses enfants. Dévouement à Gorki. Dévouement à ses sœurs. Dévouement à Lockhart. Et maintenant, dévouement à Wells.

Constance aussi dans ses manquements à leur égard, dans ses fuites et ses absences.

Constance dans leur frustration, et dans leur dépit à tous.

Une certitude : nul ne savait aimer comme elle.

Et nul ne savait faire souffrir comme elle.

Bien sûr ! Comment concilier des liens aussi profonds, aussi solides, comment conjuguer de tels attachements... avec une soif de liberté aussi totale ?

Comment accompagner les êtres chers, les soutenir et les protéger… sans *rien* leur sacrifier ?

Moura ne se posait pas la question. Elle partait, elle revenait. Elle n'abandonnait personne.

Toujours bienveillante. Toujours disponible. Et toujours nécessaire.

Mais si Paul – comme Kira – lui pardonnait leurs séparations et ne voulait se souvenir que de la joie de leurs moments ensemble, Tania considérait qu'elle avait grandi sans elle.

À ses yeux, seule Micky avait droit à son affection, à sa gratitude et à son respect.

Sa mère pouvait bien veiller sur eux un mois par an, les faire soigner par les *meilleurs* médecins, chercher pour eux les *meilleurs* professeurs, les inscrire dans les *meilleures* écoles, les inviter de temps en temps à Berlin, et peut-être les installer un jour à Londres, elle pouvait bien prétendre leur offrir à tous les trois « le plus bel avenir possible », Tania – du haut de ses quinze ans – jugeait qu'elle les avait trahis.

* * *

Je commençais à abandonner toutes mes velléités de laisser Moura libre de ses amours, écrirait Wells. Quant à ma propre indépendance, elle devenait de plus en plus théorique.

(…) En 1931, elle avait été renversée par un taxi à Berlin et très gravement blessée au front. Dans ses lettres, elle ne me parla pas de ce qui lui était arrivé. Quand je vis sa cicatrice et que je m'étonnais de son silence sur un tel accident, elle me répondit : « À quoi bon t'inquiéter avec cette bêtise ? »

Mais sa cicatrice m'accusait. J'avais honte de dépenser cinq à six mille livres par an, quand Moura ne pouvait s'acheter que des robes à bon marché, et qu'elle campait dans des logements de fortune.

La délicatesse de Wells ne l'empêchait pas de garder ses aises. Odette et Moura n'étaient pas ses seules conquêtes de l'année.

584

Une nouveauté dans sa vie, toutefois, une nouveauté qui attaquait son moral : sa propre santé le lâchait. Son médecin venait de lui diagnostiquer du diabète. Rien de catastrophique : il s'en tirerait sans piqûres d'insuline. Mais le signal était clair. Il devait se ménager.

À soixante-six ans, il finissait quand même par vieillir.

Ne serait-il pas agréable d'avoir une âme sœur à ses côtés ? Une femme, toujours la même, avec laquelle il s'amuse et s'entende ? Une femme qui s'occuperait de lui, l'accompagnerait dans ses voyages, veillerait sur son confort et partagerait ses plaisirs ?

Il en caressait l'idée.

Odette, qui l'avait compris, s'imposait bruyamment dans ce rôle. Quittant leur maison *Lou Pidou*, elle avait débarqué à Londres... Malgré lui. Elle était venue, disait-elle, prendre des cours d'infirmière et le soigner. Elle lui jouait la scène du deux, le harcelant de sa jalousie, diffamant Moura dans les milieux littéraires. Mauvaise idée. Odette n'était après tout qu'une maîtresse. Pas une épouse. Et la trivialité de ses racontars sur cette aristocrate russe qui lui volait son amant, commençait à faire de la « baronne Bedbug » un personnage en Angleterre.

Quant à Wells, il ne prenait plus la peine de cacher leur liaison... puisqu'Odette la connaissait. Il présentait Moura comme une amie très, très chère.

Et l'excellente naissance de la baronne Budberg, son charme, son intelligence, lui ouvraient toutes les portes.

Depuis 1929, reconnaissait-il, je n'avais pas cessé de m'écarter de mon principe de désinvolture, et de la légèreté sentimentale que je professais envers elle. (...) En fait, Moura me devenait chaque jour plus nécessaire. (...) Quand elle n'était pas avec moi, sa présence me hantait. Au point que je rêvais de la rencontrer partout, imaginant qu'elle allait m'apparaître au coin d'une rue, même dans les endroits les plus inattendus. Un jour, alors que je la savais en Allemagne, je

*me rendis à une adresse qu'elle m'avait donnée à Paris (un hôtel),
avec le vague espoir de l'y retrouver.*

*(...) À la fin de l'année 1932, j'étais prêt à faire n'importe quoi
pour qu'elle m'appartienne complètement.*

À la fin de l'année 1932, un nouveau cataclysme ébranlait la
vie de Moura. Le 2 novembre, Lockhart publiait le récit de leurs
démêlés avec la Tchéka en 1918.

De Prague, il était revenu ruiné. Mais son talent de plume et
son sens de la politique lui valaient de travailler aujourd'hui pour
les patrons de presse les plus puissants d'Angleterre. Et sa liaison
avec Lady Rosslyn lui permettait de fréquenter l'aristocratie. Il
dînait avec Winston Churchill et jouait au golf avec le prince
de Galles.

Son autobiographie, intitulée *Memoirs of a British Agent*, relatait ses aventures en Russie bolchevique. S'il n'avouait pas qu'il
avait tenté de renverser le Régime, il expliquait ses efforts pour
obliger Lénine et Trotski à poursuivre la guerre du côté des
Alliés. Il évoquait ses liens avec le « prince des espions », Sidney
Reilly, qu'on disait aujourd'hui assassiné par les Services de renseignement soviétiques. Il décrivait les péripéties de sa propre
arrestation, dénonçait les excès du « Complot Lockhart », et souriait de sa condamnation à mort par contumace. Enfin, il racontait sa grande histoire d'amour avec une femme mariée... Une
splendide comtesse russe, qui avait bravé pour lui tous les
dangers.

Il louait son courage durant son incarcération à la Loubianka
sous la férule de Yacob Peters, et chantait leur passion dans le
tumulte des intrigues, leur vie en concubinage à Moscou. Il révélait même qu'elle avait été prête à abandonner ses enfants pour
le suivre. Il dévoilait jusqu'à son nom...

En quelques semaines, le livre était devenu à Londres un best-
seller. Et en Estonie : un drame qui dépassait ce que Moura
aurait pu redouter de pire.

Avec ce témoignage, le clan des Benckendorff, ses amis, ses proches – surtout Micky, surtout Kira, Paul et Tania – découvraient qu'elle ne leur avait jamais raconté que des mensonges. La maladie de Mummy, cette maladie qui l'aurait retenue en Russie, l'impossibilité pour elle de rejoindre Djon et les enfants à Yendel… Mensonges, mensonges, mensonges.

Aux yeux de tous, elle redevenait le monstre que l'oncle Sacha avait tiré de la forteresse de Narva en 1921 : une traînée qui avait cocufié son mari en pleine guerre.

Elle avait pourtant pressenti le danger et tenté de limiter les dégâts, en demandant à lire le manuscrit avant sa publication.

Lockhart n'avait pas hésité à le lui soumettre. Il ne doutait pas que cet hymne à la gloire de leur amour lui ferait plaisir.

Cher Baby, lui avait-elle écrit en juin, *je pense que ton livre est très bon, oui. Je n'y changerai rien. À une exception près. Je suis désolée de devoir t'en prier, mais je voudrais que tu coupes de la page 69 à la page 104. Tout ton fatras sur mon espionnite donne à l'ensemble un côté Mata Hari totalement inutile pour la qualité du texte. Et complètement impossible pour moi !*

Elle souffrait trop de sa réputation d'espionne, pour ne pas s'alarmer du rôle grandiose que Lockhart lui faisait jouer dans sa libération du Kremlin.

Il avait réagi, en notant dans son *Journal* :

Ce matin, j'ai reçu un choc : une lettre de Moura, qui exige des rectifications dans la partie de mon livre la concernant. Elle veut que tout soit plus formel et plus neutre. Elle veut que je l'appelle « madame Benckendorff », du début à la fin. Elle se montre aussi conformiste qu'une vieille fille victorienne ! Et pourquoi ? Parce que j'ai dit qu'il y a quatorze ans, elle avait les cheveux ondulés, alors qu'ils étaient « raides comme ceux de toutes les Ukrainiennes ». Donc, à l'entendre, la description que je fais d'elle est fausse, superficielle, etc. Et donc, à l'entendre, notre aventure n'a rien signifié pour moi ! En conséquence, elle veut le récit de toute l'histoire d'amour, ou rien. *Ce sera très difficile à faire. Le livre, cependant, devra être corrigé. Elle est la seule personne qui ait le droit d'exiger des changements.*

Il avait obtempéré prudemment. Trop prudemment pour éviter le drame dans la famille de Moura.

Il avait certes arrangé « le côté Mata Hari ». Mais il avait laissé le portrait de la grande amoureuse et de la femme adultère.

— L'égoïsme... la muflerie de cet homme sont sans égal ! s'était écrié Tania, en prenant violemment sa mère à partie. Son livre ne te dérange pas, toi ? Non, évidemment ! Toi, tu t'en moques ! Tu n'as pas pensé une seconde au mal que ce torchon allait nous faire... Tu n'as jamais aimé que ce Lockhart. Nous, nous pouvons tous crever !

Moura s'était gardée, cette fois, de remettre la jeune fille à sa place. Tania avait dix-sept ans, elle avait le droit de comprendre.

— Non, ma chérie, je ne m'en moque pas. Et tu n'imagines pas combien je suis désolée de la publication de ce livre... Je savais qu'il allait blesser beaucoup de gens.

Elle avait soupiré, avec ce mélange de tristesse et de fatalisme qui la caractérisait dans les moments de crise :

— ...Mais que veux-tu ? Sans l'histoire de notre liaison, Robert Bruce Lockhart n'aurait pas connu un tel succès. Et il a tellement besoin de gloire... Tellement, tellement, besoin d'argent !

Une justification qui ne satisferait en rien l'adolescente, mais conviendrait parfaitement à l'élite londonienne.

Aux yeux du monde, *the Baroness* était désormais une légende. Non seulement la muse de Gorki... Non seulement l'égérie de Wells... Mais la passion d'un célèbre aventurier au service de l'Angleterre : l'amour fou de l'homme qui avait tenté de renverser Lénine et de changer le cours de l'Histoire. Une héroïne.

Elle avait beau tirer le diable par la queue, n'avoir rien à se mettre sur le dos et camper dans des gourbis, elle était reçue partout.

Lockhart fréquentait les mêmes cercles que Wells, ceux de la littérature, de la politique, et des manoirs anglais où la bonne société les recevait pour le week-end. Ils partageaient les mêmes amis… Et la même maîtresse.

L'un et l'autre ne s'appréciaient guère. Lockhart jugeait Wells plein de vanité : une grande gueule prétentieuse. Wells traitait Lockhart de petit goujat arriviste.

Mais par eux, leur passion commune devenait la coqueluche de Londres. Et tous deux n'aimaient rien tant que son incroyable popularité. En regardant Moura évoluer parmi ses intimes, Aigee songeait que cette femme était exactement la compagne qui lui convenait. Aucun doute : elle serait la troisième Mrs H.G. Wells.

Je commençais à lui parler de l'épouser, raconterait-il.

Elle me répondait :

— Pourquoi changer quelque chose ? Restons comme avant.

— Nous n'en sommes qu'au début de notre vie ensemble. Dans quelque temps, nous nous marierons.

— Mais pourquoi nous marier ? Où que tu te trouves, je viendrai toujours te rejoindre.

— Alors pourquoi t'en aller ?

— Si tu m'avais tout le temps avec toi, je t'ennuierais.

Ne s'attendant pas à cette sorte d'esquive, il insistait. Sa proposition ne présentait pour elle que des avantages. Il lui offrait la sécurité. Il lui offrait la fortune. Plus important encore : la nationalité britannique. Et il lui rendait, de par son prestige de grand écrivain, son rang au sommet de l'échelle sociale. N'avait-elle pas intérêt à devenir sa femme ?

Il s'était débarrassé d'Odette, en lui laissant *Lou Pidou* et son chat angora… À son corps très défendant. Elle l'y avait contraint par voie d'avocat. Il voulait une compensation. Le mariage devenait chez lui une idée fixe.

Moura dit qu'elle vivra avec moi, se plaignait-il à l'une de ses amies, *qu'elle dînera avec moi, qu'elle dormira avec moi... Mais qu'elle ne m'épousera pas !*

Je ne comprends pas pourquoi.

La réponse tenait en un mot qu'il avait lui-même beaucoup prononcé. Liberté.

Liberté chérie.

En cette fin d'année 1932, Moura quittait Londres pour rejoindre Gorki en Italie. Gorki : son compagnon, son amour, sa *Joie* depuis près de quinze ans, sa Joie qui menaçait à nouveau de l'abandonner.

Chapitre 36

UNE VALISE... UNE SEULE
1932 – 1933

Branle-bas de combat à *Il Sorito*. Alexeï Maximovitch déménageait. Fini l'exil napolitain. Toute la bande rentrait à la maison. Son fils Max, sa bru Timocha, Marfa et Daria – leurs deux petites filles aujourd'hui âgées de sept et cinq ans –, la nurse importée de Suisse, Rossignol, Pépékriou... Au total, une dizaine de personnes qui comptaient sur l'énergie de leur chère « Titka » pour l'organisation du voyage. Et sur son efficacité pour la mise en caisses de leurs huit années passées chez les ducs de Serracapriola.

Le retour définitif était prévu au printemps prochain. La décision avait été prise sans elle, durant les célébrations pour les quarante ans d'activité littéraire de Gorki, lors de son dernier séjour en Russie.

Cette fois, Staline avait frappé un grand coup. De tous ses gestes de propagande, probablement l'un des plus habiles.

Il avait fait don à Gorki d'une villa en Crimée – dont le climat lui conviendrait bien mieux que celui d'*Il Sorito* –, d'un splendide hôtel particulier à Moscou et d'une datcha dans la périphérie de la capitale. En plus, il avait obtenu qu'on dépouille la ville natale d'Alexeï Maximovitch Pechkov de son nom historique et qu'on la rebaptise. Nijni-Novgorod ne s'appellerait plus Nijni-Novgorod, mais « Gorki ».

Et les faubourgs de Moscou, où s'élevait aujourd'hui la datcha d'Alexeï, s'appelleraient aussi Gorki. Et le plus grand parc de Moscou s'appellerait encore Gorki. Et le Théâtre d'Art de Moscou deviendrait le Théâtre Gorki, dans la rue Gorki. Ainsi que des centaines d'autres rues dans toute l'Union soviétique : avenue Gorki, boulevard Gorki, place Gorki. Sans parler des bourgs eux-mêmes, des écoles, des usines et des avions Gorki.

Aucune nation n'avait comblé un artiste vivant d'autant d'honneurs. Aucune puissance, aucun régime au monde n'avait à ce point déifié un écrivain.

Et Gorki s'y était laissé prendre. Ébloui par sa propre gloire, ivre de gratitude envers son pays et fou d'amour pour son peuple, il avait perdu ce qui lui restait de sens critique.

Aujourd'hui, il acceptait tout du Parti.

L'illustre Gorki, la seule personnalité communiste à jouir d'une sympathie internationale, était aujourd'hui le chantre de la Russie stalinienne. Le faire-valoir du Petit Père des peuples et son porte-drapeau.

Cependant Staline se méfiait. Un changement d'avis du grand homme était toujours à craindre : après de telles démonstrations d'amitié, on ne pouvait prendre le risque qu'un pion de cette importance se retire.

Le directeur de la police secrète, Guenrikh Yagoda – plus cruel encore, et beaucoup plus corrompu que ses prédécesseurs –, avait été chargé de veiller sur ses bons sentiments, et de s'assurer de la complicité de son entourage.

Résultat : *Il Sorito* était aujourd'hui un nid d'espions. Et si les fascistes de Mussolini surveillaient, de la route, les allées et venues des habitants de la maison, les bolcheviques tenaient leurs renseignements de l'intérieur.

Depuis 1922, la Tchéka se nommait OGPU – une évolution du GPU –, acronymes que l'Occident prononçait *Guépéou*. Dzerjinski, son fondateur, était mort. Yacob Peters, en disgrâce.

Quant à Zinoviev, le vieil ennemi de Gorki, il venait d'être officiellement exclu du Parti. Remplacé dans toutes ses fonctions par Yagoda, justement.

Cher Yagoda… Amoureux fou de Timocha, l'épouse de Max, qu'il comblait de cadeaux. Infâme Yagoda… L'un des plus grands assassins du XXe siècle, responsable de la mort de près de dix millions de personnes.

Pour lui complaire – et par curiosité –, Gorki était allé jusqu'à visiter l'un des « camps de travail forcé » dont Yagoda était le grand organisateur. En termes clairs : une visite touristique au *goulag*. Inutile de préciser que Gorki n'avait rien vu, rien entendu. On avait déménagé ailleurs, dans des baraquements qu'on ne lui montrerait pas, les prisonniers les plus mal en point. Les hommes torturés, les hommes épuisés, les hommes à l'agonie.

Le goulag lui avait paru un modèle d'ordre, une institution d'utilité publique pour la régénération des dissidents. Il était allé jusqu'à féliciter les gardiens de la bonne tenue du camp !

Certes, nul en Russie, à cette époque, ne pouvait mesurer l'horreur des sévices que subissaient les détenus.

Quoique…

Gorki n'était tout de même pas né de la dernière pluie.

Comment un homme, qui avait choisi l'exil plutôt que de cautionner les atrocités de la Révolution, pouvait-il se laisser aveugler à ce point ? Aller jusqu'à se lier d'amitié avec un monstre tel que Yagoda ?

Comment un homme, qui avait eu le courage de dénoncer l'absence d'humanité de Lénine, qui avait osé combattre les exactions de Zinoviev, qui avait même défendu un grand-duc Romanov et sauvé des dizaines de burjouis, comment cet homme-là pouvait-il clamer aujourd'hui que les opposants au Régime devaient être liquidés ? Qu'il fallait *écraser la vermine* ?

Comment un écrivain, qui n'avait cessé de revendiquer sa liberté de pensée et sa liberté de parole, pouvait-il aujourd'hui prétendre que la littérature ne devait exalter que les valeurs prônées par le Régime ? Qu'elle était un outil de propagande qui ne servait qu'à l'éducation des masses, et ne devait célébrer que le Travail, le Prolétariat, la Patrie, et Staline ?

Le mystère de cette incroyable évolution de Gorki agiterait plusieurs générations de critiques et d'intellectuels. Les uns mettraient son retournement d'opinion sur le compte de l'intérêt. Les autres l'attribueraient à son habitude de tordre la réalité pour la rendre conforme à sa vision, selon son vieil adage *Il faut y croire.*

Lui-même fournirait un élément de réponse, en écrivant : *Je hais la vérité d'une haine sincère et inaltérable, la vérité vraie dont quatre-vingt dix neuf pour cent n'est qu'un mensonge et une ignominie. (...) Je sais que cette vérité-là fait du mal à cent cinquante millions de Russes courageux et forts. Et je sais que le peuple a besoin d'une autre vérité, d'une vérité qui galvanise son énergie pour le travail et pour la création... Et non qui le décourage et l'affaiblisse.*

Il écrirait encore : *Vous dites que vous refusez, vous, de taire les faits qui vous révoltent ? Pour ma part, j'estime non seulement avoir le droit de les passer sous silence, mais je classe cet art parmi mes qualités les plus respectables. (...) Ce qui est important à mes yeux, c'est d'exalter l'homme qui éprouve pour la vie un intérêt large et sain, l'homme qui comprend qu'il construit un État nouveau, l'homme qui vit non pas de paroles, mais de sa passion pour le travail et pour l'action. (...) Vous direz que je suis un optimiste, un idéaliste, un romantique, etc. Dites-le, c'est votre affaire.*

Une telle profession de foi justifiait toutes les soumissions. Elle exigeait qu'il cautionne le pouvoir de Staline et qu'il contribue à son prestige auprès des intellectuels du monde entier.

*
* *

Une valise… Une seule

En cet hiver 1932, Moura retrouvait à *Il Sorito* le désordre de l'avenue Kronverkski : même atmosphère que durant les derniers jours de la petite colonie à Petrograd. Mêmes conseils de guerre et mêmes débats. Chaque groupe discutait de son propre avenir dans ses quartiers, avant de continuer la conversation, sous l'égide de *Douka*, autour de la table de la salle à manger. Et les chuchotements se poursuivaient jusqu'à l'aube derrière les portes closes.

— Les comptes étaient catastrophiques, plaidait Pépékriou, appuyé contre l'évier de la cuisine.

Il avait entraîné Moura au bout du couloir, aussi loin que possible des oreilles de Gorki et des autres. Il voulait encore une fois insister auprès d'elle sur les avantages du retour au pays.

— …Financièrement, nous ne tenions plus le coup.

— Je sais, acquiesça-t-elle. Cela ne pouvait plus durer. Tu prêches une convaincue.

En son absence, Pépékriou – Piotr Petrovitch Krioutchkov – était devenu le secrétaire particulier et l'homme de confiance de Gorki. À la vérité, il avait quitté l'ancienne compagne du maître – la comédienne Andreïeva – pour épouser une très jeune femme à Berlin. Et depuis, Gorki ne jurait que par lui, l'appelant bruyamment *Mon très cher ami*. Non qu'il lui soit reconnaissant d'avoir fait souffrir Andreïeva… Il ne l'approuvait pas de l'avoir abandonnée et rendue malheureuse, non. Mais Krioutchkov avait su se rendre nécessaire et négocier avec habileté son changement d'allégeance, en passant de la comédienne à l'écrivain.

Plutôt mince et sympathique dans sa jeunesse, aujourd'hui, à quarante-trois ans, il ne se présentait plus qu'en costume de banquier, les cheveux plaqués en arrière, le regard dur derrière ses lunettes rondes. Il avait pris du poids… Sur tous les plans. Le critique Korneï Tchoukovski, pilier de l'ancienne Maison de la littérature mondiale – le vieil ami de Moura – jugeait Krioutchkov d'une arrogance et d'une vulgarité sans égales.

De tous les informateurs du Guépéou à *Il Sorito*, il était le plus proche de Yagoda. Les deux hommes s'étaient connus en Allemagne, quand Yagoda et Andreïeva s'occupaient ensemble de la vente des objets d'art arrachés aux burjouis.

Moura avait, elle aussi, rencontré Yagoda à Berlin en 1922.

Aujourd'hui, Krioutchkov travaillait directement pour lui. Il choisissait les visiteurs de Gorki, surveillait ses conversations, orientait ses réponses et galvanisait son fanatisme.

Un espion intelligent, efficace et zélé.

Moura s'était toujours bien entendue avec lui. Ils partageaient les mêmes avis dans les décisions pratiques. Et les passations de pouvoir, lors de ses départs et de ses retours, s'effectuaient sans heurt de l'un à l'autre, depuis des années. Pour ce qui touchait à la réinstallation du maître en Union soviétique, Krioutchkov nourrissait toutefois quelques craintes sur ses réactions. Elle restait la compagne d'Alexeï Maximovitch et la maîtresse de sa maison. Qui sait si elle ne chercherait pas à l'empêcher de couper définitivement les ponts avec l'Europe ? Si elle ne voudrait pas lui ménager une position de repli ? Garder, par exemple, la villa à Sorrente ? L'influence de Titka était grande. Qui sait si son arrivée n'allait pas entraîner un drastique changement de plan ?

Inquiet qu'elle puisse s'opposer à l'abandon définitif de l'Italie, plus angoissé encore à l'idée que Gorki puisse l'écouter, Krioutchkov cherchait à obtenir d'elle son approbation. Un accord inconditionnel.

— La vie ici coûte trop cher. Impossible de conserver plus longtemps la location d'*Il Sorito*... Tandis que chez nous, Gorki aura son médecin personnel, une infirmière à demeure, une automobile, un chauffeur à disposition. Et tout un peuple à ses pieds, tout le peuple russe qui espère en lui et le vénère !

Elle soupira :

— De toute façon, le cœur n'y était plus. Alexeï se sent trop malheureux à l'étranger. Depuis trop longtemps... Il doit rentrer, en effet.

— Donc tu approuves complètement sa décision ?

— Il semble tellement y tenir. Et quand il a une idée en tête, un élan dans le cœur, il ne vous laisse aucun choix… Ses retours en Russie lui ont causé une telle émotion. Elle ajouta avec mélancolie : il veut mourir là-bas. Comment s'opposer à un instinct aussi personnel ? Même si je…

Krioutchkov la coupa :

— Tu le lui diras ? Tu lui expliqueras que tu acceptes sa résolution ? Il a tant besoin de toi et de ton soutien ! Tu lui répèteras que tu l'approuves et que tu l'encourages ? Tu le rassureras… Tu l'y pousseras ?

— Quoi qu'il m'en coûte, oui… Je l'y pousserai. Mais la perspective de me séparer de lui, l'idée de rompre…

— Pourquoi rompre ? Tu viendras à Moscou quand tu voudras ! Le camarade Yagoda t'aime beaucoup. Il nous donnera tous les visas nécessaires pour voyager. Et puis Gorki passera ses étés en Italie… De vraies vacances, pour une fois.

Elle alluma une cigarette, leva la tête et souffla la fumée vers le plafond.

— De vraies vacances, répéta-t-elle… Qui sait ?

Elle avait le regard vague, comme toujours lorsqu'elle cherchait à s'échapper, et souriait avec son expression de sphinx qui n'exprimait rien.

Impossible pour Krioutchkov de savoir ce qu'elle pensait. Était-elle sincère en se rangeant à ses côtés ? Il choisit de ne plus se poser la question et de jouer le même jeu qu'elle.

— Tu es une merveille, Titka ! Tu apportes à Alexeï Maximovitch exactement ce qui lui manquait : la paix de l'âme. Et la Russie t'en saura gré !

*

La fin d'une époque.

Les cartons s'empilaient jusque dans la salle de bains. L'immense bibliothèque du cabinet de travail, riche de plusieurs milliers de volumes, ne se vidait toutefois que très lentement.

Certes, depuis l'année où Gorki songeait à rentrer – 1928 –, il avait fait don de ses archives personnelles à la Maison Pouchkine de Leningrad. Certes, ce qui concernait son œuvre était déjà parti. Il venait même d'expédier à Moscou ses manuscrits. Le reste s'en irait vers l'une ou l'autre de ses trois résidences. À droite, les caisses pour l'hôtel particulier ; à gauche, celles pour la datcha ; au milieu, celles pour la villa en Crimée.

Demeurait toutefois un problème à régler, dont on avait déjà longuement débattu avant l'arrivée de Moura.

Que faire de sa correspondance ?

*

La question tourmentait Gorki depuis des mois.

Les lettres qu'il avait reçues avant son exil – les « lettres compromettantes » –, il les avait emportées avec lui en 1921 et déposées dans un coffre de la Deutsche Bank à Berlin.

Maria Ignatievna en détenait la clé.

Le courrier qu'il avait reçu depuis – tous les sacs que les postiers lui avaient apportés chaque matin durant huit ans – s'entassait dans son bureau et partout dans la villa… Les lettres de ses lecteurs, de ses collègues, de ses amis, de ses ennemis, les lettres de Russes de tous les milieux, qui se plaignaient auprès de lui du régime et critiquaient amèrement les bolcheviques. Des milliers de feuillets, lui racontant ce qui se passait en son absence.

Et que faire des témoignages des Russes blancs émigrés à Paris, à Berlin, aux États-Unis ?

Que faire du récit des acteurs en tournée, des artistes, des savants, des poètes, qui résidaient encore là-bas, mais s'étaient débrouillés pour lui rendre visite à Sorrente ?

Que faire des notes que lui-même avait prises lors de leurs échanges ? Des bribes de leurs conversations retranscrites dans ses carnets, des dialogues entiers qu'il y avait consignés mot pour mot ?

Allait-il renvoyer chez Staline des preuves de trahison aussi accablantes ? Chacune de ces pages constituait un arrêt de mort. Il le savait. En dépit de son revirement en faveur du Parti, il restait conscient du danger que représentait pour leurs auteurs le moindre de ces papiers.

Allait-il condamner au goulag ou à l'exécution dans les sous-sols de la Loubianka, tous ceux qui lui avaient accordé leur confiance ?

Mais s'il ne rapportait pas ces documents, que devait-il, que pouvait-il en faire ?

Il en perdait le sommeil.

En l'absence de Maria Ignatievna, il avait soumis son cas de conscience à son fils et à ses proches.

D'instinct, en évoquant le sujet, tous baissaient la voix. Et chacun se relevait plusieurs fois de sa chaise pour aller s'assurer que les portes étaient bien fermées. Que ni la nurse, ni la cuisinière, ni le jardinier, ne pouvaient les entendre.

Aucun d'entre eux, pourtant, ne se sentait menacé, ni même concerné par ces textes. Ils n'avaient pas peur, non. D'autant que la petite bande, dans son ensemble, était gagnée à la Cause.

N'empêche... La présence sous leur toit de tels réquisitoires contre le Parti les rendait nerveux. Ils n'avaient jamais réfléchi au danger que representaient ces écrits, jusqu'à ce que Douka soulève le problème. Ce dernier avait suggéré de les confier à son fils adoptif... Zinovi Pechkov, que Max n'appréciait guère.

La complicité de Gorki avec ce Zinovi, qu'il avait connu adolescent, était une vieille histoire. Né comme lui à Nijni-Novgorod, Zinovi Sverdlov était de quinze ans plus jeune. Rebelle et vagabond dans l'âme, le garçon rêvait alors de devenir comédien. Mais il était d'origine juive et la loi interdisait aux Juifs de monter sur les planches. Gorki lui avait donc proposé de se convertir à la foi orthodoxe : il lui servirait de parrain, l'adopterait et lui donnerait son nom. Ainsi Zinovi Sverdlov était-il devenu Zinovi Pechkov. Il avait alors dix-neuf ans. En dépit de leur différence d'âge, les compères s'entendaient comme larrons en foire : tous deux croyaient en la liberté. Pour elle, ils avaient lutté ensemble, voyagé ensemble, connu la prison ensemble, pris la fuite ensemble.

La Révolution les avait divisés : Zinovi haïssait le fanatisme des bolcheviques. Contrairement à son propre frère... Ce dernier n'était autre que le commissaire qui avait fait exécuter le Tsar et sa famille à Ekaterinenburg. En hommage à ce massacre, la ville portait aujourd'hui le nom de leur bourreau : Sverdlov.

Ne voulant ni servir les Rouges ni combattre pour les Blancs, Zinovi avait fait la guerre de 1914 dans la Légion étrangère française. Une guerre glorieuse. Il y avait perdu un bras, mais gagné ses galons d'officier. Le prélude à un fabuleux destin.

Son dernier séjour à *Il Sorito* datait de 1927, au moment où Gorki commençait à chanter les louanges de Staline. Une entrevue orageuse...

En dépit de leurs différends, Alexeï Maximovitch ne doutait pas que Zinovi fût la personne idéale.

— Il pourrait se charger des papiers... C'est un homme d'honneur. Il en respectera le secret.

— Ah non ! s'était exclamé Max lors de la dernière réunion. Pas Zinovi !

— Sûrement pas lui ! avait renchéri Krioutchkov. Hors de question.

Il s'exprimait rarement de façon aussi catégorique. Son veto avait jeté un froid.

— Zinovi est un homme d'honneur ! avait répété Gorki en tapant sur la table. Et Zinovi est aussi mon fils !

— Je ne dis pas le contraire, Douka. Je dis seulement qu'il est aujourd'hui naturalisé français. Et qu'il n'habite nulle part. Il sert à cette heure au Maroc, et Dieu seul sait où il combattra demain.

— Et au service de qui ! avait approuvé Rossignol. Max a raison. Que des papiers de cette importance soient remis à quelqu'un qui a renié la Russie, est un trop grand risque... Attendons l'avis de Titka.

— Elle a un bon jugement, avait accordé Gorki. Attendons Maria Ignatievna.

Mais depuis son arrivée, elle affectait de ne se mêler à aucune des décisions de la communauté. Elle triait, classait, rangeait les livres... Sans proférer pour l'avenir d'autre opinion que son accord sur la nécessité de rentrer. Et sans évoquer d'autres inquiétudes que sa propre tristesse à la perspective d'une séparation.

À la veille de Noël, le problème n'était toujours pas résolu. Le temps commençait à presser. Elle repartirait bientôt passer les fêtes à Kallijärv. Gorki redoutait ce moment.

Les enfants, comme d'habitude... Les enfants. L'argument pour ne pas le suivre. Un prétexte qui continuait de l'exaspérer.

Ce soir, il avait réuni un conseil de famille au complet : Maria Ignatievna, Max, Timocha, Krioutchkov et Rossignol. Son ton n'était pas à la plaisanterie. Il mordillait sa moustache, tripotait son porte-cigarette et fumait à la chaîne. Autant de gestes qui trahissaient sa tension. Le visage des autres exprimait la gravité et l'attente. Les mégots se consumaient dans les cendriers sans que quiconque songe à les éteindre.

Seul, Max semblait prendre la situation à la légère. Avec son physique de jeune premier, il ne ressemblait en rien à son père. Bien qu'il eût trente-cinq ans sonnés, il avait gardé ses goûts d'adolescent et ses réflexes de très jeune homme. Il aimait les belles voitures, la vitesse et les liqueurs trop fortes.

— Que faire de toutes ces saloperies contre-révolutionnaires ? s'exclama-t-il en haussant les épaules. Mais c'est très simple : les détruire ! Je propose un grand feu de joie dans le jardin.

— Comment oses-tu proférer de pareilles stupidités, Max ? aboya son père. Brûler les écrits d'hommes aussi éminents que Chaliapine, Stanislavski ou Biely ? Pour ne citer que trois génies, quand ils sont dix, et peut-être cent !

— Justement, cela ferait un magnifique feu d'artifice. On le verrait jusqu'à Naples.

— Tais-toi... Et cesse tes inepties.

— Si tu ne veux pas les rapporter ni les brûler, je ne vois pas la solution.

— Les laisser à quelqu'un d'autre que Zinovi ? proposa Timocha.

— Mais à qui ? demanda Rossignol.

— Eh bien... je ne sais pas... lança Krioutchkov en ayant l'air de réfléchir.

Il n'osait pas aller jusqu'à proposer qu'on les lui remette à lui, puisqu'il rentrait aussi. Ce n'était pourtant pas l'envie qui lui en manquait. Une prise de cette importance intéresserait le Guépéou. Un tel coup de filet l'installerait à jamais dans les bonnes grâces de Yagoda et lui vaudrait les faveurs de Staline. S'emparer maintenant de cette correspondance eût été plus simple que de devoir batailler par la suite pour la récupérer.

Impossible cependant de s'avancer sur ce terrain, de façon trop ouverte.

Il suggéra :

— Et Titka ? Elle reste ici, elle.

— Titka, opina Timocha, bien sûr !

Tous s'étaient tournés vers Moura.

Gorki se pencha pour lui demander :

— Qu'en pensez-vous, Maria Ignatievna ? Accepteriez-vous de garder ces papiers avec vous ?

Elle baissa la tête et réfléchit plusieurs secondes :

— Je ne peux pas vous répondre, Alexeï Maximovitch. Je suis juge et partie dans cette affaire. Et si vous le permettez, je préférerais ne pas m'en mêler.

602

Sans ajouter un mot, elle se leva et quitta la pièce. Cette brusquerie, qui ne lui ressemblait pas, les prit de court. Ils attendirent en silence qu'elle eût refermé la porte derrière elle, avant de reprendre.

— Elle n'avait pas l'air très enthousiaste, commenta Timocha.

— Tu parles ! gronda Max. À sa place, je ne voudrais de cet amas d'ordures à aucun prix. Et je ne comprends toujours pas pourquoi vous refusez de le brûler... Vos paperasses sont un danger public, un baril de poudre. Les garder chez soi équivaut à sauter avec !

— Je ne vois cependant pas d'autre solution, trancha Krioutchkov. Maria Ignatievna me paraît la personne indiquée. La seule possible... Elle dépouille votre courrier depuis des années, Douka. Elle connaît les détails de votre correspondance... Qu'elle la garde, qu'elle garde tous les papiers ! Elle détient déjà la clé de votre coffre à la Deutsche Bank... Qu'elle conserve l'ensemble !

— Mais se chargera-t-elle d'une responsabilité pareille ? soupira Gorki. D'un fardeau aussi lourd ?

— Cela, ricana Max, c'est ton problème. Puisqu'elle ne daigne pas t'accompagner et nous suivre. Puisqu'elle t'abandonne et préfère l'Europe... À toi de la convaincre !

— Entre nous, entérina Krioutchkov, notre chère Titka vous doit bien cela !

*
* *

Il avait plu toute la journée. Les dalles de la terrasse restaient glissantes.

Appuyés côte à côte contre la rambarde, Gorki et Moura admiraient une dernière fois le crépuscule sur la baie de Naples. Ils regardaient droit devant eux, les yeux rivés sur les petites lumières de Casteldelmare et la masse noire du Vésuve qu'ils avaient tant aimée.

L'humidité et le froid les faisaient frissonner. Mais cette nuit, elle ne songeait pas à en protéger Gorki. Cette nuit, ils étaient à égalité.

À égalité devant l'âge, devant la maladie. Devant les mystères de l'avenir.

Le silence… On n'entendait que le bruit des gouttes d'eau qui tombaient du toit.

Elle avait jeté sur ses épaules la vieille robe d'intérieur d'Alexeï, sa robe de mandarin, tandis que lui-même arborait le cadeau de Yagoda : un caftan en soie pourpre brodée d'or, identique à l'ancien.

Tous deux songeaient au passé. Ils revoyaient leurs premiers échanges aux conférences de la MLM, les difficultés qu'ils avaient partagées. Ils se souvenaient de leurs meilleurs instants ensemble. La tendresse les submergeait.

Alexeï avait posé sa main sur celle de Moura et la caressait doucement. Ils s'étaient déjà dit ce qu'ils avaient à se dire, et se laissaient aller à leur mélancolie.

Il finit toutefois par murmurer :

— Je vous remercie d'avoir eu le courage d'accepter une telle responsabilité.

— Comment agir autrement, Alexeï ?

— Vous pouviez vous conduire autrement. Vous pouviez agir avec prudence. Vous ne l'avez pas fait… Je ne me suis pas trompé sur vous. Je vous ai souvent querellée pour des bêtises, Maria Ignatievna. Mais sur le fond, je vous ai toujours respectée… Toujours adorée. Je n'ai pas oublié ce jour, dans mon bureau avenue Kronverkski… Ce jour où vous m'avez avoué, au risque d'être jetée dehors, la trahison que Zinoviev exigeait de vous. Vous restez la plus grande dame que j'aie jamais rencontrée. Vous avoir connue est un honneur.

Bouleversée par cet hommage, elle ne releva pas le compliment.

— Que devrais-je faire de tous ces papiers ?…Du contenu du coffre à Berlin et des caisses d'*Il Sorito* ?

— Vous devrez les mettre en sûreté.

— Où ?

— N'importe où… Chez vous en Estonie, chez vos sœurs en France, en Angleterre… Où vous voudrez ! L'essentiel, c'est que nul ne sache le lieu que vous aurez choisi. Personne, vous m'entendez ? Moi, comme les autres… Je ne veux pas le connaître.

— Mais pour cacher vos archives, il faudrait pouvoir les transporter. Il y en a trop.

— Nous devrions peut-être tout lire ensemble, tout trier… En faire plusieurs valises ?

— Une valise. Une seule.

— D'accord, une seule… Il marqua une pause avant d'ajouter : promettez-moi que vous viendrez me voir à Moscou dès que je serai installé.

— Je vous le promets, ma Joie… Je ne sais même pas comment je vais réussir à vivre sans vous !

— Jurez-moi encore autre chose.

— Tout ce que vous voudrez.

— Jurez-moi que vous ne m'apporterez jamais cette valise en Russie.

— Même si vous me la demandez ?

— Surtout, si je vous la demande.

— Auriez-vous peur de rentrer ?

— Non !

— Alors, pourquoi exigez-vous de moi un tel serment ?

Il quitta le balcon sans lui répondre.

Chapitre 37

Nier,
nier encore, nier toujours,
nier même sur l'échafaud
…et surtout après !
1933 – 1934

Le lit de Moura : un univers à lui seul. Avec sa courtepointe à dessins géométriques qui évoquaient un tapis persan, il semblait dévorer la pièce et flotter dans la chambre.

Elle y passait des nuits plutôt courtes, mais elle y travaillait chaque matin jusqu'au déjeuner, naviguant en position horizontale parmi les piles de livres, les tas de manuscrits, les dictionnaires, les agendas, les stylos à plume, les rouges à lèvres, les sacs à main, les paquets de cigarettes et les cendriers… Son gros téléphone en bakélite noir, qui trônait sur un coussin doré, ne cessait de sonner. Elle y parlait des heures. Quand on ne l'appelait pas, elle-même enchaînait les coups de fil, feuilletant frénétiquement son calepin. En vérité son carnet d'adresses avait aujourd'hui l'épaisseur d'une Bible. Le temps des monologues intérieurs et des doutes semblait hors de saison.

Londres. Elle avait réalisé son rêve. Elle vivait à Londres !

Une installation excitante, mais compliquée.

Elle avait commencé par camper dans un réduit à côté du British Museum… Sinistre. Elle avait ensuite trouvé deux chambres l'une au-dessus de l'autre, au 98 Knightsbridge, un duplex bancal qu'elle occupait en colocation avec sa vieille amie Liuba Hicks. Pas de salon, pas de cuisine. Juste une salle de douche.

Aussi pauvre qu'elle, et veuve aujourd'hui, Liuba s'employait à combattre l'adversité. Elle avait perdu son cher Hickie, l'amour de sa vie, qui était mort de la tuberculose à Vienne. Rentrée en Angleterre en 1930, Liuba y avait ouvert un petit magasin de mode et survivait, vaille que vaille. Encore très jolie, elle chassait le banquier qui l'épouserait.

Les deux femmes ne prenaient aucun de leurs repas chez elles. Toujours invitées, elles sortaient chaque soir. Et si par malheur, elles n'avaient en vue ni cocktail ni dîner, elles bavardaient durant des nuits entières, en sirotant leur vodka.

À quarante ans : la vie de bohème.

Restait l'éternel problème de l'argent. L'avenir de ses enfants continuait d'obséder Moura.

Kira semblait tirée d'affaire. Par Wells, Moura lui avait obtenu un travail de secrétaire. Aujourd'hui, *my child* se débrouillait seule. Elle était même tombée amoureuse d'un médecin anglais, un certain docteur Clegg, qui venait de la demander en mariage. La cérémonie était prévue pour la saison prochaine à l'église orthodoxe. Restait à organiser la fête. Même sans le sou, Moura excellait dans ce sport. Tout Londres se presserait aux noces de « sa fille », bien que la jeune fiancée détestât les mondanités. Le seul handicap de Kira, estimait Moura : elle devait encore apprendre à vaincre sa timidité. Pour le reste, mission accomplie.

Quant à Paul, aujourd'hui âgé de vingt ans, il ne lui avait jamais posé de problème… À l'inverse de Tania, avec laquelle les relations se tendaient chaque jour.

À grands frais, Moura avait fait admettre Paul dans une université anglaise du Shropshire, le très prestigieux *Harper Adams Agricultural College*. Un cursus qui lui permettrait d'accomplir sa vocation de *gentleman farmer*. C'était un garçon calme, décontracté, d'une beauté spectaculaire. Il avait hérité de la distinction des Benckendorff, de leur haute taille et de leurs traits réguliers. Les femmes en raffolaient. L'attirance était réciproque. On ne comptait plus ses conquêtes.

Paul détestait les conflits et les évitait presque autant que Moura. Il estimait qu'elle avait fait plus que son devoir envers lui. Il adorait sa mère.

Avec Tania et Micky, c'était une autre affaire. Elles habitaient encore l'Estonie, et la santé de Micky chancelait. Elle souffrait de l'estomac et du cœur. L'un des pontes chez lequel Moura l'avait conduite à Berlin, ne lui avait donné que six mois à vivre. Ce verdict datait de trois ans. Et Micky se tenait toujours aussi droite. Elle portait toujours les mêmes jupes 1900, toujours le même petit chignon sur le haut de la tête… Micky ou l'Éternité.

Elle vieillissait néanmoins. Moura comptait la faire venir en Angleterre avec Tania, dès que l'adolescente aurait terminé ses études secondaires.

La vie à Londres coûtait cher. Elle n'y survivait qu'en continuant de travailler pour Gorki. Elle se présentait comme son agent sur le marché international, sa traductrice et son fondé de pouvoir. Elle disait détenir l'exclusivité de ses droits. Les livres d'Alexeï qu'elle réussissait à faire publier en Europe lui rapportaient un pourcentage conséquent. Mais très insuffisant.

Elle s'employait donc à promouvoir les romanciers et les poètes contemporains, tous les auteurs russes, dissidents ou apparatchiks, qu'elle défendait auprès des maisons d'édition.

Elle l'avait compris : la Russie était sa marque de fabrique. Nul mieux qu'elle ne pouvait personnifier l'âme slave. Loin de se fondre dans le paysage, elle exagérait aujourd'hui son accent et surjouait tous les clichés. Drôle, vivante, bruyante, elle fourmillait d'anecdotes sur ses succès à la cour du Tsar, et sur ses aventures dans les rues de Petrograd à l'époque de la Révolution.

Elle brodait sans vergogne. Les faits comptaient peu. L'Histoire ne valait que si elle servait la construction de son personnage.

Fût-ce dans ses récits les plus romancés, elle conservait toutefois une forme de prudence. Elle évitait les paroles qui fâchent. Pas un mot sur ce qu'elle pensait vraiment de la conduite de l'aristocratie russe avant la guerre. Ou durant la lutte pour le pouvoir entre les Rouges et les Blancs. Elle se contentait de souligner que les atrocités perpétrées par les uns valaient bien celles des autres.

Pas un mot non plus sur ce qu'elle pensait des bolcheviques. Aucune condamnation du régime. Elle demeurait dans la ligne des écrits de Gorki et s'en tenait aux choix de l'écrivain.

Encore une fois, son appartenance aux deux mondes la servait. Elle se gardait de la moindre critique et ne proférait aucun jugement de valeur.

Non qu'elle fût une hypocrite et qu'elle portât un masque : sur le fond, elle ne sacrifiait rien à sa vérité intérieure. Même quand elle était en représentation, elle restait la Moura de toujours. Inconstante et fidèle. Manipulatrice et sincère.

Son association avec Wells donnait toutefois à supposer qu'elle avait choisi son camp et qu'elle était, comme lui, d'obédience socialiste. À ceux qui tentaient de comprendre ses engagements, elle se disait clairement de gauche. Mais elle ne glorifiait ni n'attaquait aucun parti, à l'exception du parti nazi.

Sur ce point, aucune ambiguïté : son cœur ne balançait pas entre les fascistes et les communistes. Entre Hitler et Staline, elle choisissait la Russie. Elle finissait par l'incarner : à Londres, Moura Budberg *était* la Russie éternelle. Elle symbolisait toute la littérature russe en Occident.

Et ce rôle-là, celui d'intermédiaire entre les écrivains soviétiques et les intellectuels anglais, intéressait le Guépéou au plus haut point.

Yagoda était bien placé pour connaître les anciennes relations de *madame B.* avec les hommes de la Tchéka. Il l'avait, en outre, rencontrée personnellement à Berlin, quand lui-même y travaillait avec Andreïeva et Krioutchkov.

Ce dernier s'était hâté de lui signaler que Gorki n'avait pas rapporté toutes ses archives en Russie. Que sa compagne – cette même madame B., ex-informatrice de Yacob Peters et de Zinoviev – avait conservé ses lettres les plus compromettantes, et qu'elle les détenait quelque part.

Une telle nouvelle n'avait pas manqué d'éveiller l'attention en haut lieu. On avait laissé *dormir* la baronne durant plus de dix ans. Le temps était venu pour elle de prouver son amour envers son pays, et sa loyauté envers le Parti.

On attendait sa venue.

De Moscou, Alexeï Maximovitch continuait de la supplier de le rejoindre. Il avait, disait-il, obtenu de Yagoda tous les visas et les sauf-conduits nécessaires. Staline se portait garant de sa sécurité. Elle pourrait repartir à sa guise.

Gorki avait définitivement quitté Sorrente le 8 mai 1933. Il s'était rendu avec ses proches jusqu'à Naples, dans quatre fiacres et deux automobiles. De là, toute la bande s'était embarquée sur le vapeur *Jean Jaurès* à destination d'Odessa, via Istanbul.

Leur train à l'arrivée à la gare de Moscou avait été pris d'assaut par une foule en liesse. Du quai jusqu'à sa voiture, les ouvriers des usines avaient porté Gorki en triomphe. Un incroyable accueil populaire, dont Moura elle-même n'aurait pu imaginer l'ampleur si elle n'avait vu les images au cinéma. Une réception *spontanément* planifiée, encadrée et orchestrée par la police secrète.

Le départ de Gorki avait entraîné la fermeture de ses comptes en Italie. La nomination d'Hitler à la Chancellerie en janvier

avait, en outre, déclenché une furieuse campagne antibolchevique en Allemagne. Moura s'était vue contrainte de vider en
toute hâte le coffre dont elle détenait la clé à la Deutsche Bank.
Elle en avait transféré le contenu au plus près : en Estonie.

À cette heure, les papiers d'*avant l'exil* se trouvaient sous son
lit à Kallijärv.

L'autre partie de la correspondance avait été triée et réduite à
une seule valise. Comme convenu. Elle l'avait emportée avec elle
lors de son dernier séjour à *Il Sorito*, en avril 1933.

Cette valise-là se trouvait sous son lit au 98 Knightsbridge.

En vérité, elle avait beau s'amuser à Londres, elle vivait mal
sa séparation d'avec Gorki. Il était sa conscience. Son âme. Son
histoire. De façon lancinante, presque indicible, il symbolisait
pour elle sa Russie... Sa Russie perdue. Sa Russie tant aimée.
Elle le considérait comme la meilleure partie d'elle-même.

Il lui manquait. Mais elle n'osait pas s'avancer davantage sur
ce terrain, sinon en réitérant sa promesse de faire le voyage. Un
jour. Bientôt... Peut-être.

Évidemment, je viendrai vous voir, lui écrivait-elle, *mais une
visite ne sera pas suffisante. Je suis aussi affamée de vous, Alexeï,
que vous vous dites avide de ma présence. Vous devez bien comprendre que je reste quelqu'un d'écartelé. Et le fait d'avoir tout
arrangé pour tout le monde ne change rien à mon déchirement.
Mais ne parlons pas de cela pour le moment.*

...Pour le moment, elle devait se hâter de s'habiller. Très en
retard, selon son habitude.

Aigee passait la prendre en taxi dans cinq minutes. Il l'emmenait déjeuner au *Quo Vadis*, l'un des restaurants les plus à la
mode de Soho. Il lui avait réservé, disait-il, une surprise.

En dépit de sa tyrannie et de ses exigences, Wells personnifiait
la vie telle qu'elle l'aimait. Il incarnait l'action, l'imprévu, la fantaisie, l'invention. Elle adorait leur complicité.

Elle sauta du lit et fonça dans la salle de bains.

La maigreur des années de famine n'était plus de saison. Sous la soie noire de son kimono, ses hanches semblaient plus épanouies que jamais.

Et si la finesse de ses chevilles continuait de séduire Lockhart, si la fragilité de ses attaches suscitait encore l'admiration de H.G. Wells et le désir de Constantin Benckendorff, elle leur plaisait aujourd'hui pour ses courbes, pour ses épaules rondes et sa lourde poitrine.

La femme, que les amis de la MLM avaient décrite en 1919 comme « un sphinx efflanqué », avait à Londres la puissance d'une cariatide, et les formes pleines d'une statue de Maillol.

*

— Nous devons nous marier vite, lui asséna Aigee dès qu'elle fut montée dans le taxi. Il lui caressait la main avec une sensualité qui n'appartenait qu'à leurs jeux, remontant lentement de son poignet à la saignée du coude... Avant notre voyage en Amérique. C'est impératif !

— Pourquoi impératif ?

— Si nous couchons ensemble sans être mariés, cela va faire des histoires, là-bas. Je ne veux pas du scandale qu'a connu notre ami Gorki à New York, quand il avait partagé sa chambre d'hôtel avec sa concubine Andreïeva !

— Mais c'était en 1906, Aigee. Le monde a évolué.

— Pas chez les Yankees : ils restent des puritains.

— D'ici avril, nous avons le temps.

— Donc, tu es d'accord pour le mariage ?

— Pourquoi remettre cette conversation sur le tapis, *darling* ? N'avons-nous pas déjà parlé de tout cela ?

— Je tiens juste à être certain que tu m'accompagneras aux États-Unis... Ensuite je dois aller interviewer Staline en URSS. Et je veux que tu viennes avec moi à Moscou.

— Je ne peux pas y mettre les pieds, tu le sais bien.

Il insista :

— Nous y verrons Gorki.

L'image de Wells et de Gorki dans une même pièce la fit frémir.

C'était une chose d'aimer les deux hommes, et de les aimer tendrement. Une autre de gérer cet amour en leur double présence. Égocentriques et jaloux comme ils l'étaient, ils sentiraient dans la seconde leur rivalité, et ne la supporteraient pas.

Elle non plus ne la supporterait pas. Gorki excluait Wells. Wells excluait Gorki.

L'idée de revoir Alexeï Maximovitch à Moscou... en amante, en épouse d'H.G. Wells !

Elle ne put s'empêcher de lui retirer sa main. Elle répéta :

— Je ne peux pas retourner en Russie, Aigee, tu le sais bien !

— Avec moi, tu le pourras.

— Non. À l'instant où je passerai la frontière, le Guépéou m'arrêtera. Et je serai probablement fusillée.

— Pas si tu es ma femme ! Et c'est exactement la raison pour laquelle tu dois le devenir. D'ailleurs, tout le monde est d'accord. Et nos amis nous attendent à cette heure pour fêter notre mariage.

Elle sursauta :

— Tu n'es pas sérieux ?

— Si. Ils sont au Quo Vadis... J'y ai réservé un salon particulier. Ensuite, nous avons tous rendez-vous chez moi pour un petit concert en ton honneur. J'ai demandé à ta cousine harpiste, la femme de Constantin Benckendorff, de venir nous jouer une aubade.

— Aigee, tu n'as pas fait cela !

— Fait quoi ? Invité l'élite de la société londonienne à notre mariage ? Si, bien sûr. J'ai annoncé à tout le monde que nous avions convolé ce matin à la mairie. Et j'ai convié à notre repas de noces Lady Cunard, Lady Lavery, Harold Nicolson, Max Beerbohm... Pas un qui n'ait répondu présent. Et je ne te dis rien des télégrammes, des fleurs et des cadeaux qu'ils nous ont envoyés.

Le taxi s'était arrêté devant le restaurant.

Quand elle en sortit, Moura était blême. En fait de mariée, un spectre.

La colère n'était pas un sentiment qui lui était familier, elle la maîtrisait mal. Et le « hourrah ! » de bienvenue qui salua son entrée acheva de la pétrifier.

Comment avait-il pu lui jouer un tour pareil ? La mettre ainsi devant le fait accompli ? Un comportement infantile.

— Tous nos vœux de bonheur, Moura chérie.

— Nous sommes tellement heureux pour vous deux !

— Vous formez un si beau couple.

On les embrassait, on les félicitait. Elle essayait de sourire. Wells papillonnait et semblait aux anges.

Par quel tour de passe-passe espérait-il se sortir d'une telle farce ? Croyait-il l'avoir coincée, en l'exposant à l'approbation de la haute société londonienne ?

La gêne et la rage la submergeaient. Elle allait devoir faire une déclaration, expliquer qu'il s'agissait d'une plaisanterie, d'un prétexte pour organiser un déjeuner sympathique : une *party* plus gaie que les autres... Plus originale.

Et c'est exactement le discours qu'elle nous tint à table, raconterait l'un des convives. Elle se mit debout, leva son verre, et nous dit très tranquillement qu'elle buvait à notre santé. Mais que leur mariage n'était pas à l'ordre du jour. Qu'il s'agissait d'une blague pour mieux faire la fête.

Le malheureux HG dut se forcer à rire avec elle et à prétendre qu'il était complice du tour qu'ils venaient de nous jouer. C'était le seul moyen pour lui de garder la tête haute et d'éviter un affront public. Personne ne fut dupe. Il avait tenté de la forcer. Il en était pour ses frais.

Certains intimes de Wells pensèrent que Moura avait finalement accepté de l'épouser, mais qu'elle avait changé d'avis à la dernière seconde... *Le matin même. Ou dans le taxi. Ils jugeaient sa conduite envers lui avec sévérité.*

D'autres amis la soupçonnèrent d'avoir monté seule cette comédie, et cherché sciemment à l'humilier. Ceux-là la condamnaient sans appel.

Mais elle se montra si gentille avec HG toute la journée, si affectueuse, que la plupart d'entre nous lui pardonnèrent.

Une autre invitée complèterait l'épisode, en ajoutant que le couple alla passer sa « nuit de noces » dans son manoir du Sussex, ainsi que Wells l'avait prévu. Le témoin de cette « lune de miel » écrirait dans son autobiographie : *HG me dit en soupirant : « On se conduit comme un imbécile, quand on est âgé, et qu'on tombe amoureux fou d'une jeune femme... » Moura me fit un clin d'œil. Et j'osai conclure : « Vous auriez pu vous en apercevoir plus tôt, mon cher ! »*

*

Si elle lui en voulut de son piège, elle n'en laissa rien paraître. Pas de scène. Pas de reproches.

Wells, en revanche, gloserait longuement sur sa déception.

Il commençait à sentir qu'elle avait d'autres rêves, d'autres centres d'intérêt, d'autres affections, plus vitales peut-être que leur amour. Qu'elle continuait de s'occuper de ses affaires de famille et restait liée à un réseau qui appartenait à son passé. Il ne voulait rien en savoir mais découvrait, malgré lui, qu'elle n'évoluait pas seulement dans les milieux riches et puissants qu'ils fréquentaient ensemble. Elle appartenait aussi à un monde de déracinés. Elle voyait des amis dans le besoin, une foule d'exilés russes, d'aventuriers, de politiciens, qu'elle aidait à survivre, et sur lesquels elle gardait une forme d'autorité. Pour tous, elle était *leur merveilleuse Moura*. Et elle s'épanouissait dans ce rôle, que Wells jugeait trop commode.

Elle aimait se rendre utile, elle aimait défendre et sauver. Elle aimait donner et se donner : il la jugeait « généreuse », il la reconnaissait « adorable ». Mais il eût préféré qu'elle ne le fût que pour lui.

La présence dans la vie de Moura de cette cohue d'émigrés, de ces petits correspondants de presse et de ces diplomates de l'ombre du genre de son Lockhart, l'exaspérait. Toute une faune qui, à entendre Wells, ne voyait la politique que sous l'angle des intrigues de couloir et des secrets d'alcôve, *sous l'angle du paragraphe et de l'anecdote.*

Quant à ce qu'il considérait, lui, comme les seules grandes aventures dignes d'être vécues – le voyage en Amérique pour rencontrer, en épouse d'H.G. Wells, le président Roosevelt ; ou le voyage en Russie pour interviewer Staline, avec lui –, Moura restait ferme sur ses positions. Aigee avait beau revenir à la charge : non, elle ne l'accompagnerait pas à Moscou. Ce n'était pas l'envie qui lui en manquait, disait-elle. Mais depuis plus de dix ans, depuis son départ, elle ne pouvait y retourner sous peine de finir au goulag.

Elle y était *persona non grata.*

En évoquant le sujet, elle se montrait si inquiète et si catégorique qu'il n'avait désormais d'autre choix que de se rendre à ses raisons.

Il constatait en outre qu'elle développait des habitudes sur lesquelles il n'avait aucune prise. Les traînasseries au lit le matin jusqu'à midi, les bavardages avec Liuba toute la nuit, les brusques changements de plans, les retards... Et l'alcool.

Quand elle trouvait la vie un peu morne ou trop compliquée, quand elle sentait le doute l'envahir ou la fatigue la submerger, elle buvait un petit coup de brandy, écrirait-il dans *Wells in Love,* ses confessions amoureuses. *Et si la vie demeurait encore trop morne et trop compliquée, elle buvait un autre petit coup de brandy. Pour ma part, je n'avais jamais mesuré combien ce prompt réconfort l'aidait à me résister.*

617

Je devenais irritable et jaloux.

Elle me quitta à Noël pour partir en Estonie, m'expliquant que ce voyage était impératif. Quand je lui rétorquai que je ne voyais pas pourquoi ce voyage-là était plus impératif que les miens, elle s'exclama : « Mais parce que j'ai toujours passé mes Noëls en Estonie ! »

Là-dessus, elle s'en alla... Et me revint au bout de trois semaines.

Ce que Wells ne pouvait imaginer, ce qu'il ne pourrait même concevoir, c'est que, sur le tarmac de l'aéroport de Tallinn, Moura avait changé d'avion.

Seule passagère à bord, elle était montée dans un petit appareil de l'Aeroflot.

Et de là, elle s'était envolée pour Moscou.

*

À quelles prières de Gorki avait-elle fini par céder ?

Leur séparation était-elle devenue, pour tous deux, une douleur trop lancinante ?

Comment avait-elle réussi à surmonter sa terreur d'une arrestation ? Accepter le risque de cette balle dans la nuque dont la probabilité la hantait depuis si longtemps ?

Alexeï Maximovitch pouvait bien lui avoir donné toutes les garanties, lui avoir juré que Yagoda était son ami le plus intime, que nul en Russie n'oserait toucher à la « femme de Gorki », elle restait une émigrée et une burjoui.

À quel brusque désir, à quelle folle impulsion avait-elle obéi ?

Quoi qu'il en soit, son amour se révélait au bout du compte plus fort que la peur.

À quelles supplications avait-elle répondu ?

À quel ordre ?

Un voyage éclair.

Quatre jours : le cadeau de Yagoda à son cher ami Gorki, pour la Noël 1933.

Ce dernier s'était laissé enfermer sans difficultés dans sa cage dorée. Il avait même échangé l'Italie contre la Crimée, renonçant volontairement à son été en Europe, ce mois avec Moura programmé par Krioutchkov.

En août, Gorki avait fait encore mieux. Il avait pris la tête d'une délégation d'écrivains qu'il avait conduits, en présence de Staline, à l'inauguration du canal de la mer Blanche. Ce gigantesque ouvrage, qui visait à relier la mer Blanche à la mer Baltique près de Leningrad, avait été exécuté par les prisonniers politiques condamnés aux travaux forcés. Un chantier qui avait entraîné la mort de près de trente mille d'entre eux. Gorki avait loué l'entreprise, allant jusqu'à oser écrire que ces hommes obtenaient la liberté par le travail – une idée que ne manqueraient pas de reprendre les nazis à Auschwitz.

Il méritait bien qu'on lui fasse plaisir, en lui amenant sa compagne pour les fêtes.

Yagoda, en personne, était allé recevoir la baronne Budberg à l'aéroport. Tapis rouge et bouquet de fleurs… Il l'avait accompagnée dans sa Rolls aux vitres teintées jusqu'à la datcha de l'écrivain dans les faubourgs.

Elle avait exigé le secret sur sa venue. Une condition *sine qua non*. Nul ne devait savoir, en Angleterre ou en Estonie, qu'elle avait franchi la frontière. Si quiconque l'apprenait, toutes les portes se fermeraient à Londres et à Tallinn : elle ne pourrait plus circuler librement en Europe.

Or Yagoda tenait beaucoup à ce qu'elle y demeure… Et qu'elle y évolue sans entrave dans les cercles de l'émigration blanche, dans les cénacles de la pensée et de la politique anglaises. Tous les milieux dont elle détenait les clés.

Il avait donc respecté son désir de discrétion, veillant sur la confidentialité qu'elle réclamait. La datcha était environnée de bois, close de murs, et gardée par la police. Conformément à son souhait, elle ne sortirait pas du parc et ne verrait personne, hormis la famille de l'écrivain.

Si Yagoda n'avait pas l'intention d'aborder tout de suite le sujet sensible de « la valise » – trop tôt pour l'alarmer et inquiéter Gorki –, il comptait l'interroger à loisir sur d'autres sujets. L'air du temps, les grands personnages, et les courants de pensée en Europe. Que disait-on de l'U.R.S.S. dans les cercles de Churchill ? Comment jugeait-on Staline au Foreign Office ? Que pensait-on d'Hitler ? Quelles étaient les intentions de la Grande-Bretagne envers l'Allemagne ?

Les prémices d'autres questions à venir.

Moura ne mentionnerait jamais cette équipée. Pas un mot de ses émotions en rejoignant Gorki. Rien quant à ses sentiments en retrouvant sa Russie tant aimée. Silence sur ce qu'elle avait vu. Sur ce qu'elle avait fait. Sur ce qu'elle avait éprouvé.

Ne demeurerait aucune trace de cette brève incursion, sinon un paragraphe dans les deux lettres qu'elle écrirait à Gorki, lors de son retour en Angleterre.

Le premier serait daté du 27 décembre 1933 :

Que d'impressions vives et variées m'ont données ces quatre jours avec vous – tellement courts ! Et comme je suis heureuse d'être venue. Tout est de nouveau si simple entre nous, et si doux.

L'autre de février 1934 :

J'ai très envie d'être auprès de vous ! Mais vous n'ignorez pas qu'en dépit de la joie immense avec laquelle je suis venue vous voir, il me serait très difficile de vivre à Moscou. J'y retournerai, bien sûr (...) et resterai plus longtemps à vos côtés.

Vaste programme, que les services du contre-espionnage britannique ne manqueraient pas de consigner dans leurs rapports. Et de signaler, via l'ambassade de France à Londres, à leurs collègues du Deuxième Bureau à Paris.

Une confirmation de ce que l'on soupçonnait depuis près de vingt ans.

Seule une informatrice de très gros calibre, une espionne employée directement par Staline, pouvait pénétrer ainsi en

Union soviétique. Entrer, sortir, sans qu'aucune de ses allées et venues n'apparaisse sur son passeport. Pas de visa. Pas de tampon.

On ne se contenterait plus de la filer. Son téléphone serait mis sur écoute et son courrier ouvert.

Les agents du MI5 auraient de quoi faire.

*

Le destin la ramènerait plus rapidement qu'elle ne l'imaginait dans la datcha au fond du parc, le destin – ou plutôt Yagoda –, qui frapperait Gorki au printemps.

Son fils Max était mort en trois jours d'une pneumonie foudroyante. C'était le 11 mai 1934, pendant le voyage de Wells en Amérique. Il avait trente-sept ans. Moura apprit la nouvelle à Londres, par un télégramme de Krioutchkov.

Il la connaissait assez pour savoir qu'elle n'hésiterait pas une seconde. Qu'elle prendrait le premier avion, via Berlin, pour soutenir Alexeï en ces moments terribles. Hors de question, pour elle et pour lui, de ne pas traverser l'épreuve ensemble. Krioutchkov ne s'était pas trompé. Elle se précipita. En larmes.

Officiellement, Max s'était endormi dans l'herbe au bord d'un lac, après avoir trop bu lors d'une partie de campagne. Il avait pris froid durant son sommeil. Le mal était tombé sur les poumons. Les plus grands médecins n'avaient pu le sauver.

Les parents et la veuve du jeune homme étaient encore les seuls à croire à cette fable. L'une des nombreuses versions qui circulaient sur ce brusque décès.

Nul n'ignorait à Moscou que la pneumonie de Max s'appelait en fait Yagoda. Le chef du Guépéou était coutumier de ces sortes d'exécutions. Le nombre de ses victimes par le poison ne se comptait plus. Une technique qui permettait à sa police de supprimer les indésirables, sans se donner la peine d'une arrestation et d'une comédie de procès. Il avait la réputation de présider en personne aux expériences sur les substances toxiques, dans les laboratoires de recherches de Staline.

Restait à comprendre ses mobiles.

En apparence, Max ne présentait aucun danger pour le régime. On le disait peu intelligent, bon garçon, sportif, futile… De tout temps gagné au Parti, et gâté par ses dirigeants. « Le prince des Soviets », ainsi que l'appelait son père.

Idéologiquement et moralement, une plume. Mais une plume flanquée d'une ravissante épouse, presque aussi légère que lui.

Depuis six ans, Yagoda nourrissait un amour fou, une passion obsessionnelle pour Timocha. Il avait beau être le personnage le plus puissant après Staline, il ne parvenait pas à l'obtenir. Et cela – ne pas obtenir une femme qu'il convoitait –, n'entrait pas dans ses habitudes. Il n'était certes pas un Adonis, mais il possédait autre chose. Une sentimentalité insinuante qui lui conférait une forme de charme. Il savait parler, se plaindre, supplier. Les étrangers et les aveugles le trouvaient même plutôt touchant, plein de bienveillance, de rondeur et de gentillesse. Comme la plupart des dirigeants du Parti – comme Staline –, il pouvait passer pour un brave homme. Un idéaliste, un pur.

En vérité, avec sa petite moustache en ticket de métro, sa casquette plate, son pantalon de cheval et ses bottes, il ressemblait à Hitler. Il en avait l'éloquence.

Timocha flirtait avec lui, riait avec lui, dînait avec lui. Elle acceptait ses cadeaux, se laissait séduire et flatter. Mais elle lui répétait qu'elle était mariée et que, tant qu'elle serait l'épouse de Max, elle lui resterait fidèle. Elle habitait en outre chez son beau-père. Impossible pour Yagoda de la posséder sous le toit de Gorki, sans que ce dernier – ou Staline – n'en soit averti.

Quant à la posséder ailleurs… Max montait la garde.

Le couple s'entendait mal. Yagoda ne doutait donc pas que, débarrassée de Max, Timocha lui céderait.

À ce vaudeville tragique du mari, de la femme et de l'amant s'ajoutaient probablement d'autres mobiles, plus politiques, qui exigeaient la disparition du fils de Gorki. Et l'anéantissement de l'écrivain. De cette épreuve, il sortirait en effet brisé.

Max fut enterré, en toute hâte, le lendemain même de son décès. Les témoins raconteraient qu'au cimetière, personne ne pouvait regarder en face le malheureux père, tant le spectacle de son accablement était insoutenable.

Quand Staline l'étreignit et lui témoigna pour la centième fois sa sympathie, Gorki l'interrompit : « Il n'y a rien à dire. Assez ! »

Avait-il enfin entendu les rumeurs ?

Cette fois encore, Moura ne livrerait ses impressions à personne. Arrivée au lendemain de l'inhumation, elle prétendrait avoir manqué la cérémonie.

Elle se contenta d'être là, aux côtés de l'homme en pleurs qu'elle aimait et dont elle partageait le chagrin. Elle n'avait qu'à songer à Paul pour imaginer ce qu'il ressentait.

Comme les parents et la veuve du défunt, ignorait-elle le rôle de Yagoda dans la disparition de Max ? Elle ne confierait rien sur le silence et les larmes de ceux qui l'avaient aimé. Rien sur les bruyantes protestations d'amitié des autres.

Rien sur le désespoir de Gorki.

Rien non plus sur l'atmosphère lugubre de son intérieur, sur les ombres en uniforme qui hantaient son hôtel particulier de Moscou, propriété autrefois du plus riche des banquiers. Un palais Art nouveau d'un luxe inouï : le temple du modern Style, que les ouvriers soviétiques avaient rénové et transformé pour lui en temple de la vulgarité et du mauvais goût.

Pas un mot, même à son confident Lockhart, sur cette plongée dans les eaux crépusculaires de la maison Pechkov, sous la férule de Yagoda.

Mais cette fois, le chef du Guépéou lui toucha un mot des archives. Lors de sa prochaine visite, elle devait les rapporter. Gorki les réclamait. Il en avait besoin pour son travail. On comptait sur sa diligence.

Si la valise devait se révéler trop lourde, on lui enverrait quelqu'un à Londres, un « messager » qui s'en chargerait à sa place.

Elle reprit l'avion juste à temps pour accueillir Wells au retour de son périple aux États-Unis. Il arriva le 20 mai à la gare de Waterloo.

Elle l'attendait, souriante, au pied de son wagon.

*

— Mes rencontres avec Roosevelt m'ont conforté dans ma certitude qu'un rapprochement entre les États-Unis et l'Union soviétique est possible, racontait Aigee en remontant le quai. Je puis en devenir l'instrument.

Volubile, exalté, il avait pris son bras, se faufilant rapidement dans la foule pour éviter les journalistes.

— …De surcroît, en tant que président du PEN club international, je compte obtenir de Staline la liberté de pensée et la liberté de parole pour tous les écrivains soviétiques. Gorki nous soutiendra.

— J'en doute. Il a changé d'avis sur ce point.

— Raison de plus pour que tu m'aides à le convaincre. J'ai besoin de toi dans cette bataille, Moura ! Tu dois me servir de traductrice auprès de Staline. Exactement comme tu l'avais fait pendant le Congrès des Soviets en 1920. Tu te souviens ? Tu avais empêché l'interprète officiel de me faire dire le contraire de ce que je pensais. Sans toi en Russie, je serai un infirme… Sourd, muet et aveugle ! Tandis qu'avec tes yeux… Tu m'avais fait découvrir ton pays, il y a quinze ans. Pourquoi refuses-tu de le faire maintenant ?

— Aigee, tu es l'homme que j'aime ! Et tu n'imagines pas combien je voudrais venir avec toi. Mais tiens-tu vraiment à ce que je finisse avec une balle dans la tête au fond d'une cave de la Loubianka ?

Trop dangereux, en effet, si Moura ne m'épousait pas.

Nier, nier encore, nier toujours, nier même sur l'échafaud

Or sous le prétexte que nous étions trop heureux pour rien changer à notre relation, elle continuait de refuser le mariage. Je m'organisai donc avec mon fils Gip afin qu'il m'accompagne. Lui parlait le russe. C'était en juillet 1934.

Une semaine environ avant mon départ à Moscou, je conduisis Moura à l'aéroport de Croydon, d'où elle s'envolait pour l'Estonie. Nous avions prévu que je rentrerais de Moscou par Tallinn. Et que je passerais le mois d'août chez elle à Kallijärv.

Elle comptait sur moi pour lui raconter toutes mes impressions : ce que j'avais vu, ce que j'avais entendu, les changements dont j'avais été le témoin... Un récit qu'elle disait attendre avec impatience.

Nous nous quittâmes très tendrement. Je me souviens encore de son visage, me souriant du hublot, alors que l'avion commençait à rouler.

Ma dernière vision de Moura telle que je l'avais rêvée.

*

En vérité, changement d'avion à Tallin : un petit appareil de l'Aeroflot, spécialement affrété pour elle, la ramenait auprès d'Alexeï.

C'était la troisième fois... Quelques jours volés auprès de lui, quelques jours à partager sa tristesse, à tenter de l'en consoler.

L'ami Yagoda avait organisé une croisière d'une dizaine de jours sur la Volga. Il cherchait à distraire la famille de son deuil, et à l'arracher à l'épreuve interminable des condoléances. La famille ? La veuve de Max et ses deux petites filles ; sa mère Pechkova ; son père, Alexeï Maximovitch. Le confident Krioutchkov. Et Moura, arrivée la veille de l'embarquement.

Au contraire des instructions de Yagoda, elle était revenue à Moscou sans la valise. Mais elle n'arrivait pas les mains vides. Elle lui apportait des monceaux de documents. Les lettres qu'elle-même avait pu recevoir de Gorki, durant ses années d'exil : les lettres où il lui parlait de son argent ou de ses affaires. Ses lettres d'amour, aussi.

Le NKVD – sous la férule de Yagoda, le Guépéou avait changé de nom – pouvait être content d'elle. L'ensemble des documents formait un beau paquet. Elle avait ajouté les photos de Sorrente où figuraient les visiteurs dont Yagoda connaissait déjà les allées et venues. Ou la correspondance d'artistes déjà exécutés par ses services.

Fidèle à sa technique, elle lui offrait des bribes, des leurres. « Une information sous l'angle de l'anecdote et du paragraphe », ainsi que Wells qualifiait sa façon de concevoir la politique.

Pendant tout le temps que dura la croisière, Gorki resta enfermé dans sa cabine. Elle y demeura avec lui, à pleurer. En cet été 1934, la chaleur sur le fleuve était accablante.

Elle regagna Kallijärv en toute hâte le 21 juillet, prenant la fuite à l'heure où Aigee atterrissait en Russie.

La carte postale qu'il lui envoya de Moscou aurait dû lui donner un avant-goût des ennuis qui l'attendaient :

Retour par l'Estonie comme prévu. Arrivée début août à dix heures, avec l'avion de l'Aeroflot... Un appareil que tu connais, je crois ?

HG

Mauvais.

Le ton, la forme : mauvais.

Au contraire de son intuition habituelle, elle ne releva pas le sous-entendu et manqua la menace que contenait ce mot sibyllin.

On verrait bien...

L'organisation du bal pour la majorité de Paul l'absorbait tout entière.

Au mois d'août 1934, elle attendait à Kallijärv l'ensemble des clans Benckendorff et Budberg. Non seulement la famille, mais les amis. Ceux des enfants… et les siens. *Tous* leurs amis. Ils arriveraient de Tallinn, d'Helsinki, de Berlin, de Naples, de Londres. Elle recevrait la princesse Galitzine, Liuba Hicks, Ed Cunard… Même l'une de ses dernières *fans*, une richissime veuve anglaise du nom de Molly Cliff, dont le fils était le grand complice de Paul et l'amoureux transi de Tania.

Sans oublier son amant le comte Constantin Benckendorff, qui annonçait sa venue avec sa fille – son épouse restant à la maison.

Ne manquaient à l'appel que Lockhart, qu'on avait rayé des listes, et l'avocat Carlo Ruffino, que la police fasciste retenait en Italie.

H.G. Wells arriverait trois semaines avant la troupe. En *guest star*.

Le plan de ces réjouissances contrevenait à tous les principes de Moura.

Fini le temps où la vie lui apparaissait comme un train aux compartiments étanches. Finis « le wagon Kallijärv, avec Micky et les petits » ; « le wagon Londres, avec Lockhart et Wells » ; « le wagon Sorrente, avec la colonie de Gorki ».

L'apparition d'une nouvelle case – « le wagon Moscou, avec Yagoda » – avait-il supplanté d'un coup tous ses autres secrets ?

Quelle qu'en soit la raison, elle prenait aujourd'hui le risque de célébrer la grand-messe du « Temps Retrouvé ». Pour le vingt-et-unième anniversaire de son fils, elle osait mélanger les genres et brasser les mille mondes qui composaient son existence… Comme à la grande époque de Yendel.

Une rupture dans sa longue carrière de femme écartelée. Une révolution !

Rien, comparé à ce qui l'attendait quand Aigee descendrait de l'avion.

*

Une étreinte glaciale. Pas un regard, pas un sourire, pas même une question. Elle sentit la tension dans la seconde. Un état de rage qui dépassait les remontrances habituelles.

Elle fit semblant de n'avoir rien remarqué. Souriante, chaleureuse, tendre selon son ordinaire, elle l'accueillit avec les transports dont il était friand. Elle osa même reculer d'un pas pour mieux l'admirer. Elle le fixa droit dans les yeux, et dit avec innocence :

— Tu as une expression fatiguée, mon chéri.

— Épuisé. Je n'aime pas ta nouvelle Russie.

— Tu dormiras à la maison. Tu te reposeras sur le ponton au bord du lac... Je vais bien m'occuper de toi ! Le train pour Kallijärv ne part qu'à cinq heures, malheureusement. J'ai pensé que nous pourrions déposer ta valise au Club de la noblesse, et aller déjeuner dans un petit restaurant en dehors de la ville ? Viens. J'ai emprunté la voiture de mon beau-frère.

Elle avait glissé son bras sous le sien et l'entraînait. Son plaisir de le retrouver était total.

Elle admirait son élégance, son costume de lin blanc impeccablement coupé, sa cravate de soie identique à sa pochette, et son panama sur mesure. Il restait tellement anglais ! Elle adorait son physique. Le corps de Wells, en dépit de sa rondeur, n'avait rien de lourd. C'était un corps compact, toujours plein d'allant, de promesses et d'entrain.

Aujourd'hui, Aigee ne se ressemblait pas. Il se tenait raide, l'œil rivé à la route qui filait droite. Il ne desserrait pas les dents. Ce silence n'augurait rien de bon. Elle bavardait, le bombardant d'anecdotes sur la préparation de la fête.

Ils s'installèrent à l'une des tables au bord de l'eau, sous les grands arbres. Il posa son panama sur la table, sortit son étui et son coupe-cigare, comme s'il s'allégeait pour la bataille. Elle commanda pour lui un plat d'écrevisses et une bouteille de vin. Un petit blanc bien frais, tel qu'il aimait le déguster au soleil.

C'eût pu être un moment délicieux.

Quand Wells se fut servi, il attaqua :

— J'ai entendu sur toi une rumeur étrange à Moscou... Tu y serais venue récemment.

Elle rit.

— C'est vrai ? Incroyable qu'on se souvienne encore de moi, là-bas... Qui t'a dit cela ?

Il explosa :

— Moura, tu es une menteuse et une salope !

Elle sembla choquée, mais conserva son sang-froid.

La voix haut perchée de Wells avait porté loin. Les joues en feu, il poursuivit :

— ...Qui me l'a dit ? Tu vas le savoir ! Je sortais de mon entretien avec Staline. On me conduisait à la datcha de ton ami Gorki... coincé entre le guide de l'Intourist qui ne me lâchait pas les basques, et l'interprète. Ils m'ont demandé comment je rentrais à Londres. J'ai répondu que je passerais par l'Estonie où j'allais séjourner chez une amie : la baronne Budberg. L'interprète a alors prononcé cette phrase stupéfiante : « Elle était ici la semaine dernière. » Je n'ai pu m'empêcher de m'exclamer : « Mais c'est impossible ! J'ai reçu d'elle à Londres, il y a huit jours, une lettre postée de Tallinn. » Le guide a engueulé l'interprète. Ils se sont disputés en russe. L'interprète s'est fermé comme une huître en balbutiant : « Je me suis sans doute trompé. »

— En effet, il s'était trompé.

— Attends, Moura, attends : je n'ai pas fini ! Alors que je m'attablais avec Gorki, je lui ai dit que mon interprète d'autrefois me manquait. Il m'a demandé de qui je parlais. « ...De Moura. » Il m'a répondu : « Elle est venue trois fois cette année. Vous l'avez manquée de peu. »

629

— Comment aurait-il pu te dire cela ? Gorki ne parle pas anglais !

— L'interprète me l'a traduit.

Tentant de se calmer, il but son verre de vin qu'il reposa violemment :

— …J'attends ton explication.

Reconnaître la vérité ? Hors de question.

Le voyage de juillet à Moscou ? Déjà un aveu de trop. Mais comment faire autrement ?

Sur les autres points…

Aigee était une pipelette. S'il racontait en Angleterre qu'elle entrait à sa guise en Union soviétique et qu'elle en sortait à volonté, elle se verrait contrainte soit de s'y installer définitivement, soit de n'y jamais retourner.

Dans tous les cas, elle perdait Wells, elle perdait Lockhart. Ou Gorki.

Un choix impossible.

Elle devait en outre veiller à ne pas se contredire. N'avait-elle pas affirmé à Wells qu'elle n'avait jamais couché avec Gorki ? Elle le lui avait répété à plusieurs reprises.

Mais si Gorki n'avait été pour elle qu'un ami, comment justifier auprès d'Aigee qu'elle ait entrepris auprès de lui non pas un « voyage mortel », mais trois ?

Dernier problème : le secret de la valise d'archives.

Si par malheur elle mentionnait devant Wells l'existence de ces papiers, il en avertirait les journaux. La presse du monde entier tenterait de les récupérer. Sans parler des services d'espionnage anglais qui ne manqueraient pas de s'intéresser à ce que les Soviétiques avaient à raconter sur Staline.

Pour le reste… L'expression d'Aigee lui donnait la mesure du boulet qui allait la décapiter.

N'avoue pas, lui avait dit sa sœur Anna. *N'avoue rien !* Un réflexe de survie qui remontait à l'enfance.

— Ne te mets pas dans un état pareil, Aigee darling. Pas pour une telle bêtise… J'allais t'en parler. Ma visite s'est organisée à la dernière minute, le lendemain même de mon arrivée ici. Tania le sait. Micky le sait. Tout le monde le sait. Elles te le raconteront… Déjeunons maintenant, mon chéri. Tu es très fatigué.

Wells se resservit à boire.

L'habitude du bonheur avec cette femme s'ancrait si profondément en lui qu'il aurait presque pu oublier ce qui l'empêchait de dormir depuis trois semaines.

En sa compagnie, il gardait le désir d'être en paix, d'être en vie. Sa présence lui causait le bien-être de toujours. Il aimait la texture de sa peau, le pli de ses seins dans le décolleté de sa robe d'été.

Mais elle n'était qu'un mirage.

Elle le dévisageait, elle aussi. Elle aurait, comme lui, voulu être bien. Elle aimait leurs échanges. Elle aimait sa peau à l'odeur de miel. Elle aimait ses yeux bleus dont elle connaissait toutes les expressions. Elle jouissait intensément de sa présence. Elle aurait voulu le lui dire.

Difficile. Elle le sentait écorché. À des lieues de distance. Toute parole pour le rassurer déclencherait l'orage.

Se taire. Attendre. Faire le dos rond jusqu'à ce que la tempête soit passée.

Il attaqua de nouveau, prenant la question sous un autre angle :

— Si ce voyage était aussi imprévu, aussi anodin que tu le dis, pourquoi n'as-tu pas attendu mon arrivée à Moscou ?

— Parce que nul ne devait savoir que j'étais en Russie. Personne. Ma présence aurait mis Gorki en grande difficulté à l'égard du Parti… Et toi aussi, si l'on m'avait vue en ta compagnie. Ma présence à tes côtés t'aurait mis, toi, en grande, grande difficulté avec Staline. Tu n'aurais jamais pu obtenir l'interview que tu venais chercher.

— Mais nous aurions pu nous voir en privé !

— Les murs ont des oreilles, là-bas… Et j'étais pressée de rentrer à Kallijärv. Je voulais préparer la maison pour t'accueillir.

— Tu n'es donc venue voir Gorki qu'une fois, une seule, la semaine dernière ?

— Oui. Il y a dix jours : un voyage éclair… organisé à l'improviste. Quand j'étais déjà ici. On a dû te dire qu'il avait perdu son fils au printemps. La disparition de Max l'a détruit. Ce deuil reste pour lui une douleur insoutenable. Il m'a demandé de venir. Il avait tout planifié avec le commissaire des Affaires étrangères… Je ne pouvais lui refuser cet effort. J'ai une dette de reconnaissance envers lui, Aigee. C'est un ami, un très grand ami. Il m'a sauvée quand je me trouvais en danger de mort.

— Alors, depuis quinze ans, tu n'étais jamais retournée en Russie ?

— Jamais.

— Cela a dû être une visite très intéressante… Qu'est-ce que tu en as pensé ?

— J'ai été déçue.

— Mais encore ?

— Déçue par la Russie, par Gorki, par plein de choses.

— Moura, pourquoi continues-tu à me mentir ? Tu es allée *trois* fois en Russie, durant les huit derniers mois ! La première à Noël… La deuxième quand j'étais en Amérique… La troisième, juste avant que j'arrive à Moscou.

— Non.

— Gorki, en personne, me l'a dit.

— Tu as mal compris, l'interprète n'a pas traduit correctement.

— J'aimerais pouvoir te croire ! Malheureusement, en ce qui me concerne, tu es la plus grande catin que la terre ait portée. Et je suis indulgent… Car tu es aussi une espionne, un escroc, et la maîtresse de Gorki. Je comprends maintenant pourquoi tu refusais de m'épouser… Quand je te tiens dans mes bras, *tu travailles* ! Tu as été plantée auprès de moi dès le début : le jour

632

même de notre rencontre. Informais-tu déjà tes petits camarades de la Tchéka sur ce que je disais, sur ce que je pensais, sur ce que je faisais, lors de notre première nuit à Petrograd ? Tu as dû te délecter devant mes scrupules avenue Kronverkski quand, par délicatesse pour Gorki, je n'osais pas te sauter. Oui, tu devais bien rigoler, toi qui m'avais ferré en professionnelle. Tu couches avec Gorki, tu me trahis avec Staline, tu me trompes depuis toujours... Et j'ai été assez stupide pour ne rien voir !

Elle en eut le souffle coupé. L'attaque était d'une telle violence et d'une telle grossièreté qu'elle dut baisser la tête et fermer un instant les yeux, pour se reprendre.

Retrouver le rythme lent de sa respiration.

Elle attendit quelques secondes.

— Je ne suis pas une espionne. Je ne suis pas la maîtresse de Gorki. Et je ne suis allée en Russie qu'une fois.

Elle parlait posément, martelant chacune de ses affirmations.

La chaleur de sa voix, le chant de son accent russe, démentaient son calme et la rendaient bizarrement vulnérable. Elle apparaissait à la fois catégorique, sûre d'elle-même. Et victime d'une immense injustice.

Son sang-froid impressionna Wells. Ce mélange de maîtrise et de passion la résumait tout entière.

Devant tant d'aplomb, il commençait à douter. Se pouvait-il qu'il eût mal compris, en effet ? Ou que Gorki l'ait trompé sciemment ?

En descendant dîner ensemble, ils sortaient d'une dispute à propos de la liberté de parole et de la création d'un PEN club en U.R.S.S. Ils n'avaient trouvé aucun terrain d'entente.

Rétrospectivement, Wells se disait que son ancien ami était un faux-jeton, et qu'il l'avait très mal reçu. Gorki s'était montré glacial dès la première seconde, et sa froideur avait duré toute leur entrevue. Connaissait-il les liens qui l'unissaient, lui, à Moura ?

633

Elle pouvait bien prétendre Gorki impuissant – cette idée-là enchantait Wells –, il avait sûrement été amoureux d'elle. Et sa décision de rentrer en Russie, quand elle choisissait, elle, de demeurer en Angleterre, avait dû signifier pour lui la rupture.

Sa petite phrase assassine – *vous l'avez manquée de peu* – était-elle la vengeance d'un jaloux ?

Wells finissait par ne plus savoir ce qu'il pensait, ce qu'il sentait.

En Moura, il avait cru rencontrer l'âme sœur. La découverte de sa duplicité l'anéantissait. Elle attaquait son existence même. Ses sentiments, son intuition, ses certitudes. Elle le menaçait au plus profond.

En comprenant qu'il ne connaissait pas cette femme et qu'elle lui restait totalement étrangère, il avait pris la mesure de sa propre fragilité, et ne se remettait pas du choc.

Son premier geste avait été de courir à l'ambassade d'Angleterre à Moscou, pour réécrire ses dernières volontés et supprimer Moura de son testament. Un geste symbolique, qui visait à la sortir de sa vie et à l'en rayer.

Maintenant, face à elle, il était perdu.

Se montrait-il lui-même d'une jalousie maladive en l'insultant sans l'entendre ?

L'accusait-il à tort ?

— Quand nous serons à la maison, poursuivit-elle, nous téléphonerons à Moscou. Nous appellerons l'interprète. Nous appellerons Gorki. Ils dissiperont ce malentendu... Tu es l'homme que j'aime, Aigee. Le seul.

— Encore un mensonge !

Je pris avec elle le train pour Kallijärv, raconterait Wells. Et cette nuit-là, elle vint me rejoindre dans ma chambre. Cela ne clarifia rien. (...) Nous fîmes l'amour, mais le cancer de ses mensonges nous séparait. (...)

Je ne reçus d'elle aucune explication. Elle ne téléphona à personne, bien qu'une ligne téléphonique fonctionnât parfaitement entre Tallinn et Moscou.

Elle s'en tint à sa version et n'en démordit pas. Elle n'avait pas eu d'autres amants que ceux qu'elle m'avait nommés. Elle n'était allée qu'une fois en Russie, une seule.

J'eus beau raisonner avec elle, la quereller, la supplier, elle ne faiblit pas. Imperturbable, elle continua de nier.

Je repartis au bout de quinze jours, plus désespéré encore que lors de notre déjeuner à Tallinn.

J'étais jaloux de son fils. Jaloux de ses hôtes. Jaloux de sa maison. Jaloux de son lac. Jaloux de Gorki. Jaloux de la Russie...

Surtout de la Russie.

Je ne voulais pas rester pour la fête ni rencontrer ses visiteurs.

(...) Elle me raccompagna à l'hydroplane pour Stockholm comme une amoureuse.

La plus compréhensive des amoureuses, la plus tendre. La seule amoureuse qui fût jamais en ce monde.

Moura est splendide dans les retrouvailles et les séparations. Elle les maîtrise magnifiquement.

Au dernier moment, elle me dit son intention de me rejoindre à Oslo.

Et c'est exactement ce qu'elle fit le lendemain de l'anniversaire de Paul.

Wells raconterait qu'elle planta là tous ses amis – « Constantin Benckendorff et *tutti quanti* » – pour voler vers lui. Et qu'ensuite, affectueuse, tendre et tenace, elle revint en Angleterre à ses côtés. Et qu'il eut beau la questionner, l'insulter, la torturer, elle n'avoua rien.

La découverte d'une Moura dissimulatrice leur avait toutefois coûté leur bonheur. Finie la légèreté de l'aventure.

Si Wells lui concédait de ne pas croire totalement à ses liens avec les réseaux d'espionnage, il ne cessait plus de la suivre à la trace et de l'interroger sur ses activités. Gorki et la Russie étaient devenus tabous. Gare si elle trahissait la moindre velléité de revoir l'un ou l'autre.

Elle s'employait à le rassurer. Peine perdue : il la surveillait de près.

Il ne lui demandait certes plus de l'épouser, mais il multipliait les scènes et se conduisait en mari soupçonneux. Impossible d'échapper à sa vigilance, sinon en inventant d'autres mensonges pour éviter les drames. Elle rusait, jonglant avec mille feintes, se cachant pour retrouver Lockhart, rencontrer ses sœurs, et rejoindre Alexeï Maximovitch à Moscou une à deux fois par an.

Comment obtenir de Wells une semaine de liberté ? Elle allait jusqu'à lui raconter qu'elle était enceinte et qu'elle devait disparaître pour se faire avorter.

La duplicité de Moura envers lui ne connaissait plus de bornes.

Et pourtant, elle s'obstinait à l'aimer… Elle ne lâcha pas prise.

Quand tout aura été dit, quand tout aura été fait, écrirait-il plus tard, Moura reste la femme que j'aime. J'aime sa voix, j'aime sa présence, j'aime sa force, et j'aime ses faiblesses. (…) Dans cette sorte d'amour, les torts pèsent lourd, mais ne changent rien à l'essentiel. (…) Même quand sa conduite me pousse à des représailles envers elle, même quand ma fureur prend la forme d'infidélités à son égard, elle demeure l'être qui m'est le plus proche. Et elle le restera jusqu'à la fin. Je ne peux pas plus échapper au pouvoir de son sourire et de sa voix, à ses jets de vaillance, au charme de son affection, que je ne peux échapper à mon diabète et à mon emphysème. Mon pancréas n'a pas été ce qu'il aurait dû être ces dernières années. Moura non plus. Cela ne change rien au fait que mon pancréas et Moura font partie intégrante de ma personne.

Chapitre 38

ÉCHEC ET MAT
1936

— Le messager du père Yagoda a débarqué chez moi hier soir, dit-elle.

— Et ?

— Sale gueule.

Attablés dans l'obscurité d'un modeste cabaret russe de Londres, Lockhart et Moura se chuchotaient à l'oreille leurs interminables confidences.

Le patron, en tunique et bottes traditionnelles, s'était précipité pour les conduire à leur table. Un couple d'habitués. Les musiciens jouaient leurs airs favoris, les mêmes chansons tsiganes qu'au Streilna, quand la Reine Maria Nicolaïevna leur déchirait le cœur avec ses mots d'amour.

Désormais la balalaïka et le trémolo des violons ne servaient qu'à couvrir leurs paroles.

— Qu'est-ce qu'il te voulait ?

— Devine... Récupérer la correspondance de Gorki. Comme Pechkova et Timocha, quand elles sont venues me voir ici l'année passée.

— Que lui as-tu répondu ?

— Que j'avais déjà rapporté à Moscou tout ce que je possédais.

— Tu es folle, Moura ! Les deux bonnes femmes de Gorki étaient inoffensives. Mais ces types du NKVD ne sont pas des crétins que tu peux rouler dans la farine... Tu vas finir par te faire descendre !

Ils étaient revenus aux conciliabules d'antan, quand ils s'employaient, avec Hickie et Sidney Reilly, à empêcher la signature du traité de Brest-Litovsk.

Entre eux, l'intimité demeurait totale. Leur association avait résisté à tout, même au temps. *Je sais que rien ne peut nous séparer*, lui écrivait-elle encore. *N'est-ce pas étrange, Baby ? Nous n'avons vécu ensemble que quelques mois, mais c'était pour la vie.*

À quarante-neuf ans, Lockhart passait toujours pour un séducteur. Même regard bleu pétillant, même sourire, même puissance physique, bien qu'il se plaignît constamment de sa santé.

Plus massif et plus snob qu'autrefois, il avait troqué ses nœuds papillon pour des cravates de soie. Mais il gardait son goût de la fête, son sens de l'humour et sa curiosité intellectuelle. Il restait un aventurier capable de tout, par jeu. Ou par amour.

Moura continuait de l'adorer : il le savait. Et la vénération était réciproque. Certains soirs, quand elle l'avait trop fait boire, leur flamme les conduisait dans son lit de Knightsbridge. Et, depuis l'automne, parmi les tentures de sa chambre à Cadogan Square, dans l'appartement qu'elle venait d'investir avec Liuba et leur cour d'émigrés. Lockhart y passait gaiement plusieurs nuits de suite. Mais chez lui, le feu ne durait pas. Il ne redevenait son amant que par intermittence.

Si Moura en souffrait, elle n'en laissait rien paraître. Wells, Gorki, Benckendorff, d'autres rencontres... Elle se montrait occupée ailleurs, autant que lui.

N'empêche, avouait-elle, *je t'aime comme il y a quinze ans, aussi absolument. Et c'est merveilleux de t'aimer ainsi.*

Elle lui avait raconté ses scènes de ménage avec Wells, confié le secret de ses voyages en Russie, l'affaire des archives de Gorki, et la terreur qui la minait.

Lockhart demeurait le seul homme devant lequel elle acceptait de se mettre à nu.

Lui-même lui disait tout. Il lui parlait de sa carrière, lui demandait conseil sur les chemins à suivre et les choix à faire. Elle était sa confidente, son mentor et son soutien. Il n'hésitait pas à la torturer en lui parlant de sa passion pour l'une ou l'autre de ses conquêtes.

Tout entendre, tout comprendre : son emprise sur lui était à ce prix.

Il pouvait bien ne pas lui donner l'exclusivité, il la reconnaissait indétrônable.

Sur ce front, Moura triomphait : elle avait réussi un rétablissement spectaculaire. Elle était, elle restait la femme de la vie de Lockhart.

À deux de jeu.

— Je ne plaisante pas, Moura : tu vas finir avec une balle dans la tête.

— Que veux-tu que je fasse ? Je ne peux pas leur donner ces papiers qui enverront cent personnes au goulag. Et encore, je suis optimiste ! La correspondance de Gorki compte plus de neuf mille lettres.

— Mais puisque lui-même t'avait dépêché sa femme et sa belle-fille pour les récupérer ?

— Timocha est la maîtresse de Yagoda. Et Pechkova – qui ne se doute de rien – a toujours été liée à la Tchéka. Yagoda les manipule. Gorki est prisonnier dans sa propre maison. Il ne peut faire un pas sans que Krioutchkov n'en avertisse le NKVD. Le voir ainsi pieds et poings liés, incapable d'avancer ou de reculer… Tu n'imagines pas, Baby, ce qu'ils ont fait de lui. Ils le sortent comme un vieil ours pour parader le 1er Mai sur le mausolée de Lénine, mais il a un anneau dans le nez avec une chaîne au bout.

— Quand tu l'as rencontré la dernière fois, il t'a prié de lui rapporter ces papiers, oui ou non ?

639

— Oui, mais en me montrant le mur... Il voulait dire que nous étions écoutés, qu'il y avait des micros. Par gestes, je lui ai demandé s'il pensait *non*. Il a acquiescé.

— Impossible de t'en sortir autrement, Moura, qu'en obéissant à Yagoda ! Ses gars peuvent fracturer ta porte et fouiller ta chambre n'importe quand. Souviens-toi de ce qui est arrivé aux archives de Kerenski en France. Ils ont cambriolé son appartement et pris les cartons qu'ils voulaient. Et je ne te parle même pas des incendies survenus chez les uns ou les autres des dissidents !

— J'ai trié les documents et caché en lieu sûr ceux qui me paraissaient les plus dangereux.

— Quand le NKVD cherche quelque chose, il le trouve.

— Je sais, Baby, je sais... Tu crois que je n'ai pas peur ? Je n'ignore pas qu'ils finiront par s'emparer de la valise. Comme ils ont obtenu le retour d'Alexeï.

— Comme ils ont assassiné son fils... Comme ils le descendront, lui, quand ils n'en auront plus l'usage. Je suppose que son heure n'a pas encore sonné, mais...

— Tais-toi ! Elle baissa encore la voix. Il se doute du rôle de Yagoda dans la mort de Max. Et ses rapports avec lui se sont dégradés. Résultat : on lui a refusé son visa pour venir au Congrès des écrivains à Paris, comme il l'espérait. Staline a mis son absence sur le compte de sa fatigue.

— Je ne veux pas être désagréable, Moura, mais Gorki est foutu. Il n'ira plus nulle part. Et toi, tu ferais bien de te tenir à distance et de l'oublier !

En entendant Lockhart exécuter Gorki si légèrement, l'image du long corps d'Alexeï Maximovitch, qui se voûtait sous le poids des ans, des doutes et des tourments, surgissait devant elle : le visage plus anxieux que jamais, la moustache qu'il mâchonnait, les mains qu'il agitait en parlant. Elle subissait encore son charme et souffrait de le sentir vulnérable.

— Je ne peux pas l'oublier. Et je ne peux pas me tenir à distance. Je suis mêlée à cette affaire jusqu'au cou. Il m'avait fait jurer, en Italie, de ne jamais lui rendre cette valise.

— Arrête, Moura ! Tu es mieux placée que quiconque pour connaître le prix de la vie. La tienne vaut plus qu'un serment ridicule.

Elle rit :

— Tu me dis le contraire d'Aigee. Il me sermonne chaque jour, cherchant à me convaincre que mieux vaut mourir, que de vivre en ayant accepté d'inacceptables compromis.

— Wells est un planqué, qui n'a jamais fait face à d'autres dangers que son diabète. Il ignore ce que sont les tourmentes d'une révolution… Ce que signifie *risquer sa peau*. Jouisseur comme je le connais, il vendrait père et mère pour vivre un jour, une heure, une seconde de plus.

— Ne dis pas cela !

— Crois-moi, entre livrer les auteurs de cette correspondance et crever, ton Aigee n'hésiterait pas un instant.

— Dans mon cas, il s'agirait de sacrifier cent personnes… Et Gorki, avec elles. Si Staline devait détenir ses carnets, lire toutes les conversations qu'il rapporte dans ses notes… S'il devait mettre la main sur son *Journal*, Gorki disparaîtrait dans l'heure.

— Écoute-moi, Babygirl, écoute ce que je te dis : tu leur fourgues cette putain de valise et tu ne retournes jamais en Russie. Tu t'es débrouillée pour survivre jusqu'ici. Tu ne vas pas te laisser flinguer pour une liasse de papiers !

*

Dear Baby, pardon de mon humeur sinistre d'hier, lui écrirait-elle au matin. *Je crois que je suis fatiguée. Et du coup, j'ai le cafard. Tu sais que cela m'arrive rarement, et que je rebondis vite. Ne t'inquiète pas… Je te promets que notre prochaine soirée sera plus gaie.*

Surtout ne répète à personne ce que je t'ai confié.

La peur l'habitait tout entière. En vérité, elle était tétanisée.

Lockhart n'avait fait que formuler ce qu'elle savait : le risque de sa liquidation, dès l'instant où Gorki perdrait le pouvoir de la protéger. Et cette heure avait sonné. Son visiteur d'hier reviendrait.

Alors, quel nouveau mensonge inventerait-elle afin de s'en débarrasser ?

Elle ne pouvait plus penser. Elle ne pouvait plus bouger. Elle avait perdu le sommeil et sa panique ne se dissipait pas avec le jour. L'aube la trouvait les muscles tendus, l'esprit vidé par l'angoisse. Elle traînait encore au lit jusqu'à midi, mais elle n'y travaillait plus. Le téléphone avait beau sonner, elle ne décrochait pas. Elle ne songeait même plus à allumer une cigarette.

Elle éprouvait une sensation de vertige.

Il lui semblait que son destin, ce jeu d'échecs où ses pions n'avaient cessé de gagner du terrain, la trahissait. Non seulement ils n'avançaient plus, mais ils se retrouvaient tous – le roi, la reine, les fous – encerclés. Au même point qu'à Khliebny Pereulok, quand elle hésitait à livrer les conspirateurs du « Complot Lockhart », son carnet de notes et les preuves qu'exigeait d'elle Yacob Peters. Au même point qu'avenue Kronverkski, lorsque Zinoviev la forçait à espionner et à trahir Gorki.

Moura connaissait cette impression d'impuissance. Elle s'était déjà heurtée aux mêmes choix. Survivre, en laissant exécuter l'homme qu'elle aimait. Ou le sauver, en se tranchant la gorge.

À l'époque, elle avait trouvé des compromis.

Elle n'en imaginait plus aujourd'hui.

Entièrement cernée. « Prise dans la nasse », comme le disait Yacob Peters. Sans issue.

À Lockhart, elle n'avait relaté qu'une infime partie des pressions qu'elle subissait. En fait, elle ne recevait pas seulement la visite des messagers de Yagoda, mais celle d'une pléthore d'émissaires de Gorki. Et ceux-là ne se contentaient pas de lui réclamer la valise. Ils venaient la charger d'une nouvelle mission : rencontrer de la part d'Alexeï les auteurs français communistes qui devaient assister en juin au Congrès des écrivains soviétiques à Moscou... André Gide, Louis Aragon, Elsa Triolet.

Ils avaient participé au Premier Congrès, deux ans plus tôt, et s'étaient surpassés pour chanter avec lui les louanges de Staline.

Gorki les connaissait de longue date. Il avait encouragé les premiers écrits d'Elsa Triolet, qui avait fait le voyage en Allemagne pour le voir. Elsa lui avait envoyé la traduction des œuvres de son compagnon, Aragon. Il les avait appréciées et s'était ouvert de son admiration à André Malraux, venu passer quelques jours avec lui en Crimée.

Depuis deux mois, Gorki les bombardait de lettres, sans qu'aucun d'entre eux ne se donne la peine de lui répondre.

Pourquoi ?

Gorki ne comprenait pas.

Ses porte-parole exigeaient que Moura aille les rencontrer dans l'heure à Paris. Elle devait les prévenir en personne qu'il les attendait chez lui, dès l'instant de leur arrivée en Russie. Qu'il avait des renseignements essentiels à leur communiquer. Des informations vitales. Qu'il voulait leur parler *avant* le Congrès.

Son impatience témoignait d'une forme de panique. Et l'affolement de Gorki achevait de la jeter, elle, dans les affres du doute. Que souhaitait-il communiquer à ses collègues étrangers, qui fût si grave ?

Elle n'ignorait pas que Staline essayait de se débarrasser des anciens collaborateurs de Lénine. Qu'il préparait leur procès. Les pionniers de la Révolution lui faisaient ombrage : il cherchait des preuves de leur « trahison » pour donner une apparence de légalité à leur mise à mort. La plupart avaient été les amis de Gorki. Ils avaient correspondu avec lui durant toute leur carrière, et leurs lettres se trouvaient dans « la valise de Sorrente ». Alexeï tentait-il de les sauver, en alertant le Parti communiste français et l'opinion internationale ?

À ces questions, s'en ajoutait une dernière. La plus importante aux yeux de Moura : les ambassadeurs de Gorki venaient-ils réellement de sa part ? Ils pouvaient aussi bien obéir au NKVD… Comme Pechkova et Timocha. S'agissait-il d'un piège de Yagoda pour l'attirer, elle, en France ?

Yagoda savait-il qu'elle avait transporté à Paris une partie de la correspondance ?

Elle lui avait déjà remis, par petits paquets, les documents les plus anodins. Fidèle à sa technique, elle ne lui livrait que des demi-vérités. Un trésor dont elle espérait qu'il se satisferait.

Problème : Krioutchkov connaissait l'ampleur des archives.

Elle les avait donc divisées.

Le contenu du coffre de la Deutsche Bank était resté en Estonie. Elle le conservait en une multitude de lots, disséminés entre Kallijärv, Tallinn et Tartu.

Les archives de Sorrente, elle les avait cachées en deux autres lieux : sous son lit à Londres ; et sous celui d'Alla, rue Edgar-Poe. Un endroit où nul, pensait-elle, n'aurait l'idée d'aller les chercher.

Et pour cause ! En Estonie comme en Angleterre, on croyait Alla décédée.

Encore un mensonge de Moura.

De concert avec Anna, elle avait fait courir le bruit du suicide de leur sœur, racontant que la malheureuse n'avait pas supporté la disparition de son mari Trubnikov. La déchéance d'Alla était devenue pour elles une douleur si terrible qu'elles avaient choisi de taire sa descente aux enfers.

Ni les Benckendorff, ni les Kotchoubey, ni les Zakrevski, ni personne ne devait connaître la tragédie de son interminable chute. Impossible de reconnaître devant quiconque qu'Alla, jadis si douée pour le piano, Alla, d'une beauté si somptueuse, était aujourd'hui une droguée qui mendiait dans les rues de Paris pour obtenir de quoi payer ses doses.

Secret de famille.

Alla, quant à elle, ignorait qu'elle passait pour morte auprès des siens. Et notamment auprès de sa fille Kira. Elle ignorait aussi l'histoire de cette valise glissée sous son lit.

Pour cette partie du butin, Moura ne cessait de craindre le pire. Elle ne se faisait guère d'illusions : Alla dût-elle découvrir l'existence de ces lettres, elle les vendrait au plus offrant afin d'acquérir son opium.

Une telle cachette ne pouvait donc être que temporaire. Comment abandonner rue Edgar-Poe des papiers de cette importance ?

Mais à qui les confier ?

Ici aussi, échec et mat : retour à la case départ… À la première conversation sur le sort des archives à Sorrente.

À qui les confier ?

Un nom hantait sa mémoire : celui du fils adoptif d'Alexeï. Zinovi Pechkov.

Moura l'avait rencontré en Allemagne et à *Il Sorito*. Il passait pour un homme à femmes. Elle-même le connaissait peu et mal. Elle ne lui avait pas plu : son charme n'avait pas opéré sur ce Russe converti à la France.

Mais l'affection de Zinovi pour Gorki, sa haine des bolcheviques, son courage, sa discrétion, en faisaient le seul candidat possible.

Comment le joindre ?

Zinovi Pechkov se trouvait aujourd'hui en mission diplomatique dans le Levant. Sous quel prétexte l'attirer à Paris ?

Sans issue.

*

En mai 1936, raconterait Wells, Moura semblait la proie d'un étrange malaise. (…) Sa sérénité, sa confiance en elle, cet invincible sang-froid qui la caractérisait, l'avaient complètement abandonnée. Elle avait des crises de larmes, ce qui ne lui ressemblait pas.

(...) *Elle me disait qu'elle ne pouvait pas me parler de ce qui lui arrivait. Qu'elle ne supportait même pas d'y penser. Qu'elle voulait juste être seule. Et se réfugier auprès de la sœur qui lui restait à Paris.*

Je l'y laissai partir, à condition qu'elle s'y repose dans une maison de santé.

Elle était si bizarre, si déprimée, que j'en avais déduit qu'elle commençait sa ménopause.

Les services de renseignement britanniques – MI5 – ne manquèrent pas de signaler dans leurs rapports le départ de la baronne Budberg. Et le contre-espionnage français, de prendre en charge sa filature à son arrivée.

Les agents noteraient qu'elle descendit trois jours à l'hôtel Continental, entre le 17 et le 19 mars 1936 ; et de nouveau, au même hôtel de la rue Castiglione, entre le 9 et le 12 mai. Qu'elle n'y reçut ni courrier ni visite.

Un habillement modeste. Peu de moyens apparents.

Elle ne s'était rendue que chez madame Vassili Kotchoubey, qui habitait une modeste pension de famille au 3 rue Duret dans le 16ᵉ arrondissement ; et chez madame René Moulin, veuve d'un certain Trubnikov, rue Edgar-Poe. Ces deux personnes n'étaient pas fichées, bien que le mari de l'une d'entre elles, Vassili Kotchoubey, passât pour un agitateur pro-Allemand.

Devant cette absence d'éléments, une conclusion s'imposait. Elle se résumait à deux lignes : *Madame B. est une femme d'autant plus dangereuse que ses relations et son passé ne permettent pas de soupçonner ses attaches véritables.*

Les hommes du Deuxième Bureau avaient toutefois manqué l'essentiel : le nom du client qui occupait la chambre mitoyenne de celle de madame B. rue Castiglione. Eussent-ils épluché les registres de l'hôtel Continental, ils auraient vu que le voisin de madame B. était un héros de la guerre de 14, officier dans la Légion étrangère au Maroc. Aujourd'hui chargé de mission au Levant. Un militaire en permission.

Un certain commandant Pechkov.

*

Le transfert de « la valise d'Alla » dans le corridor, d'une pièce à l'autre, s'était déroulé sans encombre. Moura se savait toutefois surveillée et ne prit pas le risque de s'éterniser. Elle ne contacta pas les communistes français.

Elle se hâta de rentrer à Londres, en se gardant de prévenir Aigee de son retour. Elle profita du fait qu'il la croyait en France pour rejoindre Constantin Benckendorff dans sa propriété du Suffolk.

Une semaine d'amours clandestines. Un peu de magie, un peu de joie et de légèreté !

À peine eut-elle regagné son appartement de Cadogan Square qu'un télégramme de Krioutchkov l'y rejoignit. La santé de Gorki s'était à nouveau dégradée. Alexeï Maximovitch l'appelait auprès de lui.

Le télégramme fut suivi d'un coup de téléphone : Krioutchkov, à nouveau. Il ne voulait pas l'inquiéter, mais que Maria Ignatievna se hâte... Il avait réservé pour elle une place sur l'avion de Berlin le lendemain 5 juin, avec un retour prévu pour le 24.

Affolée par son ton, elle n'hésita pas. Wells la croyait à Paris. Elle pouvait filer à l'aéroport de Croydon, sans subir sa colère.

Elle répondit qu'elle arrivait.

Au moment de monter dans son taxi, elle eut un sursaut. La phrase de Lockhart lui était revenue à l'esprit : « Tu leur fourgues cette putain de valise... Et tu ne retournes jamais en Russie ! »

Rentrerait-elle un jour de ce voyage ?

Elle partait se jeter dans la gueule du loup. Elle y fonçait même tête baissée. Sans la correspondance. Et sans apporter à Yagoda son offrande habituelle : les quelques lettres donnant à croire qu'elle avait recherché ce qu'on lui demandait, et qu'elle collaborait du mieux qu'elle pouvait.

Ce choix – s'envoler aujourd'hui pour Moscou – impliquait-il la rupture de tous ses liens avec l'Europe ? Entraînait-il le sacrifice des affections qui la retenaient en Angleterre ? Qui sait si on la laisserait regagner Londres ? Si elle reverrait un jour Aigee ?

En dépit de ses scènes, elle l'aimait tendrement.

Et ses enfants ! Reverrait-elle jamais ses enfants ?

Mais comment abandonner Alexeï maintenant ? Il avait compris qu'il était prisonnier. Lors de leur dernière rencontre, elle l'avait trouvé si seul, si désespéré.

À entendre Krioutchkov, Gorki avait attrapé froid dans le train, en rentrant de Crimée. Les médecins avaient d'abord diagnostiqué un rhume, que compliquaient ses problèmes respiratoires. Mais le mal empirait d'heure en heure, et dégénérait en pneumonie.

Si Alexeï devait en mourir, comme on le redoutait, elle ne se pardonnerait jamais d'avoir déserté son chevet durant cet ultime combat.

Elle ne pouvait pas le laisser se débattre sans elle.

Elle ne pouvait pas non plus aller à l'abattoir !

En repensant au récit de Krioutchkov, une idée qu'elle n'avait pas encore formulée, la paralysait. La « pneumonie » d'Alexeï évoquait singulièrement celle de Max. Mêmes circonstances, mêmes symptômes, et mêmes traitements. La similitude entre l'état du père et du fils achevait de la terroriser.

Elle restait plantée là, sur le trottoir, au milieu de la foule londonienne, son gros sac noir à bout de bras. Incapable d'avancer jusqu'au taxi, incapable aussi de reculer et de remonter chez elle.

Le coup de klaxon du chauffeur la ramena à la réalité.

Elle finit par se décider, mais ne lui demanda pas de la conduire tout de suite à l'aéroport. Il devait faire un crochet par Regent's Park, s'arrêter au numéro 13 Hanover Terrace, et jeter dans la boîte au nom de « Wells » le mot qu'elle griffonnait sur ses genoux.

Mon chéri, mon très cher amour,
Ne t'inquiète pas de cette lettre. Tout cela n'est peut-être rien.
Mais si quelque chose devait m'arriver, j'aimerais te dire que je pars en pensant à toi et à tout ce que tu as signifié pour moi.
Il n'y a dans mon cœur que de la gratitude à ton égard, et de la tendresse, et de l'amour. Si je n'ai pas toujours été ce que tu voulais, sache que ce ne fut que par maladresse.
Sois bon envers Kira, Tania et Paul. Je crois que je leur manquerai. Et peut-être à toi aussi.

Moura

Cet adieu – trois feuilles arrachées d'un bloc, écrites au crayon, sans date et sans cachet de la poste – épouvanta Wells. Il y vit les signes de la dépression suicidaire qu'il avait pressentie, et téléphona immédiatement à Tania. Elle habitait alors chez sa mère.

Âgée de vingt et un ans, la jeune fille avait reçu l'ordre de lui cacher que Moura se trouvait en Russie, et non en France comme il le croyait.

À la date du 10 juin 1936, elle écrirait dans son *Journal* :

H.G. m'a harcelée toute la semaine : comment se peut-il que je ne connaisse pas, moi, le nom de la maison de santé où ma mère se repose à Paris ? Je déteste lui raconter tous ces bobards pour couvrir les mensonges de M. !

11 juin. Ai dîné avec H.G. (+ son fils Antony et Flora R.).

Au milieu de la nuit, M. m'a appelée de Moscou. Je lui ai dit qu'il serait plus intelligent de sa part d'avouer la vérité à H.G., maintenant.

13 juin. Ouf ! M. a appelé H.G. et lui a dit qu'elle avait dû quitter sa maison de santé en toute hâte, pour sauter dans l'avion. Elle lui a aussi dit que Gorki était mourant et qu'il l'avait réclamée.

Grâce à Dieu, plus besoin de mentir !

La cinquième vie de Moura Budberg

Je dois quand même prétendre n'avoir appris ce voyage qu'aujour-
d'hui, en même temps que lui. J'en ai assez de jouer les intermédiaires
à chaque fois qu'elle part ! Elle me fait passer pour une parfaite
idiote.
<u>*18 juin*</u>. *M. ne rentrera pas tout de suite de Moscou.*
Elle restera là-bas pour les funérailles.
Tristesse.
Gorki est mort.

*
* *

Ce que Moura avait redouté durant dix-sept ans avait fini par
arriver. Alexeï Maximovitch gisait là, devant elle, le nez pincé,
les joues creuses, sous l'amas des fleurs.

Jusqu'au dernier moment, elle avait cru qu'il résisterait. Il avait
triomphé de la tuberculose et de tant d'autres infections. Une
force de la nature, un roc en dépit de ses fragilités pulmonaires.
Pas plus tard qu'avant-hier, une piqûre de camphre l'avait remis
sur pied. Une rémission spectaculaire qui n'avait pas manqué de
surprendre Staline, venu le pleurer à la datcha.

On avait mis ce rétablissement sur le compte de la joie de
Gorki, en voyant son ami le Petit Père des peuples lever son
verre à sa santé.

Juste après le départ des chefs du Parti – que Timocha et la
troupe des médecins raccompagnaient –, Moura s'était trouvée
seule une minute dans la chambre avec lui. L'air sentait encore
le camphre, une odeur qui avait envahi toute la maison.

Depuis que Gorki était alité, sa fidèle infirmière, les aides-
soignants engagés par Krioutchkov et ses nombreux docteurs se
relayaient à son chevet. Murmures, pronostics et concertations :
autour de lui, le ballet des garde-malades ne cessait jamais.

Leur premier instant d'intimité en dix jours.

Alexeï l'avait appelée tout près de lui. Elle lui avait pris la
main, s'était penchée, avait voulu l'embrasser. Il s'était laissé faire

en lui murmurant un ordre à l'oreille : retirer le texte qu'il avait scotché sous le fond du tiroir de sa table de nuit. Son journal des derniers mois. Une plaquette de quelques pages qui constituaient son testament politique.

Le regard de Gorki ne l'avait pas lâchée quand elle avait fait disparaître le document dans la ceinture de sa jupe. Il était alors parfaitement lucide.

Impossible d'imaginer que la nuit suivante, sans raison apparente, il étoufferait à nouveau… Et que vingt-quatre heures plus tard, le 18 juin 1936 à onze heures du matin, il aurait cessé d'exister. Il avait soixante-huit ans.

Yagoda, qui s'était installé dans la maison dès les premiers symptômes, avait fait garder son cabinet de travail et mis ses papiers sous scellés. Pendant les dix-huit jours qu'avait duré sa maladie, Krioutchkov s'était employé à « ranger » son bureau derrière les portes closes.

À la seconde où Gorki avait rendu le dernier soupir, une dizaine d'agents avaient emporté les cartons.

La cérémonie de ses funérailles était réglée de longue date, dans ses moindres détails. Les gigantesques couronnes, les gerbes, les drapeaux, les banderoles, les processions des corps de métier, l'orchestre et les chorales qui devaient chanter *l'Internationale*, les canons, les cloches : tout était prêt.

Le jour même de sa mort, on avait moulé son masque mortuaire, photographié son visage sous tous les angles et rapporté son cadavre à Moscou pour la veillée funèbre.

Il n'y aurait pas d'autopsie. On embaumerait son cerveau, on incinérerait son corps le lendemain. L'urne contenant ses cendres serait déposée sous un dais, que les plus hauts dignitaires du Régime porteraient sur leurs épaules, à travers la place Rouge. Staline en personne ouvrirait la marche. Son bras, ceint d'un brassard noir, soutiendrait les restes de celui qu'il sacrait en ce jour *son grand, son seul ami.*

Gorki jouait de nouveau le rôle qu'on lui avait assigné.

Durant les derniers mois, il avait bien tenté de ruer dans les brancards, mais il redevenait aujourd'hui le symbole de la Russie bolchevique : un vase qu'on allait sceller entre deux briques, dans le mur du Kremlin. Ce serait le 20 juin 1936, moins de quarante-huit heures après son décès. La béatification d'Alexeï Maximovitch Pechkov, héros du peuple russe, ne faisait que commencer. Le personnage de Gorki, le nom de Gorki, l'œuvre de Gorki – Gorki tout entier – appartenaient pour toujours à Staline.

Mais au soir de sa mort, sa dépouille, son souvenir et son âme n'avaient pas encore été arrachés à ceux qui le pleuraient.

Dans la salle des Colonnes de la Maison des Soviets, on n'entendait que le ronflement des caméras qui filmaient la garde d'honneur – Staline, Khrouchtchev, Mikoyan –, et le chuintement lent, ininterrompu, des semelles de feutre : le pas des classes laborieuses qui défilaient autour du lit mortuaire. Toute la nuit, le peuple en larmes viendrait rendre hommage à l'écrivain qui avait su lui donner une voix.

La physionomie de chacun des pleureurs avait été savamment sélectionnée pour apparaître en gros plan sur les écrans du monde entier.

Visages d'ouvriers émaciés par la douleur, de femmes ravagées par le chagrin, d'enfants en sanglots : l'incarnation du prolétariat russe, qui arrivait des confins de l'Union, pour présenter ses respects à l'ami des travailleurs, au combattant pour la victoire du communisme.

La famille, derrière un cordon de velours, occupait les chaises. Une majorité de silhouettes féminines. Le seul mâle de la parentèle – Zinovi Pechkov, le fils adoptif du défunt – manquait à l'appel. Il avait refusé de se commettre avec le Régime.

Les trois compagnes de Gorki se tenaient assises au premier rang. Krioutchkov, qui connaissait le secret des alcôves, avait pris soin de séparer les rivales de toujours : entre Pechkova et Andre-ïeva, il avait placé la dernière « épouse », Maria Ignatievna.

Les Services de renseignement britanniques qui décrypteraient les images s'arrêteraient longuement sur le plan qui la montrait. La présence de la baronne Budberg aux côtés de Staline et des dirigeants du Parti soulèverait à l'Ouest quelques questions.

Aucune des trois femmes n'exprimait sa douleur. Pas même Timocha et les deux petites-filles, Marfa et Daria, qui gardaient leur mouchoir à la main. Ce deuil officiel les impressionnait trop pour céder à l'émotion. Pétrifiées sous le feu des projecteurs, toutes se sentaient en représentation. Elles gardaient la tête droite et le regard fixé sur l'effigie de leur Douka qu'elles avaient tant aimé.

Parmi ses proches, Moura était la seule qui ait assisté à sa fin.

L'angoisse de le perdre s'était transformée chez elle en une forme d'hébétude. Elle restait totalement immobile. Les témoins noteraient qu'elle semblait presque aussi glacée que lui et qu'elle ne pouvait détacher les yeux du visage momifié.

Au terme de ces jours et de ces nuits à lutter pour la vie d'Alexeï, l'agonie avait été si terrible qu'elle en demeurait assommée. Ce gisant n'était pas Sa Joie. Il lui ressemblait si peu !

Le transfert du corps à Moscou n'avait rien changé à son état de stupeur. Elle demeurait absente au monde.

Elle ne songeait qu'aux derniers moments d'Alexeï, à son désespoir à l'idée de disparaître en laissant inachevé *La Vie de Klim Samguine*, le grand roman qu'il lui avait dédié. De toutes ses terreurs, celle de mourir sans avoir terminé son livre avait été la plus impressionnante. Elle l'avait agité jusqu'à l'ultime instant de conscience. Il y voyait le symbole de son échec d'homme et de son échec d'écrivain. Il laissait son œuvre inaboutie, il laissait leur amour en suspens.

Leur amour ?

Elle se reprochait maintenant de n'avoir pas mieux résisté à son désir de quitter l'Italie. Elle avait pris sa volonté de rentrer en Russie comme un fait acquis. Elle aurait dû l'empêcher de commettre un geste aussi définitif.

En restant à Sorrente, aurait-il gardé ses illusions, sa foi dans un avenir meilleur dont il avait tant besoin pour vivre ?

Au soir de sa mort, elle se posait les questions qu'elle ne s'était pas posées à l'époque. Trois ans… Un siècle.

Elle s'accusait de n'avoir pas su le défendre. Elle s'en voulait de tout ce qu'elle avait laissé accomplir. Et de tout ce qu'elle-même avait omis de faire.

Elle n'avait répondu à aucune de ses attentes.

Elle ne s'était même pas donné la peine de rencontrer à Paris les écrivains français qu'il tenait tant à voir. Ceux-là, André Gide, Louis Aragon, Elsa Triolet, venaient d'atterrir en Russie pour le Congrès auquel ils devaient assister. Krioutchkov avait cru nécessaire de souligner l'extraordinaire coïncidence de leur arrivée le jour même de la mort de Gorki.

Un mensonge, comme tout ce qui avait entouré Alexeï dans sa cage dorée.

Aragon et Triolet étaient arrivés trois jours plus tôt, mais ils avaient été priés de visiter Leningrad. Gide, quant à lui, avait été invité à repousser son vol de quarante-huit heures. Résultat : aucun d'entre eux n'avait entendu ce que Gorki avait à leur dire.

Staline pourrait bien laisser Gide prononcer demain l'éloge funèbre sur la place Rouge, il s'était arrangé pour étrangler la parole d'Alexeï.

Et cela non plus, elle ne se le pardonnait pas.

L'assister dans son agonie, ne jamais lui lâcher la main, était le seul geste dont elle demeurait fière.

Il avait exigé de lui dicter toutes ses perceptions de mourant. Les objets qui devenaient plus lourds, la chambre qui semblait soudain plus petite. Gorki était resté cela : un écrivain qui voulait témoigner de ce qu'il voyait, de ce qu'il sentait... Raconter jusque dans la mort.

Elle était restée, elle, l'accompagnatrice, la femme qui prenait en notes ses derniers mots.

Elle avait écrit pour lui : *C'est la fin du roman. La fin du héros. La fin de l'auteur.*

Pour elle, c'était la fin de la Russie telle qu'elle l'avait aimée. La Russie qu'elle considérait comme la meilleure partie d'elle-même. Elle savait que sans Alexeï, elle n'y reviendrait plus. En admettant qu'elle puisse en sortir.

Avec le jour, son instinct se réveillait... Le vieil instinct de survie.

Comment négocier avec Yagoda son retour en Angleterre ? Elle calculait qu'elle n'avait aujourd'hui rien à lui offrir. Sinon le plus compromettant d'entre les documents qu'il convoitait... Le journal intime des dernières semaines de Gorki.

Allait-elle faillir à tous ses engagements, violer la confiance d'un mourant et désobéir aux dernières volontés de l'homme qu'elle aimait, en remettant ce texte au NKVD ? Allait-elle, au bout du compte, racheter sa peau en trahissant Alexeï ?

Elle tentait de mesurer les conséquences d'une telle reddition.

Même si Staline devait découvrir les critiques dont *son seul, son cher ami* l'accablait, même s'il devait apprendre qu'Alexeï Maximovitch l'avait comparé à *la plus dégoûtante des créatures, une mouche qui aurait enflé plus de mille fois*, il ne pourrait revenir sur la déification du héros national. Après ce déploiement d'hommages, il n'oserait pas toucher à sa famille. Impossible d'exercer des représailles sur Timocha et les petites filles. Quant à Pechkova et Andreïeva, elles appartenaient si totalement à l'image de Gorki que les envoyer au goulag serait une faute, qui ne valait pas la peine d'être commise.

Vivant, Alexeï aurait été abattu dans la seconde. Sa mort et sa sanctification le mettaient à l'abri.

Si elle livrait ce manuscrit à Yagoda, qu'adviendrait-il ?

Le journal n'évoquait que la vision politique de Gorki. Il n'impliquait personne d'autre que lui. Une forme de testament qui stipulait ses souhaits pour le triomphe d'une Russie communiste, sans Staline. Il n'exprimait que sa déception et son accablement devant la monstruosité du personnage.

Selon toute probabilité, Staline empêcherait quiconque de lire un tel réquisitoire. Il l'estampillerait « top secret ». Au pire, il le détruirait.

Elle tenait sa monnaie d'échange et ne manquerait pas, cette fois, de remplir sa part du contrat. Elle donnerait au chef de la police le trophée qu'il pourrait rapporter à son maître.

Yagoda, de son côté, pousserait l'amabilité jusqu'à lui rembourser ses frais de voyage. Et ceux de ses six allées et venues précédentes.

*
* *

Après son premier coup de fil – suivi du télégramme m'annonçant la disparition de son grand ami –, je n'avais plus entendu parler de Moura, raconterait Wells. Je pensais que la Russie l'avait définitivement avalée.

Un dimanche soir, alors que je rentrais de mon troisième weekend sans elle, le téléphone sonna à une heure du matin. C'était Moura, l'incorrigible, l'impénitente Moura (...) qui m'appelait comme si de rien n'était. Elle se trouvait au coin de la rue, me donnant l'impression de n'être jamais partie.

Aigee pouvait se réjouir. Aussi longtemps qu'il vivrait, Moura ne retournerait plus à Moscou. Le destin l'avait débarrassé d'un coup de deux de ses rivaux. Gorki et la Russie.

Chapitre 39

LE TEMPS SUSPENDU
ARRÊT SUR IMAGE

En cette fin d'après-midi de septembre, la lumière évoquait déjà l'automne. Deux silhouettes sous la pluie, un homme et une femme, réglaient en même temps la course de leurs taxis devant la succursale des studios de la Warner Brothers, à Londres. Ils franchirent d'un même pas la distance qui les séparait de l'immeuble.

Aucun besoin, ni pour l'un ni pour l'autre, de se présenter aux hôtesses. Elles avaient déjà sauté sur leur téléphone afin d'avertir la direction :

— La baronne Budberg et monsieur Robert Bruce Lockhart sont arrivés.

Ils avaient ôté leurs chapeaux d'un même geste, et s'étreignaient avec chaleur. Aussi grands l'un que l'autre, aussi puissants, aussi indifférents à la présence des témoins.

— Tout va bien, Babygirl ?

— Et toi ? Elle le dévisagea un instant avant de conclure : tu es très beau en ce moment. Grande forme… Donc, oui, tout va bien, Babyboy !

Rien d'inhabituel dans ces effusions. On les savait aux antipodes de la retenue britannique.

Leurs accolades avaient toutefois quelque chose d'un peu exagéré aujourd'hui, de vaguement artificiel et tendu. Comme si les protestations d'amitié leur servaient de rituel et de garde-fou.

Deux boxeurs s'embrassant sur le ring avant le combat.

Le producteur délégué déboula en toute hâte de l'ascenseur, s'empressant de les recevoir et de dérouler pour eux le tapis rouge.

La Warner Brothers jouait gros... Tous ici jouaient gros : la baronne Budberg venait assister à la projection privée du film tiré de sa liaison avec monsieur Lockhart, pendant la Révolution russe. De son assentiment dépendait le sort d'une aventure qui avait coûté plusieurs millions de dollars.

L'œuvre mettait en scène Lénine, Trotski, les fondateurs de la Tchéka. Des centaines de figurants... Moscou, le Kremlin reconstruits en studio. L'un des plus gros budgets de l'histoire d'Hollywood depuis le passage au parlant. La première épopée américaine qui relatait la prise de pouvoir par les communistes.

Le scénario était tiré de *Memoirs of a British Agent*, le best-seller de monsieur Lockhart, qui avait travaillé à l'écriture du script.

L'auteur. Il n'avait pas oublié que, deux ans plus tôt, lors de la publication du livre, son héroïne avait exigé des modifications, et qu'elle l'avait obligé à couper plusieurs passages de son manuscrit.

Et maintenant, pour ce qui touchait au film, il ne lui avait rien montré. Prudent, il ne l'avait même pas avertie. Dans quelques instants, il la mettrait devant le fait accompli.

Dieu fasse que le spectacle lui plaise !

Mais à l'heure de vérité...

Quels seraient les sentiments de Moura devant son personnage d'espionne au service des bolcheviques ? Une telle interprétation de ses actes la mettrait en grande difficulté en Angleterre.

Espionne. Le mot menacerait son statut d'émigrée. À la suite de ce film, elle risquerait l'expulsion. Et son renvoi en URSS, *manu militari.* Au mieux.

À Los Angeles, nul parmi les dirigeants de la Warner ne s'était intéressé au problème. Et Lockhart s'était gardé de soulever la question. Pour la dramatisation de l'histoire, pour la construction du scénario, il avait eu besoin d'en faire un membre influent de la Tchéka. Une nécessité romanesque... Que cette image puisse peser sur le destin de Moura ne l'avait pas arrêté.

Aujourd'hui il s'interrogeait : comment allait-elle réagir face à cette Mata Hari, en laquelle elle refuserait très probablement de se reconnaître ?

Oui, Dieu fasse que le spectacle lui plaise !

Elle aurait eu tort de se plaindre. Le film était signé par l'un des metteurs en scène les plus prestigieux : Michael Curtiz. Quant au casting, il était splendide. La star Kay Francis incarnait « Elena Moura », la passionaria à la solde de Lénine. Le très aristocratique Leslie Howard, qui venait d'être pressenti pour jouer « Ashley » dans *Autant en emporte le Vent*, tenait le rôle de Lockhart : « Locke » à l'écran.

Même les noms étaient restés inchangés, ou presque. Et – triomphe suprême de la production – les deux comédiens évoquaient de façon inouïe la personnalité de leurs modèles. Par la taille, par le teint, même par le dessin des sourcils et la couleur des cheveux : copies conformes. Interchangeables... C'est dire si la vérité humaine, la vérité historique, avait été respectée !

La ressemblance entre les deux acteurs sur l'affiche et les deux hôtes qui enfilaient les couloirs de la Warner Brothers demeurait si frappante que les secrétaires en faisaient des gorges chaudes d'un poste à l'autre.

Le couple s'était installé au second rang, dans la salle de projection. Leurs têtes se rejoignaient en ombres chinoises sur l'écran.

On leur avait offert un verre, un paquet de cigarettes, un cendrier... Tout ce dont ils pourraient avoir besoin pour leur confort. Puis le producteur et ses assistants s'étaient retirés. Comme convenu, les héros du film le visionneraient sans témoin.

Lockhart – qui l'avait déjà vu plusieurs fois – avait glissé son bras sous celui de Moura. Il devait la cajoler, la séduire, l'endormir. Faire en sorte qu'elle ne ressente que sa présence à ses côtés. Juste cela : son indéfectible affection. Rien d'autre.

Alors que la lumière baissait, il lui murmura à l'oreille : « Tu vas voir, c'est absolument formidable ! »

En vérité, il avait peur. Et elle aussi.

La séance commença mal : par une erreur... Au lieu d'envoyer le générique, le projectionniste démarra avec la bande-annonce.

Dans le trémolo des violons et le tonnerre des grosses caisses, les cartels publicitaires se succédaient :

Sur un fond d'événements historiques, pendant les semaines qui ébranlèrent le monde... Un drame qui révèle tous les amours... tous les secrets de...

Moura s'était raidie.

De la plus séductrice des espionnes.

Elle se redressa.

Tous les mystères...

Elle avait décollé son épaule de celle de Lockhart.

De l'espionne la plus redoutable de tous les temps !

Elle lui retira sa main. Il ne tenta pas de la retenir. Il n'essaya pas de la reprendre. Il avait compris. Ce qu'il redoutait était arrivé.

Les cartels se suivaient, terribles :

L'amour de cette femme était un aller simple vers la ruine.

Elle ne bougeait plus. Elle lisait ces slogans que lui-même avait écrits, ou laissé écrire.

Était-ce là ce qu'il avait retenu de leur histoire ? Était-ce là ce qu'il gardait de cet amour infini ?

Chaque image lui renvoyait un reflet tordu, monstrueux, totalement défiguré de ce qu'avait été leur passion.

Le pire : tout n'était pas faux. Elle reconnaissait des bribes, des fragments de dialogues. Elle avait bien prononcé certaines phrases. Mais elle les avait dites ailleurs, sur un autre ton, dans des circonstances totalement différentes de ce qui se jouait devant elle.

Le film tenait les promesses de la bande-annonce. Une suite de forfaitures.

Au fil des scènes qui défilaient sur l'écran, sans rapport avec les faits, sans rapport avec ses émotions, la douleur et l'étonnement viraient pour elle à l'hallucination. Lockhart avait dénaturé jusqu'à la quintessence du souvenir.

Cet ultime abandon de l'homme auquel elle avait tout sacrifié, se révélait d'une telle violence, d'une telle cruauté, qu'elle en demeurait tétanisée. Incapable de réaction.

Sur ce point, il avait réussi : elle ne protestait pas. Qu'aurait-elle pu dire ?

*

Dans le noir, elle se tenait très droite. Définitivement seule. Elle venait de perdre l'essentiel : le sens même de sa vie.

Elle gardait toutefois un combat à livrer.

Il lui restait deux heures – le temps du spectacle que lui offrait Lockhart – pour lutter contre la trahison et l'oubli. Deux heures pour revisiter son passé, relire son histoire. Reconquérir sa mémoire incendiée.

*

Ne plus regarder l'écran, ne plus voir son double, cette espionne en imperméable de cuir. L'uniforme des tortionnaires de la Tchéka.

Reprendre en elle ce qui lui appartenait : les images, les parfums, les bruits, toutes les traces de son passage sur terre.

Retourner en Ukraine, au temps où Micky venait la réveiller au milieu de la nuit à Berezovaya. Elle la conduisait alors à travers le manoir, vers les rires et la lumière.

Revoir les quatre lustres de la salle à manger, et tous les verres de Venise qui scintillaient. Se revoir elle-même juchée sur la table parmi les carafons. S'écouter réciter les vers dédiés à sa grand-mère, *Le Testament* du poète :

Et n'oubliez pas de vous souvenir de moi.
N'oubliez pas dans la grande famille,
N'oubliez pas dans cette famille nouvelle et libre,
N'oubliez pas de vous souvenir de moi.

Sentir sa joie d'enfant sous les applaudissements.

Rejoindre en elle la Moura de toujours, la Moura des origines, la Moura de l'enfance, du temps où l'amour revêtait mille visages. Et qui sait ? Par la grâce de cet être-là, triompher du reniement de Lockhart. Gagner l'impossible bataille. Vaincre la mort et survivre.

*

Le producteur délégué n'avait pas attendu la fin du film pour se précipiter.

Quand la porte de la salle s'ouvrit, il comprit tout de suite, à l'expression de Lockhart, l'ampleur du désastre.

Le film n'avait pas plu à la baronne Budberg. Elle allait l'éreinter et détruire des années de travail. Une femme puissante : la secrétaire de Gorki, la compagne de Wells. Elle connaissait le gratin à Londres, le gratin en France, même aux États-Unis, via le PEN club international. Les milieux littéraires, ceux de la politique et ceux de la presse. Les grands journaux ne manqueraient pas de lui ouvrir leurs colonnes. Nul mieux que cette aristocrate russe, qui avait participé aux événements, ne pouvait faire la critique du film. Si elle devait écrire qu'il s'agissait d'un tissu d'inepties, *British Agent* tombait avant sa sortie en salles.

Qui sait même si elle ne parviendrait pas à le faire interdire ?

On la disait très amie de l'ambassadeur soviétique. Intime de Duff Cooper, le *Financial Secretary to the Treasury,* l'une des incarnations du pouvoir politique anglais.

Le producteur délégué ne put toutefois retenir la phrase suicidaire, cette question qui lui avait fait battre le cœur dans son bureau, pendant les quatre-vingts minutes qu'avait duré la projection :

— Alors, chère, chère baronne, avez-vous aimé ?

— Adoré ! Elle lui avait décoché le plus magnifique de ses sourires et l'étreignait avec enthousiasme... Il n'y avait que vous, les Américains, *vous* qui pouviez comprendre le souffle d'une telle épopée ! Vous avez su, comme personne, rendre l'atmosphère de la Révolution russe.

Sidéré, Lockhart la dévisageait.

Plus grande que le producteur, elle gardait le visage levé, avec cette expression de sphinx qui n'exprimait rien... Sinon son autorité et le miracle de sa bienveillance.

Et soudain, il saisit. Il devinait ce qu'elle-même avait compris.

Ce film faisait d'elle – *Moura* la passionaria bolchevique, *Moura* l'espionne de Lénine qui choisissait l'Ouest par amour – une star internationale.

Certes, certes, la fin – qui montrait l'héroïne dans le train avec son amant *Locke*, partant pour Londres en 1918 – avait dû lui paraître ironique et saumâtre. Mais ce dénouement était tellement plus brillant, tellement plus glorieux que son abandon dans la peur et la famine de Petrograd !

Avec l'intelligence qui la caractérisait, avec son goût pour la mise en scène et son sens de la publicité, elle transformait en triomphe un revers qui aurait détruit n'importe quelle autre femme.

Glissant son bras sous le sien, Lockhart l'entraîna dehors. La pluie avait cessé. Ils firent quelques pas sur le trottoir, devant la Warner Brothers.

Au moment de héler le taxi qui les emmènerait finir la soirée à leur cabaret tsigane, il ne put s'empêcher de lui poser, lui aussi, la question :

— Vraiment ?... Tu as aimé ?

— Tu vas faire un tabac.

— *Nous* allons faire un tabac. Toi et moi, Babygirl ! Nous deux... Ensemble.

Elle éclata de rire, lançant avec une crudité qui ne lui ressemblait pas :

— Va te faire foutre, Babyboy !

Variations et Finale

MAIS, *DARLING*, C'EST CELA, L'AVENTURE !

Ce qu'ils sont devenus

LES MILLE MONDES DE MOURA
Wells, Lockhart, Micky, Paul, Tania, Kira, Alla, Anna, et Kallijärv

Mythique et légendaire, la figure de la baronne Budberg évoluera peu.

Elle peaufinera quelques traits de son personnage, déclinera des variantes, amplifiera les détails, grossira l'image jusqu'à la caricature. Toutefois le portrait ne change plus. Celui d'une aristocrate russe, magnifiquement lettrée, inspiratrice et muse de deux génies, grande séductrice devant l'Éternel, attachée à ses amours, fidèle à ses amis, un peu espionne, un peu artiste : l'incarnation du charme slave.

Et, à terme, l'icône de la vieille dame indigne.

À force d'énoncer des demi-vérités et d'éluder les questions, elle ne livre plus qu'une projection d'elle-même, un trompe-l'œil d'ombre et de lumière, une architecture baroque, où les bruits masquent les silences. Résultat : elle se perd de vue.

Mais elle cesse de souffrir. Son écartèlement et tous ses conflits intérieurs semblent apaisés. Elle a retrouvé sa splendide sérénité.

667

*

Amante de Lockhart, compagne de Wells, Moura le restera jusqu'à la fin.

Après le succès mondial du film *British Agent* et la disparition de Gorki, elle est devenue l'une des personnalités incontournables de Londres. Femme d'influence, elle tient un salon et reçoit, chaque jour à dix-huit heures, la meilleure société britannique.

Table ouverte durant plus de trente ans.

Une gageure, car elle demeure sans le sou et continue de refuser les propositions de mariage, qui pourraient lui apporter la sécurité financière et le confort matériel.

Comment survivre parmi les riches et les puissants quand on ne possède rien ?

En 1938, son amie Liuba Hicks a résolu le problème et quitté leur thébaïde de Cadogan Square pour convoler avec un riche ingénieur en retraite.

Fidèle à elle-même, Moura se lie avec une autre *room mate* : Molly Cliff, la veuve d'un propriétaire terrien du Yorkshire, qui finance ses réceptions. De nature timide et réservée, Molly s'est laissé séduire par la gentillesse, l'énergie, la joie de vivre de Moura. Elle se laisse aussi fasciner par la fréquentation des élites que Moura lui fait rencontrer.

Molly l'héberge chez elle, dans un merveilleux immeuble de style edwardien au 68 Ennismore Gardens. Au chœur du quartier le plus élégant de Londres, l'appartement se compose de cinq chambres et de plusieurs salles à manger. Deux soubrettes, l'une attachée au service de Molly, l'autre au service de Moura, veillent sur leur confort. La légende veut qu'en réalité, les deux domestiques ne s'occupent que de Moura. Elle a orné son étage de ses tentures et de ses icônes. Elle y vit dans son lit, au milieu de ses coussins, de ses livres et de ses papiers qui s'empilent partout...

Son désordre coutumier. Elle ne se lève qu'à l'heure du déjeuner, pour entamer sa trépidante vie mondaine.

La silhouette de la baronne, son ample manteau qui vole au vent, son sac noir à bout de bras – un sac immense, bourré de manuscrits – appartient désormais au paysage londonien. Toujours pressée, toujours en retard, elle émerge de mille taxis pour se précipiter dans les salons de toutes les ambassades et les halls de tous les théâtres. Ses amis n'aiment rien tant que sa voix dont l'accent devient chaque année plus rauque et plus russe, son rire superbe, et la chaleur de son étreinte quand elle les salue.

*

Pendant la guerre, elle affronte les bombardements du blitz avec son courage habituel : elle ne fuira pas Londres. Elle travaille pour le Français André Labarthe, fondateur du journal *La France libre*. Elle doit cet emploi à Lockhart, alors responsable de la propagande britannique.

Si Moura déteste de Gaulle, qu'elle considère comme un futur dictateur, elle seconde Labarthe dans la conception éditoriale du magazine. Aux yeux de ses détracteurs, Labarthe passe pour un agent soviétique affilié au NKVD : son amitié avec la baronne Budberg accréditera plus encore la rumeur d'une Moura espionne.

Quoi qu'il en soit, ils partagent le même rêve d'une civilisation fondée sur la liberté.

Devenue l'un des piliers de *La France libre* aux côtés de Raymond Aron, elle en fait une revue de haute tenue intellectuelle. Son carnet d'adresses lui permet de solliciter des articles d'écrivains célèbres... tels que H.G. Wells ou George Bernard Shaw. Le journal prône « la résistance à la défaite » avec une telle efficacité que, durant l'été 1943, Churchill charge la Royal Air Force d'en larguer une édition spéciale sur la France. Moura sera, par ailleurs, la première éditrice à repérer le talent d'un aviateur français, un certain Romain Gary, qu'elle soutiendra de tout son pouvoir en aidant à la publication de *L'Éducation européenne* dans sa traduction anglaise, avant même que le livre ne sorte à Paris.

*

Wells, malgré les orages, ne la quittera jamais. Elle demeurera son grand amour, la femme qui l'accompagnera jusqu'à sa disparition en 1946. Il sera alors âgé de près de quatre-vingts ans. Elle-même n'en aura que cinquante-trois.

Comme à la mort de Gorki, elle sera présente à son chevet lors de ses derniers jours, et ne lâchera pas sa main.

La perte de Wells, au terme de vingt ans de complicité, l'ébranle au plus profond et la fragilise socialement. Il lui a certes laissé quelques revenus, insuffisants toutefois pour couvrir son train de vie.

*

Après la guerre, elle travaille pour Sir Alexander Korda, le grand producteur anglais de *To Be or Not to Be*, du *Troisième Homme* et d'*Anna Karénine*. Leur rencontre, leur amitié et leur collaboration lui ouvrent toutes les portes du cinéma.

À son cercle d'écrivains, de journalistes et d'hommes politiques, Moura ajoute un dernier univers : celui des metteurs en scène et des comédiens. Elle fréquente Laurence Olivier, Vivien Leigh et Peter Ustinov, dont le père, d'origine russe, travaille pour les services secrets anglais.

Elle restera soupçonnée d'être un agent double jusqu'à sa mort. Ses lignes téléphoniques sont écoutées, son courrier ouvert. Des présomptions... Jamais de preuves, aucune.

Dans les archives de MI5, les Services de renseignement du Royaume-Uni, le dossier qui la concerne compte pourtant plus de quatre cents pages : le récit de toutes ses filatures, les rapports et les soupçons des enquêteurs.

Cette méfiance de l'Europe ne l'empêchera pas d'obtenir la nationalité britannique en 1947. Et de retourner en URSS à partir de 1958, sur les instances de Pechkova, la première épouse d'Alexeï Maximovitch. Les deux femmes resteront liées, et Moura se rendra de nouveau à Moscou en 1965 pour assister aux funérailles de son amie. Elle y reviendra à cinq autres reprises, en 1961, en 1962, en 1963, en 1968 et en 1973, à la veille de sa propre mort. À chaque voyage, elle participe officiellement aux anniversaires de la naissance et de la mort de Gorki.

*

Après la disparition de Wells et celle de Constantin Benckendorff en 1959, elle connaîtra l'immense douleur de voir décliner Lockhart, l'homme qu'elle continue d'aimer. Si elle a eu d'autres amants, il reste à jamais la passion de sa vie.

La carrière de Lockhart, qui avait connu tant de hauts et de bas, ne fluctuera plus à partir de 1938. Pendant la guerre, il devient directeur général du Political Warfare Executive, chargé de l'élaboration du discours antifasciste. Il sera anobli en 1943 : *Sir* Robert Bruce Lockhart. Divorcé de la mère de son fils, il choisira, pour porter le titre de Lady Bruce Lockhart, sa secrétaire.

Lors de leurs noces en 1948, il clamera que cette nouvelle alliance est un mariage de raison, un « compagnonnage » qui ne l'oblige pas à quitter Moura.

Il continuera en effet de la voir – ils dîneront ensemble régulièrement – durant les vingt-deux ans qui lui restent à vivre. Mais à partir de 1965, il souffre d'artérite cérébrale et perd ses facultés intellectuelles. Sa mort surviendra le 27 février 1970, au lendemain d'une visite de Moura dans sa maison médicalisée du Sussex. Il avait quatre-vingt-deux ans. Elle aura été l'une des dernières personnes à l'embrasser. Ses cendres seront dispersées par son épouse et son fils en Écosse, lors d'une cérémonie à laquelle la famille ne convie pas la baronne Budberg.

Elle-même ne veut aucun témoin de son chagrin.

Elle a obtenu de son ami, le métropolite Anthony Bloom, la permission d'organiser un office funèbre de vingt-quatre heures dans l'église orthodoxe russe de Londres... *La veillée du souvenir,* pour rendre grâce au Seigneur de cet amour fou qui a illuminé sa vie.

Les quelques chaises disséminées au fond de la nef resteront vides. Et sous le grand Christ byzantin, le plancher de bois ne craquera pas. Les portes demeureront closes et les allées désertes.

Dans l'odeur des lys et de l'encens, elle sera seule avec lui. Babyboy.

Seule avec sa mémoire. Seule avec leur Créateur.

Vêtue de son long manteau noir, la tête couverte d'un fichu blanc, Moura évoque toutes les *babouchkas* de la Russie éternelle.

Elle s'est inclinée et signée trois fois devant chacun des apôtres qui ferment le chœur. Elle embrasse les icônes et pose son front sur une image sainte. Elle a fermé les yeux. Elle prie. Elle pleure.

Elle ignore qu'elle n'a jamais cessé d'appliquer les principes de la devise dorée qui court sur la voûte au-dessus d'elle : *Ne pas juger. Mais sauver.*

*

Quand elle sortira de cette longue veillée, elle se sentira vieille. Sans Lockhart, l'existence a perdu sa saveur.

En cet instant, elle se trompe. Elle reste *l'impénitente Moura, l'incorrigible Moura,* dont Wells écrivait au soir de sa vie : « Et Moura reste Moura, la Moura de toujours. Humaine, imparfaite, sage, drôle, folle, et je l'aime. »

Sa curiosité pour le monde demeure sans limites. Beaucoup de rencontres l'excitent encore.

Mauvaise mère, elle est devenue une grand-mère magnifique qui fascine la jeunesse par sa bienveillance, sa modernité et ses excès. Elle boit trop, elle mange trop, elle fume trop. Et si l'âge a mis un bémol aux plaisirs de la chair, elle continue de séduire et de prendre des risques.

Sur ce point aussi, pas de changement.

Elle n'aime rien tant que provoquer la chance et passer entre les mailles du filet.

Mais que peut une grosse dame de près de quatre-vingts ans, pour faire monter son taux d'adrénaline ?

Une idée : dérober pour ses amis les cadeaux les plus inutiles, les babioles les plus fantaisistes. Elle leur fera plaisir. Et elle s'amusera. Une pierre deux coups.

Où sévir ? *Fichue pour fichue*, comme sa sœur Anna le disait jadis… Dans le magasin le plus luxueux et le plus surveillé de Londres. Chez Harrods.

Problème : la silhouette de Moura, avec son grand parapluie noir où elle enfourne ses larcins, n'est pas de celles qui passent inaperçues.

À la figure du policier qui la prend en flagrant délit de vol, elle brandit une pelle à tarte, un bouchon à champagne et un gobelet à vodka. Quand il l'interroge et s'étonne du choix de ces objets qu'elle aurait les moyens de s'offrir, elle lui rit au nez et lui lance, superbe : « Mais, *darling*, c'est cela l'aventure ! »

L'aventure toutefois se termine. Elle le sait. Deux cancers du sein l'ont obligée à subir une ablation. À une amie qui compatit, elle balaye le drame avec panache : « Beaucoup plus net sans rien ! »

Elle n'a jamais cessé de dire qu'elle voulait mourir en Italie. Ce ne sera pas Sorrente. Mais peut-être la Toscane, où son fils Paul vient de s'installer ?

À la grande tristesse de ses amis londoniens, elle songe à le rejoindre. Tous craignent son départ. L'un d'entre eux lui dédie un poème, qu'il intitule : *Pour Moura Budberg sur son projet de quitter l'Angleterre.*

Oui, l'âge mérite
Un peu de douceur, un peu de calme,
Comme autrefois l'enfance.
C'est du moins ce que vous nous dites.
Mais dites-vous la vérité ?

Elle revient en rêve à *Il Sorito*, au merveilleux jardin des ducs de Serracapriola. À l'été 1925, qu'elle y avait passé avec Gorki, Kira, Paul et Tania.

Et avec Micky.

*

Micky s'est éteinte en 1938, à l'âge de soixante-quatorze ans. À Kallijärv. Sans elle.

Moura avait entrepris plusieurs voyages pour la soigner. Mais son décès, elle l'apprendra à Londres, par téléphone.

Trente ans plus tard, elle pleurera encore sa disparition. L'idée que Margaret Wilson soit morte seule, et qu'elle repose seule en Estonie, continue de la bouleverser.

Comme la bouleverse le destin des familles de ses deux maris.

Le pacte germano-soviétique a livré les pays baltes à la double folie d'Hitler et de Staline. L'Estonie, qui avait obtenu son indépendance de haute lutte, devient un pays martyr.

En 1939, une lettre terrible de la femme de l'oncle Sacha – la tante Zoria Benckendorff – avait informé Moura que les grandes familles devaient abandonner ce qui restait de leurs domaines, et s'exiler. Elles avaient trois jours pour s'embarquer sur des bateaux allemands et occuper les terres de Pologne, dont les nazis avaient massacré les propriétaires.

Juste le début de la descente aux enfers pour les Benckendorff de Yendel.

Quand les nazis seront à leur tour chassés d'Estonie par les Soviétiques, ceux-ci déporteront les survivants estoniens en Sibérie, sous le prétexte qu'ils avaient collaboré avec les Allemands.

Plus tard, bien plus tard, Moura trouvera le moyen de faire venir Zoria à Londres. Cette dernière repose aujourd'hui à côté d'elle au cimetière de Chiswick.

Pour ses propres enfants, la chance avait voulu que Moura ait réussi à les sortir d'Estonie et à les faire venir en Angleterre, *avant* la guerre.

Aucun d'entre eux ne reverra Kallijärv jusqu'à l'éclatement de l'Union soviétique en 1991.

*

Au lendemain du bal de son vingt-et-unième anniversaire en août 1934, Paul avait obtenu son diplôme d'ingénieur agricole et s'était installé dans le Yorkshire, pour y exploiter la ferme de son ami Tony Cliff – l'amoureux de sa sœur et le fils de Molly, qui hébergeait sa mère. Douze ans plus tard, il avait épousé une Irlandaise, dont il avait adopté le petit garçon, du nom de Simon. Sa femme s'appelait Angel. Ils avaient eu des jumelles en 1947. Les cinq Benckendorff habitaient alors l'île de Wight et menaient une vie de bohème. Avant de partir vivre en Italie.

*

Tania, pour sa part, n'avait pas épousé Tony Cliff, au grand dam de son frère et de sa mère, lui préférant un brillant avocat anglais du nom de Bernard Alexander. Le jeune couple s'était installé dans un village proche d'Oxford, où Moura et Wells se retireraient durant les week-ends, au moment du blitz à Londres.

Mais, darling, c'est cela, l'aventure !

Tania ressemble à Moura. Elle a sa flamme et sa force. Quant à sa carrière professionnelle, elle évoquera celle de sa mère. Tania travaille d'abord pour des maisons d'édition. Puis elle traduit du russe plusieurs pièces de théâtre, notamment *La Mouette* de Tchekhov et *Vassa Zhelznova* de Gorki, mis en scène au Greenwich Theater. Elle participe en outre à l'adaptation d'une version filmée d'*Oncle Vania,* mise en scène par Anthony Hopkins.

Son premier livre, une autobiographie qui raconte son enfance et porte témoignage de sa vie en Estonie entre 1918 et 1936, est un véritable chef-d'œuvre. L'intelligence, la sensibilité et l'intégrité de la narratrice font de *A Little of All These* une merveille.

Tania aura trois enfants, qu'elle élèvera en partie en Suisse quand son mari sera muté aux Nations unies.

Avec sa mère, elle gardera des relations conflictuelles, un mélange d'admiration et de colère, une rancune que le temps finira toutefois par atténuer. La dévotion de Moura pour ses petits-enfants effacera bien des griefs.

*

Kira, quant à elle, avait épousé le docteur Hugh Clegg en 1933. Elle vivait avec son mari à North London, où ils avaient eu deux enfants. Le docteur Clegg allait devenir l'un des éditeurs du prestigieux *British Medical Journal.* Il mourra en 1983, vingt-deux ans avant Kira. Cette dernière s'éteindra à Londres en août 2005, à l'âge de quatre-vingt-seize ans.

Elle aura vu naître en 1967 son petit-fils, Nick Clegg, le futur chef des démocrates-libéraux, et restera très liée à ses deux cousins, Paul et Tania. Quand sa propre fille Helen se mariera, son *auntie-mummy* organisera la réception.

Moura, chef de famille, comme d'habitude.

Leurs rapports demeureront très affectueux, bien que Kira lui en veuille de l'avoir coupée de sa mère d'une façon aussi radicale.

Ce qu'ils sont devenus

*

Alla mènera une vie tragique jusqu'à sa mort en 1960. Vengeance ou indifférence à l'égard de Kira, elle ne la cite pas dans le seul testament qu'on lui connaisse, un testament olographe rédigé rue Edgar-Poe en 1942. Elle lègue ses maigres biens – les quelques fourrures qui lui restent – à sa nièce et filleule, la fille de sa sœur Anna, qui porte le même prénom qu'elle. À charge pour « Alla bis » de s'occuper de son chien, le seul être dont elle semble se soucier.

Ironie du destin : Alla sera souvent secourue et prise en charge à Paris par sa demi-sœur, Daria Mirvoda, la fille naturelle du sénateur Zakrevski avec sa maîtresse de Berezovaya Rudka.

Daria, qui avait été le souffre-douleur de la Vipère en Ukraine, avait épousé un médecin français dès 1898. Aussi splendide que les jumelles, elle avait eu, elle, la chance de s'établir en France avant la Révolution russe. Et de toucher sa dot avant la mort de leur père. Résultat : après une enfance terrible, elle avait connu une vie confortable, bien plus facile que celle des trois autres filles Zakrevski.

*

Anna, minée par les soucis et les privations, mourra de la tuberculose au sanatorium de Bligny, dans l'Essonne, en 1941. Elle avait cinquante-quatre ans. Sur son lit de douleur, elle demande qu'on ne laisse pas Alla s'approcher d'elle avant l'heure de son agonie. Son mari, Vassili Kotchoubey, et ses trois enfants lui survivent.

Autre ironie du destin : sa fille – « Alla bis » – épousera en France le fils du comte Ignatiev, celui-là même qui avait jugé Moura et Laï Budberg lors de leur Ehrengericht à Tallinn en 1921 et 1922.

Mais, darling, c'est cela, l'aventure !

*

Laï Budberg, divorcé de Moura depuis 1925, survivra à Sao Paulo en donnant des cours de bridge. Il se remariera et mourra au Brésil en 1972. Il avait soixante-seize ans. Durant le demi-siècle qu'aura duré sa séparation d'avec Moura, il continuera de correspondre avec elle. Leur mariage n'avait été qu'un simulacre. Leur amitié perdurera. Typique de Moura, qui ne lâche pas ceux qu'elle a aimés et leur reste fidèle à sa façon.

Il est tout de même des gens qu'elle ne reverra plus.

LES ARCHIVES DE GORKI
YAGODA, KRIOUTCHKOV, PECHKOV

Un an après la mort de Gorki, les personnes qui l'ont assisté dans sa dernière maladie seront accusées par Staline de l'avoir assassiné. Et d'avoir aussi assassiné son fils Max.

L'arme : le poison.

Les bourreaux : Yagoda, Krioutchkov et les médecins.

Les commanditaires : les puissances occidentales, qui voulaient arracher à l'URSS son fleuron, le chantre du prolétariat russe.

Bien sûr, nul n'ignore le nom du meurtrier véritable : Staline, qui se débarrasse maintenant de ses hommes de main.

Yagoda sera arrêté le 28 mars 1937. Ses datchas, son appartement au Kremlin seront perquisitionnés, révélant l'ampleur de ses pillages et de sa fortune. Une cave comportant des centaines de grands crus, une collection de plus de dix mille objets d'art, des manteaux de fourrure, de la lingerie féminine, des parfums de grand luxe : toutes les dépouilles de ses innombrables victimes. Il sera exécuté le 15 mars 1938, au terme d'une parodie de procès. La rumeur court toutefois que le NKVD le garde en vie, au secret, sous le numéro 102. Et qu'on l'interrogera sur ses anciens dossiers jusqu'au 31 janvier 1939, date de sa disparition définitive.

Devant ses juges, Krioutchkov – le gentil « Pépékriou » de l'avenue Kronverkski – s'accusera d'avoir tué Max, pour s'emparer des droits d'auteur de Gorki. Une autocritique absurde : si Max devait disparaître, Krioutchkov n'aurait pas été son héritier. Il reconnaîtra toutefois avoir aidé à administrer la substance mortelle qui a tué le père et le fils.

Il sera lui aussi exécuté le 15 mars 1938. Sa jeune épouse, ainsi que celle de Yagoda, les suivront dans la tombe quelques mois plus tard.

Quant aux médecins, deux d'entre eux seront passés par les armes, l'autre condamné à vingt-cinq ans de goulag.

Le vieil ennemi de Gorki et de Moura – Zinoviev – avait déjà été fusillé en 1936. Et Yacob Peters le sera en avril 1938.

Ainsi que Moura l'avait prévu, Staline ne s'attaquera pas à la famille de Gorki. Aucune de ses trois « épouses » ne sera inquiétée. Andreïeva célèbrera son quatre-vingtième anniversaire à la Maison des savants, qu'elle dirige depuis 1931, et s'éteindra dans son lit en 1953. Pechkova s'éteindra de même, douze ans plus tard.

Seule Timocha connaîtra quelques déboires. L'homme qu'elle choisit pour remplacer Max et Yagoda, finira aussi dramatiquement que ses prédécesseurs.

Celui-là est un linguiste, très proche de Gorki. Il lui a succédé à la tête de la Maison de la littérature mondiale. Il s'appelle Ivan Luppol. En août 1940, Luppol est arrêté. Pourquoi ? Car sa correspondance et son journal intime ont été découverts dans une valise, cachée à Tartu en Estonie. Les troupes soviétiques y sont entrées en juillet 1940 et occupent le pays.

Au terme de l'examen de ces papiers, Luppol est condamné à mort, puis à vingt ans de goulag, auquel il ne résistera pas. Il meurt peu après.

Mais, darling, c'est cela, l'aventure !

Au même moment, H.G. Wells écrit : *Quelque chose de très dur – dont je ne peux exposer l'horreur ici, ni même donner le moindre détail – a brisé le cœur de Moura. Elle est touchée dans ses affections et dans son honneur.*

Vient-elle d'apprendre que les hommes de Staline ont trouvé une partie des archives de Gorki ?

Elle racontera plus tard qu'elles ont toutes brûlé lors des bombardements nazis sur Kallijärv. Or aucune bombe n'est jamais tombée sur la maison du lac ou dans les bois de Yendel.

Le mystère autour de ces documents continue d'agiter les chercheurs qui travaillent sur Gorki. La plupart d'entre eux pensent que Moura Budberg a bien remis à Yagoda, en 1936, l'ensemble des manuscrits qu'elle possédait. Que cette trahison était le prix à payer pour sortir du pays après les funérailles de Gorki. Et pour y rentrer de nouveau dans les années 1960.

Le *Journal* de Gorki, comparant Staline à une mouche monstrueuse, a été lu au lendemain même de sa mort par Yagoda et quelques membres du Parti. Avant de disparaître complètement.

Nul ne l'a jamais revu.

Ce journal ainsi que l'ensemble des lettres compromettantes de l'écrivain seraient encore classés « top secret » dans les caves de l'un des ultimes avatars du NKVD.

Wells, pour sa part, affirme que Moura a tenu parole et n'a jamais livré ce que Gorki lui avait confié. Dieu sait pourtant s'il l'accuse d'être une menteuse et une tricheuse !

Il écrit : *Avec les papiers de Gorki, elle a fait ce qu'elle lui avait promis de faire, il y a longtemps. Je crois qu'il s'agissait de manuscrits qui ne devaient tomber entre les mains du Guépéou à aucun prix. Et elle s'est débrouillée pour qu'ils n'y tombent pas. Je crois aussi qu'elle connaissait des secrets et qu'elle avait juré à Gorki de ne les confier à personne. Je ne doute pas qu'elle ait respecté sa promesse. Dans cette sorte d'affaires, Moura est d'une solidité inébranlable.*

Si Moura devait avoir livré *tous* les papiers, comme le veut la critique littéraire contemporaine, si la correspondance de Gorki devait être tombée *en entier* entre les mains de Staline, comment interpréter une scène dont fut témoin un résistant et écrivain français – Son Excellence Monsieur l'Ambassadeur Francis Huré – à l'ambassade de France à Londres, entre 1955 et 1962 ?

Ami et biographe de Zinovi Pechkov, monsieur Huré raconte que l'ambassadeur de l'époque – Jean Chauvel – avait organisé à la résidence de France une rencontre au sommet entre la baronne Budberg et le fils adoptif de Gorki.

Le général Zinovi Pechkov était alors un très grand personnage. Il avait suivi de Gaulle dès l'appel du 18 Juin, et fait une guerre splendide. Il avait rang d'ambassadeur. Il était grand-croix de la Légion d'honneur.

Pour le tête-à-tête de Pechkov avec la baronne, l'ambassadeur de France lui avait réservé un bureau à droite de l'entrée. La description de Francis Huré est précise. Il écrit que Pechkov s'y était enfermé avec elle près d'une heure :

Ils avaient discuté des archives de Gorki laissées en Italie, et des lettres que Zinovi gardait dans sa valise. La pensée de s'en séparer lui faisait mal. Et pourtant... Mara (sic) était insistante. C'est pourquoi ils ne s'étaient pas entendus.

Que déduire de ces lignes ?

Sinon que Zinovi Pechkov détient bien une valise de documents liés à la correspondance de Gorki. Que cette valise existe encore dans les années 1960. Qu'il ne l'a pas remise à son interlocutrice. Et que, selon toute probabilité, ces papiers se trouvent toujours en France, où Pechkov meurt en 1966.

N'OUBLIEZ PAS DE VOUS SOUVENIR DE MOI
MOURA OU LA MÉMOIRE INCENDIÉE

Au retour de son dernier voyage en Russie, Moura s'est décidée : elle va rejoindre Paul en Toscane.

Il vient d'acheter une ferme près d'Arezzo. La maison n'est pas encore prête pour la recevoir, mais il a réservé une chambre à son intention dans un petit hôtel, à une dizaine de kilomètres de chez lui. Le village s'appelle Montevarchi.

Tous savent qu'elle part là-bas pour y mourir.

Elle emporte avec elle onze cartons de papiers, solidement ficelés. De ces cartons-là, elle refuse de se départir. Le reste, elle le brûle dans sa cheminée londonienne. « Rien d'important », dit-elle aux amis venus lui faire leurs adieux en août 1974.

Quand, après cinq changements de train, elle empile ses cartons sur le quai de la gare de Montevarchi, elle sent qu'elle ne résistera plus longtemps. Elle n'est cependant pas au bout de ses peines : son logement à l'hôtel se révèlera dix fois trop petit… Qu'à cela ne tienne : Paul trouve une caravane, qu'il installe pour elle dans le jardin. Les propriétaires de l'auberge tireront une ligne électrique entre le bâtiment principal et la roulotte, qui lui servira de bureau et de bibliothèque.

Et là, catastrophe : une nuit d'orage, alors que Moura repose tranquillement dans sa chambre, les fils sans protection provoquent un court-circuit. La caravane s'embrase. Et les onze cartons de manuscrits partent en fumée.

C'est du moins ce que raconteront Moura et ses enfants.

De sa mémoire incendiée, rien, absolument rien, ne subsiste.

S'agissait-il des lettres de Wells et de la mystérieuse correspondance de Gorki ? Auquel cas, le désastre est immense. Une perte sans précédent pour l'histoire de la littérature.

Mais que penser du fait qu'aucun incendie ne figure dans les archives des pompiers de Montevarchi pour les mois de septembre, octobre et novembre 1974 ?

Quoi qu'il en soit, Moura ne survivra pas à ce coup. Moins de deux mois après son arrivée en Italie, elle s'éteint paisiblement le 31 octobre 1974, dans les bras de Paul et de Tania. Elle avait quatre-vingt-un ans.

Détail romanesque qui n'appartient qu'à elle : sa mort sera encore un mensonge.

La loi italienne exigeant qu'en cas de décès dans un hôtel, les tenanciers le ferment durant trois jours, Paul se voit contraint d'en sortir discrètement le cadavre de sa mère, de le mettre dans sa voiture, de le conduire jusque chez lui et de déclarer son décès dans sa ferme.

La dépouille de Moura sera ramenée à Londres pour une grande cérémonie à l'église orthodoxe russe. Quatre ans après sa veillée à la mémoire de Lockhart, elle est à son tour pleurée devant les apôtres et l'iconostase. Mais cette fois, la nef n'est pas vide. Tout Londres se presse à son enterrement. Les ambassadeurs se tiennent au premier rang, flanqués de l'aristocratie anglaise et de l'aristocratie russe en exil. La foule de ses amis entoure ses enfants et ses petits-enfants.

L'hommage est unanime. Le *Times* de Londres publie un grand article nécrologique à sa gloire. Un éloge dithyrambique. Exactement ce qu'elle aurait voulu entendre. L'auteur de l'article la décrit comme l'un des guides intellectuels de l'Angleterre pendant près d'un demi-siècle... Les mauvaises langues prétendent qu'elle lui avait dicté le texte avant de partir.

Moura Budberg repose au cimetière de Chiswick, dans la section réservée aux Russes orthodoxes. Sa famille a gravé sur sa tombe le prénom de Marie, que lui donnait Djon. Et deux verbes en russe, à l'impératif : Sauve et Préserve.

Sauve et préserve la vie : une devise qui la résume tout entière.

Son épitaphe pourrait aussi tenir en un paragraphe : la première impression de Lockhart à l'aube de leur aventure.

Là où elle aimait, là se trouvait son univers. Et sa philosophie de la vie l'avait rendue maîtresse des innombrables conséquences

Mais, darling, c'est cela, l'aventure !

qu'impliquaient ses sentiments. Elle était une aristocrate. Elle aurait peut-être pu être une communiste. Elle n'aurait jamais pu être une bourgeoise.

EN GUISE DE POST-SCRIPTUM

Mon enquête m'a conduite aux sources de toutes les rumeurs qui couraient sur la baronne Budberg. J'ai tenté de les démêler, de vérifier leurs origines, et de les interroger de façon systématique. Qu'il me soit permis de dire ici que, parmi les héros dont j'ai suivi la trace dans mes livres, Moura est peut-être le personnage qui aura suscité en moi l'affection la plus passionnée et l'estime la plus constante. Si d'autres chercheurs s'indignent de ses faiblesses, je ne les suis pas sur ce terrain. Pour ma part, chacune de mes découvertes me l'a rendue plus sympathique et plus attachante. Au bout du compte, je pourrais conclure avec Wells : *Et Moura reste Moura. Humaine, imparfaite, sage, drôle, folle, et je l'aime.*

Bien qu'il eût été probablement beaucoup plus romanesque de la présenter comme une espionne, je dois à la vérité de souligner que ses activités d'agent secret restent une hypothèse. Même si de nombreux éléments donnent à supposer qu'elle appartenait à plusieurs services de renseignement, aucun des documents d'archives que j'ai pu consulter n'en apporte la confirmation. Fût-ce dans les quatre cents pages de rapports conservés au Public Record Office de Kew, dans les dossiers à son nom conservés à Tallinn ou au château de Vincennes, rien ne la démasque à coup sûr comme l'instrument de l'une ou l'autre nation. Suivie et surveillée partout, elle garde un champ d'action limité. Et la question demeure.

Qu'elle ait été une informatrice de ce qui se disait, de ce qui se pensait dans les milieux qu'elle fréquentait, ne fait toutefois guère de doute. Elle a servi de truchement aux services secrets britanniques pendant la guerre de 1914 en Russie. Et aux Soviétiques quand elle se trouvait en Europe. Mais qu'elle ait appartenu à des réseaux, qu'elle ait été payée pour dénoncer des personnes ou pour organiser la fuite de documents d'État, me paraît peu probable.

Comme me paraît peu probable qu'elle ait été la maîtresse d'Alexandre Kerenski, le chef du gouvernement provisoire durant les quelques mois qui suivront la Révolution de 1917, ainsi que le colportent ses détracteurs. J'ai, pour ma part, dépouillé les archives de Kerenski aux États-Unis et n'ai trouvé aucun indice d'une liaison avec Moura Zakrevskaïa Benckendorff.

Il est vrai qu'on ne la rencontre jamais où on l'attend. Et qu'on pourrait bien, dans l'avenir, découvrir de nouveaux documents qui éclairent son destin d'une lumière complètement différente.

Une certitude : elle aura tout fait pour brouiller les pistes. Mieux, elle les aura effacées avec un argument imparable : les vestiges de son passage sur terre n'existent plus. Sa mémoire a été détruite par le feu. À l'entendre, les archives de Gorki ont brûlé en Estonie pendant la guerre de 1940. Et ses propres archives ont brûlé en Italie en 1974.

Une façon formidable de couper net à toute velléité de recherches.

Quoi de plus efficace, en effet, que de répandre le bruit d'une disparition totale dans un pavillon forestier de Lääne-Viru et dans un village perdu d'Italie, où ne conduisent pas les circuits touristiques ?

Le conservateur du petit musée Benckendorff à Yendel, spécialiste de l'histoire de la région, m'a affirmé qu'aucun bombardement n'avait jamais touché le domaine.

Par ailleurs, nul ne se souvient à Montevarchi d'un incendie dans un hôtel en 1974. *La Nazione*, le seul journal local, n'en parle pas. Les cinq auberges du village ne semblent avoir subi aucun sinistre. À l'exception du *Vapore*, qui compte un jardin assez grand pour y mettre une caravane.

Les anciens propriétaires, que j'ai interviewés, racontent qu'il y a bien eu, à cette époque, un incendie à côté de chez eux. Et de la fumée dans l'hôtel. Mais qu'ils n'ont subi aucun dégât, le problème se situant dans un appartement mitoyen. Il ne s'agissait pas d'un court-circuit, mais d'une petite bonbonne d'un réchaud à gaz qui avait explosé. Même discours dans un autre village du nom de Terranuova, plus proche encore de la maison de Paul au lieu-dit La Cicogna... Rien : pas le moindre incendie digne de ce nom durant l'automne 1974.

Comme toujours avec Moura, l'information est probablement à la fois demi-fausse, et demi-vraie.

Sur le fond, une constante : elle refuse que quiconque s'intéresse de trop près à son histoire. Elle éconduit tous les éditeurs qui prétendent lui faire écrire son autobiographie. Elle trompe tous les auteurs qui veulent raconter sa vie. Elle demande en outre à ses proches de brûler, après sa mort, les papiers qu'elle aurait pu laisser derrière elle.

Mais cette volonté de faire table rase ne signifie pas qu'elle ait sciemment détruit de précieux manuscrits.

Elle-même est trop amoureuse de la littérature, trop consciente de la valeur historique des lettres de Wells, de celles de Lockhart – sans parler de la correspondance de Gorki avec tous les grands esprits de son temps –, pour ne pas les avoir conservées et, de toutes ses forces, protégées.

Quant à moi, au terme de trois ans sur ses traces en Europe, en Russie et aux États-Unis, je ne doute pas que ces trésors subsistent, par fragments, quelque part. Et qu'ils referont surface un jour. Où ? Quand ?

Mystère.

D'autres n'en doutent peut-être pas non plus.

Vladimir Poutine, en représailles aux sanctions de Bruxelles, divulgue en 2015 une liste des personnalités indésirables en Russie. Parmi les proscrits figure le nom de l'ancien vice-Premier ministre, Nick Clegg. Son bannissement, selon le journal anglais l'*Independent*, serait dû à son lien de parenté avec la baronne Budberg, que les Russes accusent d'avoir été une espionne au service des Britanniques. Nick Clegg est en effet son arrière-petit-neveu, le petit-fils de Kira. À entendre les conseillers de monsieur Poutine, la baronne aurait tenté d'assassiner Lénine en 1918, lors du « Complot Lockhart ». En conséquence, sa famille ne peut être la bienvenue à Moscou.

Comment ne pas sourire, en constatant que Moura passe encore au XXI⁰ siècle pour tout, et son contraire ? On la dit espionne au service de la Russie en Angleterre, espionne au service de l'Angleterre en Russie. Incroyable post-scriptum de l'Histoire : quarante-et-un ans après sa disparition, elle influe encore sur la destinée de ses proches.

Le mobile de la sanction qu'invoque la Russie contre son descendant semble si absurde qu'on ne peut manquer de s'interroger sur son sens. Cette mesure aurait-elle un rapport avec la disparition des papiers d'Alexeï Maximovitch, que les Archives et le musée Gorki tentent encore de récupérer ? Ou bien les services secrets de Poutine détiendraient-ils des informations qui nous échappent ?

Le roman de l'insaisissable Moura Budberg ne fait peut-être que commencer...

ANNEXES

Carte – Repères historiques
Liste des principaux personnages – Cahier de Photos
Remerciements – Bibliographie

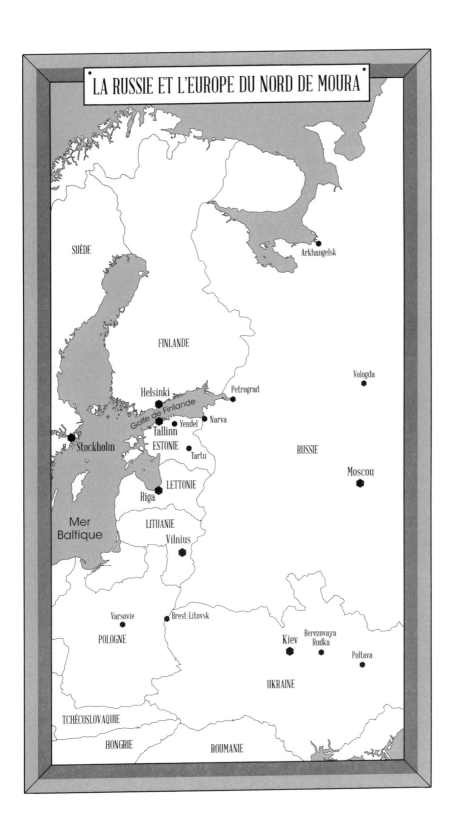

LA RUSSIE ET L'EUROPE DU NORD DE MOURA

Quelques repères historiques

Saint-Pétersbourg

La ville s'appelle Petrograd à partir de 1914 ; Leningrad à partir de 1924 ; et de nouveau Saint-Pétersbourg en 1991.

La police politique et secrète en Russie

Elle s'appelle OKHRANA sous le régime tsariste.
TCHÉKA entre 1917 et 1922.
GPU, puis OGPU (Guépéou) entre 1922 et 1934.
NKVD entre 1934 et 1946.
MVD, NKGB, MGB entre 1946 et 1954.
KGB entre 1954 et 1991.
FSB et SVR à partir de 1991.

Le calendrier russe

Les dates du calendrier russe (calendrier julien) ont treize jours de retard sur le reste de l'Europe.

Ainsi, la *révolution de Février 1917* correspond-elle dans le calendrier russe aux 23 et 28 février, et aux 8 et 13 mars du calendrier français (calendrier grégorien).

De même la *révolution d'Octobre 1917* correspond-elle dans le calendrier russe au 25 octobre et au 7 novembre du calendrier français.

Lénine alignera le calendrier russe sur celui du reste de l'Europe en février 1918. À Moscou, le 31 janvier sera suivi par le 14 février 1918.

L'ESTONIE

L'histoire de l'Estonie demeure compliquée, le pays ayant été victime d'une suite d'invasions.

Conquise au XIIIe siècle par les chevaliers porte-glaive, un ordre de soldats templiers allemands ; puis annexée par les Suédois en 1595 ; puis prise par les Russes en 1710 ; puis occupée par les Allemands en 1918, l'Estonie obtiendra enfin son indépendance entre 1921 et 1939.

Au lendemain du pacte germano-soviétique, elle est tout de suite occupée par les nazis, puis reprise par les Soviétiques. Elle restera dans le giron de l'URSS de 1944 à 1991, date où elle obtient de nouveau son indépendance. Celle-ci reste toutefois menacée par le voisinage de la Russie.

En 2004, l'Estonie adhère à l'OTAN et intègre l'Union européenne.

LISTE DES PRINCIPAUX PERSONNAGES

MARIA IGNATIEVNA ZAKREVSKAÏA (1893-1974)
MOURA

LA FAMILLE ZAKREVSKI ET LE CLAN BENCKENDORFF

IGNACE PLATONOVITCH **ZAKREVSKI** (1839-1906) : père de Moura.

MARIA NICOLAÏEVNA **BOREISHA** (1858-1919) : mère de Moura.

MARGARET **WILSON** *(Ducky – Micky)* (1864-1938) : gouvernante de Moura et de ses enfants.

DARIA **MIRVODA** (1875-1976) : demi-sœur de Moura, fille naturelle de son père.

PLATON IGNATIEVITCH **ZAKREVSKI** (1880-1912) : frère aîné de Moura.

ANNA IGNATIEVNA **ZAKREVSKAÏA** (1887-1941) : sœur aînée de Moura.

ALLA IGNATIEVNA **ZAKREVSKAÏA** (1887-1960) : sœur de Moura, jumelle de la précédente.

IVAN *(Johann = Djon)* ALEXANDROVITCH **BENCKENDORFF** (1882-1919) : premier époux de Moura.

695

NICOLAÏ (*Laï*) ROGER VON BUDBERG-BÖNINGSHAUSEN (1896-1972) : second époux de Moura.

KIRA ARTUROVNA VON ENGELHARDT (1909-2005) : nièce de Moura (fille d'Alla).

PAVEL (*Paul*) IOANOVITCH BENCKENDORFF (1913-1998) : fils de Moura.

TATIANA (*Tania*) IOANOVNA BENCKENDORFF (1915-2004) : fille de Moura.

LA BANDE DE L'AMBASSADE D'ANGLETERRE

MYRIAM ARTSIMOVITCH (? - ?) : belle-fille du comte Artsimovitch et amie de Moura.

MERIEL BUCHANAN (1886-1959) : fille de l'ambassadeur d'Angleterre et amie de Moura.

SIR GEORGE BUCHANAN (1854-1924) : ambassadeur d'Angleterre à Moscou de 1910 à 1918.

CAPITAINE FRANCIS CROMIE *(Crow)* (1882-1918) : attaché naval britannique à Petrograd, ami de Moura.

EDWARD CUNARD (? - ?) : secrétaire d'ambassade à Petrograd, ami de Moura.

CAPITAINE DENIS GARSTIN *(Garstino)* (1890-1918) : écrivain, chargé de la propagande britannique en Russie, ami de Moura.

WILLIAM HICKS *(Hickie)* (? -1930) : spécialiste de la lutte contre les armes chimiques, ami de Lockhart.

LE GÉNÉRAL ALFRED KNOX (1870-1964) : attaché militaire anglais en Russie.

ROBERT HAMILTON BRUCE LOCKHART (1887-1970) : consul à Moscou, diplomate et journaliste, amant de Moura.

SIDNEY REILLY (1874-1927 ?) : espion au service de l'Angleterre en Russie.

LA TRIBU GORKI

GORKI (ALEXEÏ MAXIMOVITCH PECHKOV) (1868-1936) : écrivain et homme politique, protecteur et compagnon de Moura entre 1919 et 1936.

MARIA FIODOROVNA **ANDREÏEVA** (1868-1953) : actrice, Commissaire des Théâtres et des Spectacles de Petrograd, compagne officielle de Gorki entre 1904 et 1921.

ALEXANDRE ALEXANDROVITCH **BLOK** (1880-1921) : célèbre poète, considéré comme l'un des plus grands génies du début du XXᵉ siècle.

ANDREÏ ROMANOVITCH **DIEDERICHS** (*Didi*) (1884-1942) : peintre, époux de Valentine Khodasevitch, ami et dépendant de Gorki.

MARIA ANDROVNA **HEINTSE** (*Molécule*) (?-1927) : étudiante en médecine, recueillie par Gorki.

VALENTINA MIKAÏLOVNA **KHODASEVITCH** (*La Marchande*) (1894-1970) : peintre, nièce du grand poète Vladislav Khodasevitch.

PIOTR PETROVITCH **KRIOUTCHKOV** (*Pépékriou*) (1898-1938) : secrétaire et amant de Maria Andreïeva. Plus tard, secrétaire de Gorki, accusé de son assassinat.

EKATERINA PAVLOVNA **PECHKOVA** (1878-1965) : épouse de Gorki et mère de son fils. Proche de Dzerjinski et responsable de la « Croix-Rouge politique » à Moscou.

MAXIME ALEXEÏEVITCH **PECHKOV** (1897-1934) : fils de Gorki.

ZINOVI ALEXEÏEVITCH **PECHKOV** (1884-1966) : fils adoptif de Gorki, né Sverdlov. Héros de la Légion étrangère, général français avec rang d'ambassadeur.

IVAN NICOLAÏEVITCH **RAKITSKI** (*Le Rossignol*) (1883-1942) : peintre et dépendant de Gorki.

KORNEÏ IVANOVITCH **TCHOUKOVSKI** (1882-1969) : traducteur, critique littéraire et auteur pour enfants. L'employeur de Moura à la Maison de la littérature mondiale et au Studio.

VARVARA VASSILIEVNA **TIKHONOVA** (1884-1950) : maîtresse de Gorki.

LES HOMMES DE LA POLICE SECRÈTE RUSSE

FELIX EDMOUNDOVITCH **DZERJINSKI** (1877-1926) : fondateur et président de la Tchéka.

YACOB CHRISTOFOROVITCH **PETERS** (1886-1938) : bras
droit de Dzerjinski et vice-président de la Tchéka.

GUENRIKH GRIGORIEVITCH **YAGODA** (1891-1938) : vice-
président du Guépéou, puis directeur du NKVD

GRIGORI EVSÉIEVITCH **ZINOVIEV** (1883-1936) : président
du Soviet de Petrograd et président de l'Internationale communiste entre 1919 et 1926.

CAHIER DE PHOTOS

Moura vers six ans.

Photo de la famille Zakrevski en 1910 à Berezovaya Rudka.

Anna.

Maria Boreisha
« la Vipère ».

Moura.

Alla.

Moura à dix-huit ans.

Moura à vingt ans, aux courses à Berlin,
avec son mari Djon Benckendorff.

Le manoir de Yendel.

La maison au bord du lac de Kallijärv.

La petite bande de l'ambassade d'Angleterre
à Yendel et Petrograd en 1917.

Myriam   Denis Garstin
Artsimovitch.   (Garstino).

Moura   Bobbie Yonine.
Benckendorff.

Capitaine Francis Cromie.

Robert Bruce Lockhart.

Yacob Peters à l'époque du « Complot Lockhart ».

Grigori Zinoviev en 1920.

Maxime Gorki.

H. G. Wells.

H.G. Wells, Maxime Gorki et Moura Benckendorff,
avenue Kronverkski en 1920.

Kira, Paul et Tania à Kallijärv.

Micky à Kallijärv.

Moura dans les années folles.

Moura, parmi ses coussins, lors de son installation à Londres.

Gorki et Yagoda en 1935.

Affiche du film *British Agent*
tiré du livre de Robert Bruce Lockhart.

Moura dans toute sa splendeur.

REMERCIEMENTS

L'écriture de ce livre repose sur le soutien et la confiance d'une longue chaîne d'amis.

Je tiens à rendre grâce ici aux descendants de la famille Zakrevski qui ont accepté, avec une extraordinaire générosité, de m'accueillir dans toute l'Europe. Chez chacun d'entre eux, mes visites se sont transformées en de véritables rencontres. Que monsieur John Alexander et monsieur Nicholas Clegg, qui m'ont reçue en Angleterre ; madame Catherine von Tsurikov, en Allemagne ; madame Colette Hartwich, au Luxembourg ; monsieur Basile Kotschoubey, madame Janine Lansier et madame Francine Olivier-Martin, en France, sachent combien je leur suis reconnaissante de leur chaleur. Ce sont leurs témoignages qui m'ont permis de mesurer la richesse de la personnalité de Moura, qu'ils avaient beaucoup aimée. En acceptant de partager avec moi leur savoir et leurs souvenirs, ils lui ont rendu ses nuances et toute son humanité.

Je remercie mon amie Danielle Guigonis qui m'a soutenue – quelquefois même portée à bout de bras –, pendant cette longue aventure. Sans son dévouement et son efficacité, je n'en serais jamais venue à bout.

Je voudrais également remercier Delphine Borione, Carole Hardoüin, Vincent Jolivet et Martine Zaugg, mes victimes de toujours que j'ai une nouvelle fois torturées, en leur envoyant par petits bouts les mille versions de mon manuscrit durant trois ans. La patience dont ils ont fait preuve, leurs précieux conseils et leur honnêteté continuent de m'émerveiller. Je voudrais leur dire ici ma gratitude.

Que Frédérique Brizzi et Jean-Yves Barillec, Brigitte Defives, Frédérique et Michel Hochmann, qui ont répondu à mon appel en acceptant de lire en quelques semaines 992 pages dactylographiées, sachent aussi combien je leur suis reconnaissante de leur affection et de leur vaillance.

Je voudrais dire à mes amis traducteurs combien je leur sais gré de m'avoir guidée dans les méandres des archives et des bibliothèques russes. Je souhaite tout particulièrement rendre grâce à Marina Tchernykh-Lecomte qui a inlassablement répondu à mes questions, en épluchant pour moi toutes les publications sur Moura Budberg en caractères cyrilliques. Je dois à son travail et à sa patience d'avoir saisi les sentiments qui habitent Moura et Gorki dans leurs échanges de lettres. Que Claire de Montesquiou qui m'a aidée à déchiffrer les petits mots de Moura en russe, et notamment sa correspondance avec Lockhart à l'époque de son incarcération au Kremlin, soit elle aussi chaleureusement remerciée.

Que tous les conservateurs, les bibliothécaires, les archivistes et les chercheurs que j'ai mis à contribution dans les institutions américaines, soient remerciés de leur obligeance. Notamment Dmitry Ahtyrsky et Tanya Cheboratev à la Columbia University Library de New York ; Susan Floyd et Rick Watson au Harry Ransom Center d'Austin au Texas ; Carol Leadenham et Ron Basich à la Hoover Institution Archive de l'Université de Stanford en Californie ; Kristina Rosenthal de la Tulsa university MacFarlane Library en Oklahoma ; Denis Sears de l'université d'Illinois ; Cherry Williams à la Lilly Library de Bloomington dans l'Indiana ; Kellyn Younggren aux Special Collections de l'université du Montana.

Que Emily Dezurick-Badran et Frank Boyce, à la Cambridge University Library en Grande-Bretagne ; le personnel de la British Library à Londres et du Public Record Office à Kew ; le personnel du Centre historique des archives de Vincennes à Paris ; Phil Tomaselli, auteur d'ouvrages sur la généalogie et l'espionnage ; et la dottoressa Rossella Valentini de la Biblioteca Comunale de Montevarchi en Italie, qui m'ont tous secondée dans mes recherches, soient eux aussi remerciés de leur aide.

Que le professeur Richard Spence, de l'université d'Idaho à Moscow (U.S.A.), spécialiste de l'espionnage britannique en Russie au début du XXe siècle, sache ma reconnaissance pour nos longues conversations sur Skype, et pour sa générosité en acceptant de partager avec moi les manuscrits inédits qu'il conserve dans ses archives ; notamment ceux de feu Gail Owen, un chercheur qui avait passé de longues années à enquêter sur le rôle de Moura dans le « Complot Lockhart ». Un grand merci aussi à Dee Owen qui a rendu possible cette transmission.

J'ai été particulièrement touchée par l'accueil que j'ai reçu en Estonie. Mes journées à Yendel et à Tallinn en compagnie de Georgi Särekanno, historien et collectionneur des reliques de la famille Benckendorff, conservateur du musée de Yendel – Jäneda Mõis –, resteront un grand moment de bonheur et de partage. Je n'oublierai pas l'instant où Georgi Särekanno m'a offert l'original du papier à en-tête de Moura, que lui-même avait retrouvé dans les bois de Kallijärv. Je tiens aussi à remercier Enno Must, directeur de Jäneda Mõis, qui m'a reçue au manoir et à Kallijärv avec une gentillesse infinie. Comment ne pas associer à ces souvenirs Mairé Taska, la propriétaire actuelle de la maison au bord du lac, qui avait préparé à mon intention les livres et les documents qui pouvaient m'intéresser ? Je ne saurais dire à quel point ces journées à Yendel, en compagnie de tels hôtes, ont su restituer la magie des lieux.

Toute ma reconnaissance va en outre à Bernard Paqueteau, conseiller culturel à l'ambassade de France de Tallinn, et à son épouse Dominique, qui ont organisé pour moi une suite de rencontres avec les universitaires estoniens qui s'intéressent à l'histoire de leur pays entre 1910 et 1939. Notamment le professeur Olev Liivik, président de l'Association pour la culture germano-balte ; Reigo Rosenthal, spécialiste de l'espionnage en Estonie entre les deux guerres ; Märt Uustalu, généalogiste de la noblesse balte, que j'ai pu rencontrer à Tartu ; et Mari-Leen Tammela, qui prépare une thèse sur le communisme en Estonie et m'a pilotée dans toutes les archives. Ma reconnaissance va à Son Excellence l'Ambassadeur de France en Estonie, monsieur Michel Raineri, qui a facilité mes démarches.

Que le prince Nicolas Tchavtchavatzé, mon mentor dans le monde russe ; monsieur Xavier de Caumon qui a tant aimé le général Zinovi Pechkoff ; mes amis Serge et Catherine Sobczinski ; mes parents Aliette et Dominique Lapierre soient eux aussi chaleureusement remerciés. Ainsi que Rosie Yangson qui m'a entourée avec constance.

Que Frank Auboyneau et notre fille Garance qui ont supporté stoïquement ma passion pour Moura durant toutes ces années, m'accompagnant sur ses traces dans mes voyages les plus lointains et corrigeant le manuscrit au jour le jour, sachent que ce livre doit tout à leur amour.

Enfin une pensée très affectueuse pour mes éditeurs, pour Thierry Billard, Inès Gautier et les équipes de Flammarion qui ont cru en ce projet dès la première seconde.

Que Teresa Cremisi, dont la force et la foi m'ont soutenue durant tout le temps de l'écriture, sache combien je l'ai sentie présente à mes côtés.

BIBLIOGRAPHIE

Durant ma longue enquête sur les traces de la baronne Budberg, une trentaine de livres ne m'ont pas quittée. Le lecteur en trouvera les références exactes dans la bibliographie générale ci-dessous. Mais je tiens à rendre hommage à la mémoire de leurs auteurs, qui sont devenus, au fil du temps, mes guides et mes compagnons de route.

Tout d'abord, la « pupille » du sénateur Zakrevski, Daria Mirvoda, la demi-sœur de Moura, qui relatera dans ses vieux jours – sous le titre de *Mania* et le pseudonyme de Mania Otrada – la cruauté de son enfance à Berezovaya Rudka. Moura venait alors de naître et les deux sœurs se connaîtront peu. Mais c'est de ce très émouvant témoignage que je tiens l'atmosphère du manoir et les descriptions de la « Vipère », de Bobik, d'Anna, d'Alla et de leur père. Puis les livres de souvenirs et les merveilleuses autobiographies de Meriel Buchanan que je cite aux chapitres 10, 11 et 12 : *Petrograd, the City of Trouble, 1914-1918 ; Recollections of Imperial Russia ; The Dissolution of an Empire* ; *Ambassador's Daughter*. Ainsi que l'ouvrage du comte Charles de Chambrun : *Lettres à Marie, 1914-1918* ; celui de l'ambassadeur de France à Saint-Pétersbourg, Joseph Noulens : *Mon ambassade en Russie soviétique, 1917-1919* ; et le récit de Louis de Robien : *Journal d'un diplomate en Russie, 1917-1918*, eux aussi cités au chapitre 12. Pour ce qui touche au monde russe, je voudrais insister sur l'importance du *Journal* de Tchoukovski, publié en russe par Elena Tchoukovskaïa et traduit en français par Marc Weinstein (volume 1, 1901-1929, et volume 2, 1930-1969), que je cite aux chapitres 24, 25 et 27. Et pour ce qui touche à l'univers de Maxime Gorki, la très extraordinaire édition de sa correspondance publiée à Moscou par Les Archives Gorki en près de vingt volumes. Et notamment le volume 16, qui concerne sa correspondance avec Moura Budberg, que je cite dans les chapitres 26, 30, 31, 33 et 37 : *A.M. Gorkii i M.I. Budberg : perepiska, 1920-1936*. Le credo que Gorki exprime dans mon chapitre 36 quant à la nécessité de ne pas dire toute la vérité, et même de la cacher au nom d'une vérité plus grande, est publié dans ses deux lettres à Ekaterina Kouskova : la première dans la revue *Novyj Zurnal* n° 28 (1954) ; la seconde dans le volume de la Pléiade *Œuvres de Maxime Gorki*. La citation qui concerne la rencontre à Londres entre le général Zinovi Pechkoff et la baronne Budberg dans mon épilogue, est tirée du livre de Son Excellence, Monsieur l'Ambassadeur Francis Huré, *Portraits de Pechkoff* : un témoignage magnifique sur la noblesse et la grandeur du fils adoptif de Gorki. Le récit de Pavel Malkov que je cite au chapitre 17 est tiré de son autobiographie : *Notes of a Commandant of the Moscow Kremlin,* rééditée sous le titre *Reminiscences of a Kremlin Commandant.* J'ai lu pour la première fois le poème *Moura Budberg on her proposed departure from England* dans les archives d'Andrew Boyle, conservées à Cambridge University Library. Ce fonds correspond à l'immense enquête qu'avait entreprise Mr Boyle en vue d'écrire la biographie de Moura. Il avait rassemblé de nombreux documents, notamment ses interviews des proches de Moura, au lendemain même de sa mort. Devant l'ampleur du sujet, il avait fini par renoncer. Mais ses recherches contiennent une mine d'informations et demeurent précieuses pour quiconque s'intéresse à la baronne Budberg. La poésie, dont je cite une strophe dans mon épilogue, est signée d'un ami intime de Moura, le journaliste, écrivain et poète Michael Burn qui la publiera dans son recueil *Out on a Limb.* Je dois, bien sûr, la plupart des informations sur les liens qui unirent Moura et Robert Bruce Lockhart durant un demi-siècle, aux récits que lui-même en a fait dans ses livres les plus brillants que je cite aux chapitres 13, 16, 17, 19, 32, 34, 35 et dans mon épilogue. Notamment *Memoirs of a British Agent* ; *Retreat from Glory* ; *Comes the Reckoning* ; *Friends, Foes and Foreigners* ; *The Two Revolutions* ; et le monument édité en deux tomes par Kenneth Young : *The Diaries of Sir Robert Bruce Lockhart,* vol. I, 1915-1938 , vol. II, 1939-1965. Je voudrais aussi rendre hommage au chef-d'œuvre absolu de l'introspection que sont les confessions amoureuses d'H.G. Wells, édité par son fils G.P. Wells (Gip) : *H.G. Wells in Love, Postscript to an Experiment in Autobiography,* que je cite dans les chapitres 27, 34, 35, 37 et 38. Sans oublier le livre remarquable d'Andrea Lynn, *Shadow Lovers, The Last Affairs of H.G. Wells,* que je cite au chapitre 37. Enfin et surtout, je souhaite rendre grâce à Tania Alexander, la fille de Moura, qui brosse un portrait de sa mère très vivant dans *A little of all these,* republié sous le titre *An Estonian Childhood, A Memoir,* que je cite dans les chapitres 29 et 38.

Last but not least, les cartels de la bande annonce du film *British Agent* que je cite au chapitre 39, film adapté du livre de Lockhart et mis en scène par Michael Curtiz en 1934, sont tirés des archives de la Warner Brothers Pictures (warnerarchives.com).

*

ALEXANDER, Tania, *An Estonian Childhood, A Memoir,* Faber and Faber, Londres, 1987.

Bibliographie

ANDREW, Christopher, *The Defence of the Realm, The Authorized History of MI5*, Allen Lane, Londres, 2009.

ARON, Raymond, *Mémoires,* Julliard, Paris, 2006.

ARTSIMOVITCH, Beulah, « Our Escape from the Bolshevists », *Chicago Daily Tribune,* 30 juillet, 6 et 13 août 1922.

AUCOUTURIER, Michel, *Un poète dans son temps, Boris Pasternak,* Édition des Syrtes, Paris, 2015.

BABEL, Isaac, *Chroniques de l'an 18*, Actes Sud, Arles, 1999.

BAINTON, Roy, *Honoured by Strangers, The Life of Captain Francis Cromie CB DSO RN, 1882-1918*, Airlife, Angleterre, 2002.

BARANOV, Vadim, *Bezzakonaia Kometa*, Moscou, 2001.

– *Baronessa i Bourevestnik*, Bagrnous, Moscou 2006.

BARING, Maurice, *The Puppet Show of Memory,* Cassell Biographies, Londres, 1987.

– *Letters,* Michael Russell, Norwich, 2007.

BAVEREZ, Nicolas, *Raymond Aron,* Flammarion, Paris, 1993.

BELONENKO, Alexandre, PANOVA, Galina, « Le mystère de "l'Affaire Zakrevski" et ceux de l'affaire Dreyfus », collection Colette Hartwich.

BENCKENDORFF, Constantine, *Half a Life, the Reminiscences of a Russian Gentleman*, The Richard Press, Londres, 1954

BENOIS-USTINOV, Nadia, *Klop and the Ustinov family,* Sidgwick and Jackson, Londres, 1973.

BERBEROVA, Nina, *Histoire de la baronne Boudberg*, Actes Sud, Arles, 1988.

– *C'est moi qui souligne*, Actes Sud, Arles, 1989.

– *Les Dames de Saint-Pétersbourg*, Actes Sud, Arles, 1995.

BERELOWITCH, Wladimir, *Le Grand Siècle russe d'Alexandre Ier à Nicolas II*, Gallimard, Paris, 2005.

BLOCH, Jean-Pierre, *Londres, capitale de la France libre,* Carrère/Michel Lafon, Paris, 1986.

BOUNINE, Ivan, *Jours maudits*, L'Âge d'Homme, Lausanne, 1988.

BROOK-SHEPHERD, Gordon, *Iron Maze, The Western Secret Services and the Bolsheviks*, Pan Books, Londres, 1998.

BUCHANAN, George, *My Mission to Russia,* Cassel and Company Ltd, Londres, 1923.

BUCHANAN, Meriel, *Petrograd, the City of Trouble, 1914-1918,* W. Collins, Londres, 1918.

– *Recollections of Imperial Russia*, Hutchinson & Co, Londres, 1923.

– *The Dissolution of an Empire,* John Murray, Londres, 1932. Réédité par Arno Press & the New York Times, New York, 1971.

– *Ambassador's Daughter,* Cassel & Company Ltd, Londres, 1958.

BURN, Michael, *Out of a Limb,* the Poetry Book Society, The Hogarth Press, London, 1973.

CALDER, Angus, *The People's War : Britain 1939-45,* Granada, Londres, 1971.

CARRÈRE D'ENCAUSSE, Hélène, *Une dynastie sous le règne du sang,* Fayard, Paris, 2013.

CARS, Jean des, *La Saga des Romanov de Pierre le Grand à Nicolas II,* Plon, Paris, 2008.

CHAMBRUN, Charles de, *Lettres à Marie, Pétersbourg-Petrograd, 1914-1918,* Plon, Paris, 1941.

CHENTALISKY, Vitali, *La Parole ressuscitée, Dans les archives littéraires du KGB,* Robert Laffont, Paris, 1993.

CHURCHILL, Winston et Clementine, *Conversations intimes 1908-1964,* Tallandier, Paris, 2013.

CLARK, Barrett H., *Intimate Portraits, Being Recollections of Maxim Gorky, John Galsworthy, Edward Sheldon, George Moore, Sidney Howard and Others,* Kennikat Press, Washington, 1951.

COOK, Andrew, *Ace of Spies : the True Story of Sidney Reilly,* The History Press, Stroud, 2004.

CRANKSHAW, Edward, *The Shadow of the Winter Palace, Russia's Drift to Revolution 1825-1917,* Da Capo Press, New York, 2000.

CRÉMIEUX-BRILHAC, Jean-Louis, *La France libre, De l'appel du 18 Juin à la Libération,* Gallimard, Paris, 1996.

DUKES, Paul, *Red Dusk and the Morrow – Adventures and Investigations in Red Russia,* Williams and Norgate, Londres, 1923.

FANGER, Donald, *Gorky's Tolstoy and Other Reminiscences,* Yale University Press, New Haven, 2008.

FEIGEL, Lara, *The Love-Charm of Bombs, Restless Lives in the Second World War,* Bloomsbury Press, New York, 2013.

FERNANDEZ, Dominique, *Transsibérien,* Grasset, Paris, 2012.

FISCHER, Fritz, *Germany's Aims in the First World War,* W.W. Norton and Co, New York, 1967.

FOOT, Michael, *The History of Mr Wells,* Couterpoint, Washington D.C., 1995.

GARSTIN, Denis, *Friendly Russia,* Fisher Unwin, Londres, 1915.

– *The Shilling Soldiers,* Hodder and Stoughton, Londres, 1918.

Bibliographie

GONCHAR, Valentina Vassilievna, « The Zakrewski Manor and Park, crowning glory of architecture and landscaping in the province of Poltava », *Our Heritage*, Russia, sd.

GORKI, Maxime, *Vie de Klim Samguine (Quarante années)*, Les Éditeurs réunis, Paris, 1949.

– *Letters,* Progress Publishers, Moscou, 1966.

– *Selected letters,* edited by Andrew Barratt et Barry P. Scherr, Clarendon Press, Oxford, 1997.

– *Correspondance avec Moura Budberg, 1920-1936, (A.M. Gorkii i M.I. Budberg : perepiska, 1920-1936)*, Archives Gorki, volume 16, Moscou, 2001.

– *Œuvres,* Édition de Jean Pérus et Guy Verret, Bibliothèque de la Pléiade, Gallimard, Paris, 2005.

GRABBE, Paul, *Windows on the River Neva,* Pomerica Press Limited, New York, 1997.

HASTINGS, Selina, *The Secret Lifes of Somerset Maugham,* John Murray, Londres, 2009.

HEWISON, Robert, *Under Siege, Literary Life In London 1939-45,* Weidenfeld and Nicolson, Londres, 1977.

HOBSBAWM, Eric, *Interesting Times, a Twentieth-Century Life,* Abacus, Londres, 2002.

HURÉ, Francis, *Portraits de Pechkoff,* Éditions de Fallois, Paris, 2006.

HIPPIUS, Zinaïda, *Journal sous la Terreur,* Éditions du Rocher, Paris, 2006.

IVINSKAÏA, Olga, *Otage de l'Éternité, Mes années avec Pasternak,* Fayard, Paris, 1978.

JEFFERY, Keith, *MI6, the History of the Secret Intelligence Service 1909-1949,* Bloomsbury, Londres, 2010.

JUNKER, Ida, *Le Monde de Nina Berberova,* L'Harmattan, Paris, 2012.

KAUN, Alexander, *Maxim Gorky and his Russia,* Johnathan Cape, Londres, 1932.

KERENSKY, Alexander, *Kerensky's Memoirs,* Cassell, Londres, 1965.

KESSEL, Joseph, *Tous n'étaient pas des anges,* Les Belles Lettres, Paris, 2012.

– *Les Nuits de Sibérie,* Arthaud, Paris, 2013.

KETTLE, Michael, *Sidney Reilly – The True Story,* Corgi, Londres, 1983.

KLEINMICHEL, Countess, *Memories of a Shipwrecked World,* Brentano's Limited, Londres, 1923.

KOESTLER, Arthur, *Le Zéro et l'Infini,* Calmann-Lévy, Paris, 1945.

KROSS, Jaan, *Dans l'insaisissable, Le roman de Jüri Vilms,* L'Harmattan, Paris, 2001.

KRUUS, Oskar, *Parunessi pihtimus,* Faatum, Estonie, 2004.

LABARTHE, André, *La France devant la guerre : la balance des forces*, Grasset, Paris, 1939.

LEGGETT, George, *The Cheka : Lenin's Political Police,* Clarendon Press, Oxford, 1981.

LEVIN, Dan, Stormy Petrel, *The Life and Work of Maxim Gorky,* Schocken Books, New York, 1986.

LOCKHART, Robert Bruce, *Memoirs of a British Agent,* Putnam, Londres, 1932.

– *Retreat from Glory,* Garden City Publishing Co, Inc., New York, 1938.

– *Comes the Reckoning*, Putnam, Londres, 1947.

– *Friends, Foes and Foreigners*, Putnam, Londres, 1957.

– *The Two Revolutions*, The Bodley Head, Londres, 1967.

– *The Diaries of Sir Robert Bruce Lockhart, 1915-1938*, édité par Kenneth Young, Macmillan, Londres, 1973.

– *The Diaries of Sir Robert Bruce Lockhart, 1939-1965*, édité par Kenneth Young, Macmillan, Londres,1980.

LOCKHART, Robin Bruce, *Ace of Spies : Story of Sidney Reilly,* Hodder Paperbacks, Londres, 1967.

– *Reilly : the First Man,* Select Penguin, New York, 1987.

LODGE, David, *A Man of Parts,* Vintage Books, Londres, 2012.

LYNN, Andrea, *Shadow Lovers, The Last Affairs of H.G. Wells,* The Perseus Press, Oxford, 2001.

MALAPARTE, Curzio, *Le Bonhomme Lénine*, Grasset, Paris, 1932.

MALKOV, Pavel, *Reminiscences of a Kremlin Commandant,* University Press of Pacific, Honolulu, 2002.

MCDONALD, Deborah, DRONFIELD, Jeremy, *A Very Dangerous Woman, The Lives, Loves and Lies of Russia's most Seductive Spy,* Oneworld, Londres, 2015.

MCFADDEN, David, *Alternative Paths, Soviets & Americans 1917-1920,* Oxford University Press, Oxford, 1993.

MESHCHERSKAYA, Ekaterina, *A Russian Princess Remembers, The Journey from Tsars to Glasnost,* Doubleday, New York, 1989.

MEYERS, Jeffrey, *Somerset Maugham, A Life,* Random House Inc., New York, 2005.

MILTON, Giles, *Russian Roulette, A Deadly Game : How British Speds Thwarted Lenin's Global Plot,* Sceptre, Londres, 2013.

MONTEFIORE, Simon, *Young Stalin,* Vintage, New York, 2008.

– *Stalin : The Court of the Red Tsar,* Weidenfeld and Nicolson, Londres, 2003.

Bibliographie

– *Sashenka,* Corgi Books, Londres, 2008.

MOSSOLOV, Alexandre, *At the Court of the Last Tsar,* Methuen & Co. Ltd, Londres, 1935.

MOULIN, René, *L'Année des diplomates, 1919,* Librairie Félix Alcan, Paris, 1920.

NICOLSON, Harold, *Diaries and Letters, 1907-1964,* Eidenfeld and Nicolson, Londres, 2004.

NOSTITZ, Countess (Lilie de Fernandez-Azabal), *Romance and Revolutions,* Hutchinson & Co., Londres, 1937.

NOULENS, Joseph, *Mon ambassade en Russie Soviétique 1917-1919,* Tomes 1 et 2, Plon, Paris, 1933.

OKSANEN, Sofi, *Les Vaches de Staline,* Stock, Paris, 2003.

– *Purge,* Stock, Paris, 2010.

OTRADA, Mania, *Mania,* Éditions « Notre Famille », Paris, 1963.

OWEN, Gail, *The Carreer of Sydney Reilly 1895-1925,* S.D.

– « Budberg, the Soviets and Reilly », 1988.

– « Moura Budberg's Spying and Allegiance », S.D., collection Professor Richard Spence, University of Idaho, Moscow, USA.

PALÉOLOGUE, Maurice, *Le Crépuscule des tsars, Journal (1914-1917),* Mercure de France, Paris, 2007.

PANOVA, Galina, *L'Histoire génétique et la transmission des traits de caractère à travers Émigration et Révolution. L'exemple des Zakrevski,* faculté d'Histoire de Saint-Pétersbourg, thèse de Master, 2013, traduction Colette Hartwich.

PARKHMOVSKI, Mikhaïl, *Fils de Russie, général de France,* Albin Michel, Paris, 1992.

PASCAL, Pierre, *Mon journal de Russie à la mission militaire française, 1916-1918,* L'Âge d'Homme, Lausanne, 1975.

– *En communisme, Mon journal de Russie, 1918-1921,* L'Âge d'Homme, Lausanne, 1977.

PASTERNAK, Boris, *Le Docteur Jivago,* Gallimard, Paris, 1958.

PÉRUS, Jean, *Romain Rolland et Maxime Gorki,* Éditeurs Français Réunis, Paris, 1968.

RABINOWITCH, Alexander, *The Bolsheviks in Power : The First Year of Soviet Rule in Petrograd,* Indiana University Press, Bloomington, 2007.

REED, John, *Dix Jours qui ébranlèrent le monde,* Tribord, Bruxelles, 2010.

REILLY, Pepita, *Britain's Master Spy, or the Adventures of Sidney Reilly,* Harper and Brothers, Londres, 1931.

ROBIEN, Louis de, *Journal d'un diplomate en Russie, 1917-1918,* Albin Michel, Paris, 1967.

SALZMAN, Neil V., *Reform and Revolution, The Life and Times of Raymond Robins,* The Kent State University Press, Kent, 1991.

SAYN-WITTGENSTEIN, Catherine, *La Fin de ma Russie, Journal 1914-1919,* Phébus, Paris, 2007.

SERGE, Victor, *Mémoires d'un révolutionnaire 1905-1945,* Lux, Canada, 2010.

SERVICE, Robert, *Trotsky, a biography,* Macmillan, Londres, 2009.

SEYMOUR, Miranda, *Ottoline Morrell, Life on the Grand Scale,* Hodder and Stoughton, Angleterre, 1992.

SHERBORNE, Michael, *H.G. Wells, Another Kind of Life*, Peter Owen Publishers, Londres, 2010.

SMITH, Douglas, *Former People, The Last Days of the Russian Aristocracy,* Macmillan, Londres, 2012.

SOLJENITSYNE, Alexandre, *L'Archipel du Goulag,* Fayard, Paris, 2014.

SPENCE, Richard, *Trust No One : The Secret World of Sidney Reilly,* Feral House, Los Angeles, 2002.

TCHOUKOVSKI, Korneï, *Journal,* Vol. 1 et 2, Fayard, Paris, 1997-1998.

THOMAS, Gordon, *Inside British Intelligence, 100 Years of MI5 and MI6,* JR Books, Londres, 2009.

TOMASELLI, Phil, *Tracing your Secret Service Ancestors,* Pen & Sword Books Ltd, Barnsley, 2009.

TROYAT, Henri, *La Vie quotidienne en Russie au temps du dernier Tsar,* Hachette, Paris, 1959.

– *Gorki*, Flammarion, Paris, 1986

– *La Grande Histoire des Tsars, Paul Ier, Alexandre Ier, Nicolas Ier, Alexandre II, Alexandre III, Nicolas II,* Omnibus, Paris, 2009.

TYNAN, Kathleen, « The Astonishing History of Moura Budberg – A flame for Famous Men », *Vogue,* 1er octobre 1970, pages 162, 208 à 211.

USTINOV, Peter, *Dear Me,* William Heinemann Ltd, Londres, 1977.

VAKSBERG, Arkady, *Alexandra Kollontaï,* Fayard, Paris, 1996.

– *The Murder of Maxim Gorky, A Secret Execution*, Enigma Books, New York, 2007.

VALLENTIN, Antonina, *H.G. Wells ou la Conspiration au grand jour,* Stock, Paris, 1952.

VASILIEVA, Larissa, *Kremlin Wifes,* Arcade Publishing, New York, 1994.

WARNES, David, *Chronicle of the Russian Tsars, The Reign-by-Reign Record of the Rulers of Imperial Russia,* Thames & Hudson, Londres, 1999.

WELLS, H.G., *La Machine à explorer le temps,* Mercure de France, Paris, 1895.

Bibliographie

– *L'Île du Docteur Moreau*, Mercure de France, Paris, 1901.
– *L'Homme invisible*, Paul Ollendorff, Paris, 1901.
– *Monsieur Britling commence à voir clair*, 1916.
– *La Guerre des mondes*, Calmann-Lévy, Paris, 1917.
– *Russia in the Shadows*, George H. Doran Company, New York, 1921.
– *Experiment in Autobiography*, 1934.
– *Une tentative d'autobiographie*, Gallimard, Paris, 1936.
– *La Russie dans l'ombre*, A.M. Métailié, Paris, 1985.
– *H.G. Wells in Love, Postscript to an Experiment in Autobiography*, Édité par G.P. Wells, Little, Brown and Company, Boston, 1984.
– *Les chefs-d'œuvre de H.G. Wells*, Omnibus, Paris, 2007.
WEST, Anthony, *H.G. Wells, Aspects of a Life*, Hutchinson, Londres, 1984.
WILLIAMS, Robert C., *Culture in Exile : Russian Emigres in Germany, 1881-1941*, Cornell University Press, Londres, 1972.
WOLFE, Bertram, D. *The Bridge and the Abyss, the Troubled Friendship of Maxim Gorky and V.I. Lenin*, The Hoover Institution, Stanford, 1967.
WORTMAN, Richard S., *Scenarios of Power, Myth and Ceremony in Russian Monarchy, from Peter the Great to the Abdication of Nicholas II*, Princeton University Press, Princeton, 2006.
ZAMIATINE, Evguéni, *Le Métier littéraire*, L'Âge d'Homme, Lausanne, 1990.
ZEEPVAT, Charlotte, *The Last Century of Imperial Russia, Romanov Autumn*, Sutton Publishing Ltd, Phoenix Mill, 2000.

ICONOGRAPHIE

I. La Russie et l'Europe du Nord de Moura, p. 691. © Argouarc'h.
II. Moura vers six ans. Collection particulière.
III. Photo de la famille Zakrevski en 1910 à Berezovaya Rudka. Collection particulière.
IV. Moura à dix-huit ans. © Bridgeman Images / RDA.
V. Moura à vingt ans, aux courses à Berlin, avec son mari Djon Beckendorff. © Bridgeman Images.

Moura

TABLE

Livre II
LA DEUXIÈME VIE DE MOURA BENCKENDORFF
Avril 1918 – Octobre 1918

Livre III
LA TROISIÈME VIE DE MARIA IGNATIEVNA
Octobre 1918 – Mai 1921

Table

Livre IV
LA QUATRIÈME VIE DE LA SIGNORA BARONESSA
Mai 1921 – Août 1934

Livre V
LA CINQUIÈME VIE DE MOURA BUDBERG
Avril 1929 – Septembre 1934

Variations et Finale
MAIS, *DARLING*, C'EST CELA, L'AVENTURE !

Annexes

Mise en page par
Pixellence/Meta-systems
59100 Roubaix

Achevé d'imprimer en février 2016
dans les ateliers de Normandie Roto Impression s.a.s.
61250 Lonrai
N° d'impression : 1505833
N° d'édition : L.01ELIN000364.N001
Dépôt légal : mars 2016

Imprimé en France